9783878290537
D1987433

WALTER GERHARD SACHS

ALS DIE SCHWÄNE STARBEN

Glanz und Elend der Hohenzollerndynastie
Ein Zeitbild

WALTER GERHARD SACHS

ALS DIE SCHWÄNE STARBEN

Glanz und Elend der Hohenzollerndynastie
Ein Zeitbild

TÜRMER-VERLAG
D-8137 BERG · STARNBERGER SEE 3

Schutzumschlag: H. O. Pollähne

ISBN 387 819 1094

1987
Alle Rechte vorbehalten
© by Türmer-Verlag D-8137 Berg am See
Gesamtherstellung: Ebner Ulm

Dem Andenken meiner
geliebten Frau, der
treuen und tapferen Wegbegleiterin
meines Lebens.

Als in Deutschland noch ein Kaiser regierte, raunte das Volk in der Mark Brandenburg, das Schicksal der Hohenzollern sei mit dem Leben der stolzen Havelschwäne verknüpft.
1918, im letzten Jahr des Ersten Weltkrieges, gab es keine Schwäne mehr auf den märkischen Seen. Hungernde Menschen hatten sie erschlagen – und Kaiser Wilhelm, den die Jugend gleich einem Heros verehrt hatte, war geflohen.

Inhalt

1. Buch Erwachen

Im Waldhaus 1902 10
Lina Müller 27
Die Taufe 34
Ein Sonntag in der Parkvilla 50
Alltag bei Suchefads – Das Frühkonzert Pfingsten 1907 65
Die Schleichpatrouille 82

2. Buch Schule

Kohlhasenbrück 94
Wir säen und beackern das edelste Feld 100
Wie Herr Suchefad der Didaktik des Herrn Vorschullehrer Letz auf die Sprünge half 105
Gero, Herr Frisch und ein angenehmer Abend am Stammtisch des Herrn Schmar 111
Gendarmenrudi und die Königlichen Hoheiten 118
Der Tag des Herrn 123
Kaisergeburtstag 1912 128
Frühjahrsparade 140
Kirchgang in die Garnisonkirche 150
1912: Wolken über Deutschland 159
Latein, Latein! 170
28. Juni 1914 179
Briefe, Telegramme 184

3. Buch Krieg

Müller, unser Held 204
Das Räderwerk läuft . . . 216
Eine Unterhaltung unterwegs 228
Ein Kindergeburtstag im Kriege 238
Vor der zweiten Kriegsweihnacht 245
1916. Der Vetter vom Lande 254
Aus dem Tagebuch des vierzehnjährigen Gero Suchefad 269

So ist der Krieg wirklich! 275
Granaten für den Sieg 283
Palmsonntag 1917 290
Tante Elise hat eine Idee, und Gero bekommt den ersten Kognak vom Vater 299
Genosse Müller 306
Eine Zeichenstunde beim „Maler Wruck“ und ihre Folgen für Gero Suchefad 310
Die Grippe, und wie der Schuldiener, Herr Jeremias, Geros Zeugnis beurteilt 318
Man kann sich auch zu Tode siegen, Herr Konsul! 328
Oktobertage 1918 340
Levée en masse? 351
Die rote Nelke 357
Es gab keine Schwäne mehr vor dem Königsschloß – Zerbrochen ist der strahlende Kristall 363

1. Buch

Erwachen

Im Waldhaus 1902

Unruhig schritt Herr Suchefad in seinem Wohnzimmer hoch oben im Waldhaus zwischen der geöffneten Balkontür und dem mit einer Portiere aus dunklem, schwerem Stoff verhängten Durchlaß zu dem Salon hin und her. Er war voller Gedanken und Erwartung, die ihn nicht stillsitzen ließen, die ihn in Bewegung hielten. Auch mochte es das Ungewöhnliche dieses Tages sein, das ihn nicht zur Ruhe kommen ließ, pflegte er doch sonst zu dieser frühen Morgenzeit sich bereits auf dem Wege in sein Büro zu befinden. Aber die Ereignisse verlangten, daß er heute daheim blieb, wenigstens so lange, bis man Gewißheit hatte. Sinnend blieb er jetzt an seinem Schreibtisch rechts neben der Balkontür stehen, stützte die Hand nun leicht auf die polierte Kante des Möbels. Der Blick ging hinaus in das Grün der Baumwipfel, die das Waldhaus in Babelsberg wie hinter einem Vorhang den Blicken der Straße entzog. Hatte er alles richtig bedacht? Gern sah er sich selbst als einen vorausschauenden, überlegenen und stets auch rechtzeitig überlegenden Mann, der in die heutige Welt paßte. Doch das dumme Blut – er war vor sich ehrlich genug, es sich im geheimen des öfteren einzugestehen –, das Blut rebellierte zu oft gegen den Vorsatz und trieb den Geist auf die blumige Wiese der Neigungen und Phantasien.

Nun, diesmal war bestimmt alles ordnungsgemäß erledigt: Seit mehr als zwei Wochen war die Schwägerin im Haus, das Mädchen hatte er auch bereits vor Monaten im Hinblick auf die Geburt des Kindes – seines dritten – ausgewählt. Heute ganz in der Frühe war er selbst nach Nowawes gefahren und hatte die Wehmutter auf dem Rückweg im Wagen mitgebracht. Rechtzeitig war alles geschehen, was ein Mann und sorgender Gatte hierbei zu tun vermochte.

„Eigentlich verdammt wenig“, brummte er vor sich hin und strich sich flüchtig über die Stirn, die wohl der schwüle Sommermorgen feuchtete. Seine Hand griff unter den Rauchtisch, auf dessen zweitem Bord ein Glas bereit stand. Nun schnappte ein

Türchen unter dem flüchtigen Druck nur eines Fingers an der Seite des Schreibtisches auf, und eine blinkende Glasplatte, ein Tischchen, sprang hervor. Flaschen standen dahinter.

Ein Lächeln überspielte das noch soeben so sorgenvolle Gesicht des Herrn Suchefad. „Es ging." Seine eigene Erfindung und Konstruktion. In der Freude am gelungenen Werk schloß er das Türchen wieder. Prüfend glitt sein Blick über die polierte Seitenwand des Schreibtisches, der nun wieder nüchtern und sachlich vor ihm stand. Nichts verriet das ihm innewohnende, männerfreuende Geheimnis. Nur wenigen sagte das in voller Ordnung auf der Platte zwischen den gekehlten Seitenleisten liegende Allerlei, daß hier ein reger und phantasievoller Geist auf vielen Pfaden seine Welt durchmaß.

Es klappte. Lange genug hatte Herr Suchefad an dieser Sache herumgebastelt, ehe er sie seinen Freunden an einem fröhlichen Abend vorführen konnte.

Zufrieden mit dem Werk seiner Hände ließ er erneut das Türchen springen. Ohne Hast wählte er unter den Flaschen einen guten dreisternigen Kognak aus. Langsam und bedächtig schenkte er ein. Zur Stärkung konnte man an solchem Tage schon am frühen Morgen etwas Kräftiges vertragen. Doch um der Wahrheit willen sei gesagt: Herr Suchefad spritzte auch Selters dazu, reichlich sogar, denn er trank nur, um sich zu erfrischen.

Plötzlich horchte er auf: Klang es jetzt nicht wie ein Wehlaut aus dem Schlafzimmer hinter dem Salon?

Rasch leerte er das Glas und verschloß, ein wenig beschämt, das Fach. Dann ging er in den Salon.

Er hatte sich wohl geirrt. Lauschend stand er an der Schlafzimmertür und übersah – ohne es recht wahrzunehmen – das Zimmer, vor dem der glühenden Sonne wegen die Jalousien herabgelassen waren. Einzelne Streifen des gleißenden Lichtes lagen wie schräge Balken auf dem grünen Teppich, kletterten an den beiden Plüschsesseln empor, die breit und wuchtig neben dem ovalen Tisch standen, und legten sich, wie ausruhend, behaglich über das dahinter stehende Sofa.

Nein, es war doch wohl nichts.

Die Gedanken liefen zurück zu dem Tag, als der Älteste geboren wurde. Damals hatte er auch hier gestanden, an der gleichen Stelle, und hatte sich nicht fortzuwenden vermocht von den Lauten der Qual hinter der Tür. Es war eine sehr schwere Geburt gewesen. Beim zweiten war es ja schon besser gegangen, leichter – trotzdem: Das Kinderkriegen war und blieb doch eine verdammt anstrengende Sache!

Es war wohl noch nicht soweit mit der Geburt.

Er wandte sich ab und ging in das Balkonzimmer zurück. Hier war bessere Luft als im Salon, dessen Fenster geschlossen waren. In vollen Wellen trug der leise Wind den Duft der Lindenblüten herein. Herr Suchefad trat wieder an seinen Schreibtisch. Erneut erfaßte ihn die Unruhe. Seine Gedanken waren bei seiner Frau.

Ob es wieder ein Junge sein wird? Er hätte jetzt zu den beiden Buben ganz gern eine kleine Deern gehabt.

Die Rechte ergriff den Federhalter, einen stilisierten Federkiel, der neben der Schreibmappe lag, und führte ihn ein wenig heftig in den mit Glaskügelchen gefüllten, geschliffenen Kristallbehälter.

Daß doch das Mädchen es nicht lernen wollte, beim Staubwischen alles wieder an den alten Platz zu legen. Wie oft hatte er es ihr nicht schon gesagt!

Ärgerlich rückte er den Löscher zurecht und richtete die Kantel und Lineale genau nach der Seitenleiste des Schreibtisches aus. Er sah auch hinter die Leiste, ob auch dort Staub gewischt sei. Er fand – fast schien er's zu bedauern – keinen weiteren Grund, um sich zu ärgern.

Herr Suchefad trat hinaus auf den Balkon, über dem sich schützend das Dach des Hauses im Winkel giebelte. Blühende Pelargonien umrandeten die drei offenen Seiten, sie standen in sorgfältig gestrichenen Kästen auf dem Geländer, unter dem der wilde Wein vorwitzig hindurchlugte. Einige kühne Reben schwangen sich weit hinaus in die freie Luft, den Kronen der Linden entgegen, die zwei Schildwachen gleich die Front des Waldhauses flankierten und vom Balkon nur einen schmalen Ausblick auf den Pfad ließen, der unten vom Haus zur Gartenpforte führte.

Wie ein Vogelnest war der Balkon hier oben. Zwei Treppen hoch lag er mitten im Grünen, das Sommerreich seiner Frau. Dort, zur Linken, umgeben von all den Blumen, die auch noch eine Etagere füllten, würde sie nun bald wieder auf der weißen Bank sitzen, das Jüngste auf dem Schoß. Oder sie würde mit einer ihrer Häkeleien beschäftigt sein. Er sah sie vor sich, wie sie die Arbeit von Zeit zu Zeit prüfend auf dem viereckigen Tisch vor sich ausbreitete. Gegenüber, auf der freien rechten Seite, stand das Schaukelpferd, jetzt ausruhend. Die beiden älteren Kinder hatte er, des kommenden Ereignisses wegen, schon vor einigen Tagen zu den Großeltern gebracht.

Die Stille beengte ihn. Er riß sich los von den ihn erfüllenden Bildern. „Dieses ewige Warten!" Es zerrte doch zu sehr an den Nerven.

In raschem Entschluß wandte er sich der Balkontür zu: Er wollte jetzt wissen, wie es um seine Frau stand – schließlich war er doch ihr Mann und der Vater!

Aber – inmitten des Zimmers hielt er inne. Die alte Wimmern war ein Besen. Mit ihr war nicht zu spaßen in solchen Dingen. „Frauensache" hatte sie damals beim ersten nur kurz gesagt, als er einmal unruhig in das Zimmer geblickt hatte. „Nichts für Männer", und unsanft war er hinausgeschoben worden. Also mußte er warten.

„Ja, man hat es nicht leicht!" So wandte er sich seinem Reiche zu, einer Kammer, die – schon unter dem schrägen Dach – sich hinter einem Tapetentürchen zur Rechten des Zimmers befand.

Ein Werktisch stand hier, eine Drehbank kleinsten Ausmaßes daneben, dahinter der große Werkzeugschrank, auf den er noch als junger Mann sorgsam und exakt und mit viel Liebe einen Hammer und eine Zange gemalt hatte, umrahmt von dem Spruch „Sich regen bringt Segen". Auf dem Werktisch lag ein Uhrwerk, über dem er in seinen Freizeitstunden grübelte. Und schon packte es ihn wieder, das Geheimnis der Rädchen und Räder. Die Feder hatte er herausgenommen, denn das ewige Aufziehen ärgerte ihn. Ein elektrisch gesteuerter Anker, so dachte er sich, sollte direkt auf die Unruhe wirkend das Werkchen treiben.

Aber es ging noch nicht. Er setzte sich auf den Stuhl vor dem Tisch, klemmte die Lupe in das rechte Auge und beugte sich tief über den Mechanismus.

Hier war sein Reich, nicht drüben am Schreibtisch. Eine heimliche Leidenschaft zog ihn, den Kaufmann, stets wieder zu den Rätseln der Technik. Manchen schönen Sommersonntag verbrachte er in dem kleinen Loch, zum Leidwesen seiner jungen Frau, die sich gern ein wenig unter den Menschen auf der sonntäglichen Straße der Villenkolonie umgesehen hätte.

Jetzt koppelte er die Drähte der Batterie, maß in umständlicher, schulgerechter Methodik die Spannung – sie mußte reichen – und verband die Batterie mit dem Uhrwerkchen.

Ein Knacken, der Anker sprang an, aber er gab die Unruhe nicht wieder frei. Die Uhr lief nicht. Woran es nur liegen mochte?

Ganz war sein Denken in dem kleinen Werk gebunden. Herr Suchefad holte aus dem Tischkasten eine Schaltskizze, verfolgte eingehend den Lauf des Stroms, den er dort in sorgfältiger Zeichnung in roter, grüner und blauer Farbe gekennzeichnet hatte. Die Unterbrechung mußte doch gehen! Wieder klemmte er die Lupe ins Auge. Er konnte, so viel er auch grübelte, im elektrischen Teil keinen Fehler finden. Also mußte es am Uhrwerk liegen. Er bewegte hier ein Rädchen, dort ein anderes, und löste schließlich vorsichtig das Sperrad aus seinem Lager. Aber seine Hand war heute wohl ein wenig unruhig – nach einer unachtsamen Bewegung der Linken fiel ihm das ganze Werk auseinander.

Ärger packte ihn. „Genau wie gestern abend", sprach er leise vor sich hin, „und vorgestern – daß es doch nicht gelingen will! Aber ich muß es doch hinkriegen." Jetzt war seine Stimme ganz deutlich zu hören, als spräche er mit jemandem im Zimmer. „Ich muß es doch hinkriegen . . ." Und wieder machte er sich an die mühevolle Arbeit des Zusammenbauens: Erst mußte die Unruhe hinein, mußte gut schwingen, dann kam das Sperrad . . .

„Georg, Georg, wo steckst du denn?"

Heftig wurde die Tür aufgerissen, seine Schwägerin Marte, fast ein Kind noch, doch schon in ein langes, frauliches Gewand gekleidet, die vielfach gefältete Bluse mit den Puffärmeln unter einer großen weißen Schürze verborgen, stand im Türrahmen. Ihr Gesicht, etwas mager noch im Zeichen der entweichenden Kindheit, färbte sich jetzt blutrot:

„Georg . . .", sie preßte es fast entsetzt hervor.

„Ja doch", ein wenig ärgerlich antwortete er, noch den gebeugten Kopf über den Werktisch gesenkt.

„Gott, daß du hier so sitzen kannst, während Tina . . ." Die weiteren Worte weiblicher Entrüstung verschlang der Respekt vor dem Schwager. Sie rief ihm jedoch jetzt fast böse das ins Gesicht, das sie, erfüllt noch von dem Erlebnis, ihm als frohe Botschaft glückstrahlend hatte bringen wollen: „Ein Junge ist's, wieder ein Junge!"

„Was?"

Sein Kopf fuhr hoch, er starrte sie an. Für einen Augenblick war eine Leere in seinen Zügen, wie sie sich auf jedem menschlichen Antlitz abzuzeichnen pflegt, wenn Gedanken urplötzlich und unvermutet andere Wege gewiesen werden. Er nahm die Lupe aus dem Auge, plötzlich schnellte er auf: „Mein Gott, ja... ich komme." Aufgeregt nestelten seine Hände hinter seinem Rücken, suchten, fingerten...

Die Schwägerin kam ein Lachen an: „Aber du hast sie ja gar nicht um, deine Schürze!"

„Natürlich nicht", und schon stürzte er an dem Mädchen vorbei, das noch immer die geöffnete Tapetentür in der Hand hielt, in das Schlafzimmer, nun ganz Vater, zu seiner Frau und seinem Kind.

„Wieder ein Junge, gratuliere, Herr Suchefad!" Mit ihrem gutmütigen, fast schon in einen männlichen Baß umschlagenden Alt empfing ihn die Wehmutter.

Suchefad ließ sich sacht auf dem Bettrand zu seiner Frau nieder. Sie lag bleich in den Kissen, Schweiß perlte auf ihrer Stirn. Mit einem Tuch tupfte er die salzigen Tropfen auf. „War's sehr schwer?" Leise, ein wenig zag noch im Bewußtsein seiner Gedankenlosigkeit, die ihn an seinen Werktisch gefesselt hatte, während sie hier litt, war seine Frage.

„Nein", mit schwachem Lächeln schlug sie jetzt die Augen auf, „nein, denn er ist ja da und gesund, unser Gero."

„Wie, wie... heißt er?"

„Mein Gero", und schon schlossen sich die Augen der Frau wieder in der Erschöpfung.

„Gero, Gero", Herr Suchefad wiederholte den Namen und blickte ratlos auf das kleine Bündel, das ihm die Hebamme jetzt in den Arm gegeben hatte, „warum nicht Walter oder Karl", und er besann sich voller Schrecken, daß er sich bislang noch gar keinen Gedanken über den Namen des neuen Erdenbürgers gemacht hatte.

„Na schön, dann auch Gero", da hatte ihn wieder einmal Frauenlist übertrumpft! Er legte, sich erhebend, das kleine Wesen in die Hände der Amme zurück, die sich unter seinem Arm nicht geöffnet hatten. „Den Männern kann man in diesen Dingen nicht trauen, am besten überhaupt nicht", pflegte sie zu sagen, wenn sie jemand fragte, „sie machen die dümmsten Sachen und lassen schließlich noch solch kleines Wurm fallen."

Herr Suchefad beugte sich zu seiner Frau, seine Lippen streiften in einem Kuß über ihre Stirn. „Werd bald gesund, Lieb, recht bald gesund . . .“

Aber – man war nicht allein. Er bezwang die aufsteigende Rührung. Es war nicht seine Art, Innerstes sichtbar nach außen zu kehren, so wandte er sich rasch der Tür zu, ging durch den Salon in das Wohnzimmer und setzte sich an seinen Schreibtisch. Er mußte sich sammeln und das Geschehene überdenken. Mit einem zierlichen Schlüssel schloß er das Mittelfach auf und zog es weit heraus. Ganz hinten blinkte zwischen vielen Dingen, Thermometern, verschiedenen Zirkelkästen, blanken Metallgehäusen und Bildern ein Kästchen. Es war nicht leicht aus dem Gefach zu entfernen, ohne die peinliche Ordnung zu stören, die in diesem scheinbaren Durcheinander herrschte. Doch die geübte Hand nahm es leicht heraus. Herr Suchefad stellte das Kästchen vor sich auf den Tisch, wählte aus dem Schlüsselbund, das er an einem silbernen Kettchen aus der Hosentasche zog, einen kleinen Schlüssel aus und öffnete den Behälter.

Ein ledergebundenes Büchlein nahm er heraus, das Familienbuch war's. Sinnend verweilte sein Auge auf der ersten Seite. Da stand es: Georg William Suchefad, geboren am 2. Juni 1868, Kaufmann zu Potsdam, ledig, Sohn des Geheimen Rechnungsrates am Rechnungshof des Deutschen Reiches Wilhelm August Suchefad und seiner Ehefrau Auguste Lina geb. Berchen, ist heute, am 5. April 1899, mit der Jungfrau Ernestine Amalie Sander, geboren am 23. August 1872, Tochter des Kaufmanns August Sander jun. und seiner Ehefrau Amalie Auguste, geb. Bürger, in den heiligen Stand der Ehe eingetreten.

Das war damals. Ein wenig verweilte die Hand in Erinnerung an die wunderbaren Tage, dann fiel das Blatt zur Seite, und nun sah er seine erste eigene Eintragung. Ein Schatten glitt über sein Gesicht. Der Wintertag heute vor mehr als drei Jahren stand lebhaft vor ihm. Im klirrenden Frost war die Erde erstarrt. Auch damals war die alte Wimmer bei seiner Frau gewesen. Aber ihre Kunst hatte nicht ausgereicht. Mit jagendem Schlitten war er in die nahe Stadt gefahren und hatte den Arzt zu Hilfe geholt. Seine Frau war an diesem Tag hart an der Schwelle des Todes vorbeigegangen. Zwillinge hatte sie geboren, aber nur einem hatte die ärztliche Kunst zum Leben verhelfen können. Danach war die Mutter so schwach, daß ihm eine Amme gegeben werden mußte.

„Man könnte sich auch einmal wieder nach dem kleinen Franz umsehen." In einem Gefühl der Dankbarkeit glitten seine Gedanken flüchtig zu dem kleinen Milchbruder seines Ältesten, dem unehelichen Kind seiner Amme. Viel zu beißen hatte die Lina auch nicht, hatte sich ihr Päckchen schon aufgeladen mit dem Kind, und noch dem anderen Mann dazu.

„Ja, ja, das Leben" – die Rechte griff nach dem Glas unter dem Rauchtisch –, „das Leben war, wenn man es genau betrachtet, nicht leicht."

Er sah sich, den Kragen des Wintermantels hochgesteift, damals einen Tag nach der Geburt der Kinder durch den tiefen Schnee stapfen. Ihm zur Seite war der alte Habedank, einer seiner Arbeiter, gegangen. Einen weiten Havelock hatte er an. Unter dessen Umhang hatte er den kleinen weißen Sarg des toten Kindes getragen. Ganz still war damals die Natur. Schweigend waren sie beide durch den Wald zum Friedhof gegangen. Kein Ton war in der Luft, nur ihre Schritte knirschten im Schnee. Ab und an, wenn sie die Zweige der Tannen streiften, glitt es mit leisem Rinnen und Rieseln zur Erde.

Wie schmal doch die Grube war, die der Totengräber am Ende einer langen Reihe kleiner verschneiter Hügel in die harte Erde gehackt hatte! Und doch war sie Suchefad in dem schneeigen Weiß gleich einem schwarzen, gierigen Schlund erschienen.

„Aber, das war vorbei!" Aufatmend führte er das Glas an die Lippen und spülte den Rest des Selters hinunter. Er ging zum Büfett links neben dem Sofa und entnahm dem oberen Gefach nach liebevollem, eingehendem Suchen einen feingeschliffenen Römer. Wieder am Schreibtisch, öffnete er die kleine Bar und holte eine Weißweinflasche hervor. Mit geübter Hand ließ er den Wein in das Glas perlen, hielt es einen Augenblick in die Sonne, die den Wein in wundervollem Gold durchflutete, und hob es dann gegen die Tür, das junge Leben in Männerart zu grüßen.

Er wendete das erste Blatt der Familienchronik, auf dem der Lebensstern neben dem Todeskreuz von ihm gezeichnet stand.

Da war nun im nächsten Jahr der zweite gekommen. Eine rechte Freude, der Bengel, der Ehrhardt. Schön war er nicht. Aber zum Teufel, Männer brauchten nicht schön zu sein, wenn sie nur tüchtig sind. Doch zuerst erschien ihm der puterrote, kleine Kerl wie ein Gnom, ohne rechten Hals. Das hatte sich ja mit der

Zeit gegeben, und jetzt lief er schon. Mit ihm ging alles glatt, und man hatte keine Sorgen um ihn wie um den Ältesten, den Karl-Wilhelm, mit dem man eigentlich nie ohne den Arzt auskam.

Und nun der Gero. Wie würde er werden, lernen, einschlagen?

Nun, Luft und Sonne gab es im Waldhaus. Für das tägliche Brot war gesorgt. Voller Befriedigung dachte er an die anerkennenden Worte, die man ihm vor einigen Tagen bei Erteilung der Prokura gesagt hatte. – Das Weitere – und damit griff seine Hand zum Federhalter – mußte eine gütige Zukunft bringen. Sorgsam entfernte er von dem porzellanenen Tintengefäß, einem Rokokostück der Königlichen Porzellanmanufaktur Berlin, den Deckel und füllte die Feder, um unter genauer Angabe von Stunde und Minute die Geburt seines Jüngsten einzutragen.

Dann nahm er den Löscher (ein ebenso kostbares Stück aus Metall, aber völlig modern und realistisch gearbeitet) und trocknete die Schrift, überprüfte nochmals die Eintragung, schloß das Buch und legte es zurück in den Tischkasten.

„Dieser Teil der väterlichen Pflichten wäre also erfüllt", halblaut sprach er es lächelnd vor sich hin. Ein wenig Übung bekam man allmählich schon. Nun galt es, sich auf den Weg zu machen, um der Welt auch offiziell von dem freudigen Ereignis im Hause Kenntnis zu geben. Herr Suchefad stand auf, um sich umzuziehen. Er wählte dem Anlaß gemäß trotz des sommerlichen Tages einen Gehrock, allerdings von grauer Farbe, zog sorgfältig die lange, schmale, goldene Uhrkette gerade und steckte die kleine Perle in das Plastron. Er sah dann flüchtig nach der Uhr, die, gefaßt in einem kleinen verschnörkelten Häuschen, der Mode der Zeit entsprechend, zwischen vielen Nippes und Ziergläsern auf dem Wandbrett über dem Sofa des Eßzimmers stand. Es war einhalb zehn Uhr, gerade noch Zeit genug, um den Jungen auf dem Standesamt in Nowawes anzumelden. Er nahm von der Garderobe im Flur einen grauen, steifen Hut, den Stock mit dem Silbergriff und blickte noch einmal in das Zimmer der Wöchnerin. Doch hier wurde er mit einem zischenden „Pst" von der Wimmern hinausgewiesen. Seine Frau schlief. Also wandte sich Herr Suchefad der Flurtür zu. Hier stand schon Kathrin, das Dienstmädchen, bereit zu öffnen. Mit einem Knicks sagte sie, ein wenig ungeschickt und verlegen zwar, doch immerhin ganz passend, ihre Gratulation.

„Man soll Dienstboten eigentlich nicht verwöhnen", der Gedanke schoß Herrn Suchefad durch den Kopf, „zwei Mark hätten gereicht", aber es war sein dritter Junge! So drückte er im Vaterstolz ihr einen harten Taler in die Hand. „Es ist aber nicht immer so", ganz konnte er es nicht lassen – schon des pädagogischen Prinzips wegen –, das glückstrahlende Mädchen auf die Besonderheit der Gabe aufmerksam zu machen. Erst dann zog er die Flurtür hinter sich ins Schloß.

„Darf man gratulieren?"

Fast hätte es schon auf der ersten Etage, in der der Weinhändler Schulze aus Berlin mit seiner Gattin zur Sommerfrische wohnte, einen Aufenthalt gegeben. Die Gnädige rauschte gerade, gefolgt von ihrer Gesellschafterin, aus der Tür. Wortreich gab sie glückwünschend Herrn Suchefad die brillantengeschmückte Rechte. Aber auch heute machte dieser keine Anstalten, die Hand zu küssen. Er vermied auch die Anrede „gnädige Frau", auf die sie als Erbin des reichen Lederloh aus der Linienstraße Anrecht zu haben glaubte, und nannte sie nur „Frau Schulze" wie jede gewöhnliche Frau aus dem Volke. Sie ließ ihm pikiert den Vortritt. Jedoch wandte sie sich, während noch Herr Suchefad die Treppe herunterstieg, ihrer Gesellschafterin zu, um ihr – durch den ganzen Treppenflur vernehmbar – von dem charmanten und reizenden Baron Yström zu erzählen, der ihr gestern auf dem Rennplatz in Karlshorst den Hof gemacht habe.

„Das ist ein Mann! Ein vollendeter Kavalier, sage ich Ihnen, Fräulein von Klesen."

Das „von" betonte sie heute besonders. Bei passenden Gelegenheiten pflegte sie es hervorzuheben, denn man hatte es ja schließlich, um sich vornehme Leute zu halten. Im Hausgebrauch freilich hieß es auch einfach „Klesen", zumal Frau Schulze wußte, wie schmerzlich dies die Gesellschafterin traf.

Herr Suchefad aber, dem eigentlich ihre Worte galten, hörte sie nicht mehr. Er hatte das Haus schon verlassen. Er ging schnell über den Gartenweg auf die Landstraße. Über ihr schlossen sich die Wipfel der mächtigen Kastanien zusammen, und nur an wenigen Stellen konnte die Sonne die grüne Wölbung durchbrechen. Es war im Sommer stets erfrischend, diesen Weg zu gehen. Heute jedoch ließ sich Herr Suchefad nicht viel Zeit – wie er es sonst wohl tat –, er eilte über den kürzeren Fußpfad zum Bahnhof

Neubabelsberg und betrat durch den offenen Säulenvorbau das Stationsgebäude. Wohltuend umfing ihn in der hohen, nur aus Holz gefertigten Halle (auf der Weltausstellung in Wien im Jahre 1873 hatte sie den gewerblichen Erzeugnissen des Reiches als Ausstellungspavillon gedient) die Kühle, die Holzbauten auch in der ärgsten Sommerglut behalten. Zur Linken, gleich neben dem Eingang, stand der lange Schanktisch, daneben, weiter im Raume, der große, runde Stammtisch, an dem die Bürger manch frohen Abend verbrachten.

Beim Gruß des Herrn Suchefad erhob sich vom Tisch eilfertig der Bahnhofswirt, Herr Schmar, ein mittelgroßer, etwas korpulenter Mann mit stets verbindlichem Gesicht.

„Darf man gratulieren?“ Liebenswürdig lächelnd trat er Herrn Suchefad entgegen. Dieser verdiente schon die Aufmerksamkeit, war kürzlich Prokurist geworden, und außerdem, er zählte nicht zu den schlechtesten Gästen der gemütlichen Runde am großen Tisch.

„Und die Frau Gemahlin?“

Schon war Herr Schmar wieder hinter den Schanktisch getreten und bückte sich zu dem Gefach, in dem für besondere Zwecke stets eine gute Flasche auf Eis lag. Doch Herr Suchefad kannte die Bewegung, er winkte dankend ab.

„Aber auf das Wohl von Mutter und Kind!“ Vorwurfsvoll schwang die Stimme des Herrn Schmar in gelinder Entrüstung, „Ein Gläschen nur!“

Doch Herr Suchefad wußte aus mancherlei Erfahrung, wie leicht sich in der kühlen Halle Glas an Gläschen reihte, so blieb er fest. Auch liebte er es nicht, sich tagsüber in einer Wirtschaft sitzend zu zeigen. Ein andermal würde man das freudige Ereignis begießen, das versprach er und verabschiedete sich.

Herr Schmar aber verschwand hinter einem dunklen Vorhang, der an einer Stelle die Rückwand hinter dem Schanktisch geheimnisvoll verdeckte und manchem armen Schlucker, der vorn an der Theke sein Glas Bier erstand, ein Paradies leiblicher Genüsse zu bergen schien. Gleich darauf hörte man, gedämpft durch den Teppich, Herrn Schmars Stimme: „Helene, bei Suchefads wieder ein Junge, Hühnchen und Blumenkorb, zweite Sorte (die erste Sorte erhielten nur die Herren vom königlichen Hofe in Klein-Glienicke), aber heute noch.“ Dann erschien der Mann wieder im Vordergrund. Man wußte, was man dem Geschäft schuldig war.

Herr Suchefad war inzwischen weiter durch die Halle gegangen. Hinten in der linken Seitenwand befand sich der Schalter für den Fahrkartenverkauf. Das verlieh dem Bahnhof Neubabelsberg seine eigene und gemütliche Note und trug nicht wenig zu dem geschäftlichen Erfolg des Herrn Schmar bei. Wer eine Fahrkarte kaufte, befand sich in seinem Geschäftslokal, und viele Menschen ließen sich durch die sauber und einladend gedeckten Tische oder durch die auf der Theke bereitgestellten Genüsse verleiten, einen Zug zu überschlagen. Ja, es kam auch des öfteren vor, daß ein besonders trinkfester Mann den letzten Zug verpaßte und die Nacht über blieb. Es war ein ständiges Kommen und Gehen in der Halle. In den Morgenstunden spärlich tropfend, am Vormittag behäbig dahinfließend, am Nachmittag sich belebend und am Abend, vor Abgang der letzten Züge, stürmisch anschwellend, zog ein Strom von Menschen, reichen und armen, frohen und traurigen, geputzten und abgerissenen, am Tresen des Herrn Schmar beim Weg zum Fahrkartenschalter vorbei. Für die Gäste am Stammtisch war es eine Quelle nie versiegender Unterhaltung, für viele Einheimische ein Abglanz großstädtischen Lebens, anderen jedoch ein stetes Ärgernis. „Spießrutenlaufen", nannten sie den Weg durch das Lokal zum Schalter, den sie, meist mit dem Hut in der Hand, nach allen Seiten verbindlich grüßend, durchschreiten mußten. Damals war der Villenvorort noch überschaubar, so daß fast jeder jeden kannte.

Vor dem Fahrkartenschalter befand sich zur Regelung des Zu- und Abgangs der Fahrgäste ein kleines, eisernes Postament. Es umrundend, beugte sich Herr Suchefad zur Öffnung des vergitterten Schalters und verlangte: „Zehnmal Nowawes." Er kaufte stets auf Vorrat. Der Schalterbeamte zählte die Karten auf und nahm das Geld in Empfang. Danach knickte er hinter dem Fensterchen ein wenig in die Knie, und sein verbindlich lächelndes Gesicht erschien, schräg nach oben blickend, unten dicht an der Durchreiche: „Darf man gratulieren, Herr Suchefad?"

Lange Zeit versah er hier schon den Schalterdienst und nahm deshalb lebhaft Anteil am Leben der Kolonie. Daher war er auch bestens über das bevorstehende freudige Ereignis im Hause Suchefad unterrichtet.

„Ja, wieder ein Junge“, erwiderte Herr Suchefad fröhlich.

Ein wenig mehr als zuvor bei der Frage mußte der Mann hinter dem Schalter seinen Oberkörper verbiegen, um Suchefads Hand durch die kleine Schalteröffnung schütteln zu können. Danach heimste er für den Glückwunsch eine Zigarre ein – aus der linken Hintertasche seines Gehrocks entnahm Herr Suchefad das Etui.

Der Herr Vorsteher war hinten im Schaltraum beschäftigt, die Kasse des Vortages zur Abgabe fertigzumachen. Er hörte das Gespräch und unterbrach seine Arbeit. Er setzte die Mütze auf und kam aus dem Dienstraum, um auch seinerseits Glück zu wünschen. Beide Herren schritten der Sperre zu. Nach einigem, durch die Schicklichkeit gebotenen Sträuben hatte auch er seine Zigarre. Er bekam aus der rechten Tasche, sie enthielt die bessere Sorte. Beim Anblick seines Vorgesetzten erwachte der Knipser aus dem leichten Dämmern, in das ihn die drückende Schwüle des angehenden Mittags versetzt hatte. Schnell zog er seine Uniform zurecht, überlegte noch rasch, ob er sich am Morgen auch rasiert hatte, und rückte die Mütze gerade. In Neubabelsberg legte man, des Glienicker Hofes wegen, Wert auf sauber gekleidete Bedienstete. So schnarrte der Mann auch jetzt salutierend sein „Mahlzeit, Herr Vorsteher“ und lochte danach die Fahrkarte des Herrn Suchefad. „Darf ick jratulier'n?“ Nicht ganz konnte der Dienst in dem vornehmen Neubabelsberg die Sprache des heimatlichen Nowawes verleugnen, es tat auch nichts, denn mit dem herzlich gemeinten Glückwunsch konnte der Knipser sich aus der linksseitigen Zigarrentasche bedienen.

Herr Suchefad fuhr die eine Station bis nach Nowawes. Hier war er ebenfalls genügend bekannt, so daß es noch einige Zeit dauerte, bis er seinen Gero auf dem Standesamt angemeldet hatte. Auch war es nötig geworden, den Vorrat seiner Zigarrentaschen – links wie rechts – zu ergänzen. Dann aber war auch der offizielle Schritt auf dem Amt getan. Noch einmal las Herr Suchefad den Text der Geburtsurkunde. Korrekt mußte alles sein. Eine Unstimmigkeit an dieser Stelle, ein Hörfehler, machte viel Scherereien, oder der Junge schleppte den Ärger durch sein ganzes Leben.

Aber es hatte alles seine Richtigkeit. So schob er befriedigt das Dokument in seine Brieftasche, verabschiedete sich von dem Standesbeamten, der im schwarzen Gehrock trotz der Hitze schon wieder am hohen Stehpult stand, und verließ den dunkel getäfelten, würdigen Raum.

Es war inzwischen einhalb drei Uhr geworden. Es hungerte Herrn Suchefad. Aber auch das gehörte zu seinen festen Prinzipien, nicht außer Haus zu essen; nur auf Reisen tat er es gezwungenermaßen. Gasthausessen schmeckte ihm nicht. Der Genuß der Speisen wurde ihm auch durch die Preise verleidet. Er rechnete, wie wenig die Zubereitung einer Speise daheim kostete. „Der Appetit kann einem dabei vergehen", meinte er stets. Außerdem: Er hatte Familie, eine große Familie, und demnach Verpflichtungen!

Herr Suchefad hatte Hunger, ob er schon nach Hause fuhr? Seine Frau war bei der Wimmern und seiner Schwägerin in guter Hut. Das wußte er, er brauchte also keine Sorge zu haben. Seine Eltern waren bereits durch das Telefon des heimatlichen Postamtes – dieser neuen Einrichtung bediente sich Herr Suchefad als Mann des Fortschritts und der Technik selbstverständlich schon – benachrichtigt. Seine Mutter würde wahrscheinlich bereits draußen im Waldhaus sein, und die Frauen ließ man am besten noch etwas unter sich.

Überlegend stieg er die Stufen des Amtsgebäudes langsam hinunter und blieb in der Halle stehen. Er nahm aus der Tasche seiner geblümten Weste ein feingebundenes Notizbüchlein. Richtig, der Weinvorrat! Heute abend würde der Freund Rot vielleicht noch auf ein Stündchen herüberkommen. Laut durfte es ja nicht hergehen, aber zu einem gemütlichen Abend gehörte ein Glas Wein. Dann kam bald die Taufe – fast hätte er vergessen, daß der Weinvorrat im Keller dringend der Ergänzung bedurfte. Auch einige Delikatessen konnte er seiner Frau mitbringen. Leberpastete aß sie so gern – ob er auch Kaviar mitnahm? Eigentlich bot der Tag Anlaß genug, sich ein gutes Abendbrot zu leisten. Ja, und dann die Brosche! Hatte er bei den Aufregungen der letzten Tage überhaupt noch an die Brosche gedacht, die er seiner Frau als Überraschung am heutigen Tag schenken wollte?

Er mußte sie aus Potsdam holen. Er ging deshalb wieder zum Bahnhof und fuhr das kurze Stück weiter in die Stadt. Dort kaufte man solche Dinge doch besser als in dem sich erst entwickelnden Nowawes, das noch in Aussehen und Bewohner das arme friderizianische Weberdorf verriet.

In Potsdam ging Herr Suchefad nach Verlassen des Bahnhofes über die lange Brücke, ließ das Stadtschloß mit der Bittschriftenlinde davor zur Linken, das Palast-Hotel mit dem „hungrigen Drachen" (so nannten die Potsdamer das dem Hotel angeschlossene Kaffee wegen des in Schlangenform gehaltenen Handlaufes am Geländer der Außentreppe) zur Rechten und schritt dann gleich dahinter in der Humboldtstraße die breite Treppe eines Geschäftshauses hinauf. Rohrschneider & Söhne war eins der führenden Häuser in der Stadt. Rohrschneider & Söhne waren Hoflieferanten, und stolz prangte über dem Eingang das Wappen Sr. Majestät, des Kaisers und Königs, flankiert von den beiden sich auf Keulen stützenden Herkulesfiguren. Große Fensterscheiben zu beiden Seiten der Treppe beherrschten die Vorderfront des stattlichen einstöckigen Gebäudes. Blankgeputzte Messinggeländer wiesen einladend den Weg in das Innere. Gleich links neben doppelflügligen Glastüren war die Kasse eingebaut, hinter der der Inhaber saß, bereit, auf den Bon der Verkäufer das Geld in Empfang zu nehmen. Von hier aus überwachte er auch den Gang des Geschäftes, stets bereit, bei schwierigen Kunden oder Stockungen einzugreifen. Wohl kam es auch vor, daß er sich bei einer besonders hochgestellten Käuferin selbst hinter den Verkaufstisch begab und der Dame die Ware, die sich dahinter auf langen Borden stapelte, einwog. Aber dies geschah nur selten, er kassierte oder stand – wie auch jetzt – neben der Kasse und machte, sorgsam, jedoch nicht dandyhaft gekleidet, die Honneurs, während eine hübsche Blondine mit gepflegter Hand an seiner Statt das Geld in Empfang nahm.

Herr Suchefad gehörte mit zu den guten Kunden des Hauses, deshalb nahm ihn auch der Chef persönlich in Empfang, um sich eingehend nach seinen Wünschen zu erkundigen. Er tat dies nicht mit einfachen Fragen. Er faßte sein Geschäft nicht nur als eine Quelle des Geldeinheimsens auf – Rohrschneider & Söhne berieten ihre Kundschaft! Das Haus stand mit seinen Kunden in einem Vertrauensverhältnis, wie man es sonst wohl nur zwischen Patienten und einem alten Hausarzt findet. Dem Inhaber bereitete – wenigstens konnte man es seiner Miene ansehen – der Bericht über ein nichtgelungenes Festessen oder eine schlecht zubereitete Bowle stets einen persönlichen Schmerz.

Rohrschneider & Söhne berieten ihre Kundschaft. Daß sie mit dieser Uneigennützigkeit auch gut und reichlich zu ihrem Gelde kamen, verriet der ganze Zuschnitt des Hauses, in dem mehr als zehn junge Leute hin und her eilten, um all das Gewünschte eines verwöhnten Gaumens herbeizuschaffen. Jetzt geleitete der Chef Herrn Suchefad zur Linken hinter den Ladentisch, wo an der Mattglasscheibe einer kleinen Tür abweisend und streng das Wörtchen „Comptoir“ in verschlungenen Buchstaben zu lesen war. Zuvorkommend öffnete er und wies einladend auf ein bequemes, aber nicht zu großes Ledersofa. Es stand an der dem Fenster abgekehrten Seite des trotz der Sommerhelle halbdunklen Raumes. Diskret und mit einer tiefen Verbeugung noch über dem hohen Schreibpult, erhob sich ein Schreiber am Fenster und ging aus dem Zimmer, sicher froh, einmal der Fron der Zahlen entweichen zu können.

„Hier fühlt man sich immer wohl“, sagte Suchefad, sich behaglich in dem kühlen Leder streckend. Mit liebenswürdigem Lächeln dankte Herr Rohrschneider und rief durch einen Klingelzug einen seiner jungen Männer herbei. Mit halblauter Stimme gab er seine Anweisung. Schnell verschwand der Lehrling, um kurz darauf wieder mit einer Flasche und einem Teller delikater Schnittchen zu erscheinen. „Nur eine kleine Erfrischung“, Herr Rohrschneider schnitt jedem Protest seines Gastes das Wort ab, „auch ich habe noch nicht gegessen, nicht einmal zum Frühstück läßt einem das Geschäft Zeit.“ Er erhob sein Glas: „Auf das Wohl von Mutter und Kind, ich hoffe, daß man die Frau Gemahlin bald wieder persönlich hier zum Einkauf sehen darf.“ Die Herren tranken sich zu, und es wurde eine sehr nette Unterhaltung, die die beiden auf dem Sofa in der Hinterstube des Geschäftslokals vereinte. Der gute Tropfen mag das Seine dazu beigetragen haben. Man wurde schließlich sogar fast fröhlich; jedenfalls ließ die oft durch Lachen unterbrochene Unterhaltung darauf schließen, auch eine weitere Flasche Wein, die der Lehrling noch hinter die Mattglasscheibe reichte. Zum Schluß ließ Herr Rohrschneider einen Kaffee brauen – „von der ersten Sorte, etwas ganz Ausgezeichnetes, den man der Frau Gemahlin nur empfehlen“ könne. Das Geschäftliche erledigte sich bei der angeregten Unterhaltung nebenher. Die bestellten Waren wurden sofort im Verkaufsraum gepackt, und ehe noch Herr Suchefad sich mit den angenehmsten Gefühlen aus dem Haus entfernte, war schon ein Bote schwerbeladen zum Waldhaus unterwegs.

Doch nicht immer waren es solche angenehmen Gespräche, die in dem kleinen Raum geführt wurden. Das Sorgensofa nannten es heimlich die jungen Leute vorn im Laden. So manche tief verschleierte Dame wurde vom Chef persönlich – korrekt und lächelnd, liebenswürdig wie immer – in den kleinen Raum gebeten. Manche Tragödie im Haushalt einer verarmten Offiziersfamilie nahm hier ihren Ausgang – und manche Frauenträne fiel auf die langen Debetreihen eines Kontos, das die Verpflichtungen des Standes unmäßig hatten anschwellen lassen.

Doch Herr Suchefad war von diesen Sorgen frei. Leicht angeregt durch den guten Wein, schritt er weiter in die innere Stadt und kaufte noch die bestellte Brosche, die er zur Nacht seiner Frau zu überreichen gedachte. Dann schwang er sich auf die Pferdebahn und fuhr zum Bahnhof zurück.

Als er zu Haus den Schlüssel in die Flurtür steckte, hörte er schon die Stimme des Besuchs, der sich zum Gehen rüstete. Es war mit ihm ja reichlich spät geworden, und seine Mutter hatte bis jetzt vergeblich auf ihn gewartet. Ein wenig verweilte sie noch zwischen Tür und Angel, Begrüßung, Verabschiedung und Ermahnung verbindend, denn Frau Rat war eine strenge und genaue Frau. Selbst aus einer nicht unvermögenden Kaufmannsfamilie stammend, war ihr dennoch nie der Sinn für sparsamste Wirtschaft verlorengegangen, zumal sie in den ersten Jahren der eigenen Ehe bei dem schmalen Gehalt ihres Mannes sehr haushalten mußte.

So waren ihr schon die kleinen Lebensfreuden ihres Ältesten, des Herrn Suchefads – er konnte sie sich ohne Bedenken bei seiner Stellung leisten –, ein steter Anlaß zur Besorgnis. Sie hätte ihn auch jetzt wie immer recht deutlich zur Sparsamkeit ermahnt, doch des Hausmädchens Anwesenheit ließ sie schweigen. Aber auf dem stillen Weg zum Bahnhof nahm sie sich vor, dem Bruder Leichtsinn, wie sie ihren Sohn nur bei sich nannte, bei passender Gelegenheit wieder einmal den Kopf zu waschen. Suchefad selbst schaute in das Zimmer der Wöchnerin, zog Hausschuhe und den vielverschnürten Hausrock an und setzte sich mit seiner Schwägerin zum Essen.

Lina Müller

Rechts neben dem Waldhaus lag in gleicher Entfernung von der Straße die Villa „Grüne Tanne“. Beide Häuser hatten einen mäßig großen, etwas verwilderten Vorgarten und einen gartenähnlichen Hof. Sie waren vor Jahren in der ausgehenden Gründerzeit von geschäftstüchtigen Bodenspekulanten gebaut worden. Die Grundstücke hatte man von dem viele Morgen großen Park- und Gutsgelände abgetrennt, das sich am Ufer des Griebnitzsees hinzog. Die schloßähnliche Parkvilla, die links von den Mietshäusern inmitten des Parkes lag und sich vornehm den Blicken der Straße hinter alten, schönen Bäumen entzog, war nicht mehr im persönlichen Besitz des Erbauers. Haus und Park waren nach dem Zusammenbruch des letzten, allzu lebefreudigen Sprosses des alten Adelsgeschlechts von den gleichen Grundstückschlächtern erworben worden. Zur Zeit diente es einem Industriellen aus Berlin als Sommersitz.

Wollte man in Erinnerung an die italienischen Vorbilder einen strengen Maßstab anlegen, so trug eigentlich von den drei Häusern nur das Parkhaus die Bezeichnung „Villa“ zu Recht. Aber um die Jahrhundertwende verbrachte auch der wohlhabend gewordene Bürger Berlins nicht mehr seine Sommertage in einem einfachen Haus. Es mußte schon eine „Villa“ sein, in die er während der Sommermonate zog. Da aber das liebevolle Eingehen auf die Psyche des Kunden eines der Hauptgeheimnisse des erfolgreichen Geschäftsmannes ist, wurde in den Anpreisungen der Makler das bescheidenste Häuschen – auch der umgebaute Pferdestall – zu einer „Villa“, und Vermieter sowie Mieter waren zufrieden. Dem einen erbrachte dies kleine Wörtchen einen netten Aufschlag auf die Miete, dem anderen aber, dem kleinen Angestellten oder Beamten, gestatteten nun auch seine bescheidenen Mittel, „standesgemäß“ zu wohnen. Kaum verfehlte das Wort in der Postanschrift seinen Eindruck auf den Empfänger in der Ferne.

Aus diesem Grunde war auch zwischen Erdgeschoß und der ersten Etage der „Grünen Tanne“ (in Nachahmung der in Kurorten vielfach gebräuchlichen, etwas marktschreierischen Anpreisung) in einem von stilisierten Tannen umgebenen Schriftband der Name „Villa Grüne Tanne“ angebracht worden. Die Parterrewohnung lag etwas erhöht. Eine breite Treppe führte vorn in der Mitte der Front zu ihr hinauf. Der Haussockel ließ so Raum für Kohlen- und Abstellgelasse sowie eine halbhoch liegende Kellerwohnung, die man vom Hof aus erreichen konnte.

Hier wohnten in Stube und Küche Lina Müller mit ihrem Mann und ihrem Franz. Peinlichste Sauberkeit herrschte in den beiden Räumen. Unter dem Küchenfenster stand der weißgescheuerte Tisch, an dem die kleine Familie ihre Mahlzeiten einnahm. An der einen Längswand befand sich der Herd. Über ihm zog sich ein Bord mit Töpfen und Schalen für den täglichen Gebrauch hin. Ein weiteres Bord mit zwei Brettern hing an der gegenüberliegenden Wand. Auf dem oberen Bord stand ebenfalls Geschirr. Unter dem Bord hingen Kännchen und dicke blaugemusterte Porzellanlöffel sowie andere Küchengeräte. Sie waren an künstlich geschürzten blauen Stoffschleifen befestigt; auch die Henkel der oben stehenden Gefäße zierten solche Schleifen. Der Mode der Zeit entsprechend, zeigte hier die Hausfrau einen Teil der einst in mühevoller Arbeit vom geringen Mädchenlohn ersparten Aussteuer.

Es war Abend. Frau Lina bereitete am Herd das Abendbrot, ihr Mann saß schweigend am Tisch unter dem Fenster und blickte auf den Hof hinaus. Lina trat jetzt an das Hängetuch, das unterhalb des Bordes bis zum Fußboden reichte. Flüchtig warf sie einen Blick zum Fenster hin.

„Suchefads haben schon nach den Kinderschuhen geschickt, du könntest sie doch endlich besohlen.“ Lina nahm, sich wieder dem Herd zuwendend, ein wenig von den Gewürzen, die sie in getrockneten Bündeln hinter dem Vorhang aufbewahrte. Nicht umsonst hatte sie einst als junges Mädchen in der ostpreußischen Heimat in Kreuzstich den Spruch „Ohne Fleiß kein Preis“ auf weißes Leinen gestickt. Sie konnte es einfach nicht sehen, wenn jemand untätig war. „Ja doch“, der Mann brummte seine Antwort und dachte dabei mißgelaunt an das Essen. Der Sparsamkeit halber gab es, wie gewöhnlich an Wochentagen, wieder Pellkartoffeln mit Specksoße. Wurst und Brot stellte Lina nur an den Geldtagen auf den Tisch, und natürlich auch sonntags. Diese Einförmigkeit behagte ihm nicht. Aber mit Lina war in dieser

Beziehung nicht zu spaßen. Sie hielt die Pfennige zusammen. „Alle Tage dasselbe! Ja, wenn man es so hätte wie die in den oberen Wohnungen oder Suchefads, dann könnte man es sich auch anders leisten.“ Freilich sprach er diesen Gedanken nicht aus. Lina hatte ihren festen Satz für den Haushalt, mehr durfte nicht verbraucht werden. Davon ging sie nicht ab und hatte ihm einst auf seine Vorstellungen nur geantwortet: „Dann mußt du auch dasselbe verdienen wie die.“

Sie war eine resolute Frau und schneller mit den Gedanken als er. Deshalb schwieg er meist. Das stete Versagen seiner leiblichen Wünsche hatte ihn mit der Zeit aber störrisch gemacht. Er sah nicht den Segen, den der sparsame Sinn und die fleißigen Hände seiner Frau der Familie gebracht hatten, und der sich in einem Sparbuch mit stets steigender Einlage erwies. Er wollte leben! Das aber hieß bei ihm zunächst einmal: gut und reichlich essen. Es war daher schon seit langem zwischen den beiden ein geheimer Mißton, den nur die kurzen Augenblicke der ehelichen Gemeinsamkeit vergessen lassen konnten.

Beide lebten, ohne sich darüber klar zu sein, schon seit den ersten Wochen der Ehe nebeneinander, jeder für sich. Der Mann hatte sich mit der Zeit angewöhnt, den Ratschlägen seiner Frau zwar nicht mehr zu widersprechen, trotzdem aber seinem eigenen Willen – so weit wie möglich – zu folgen.

So erhob er sich jetzt auch nicht, um aus dem Verschlag vor der Eingangstür die Kinderschuhe zu holen. Die liefen ihm nicht weg. Mochten die „Reichen“ auch einmal spüren, daß der Arbeiter notwendig war. Er zog ein Zeitungsblatt aus der Tasche und begann zu lesen.

„Was hast du denn da schon wieder?“ Ein wenig scharf war die Frage, die seine Frau, vom Herd herüberschauend, an ihn richtete. Dabei ließ sie nicht die Tunke außer acht, die in dem kleinen Topf kochte. Da er nicht antwortete, nahm sie das Gefäß schnell vom Feuer und trat zu ihm an den Tisch.

„Wieder eins von den Blättern, die dir den Kopf verdrehen!“ Damit ergriff sie die Zeitung. Es war eine ältere Nummer des „Vorwärts“, des Blattes der Sozialdemokratischen Partei Deutschlands. „Mein Gott, wenn dich damit einer sieht! Dann bist du auch wieder die gute Arbeit an der Bahn los, die dir Herr Suchefad mit seiner Fürsprache verschafft hat.“

Müller blieb am Tisch sitzen, seine Trägheit hinderte ihn, mit der Frau um das Blatt zu streiten. Auch las er nicht gern und hatte das ihm von einem Kollegen heimlich auf der Strecke zugesteckte Blatt nur deshalb hervorgeholt, um den Widerspruch seiner Frau zu reizen.

Wieder stand Lina am Herd und rührte eifrig in der Tunke, in der sich jetzt das Mehl mit dem Wasser zu binden begann. Ihr Essen war zwar einfach, jedoch stets wohlschmeckend und sorgfältig zubereitet. Das Kochen hatte sie als Mädchen in den Bürgerhäusern gelernt, und dort gab es auch nicht alle Tage die „feine Küche".

„Den Suchefad", langsam, fast bedächtig, nahm ihr Mann das Wort, „hat es sicher viel Mühe gekostet, für mich am Biertisch mit dem Vorsteher zu reden." Im Gegensatz zu seiner Frau sprach er nicht gereizt, aber doch war etwas Bitterkeit in seinen Worten.

„Laß das. – Du hast die Arbeit und solltest dir endlich einmal Mühe geben, bei ihr auszuhalten." Die Frau nahm jetzt das fertige Essen vom Feuer, stellte den Wasserkessel auf, füllte die Kartoffeln in eine Schüssel und trat an den Tisch. Sie zog den Tischkasten auf, legte Messer auf und nahm aus dem Bord zwei Teller. „Zum Schuhmacher taugtest du nicht, da tat dir der Rücken immer weh, mein Gott . . . ."

Sie hob den kleinen Franz, der still zwischen den beiden auf der Erde gespielt hatte, auf ihren Schoß, setzte sich auf den zweiten Stuhl am Tisch dem Mann gegenüber. Sie begann die Kartoffeln zu schälen. Dabei dachte sie daran, wie schwer ihr als ganz junges Ding zu Haus so manches Mal die Feldarbeit geworden war, wie ihr Rücken und Knie beim Rübenhacken geschmerzt hatten, auch die blaugefrorenen Hände. Danach aber fragte zu Hause keiner, und man verlangte auch schon von ihr die Arbeitskraft einer Erwachsenen. Während sie ihrem Mann, der mit seinen großen Händen nur ungeschickt schälte, flink die Kartoffeln auf den Teller schob, verfolgte sie weiter seinen Lebenslauf. „. . . in der Gärtnerei hattest du Krach mit dem Obergärtner . . ."

„Weil der von der Sache nichts verstand", der Mann knurrte es dagegen mit vollem Munde.

„Er wird schon gewußt haben, wie es richtig ist, und wenn – er trägt ja die Verantwortung, nicht du. Man muß sich eben in alles schicken." Sie schälte jetzt auch auf den eigenen Teller, zerdrückte einige Kartoffeln, um den Kleinen auf ihrem Schoß zu füttern. „Nun halte doch endlich einmal aus bei der Bahn – du bringst uns schließlich noch an den Bettelstab.“ Es klang eine solche Angst aus ihren Worten, ein so beschwörender Ton ließ ihre Stimme weich werden, daß in ihm unbewußt die Erinnerung an die erste Zeit des Verlangens nach ihr wach wurde.

„Nun ja“, lenkte er ein, „ich will ja schon.“ Langsam gabelte er aus der Tunke die Speckstückchen heraus (der erste Hunger war schon gestillt), und um ihr etwas Gutes zu sagen, setzte er hinzu: „Schließlich kann ich auch noch mal Beamter werden, auf dem Stellwerk oder so.“

Lina liebte es nicht, allzu weit in die Zukunft zu sehen, namentlich, wenn sie sich günstig zu gestalten schien. Zu sehr war sie ein Mensch des Tages und seiner Tatsachen. Auch hatten sie die herben Erfahrungen ihres bisherigen Lebens zu mißtrauisch gemacht. Sie vermied es aber trotzdem, ihren Zweifel zu äußern, auch sah sie durch das Fenster die Kathrin auf ihre Tür zukommen. „Die Kathrin kommt.“ Damit raffte sie hastig die Kartoffelschalen zusammen und stellte den Topf vom Tisch.

„Schön guten Abend“, das Mädchen trat nach kurzem Klopfen ein. Wie eine gute Bekannte hatte sie nicht auf das „Herein“ des Ehepaares gewartet und reichte nun jedem vertraut die Hand. Sie nahm der Frau den Kleinen vom Schoß und trug ihn leise trällernd in der Küche umher. „Geht nur immer in die Stube, ich bin gleich fertig“, Lina wandte sich dem Abwasch zu. Herr Müller öffnete die Tür und ließ Kathrin in das Zimmer treten. Hier standen die zwei Betten der Eheleute. Auf beiden lagen neue, rote Decken. Auch ein kleines Kinderbettchen, der Stolz Linas, stand weiß lackiert in einer Ecke. Tisch und Stühle sowie ein Kleiderschrank vervollständigten die Einrichtung. An der Wand hing über dem Bett der Frau der Konfirmationsspruch eingerahmt, noch vom Pfarrer des Heimatdorfes mit einer mahnenden Widmung für das Leben unterschrieben, über dem seinen eine Fotografie aus seiner Militärdienstzeit. Er liebte das Bild, weil es ihn an die Jahre bei der Truppe erinnerte, die ihm im nachhinein als die schönsten Jahre seines Lebens erschienen.

Während er sich am Tisch behaglich niederließ, strich er seinen Schnurrbart unternehmungslustig höher, hatte ihm doch diese Manneszier als Soldat so manches Mädchenherz zugetragen.

Wohlgefällig betrachtete er sein junges Gegenüber. „Na, was gibt's denn?"

„Wir wollen taufen!"

„Nanu, ist's bei Ihnen schon so weit? Hab' ich ja gar nicht gewußt!"

Ernsthaft blickte er das Mädchen an. Wilhelm Müller war – wenn er wollte – ein Charmeur. Er konnte einem Mädchen schöntun und es ein bißchen in Verlegenheit bringen.

„Aber Herr Müller", kokett verdrehte Kathrin ihre hübschen Augen, „Suchefads Gero natürlich. – Sie möchten rüberkommen, helfen." Damit wandte sie sich durch die offene Tür Frau Lina zu.

„Wann ist es denn?" Während der Frage überlegte Lina, wie sie den Auftrag in die Reihe ihrer Verpflichtungen in den umliegenden Haushaltungen würde einreihen können. Denn eine Taufe, vor allem bei Suchefads, die ließ sie sich nicht nehmen.

„Sie sollen wieder kochen, ich hab's heute abend gehört, wie es der Herr zur Frau sagte, es hat ihm das letzte Mal ausgezeichnet geschmeckt." So platzte das Mädchen mit der Neuigkeit heraus.

„Es schickt sich nicht zu horchen", Frau Müller trat nun auch in das Zimmer.

„Gott, ich hab's doch nur eben so gehört."

Lina überging die Entschuldigung; „Taufen sie wieder in der Kirche in Nowawes?"

„Nein, der Herr" – dabei spielte ein spöttisches Lächeln um den hübschen Mund des jungen Dinges – „hat sich wieder was ganz Besonderes ausgedacht."

„Also Haustaufe", nahm Herr Müller ihr sachlich das Wort weg, „da kriegt nur der Pastor den Weg bezahlt, und die Wagen fallen weg, wird billiger."

„Falsch geraten, ätsch", hell lachte das Mädchen auf, da er ihr die Neuigkeit nicht nehmen konnte, „nein, was ganz Besonderes, er wird auf dem Dorf getauft."

„Auf dem Dorf?" Beide Eheleute stellten verblüfft gleichzeitig die Frage.

„Ja, auf dem Dorf, der Herr hat's eben der Frau gesagt, in Derwitz oder wo das ist, da soll solch komischer Engel sein, zum Taufen."

„Na, ich werd's ja erfahren", kurz schnitt Lina die weiteren Erörterungen ab, „wann ist es denn?"

„Nächsten Sonntag nach der Kirche. Der Herr hat sie schon alle eingeladen, und – denken Sie sich bloß – Gedichte hat er gemacht, für jeden ein anderes!"

„Wozu die auch alles Zeit haben..." Müller knurrte es in überquellendem Neid hervor. Unter den mahnenden Blicken seiner Frau murmelte er jedoch die letzten Worte nur noch in sich hinein. Hatte recht, die Lina, das brauchte das junge Ding nicht zu hören. Er schwieg, während die beiden anderen noch über das bevorstehende Fest und seinen geplanten Verlauf sprachen.

Langsam fiel die Dämmerung ins Zimmer. Die Unterhaltung wurde schleppender. Lina dachte an ihr Kleid, an dem sie noch viel zu bessern und zu plätten hatte, ehe es ihr für den Ehrentag des jüngsten Suchefad gut genug war. Es freute sie auch, daß man sie auch diesmal wieder rief. Da der Mann nicht sprach, wurde es Kathrin langweilig, lachte sie doch gern über dessen freilich nicht immer sanften Scherze. So wandte sie sich zum Gehen.

„Bestell einen schönen Gruß an Frau Suchefad, und schönen Dank, ich komme morgen früh rüber, um alles zu besprechen." Damit geleitete Frau Lina den Gast hinaus. Dann deckte sie die Betten ab und legte den Kleinen, der schon in ihren Armen eingeschlafen war, in sein Bettchen. Bald darauf legte sich auch Herr Müller nieder. Der Gedanke an die leiblichen Genüsse, die auch für ihn von der Festtafel abfallen würden, trugen ihn in einen fröhlichen Traum, in dem er sich ganz allein vergeblich mühte, einen großen, fetten Schinken zu verspeisen. Seine Frau schlief erst ein, nachdem sie alle Arbeiten für den kommenden Tag genau durchdacht und im Geist alles in seine Ordnung gebracht hatte.

Die Taufe

Man war nicht gerade fromm im Hause Suchefad, sind doch die Zeiten materiellen Wohlergehens nicht günstig für die Kirchen. Aber man hielt am Altüberkommenen fest, wie es Sitte war. Auch liebte Herr Suchefad keine Extravaganzen, zu denen zu damaliger Zeit noch die Eintragung „glaubenslos“ auf der Steuererklärung gerechnet wurde. Seine Frau aber war viel zu sehr Frau und Mutter, als daß sie in diesen Dingen eine andere als ihres Gatten Meinung hätte haben können. Da sie außerdem aus einer ländlichen Kleinstadt stammte, gehörten Pfarrer und Kirche zu den unumstößlichen Bestandteilen ihres Weltbildes.

So ließ man dem Herrgott seinen guten Tag, ging an den hohen Festtagen vielleicht einmal in die Kirche – ein häufigerer Besuch verbot sich wegen der auswärtigen Wohnung von selbst –, war aber im übrigen der festen Überzeugung, daß die Religion als solche für die Erziehung der Kinder unerläßlich sei.

Also wurde einige Wochen nach der Geburt, an einem Sonntag im August, der kleine Gero getauft. Nach guter alter Sitte waren einige Paten ausgesucht und zur Feierlichkeit gebeten worden. Neben der jungen Tante Marte, die es schon lange um die Familie verdient hatte, auch bei einem der Sprößlinge Pate zu stehen, waren noch die reiche Tante Metzger, eine entfernte Verwandte und Frau eines Bäckermeisters, sowie Onkel Kerner, ein alter Jugendfreund des Herrn Suchefad und angesehener Kaufmann, ausgesucht worden. Spielten doch bei der Auswahl der Paten neben den weise abzuwägenden Rücksichten auf die liebe Verwandtschaft materielle Gesichtspunkte eine große Rolle. Die Zukunft des Kindes sollte durch reiche Paten soweit wie möglich gesichert werden. Man vergaß jedoch dabei, daß der kirchliche Brauch bereits für die meisten Menschen seinen inneren Sinn verloren hatte und sich später kaum noch einer der Paten der früher als selbstverständlich empfundenen Mitverantwortung für den Täufling bewußt wurde. Gewöhnlich entsann man sich der übernommenen Pflichten erst wieder, wenn zur Feier der Konfirmation eingeladen wurde. Mit diesem angenehmen Tag und dem üblicherweise dabei zu überreichenden Geschenk hatte man dann seine Pflichten gegenüber dem jungen Menschen abgegolten.

Es gab allerdings noch andere, die aus dem Verhältnis zu dem Kinde ernstere Verantwortung ableiteten. Ein guter Stern hatte um das Paradekissen, in das der Täufling im Hinblick auf die vorzunehmende feierliche Handlung eingeschnürt worden war, in zweien, der guten Tante Marte und dem Nennonkel Kerner, solche Menschen zusammengeführt.

Sie umstanden nun den Kleinen, den die Hebamme auf den Armen wiegte. Denn Gero schrie jämmerlich. Überhaupt war das Kind reichlich unruhig, wie der Vater zu seinem Ärger bereits kurz nach der Geburt festgestellt hatte. War es nun die allgemeine Beachtung, die man ihm heute schenkte, war es körperliches Unbehagen über die mit dem feierlichen Aufputz verbundenen Umstände – jedenfalls, er brüllte, was nur seine kleine Lunge hergab. Deshalb verzog sich auch der Onkel Kerner aus dem Schlafzimmer der Familie, nachdem er mit etwas ungeschickter Hand seine Gabe, ein hübsches silbernes Eßbesteck, an dem Steckkissen festgenestelt hatte, und ging in den vorderen Raum. Es war nicht ganz einfach, das Patengeschenk richtig auszuwählen, aber mit dem Besteck, das in einem feinen, mit blauer Seide ausgeschlagenen Etui lag und in elegant geschwungenen Buchstaben das Monogramm des kleinen Gero trug, hatte seine kluge Frau das Richtige getroffen. Es war heute einmalig neben dem obligaten Serviettenring und dem silbernen Becherchen, die seltsamerweise sich damals bei jeder Taufe unter den Geschenken befanden. Das Becherchen wurde wohl niemals von dem Patenkind im Leben benutzt. Aber der Becher gehörte nun einmal dazu. Eben wurde auch in dem Balkonzimmer, in dem sich die Herren der Gesellschaft versammelt hatten, die Taufe des Ältesten weidlich belacht, bei der von den fünf gebetenen Paten fünf silberne Becher überreicht worden waren.

„Der wird ja einmal ein recht trinkfester Mann werden. Auf sein Wohl!“ Herr Metzger hob sein Glas Onkel Walter, einem Bruder des Herrn Suchefad, entgegen. Beide hatten sich nach dem weiten Weg an dem zur Auffrischung der Lebensgeister angebotenen Imbiß gütlich getan und saßen nun bereits fest hinter einer guten Flasche Rheinwein. Waren sie doch nur Statisten bei der feierlichen Handlung, „Freßgevattern“, wie es der Volksmund treffend bezeichnet, als solche unbekümmert und frei von jener Nervosität, die eine Gesellschaft vor solchen Feierlichkeiten meist beherrscht. Herr Kerner wandte sich dem jungen Vetter Albert zu, einem Studenten der Rechte. Zur Feier des Tages hatte er Couleur angelegt. Er war von der Familie Tante Marte als Tischherr zugedacht. Doch seine Dame hatte für ihn noch keine Zeit. So langweilte er sich ein wenig unter den Philistern und war froh, als Herr Kerner ihn ansprach. Sogleich verwickelte er den Onkel in eine Unterhaltung über Handelsrecht. Allzuviel hatte er auf diesem Gebiet ja noch nicht gehört, aber frisch und keck überbrückte er die Lücken seines Wissens mit schwungvoll vorgebrachten Fachausdrücken. Herr Kerner war höflich genug, ihn nicht zu unterbrechen. Herr Suchefad trat für einen Augenblick hinzu, ging aber dann in den Salon, in dem die Damen saßen. Als einziger der Herren hatte sich sein Vater, ein Mann in der Mitte der Sechziger, zu den Damen gesellt. Er stand schweigend am Fenster und blickte hinaus. Er war eine imponierende Erscheinung, deren Größe noch durch den langen, schwarzen Gehrock unterstrichen wurde. Er hatte ein gutmütiges Gesicht, in dem auch der Schalk wohnen konnte, jedoch verlieh ihm ein großer, noch im vollen Blond stehender Bart, den er wie der alte Kaiser mit freiem Kinn trug, stets den Ausdruck einer ernsten Würde.

„Die Wagen könnten doch eigentlich schon hiersein?“ Von ihrem Platz auf dem grünen Sofa wandte sich Frau Rat an ihren Sohn. Sie war in schwere, schwarze Seide gekleidet, mit hochgeschlossenem Kragen, den eine ganz schmale weiße Häkelborte abschloß. Als Schmuck hatte sie nur ihre lange, bis zur Taille reichende goldene Uhrkette und eine schwere Gemmen-Brosche angelegt. Frau Rat liebte es, jene zeitlose Mode zu tragen, an deren betonter Schlichtheit man die Potsdamer Offiziers- und Beamtenfrauen erkannte und die in ihrer kostbaren Einfachheit als „Potsdamer Stil“ zur Eigenart der Residenz gehörte.

„Noch nichts zu sehen“, Herr Suchefad stützte sich mit einem Achselzucken auf die Lehne eines Polstersessels, in dessen weicher Wölbung Tante Kerner saß. Zerstreut hörte er zu, wie sie den anderen Damen empört von ihrem Ärger mit ihrem Dienstmädchen erzählte.

Auch für die Frau Rat war dies sonst ein unerschöpfliches

Thema. Sie vergaß jedoch heute, dem interessanten Gespräch zu folgen. Sie war unruhig und fürchtete, daß man bei dem weiten Weg nicht rechtzeitig in die Kirche kommen würde. „Sieh doch einmal nach der Uhr, Hermann“, sie wandte sich an ihren Mann.

„Es ist halb elf.“

„Aber dann wird es doch allerhöchste Zeit?“

„Nun, etwas Spielraum haben wir noch, Mama“, beschwichtigend nahm Herr Suchefad das Gespräch auf, „die Fuhrleute sind eben immer unzuverlässig.“

„Das müßte man aber, wenn man es weiß, vorher berücksichtigen“, nicht ganz ohne Vorwurf war ihre Stimme.

„Gewiß, liebste Mama“, der Sohn bog die sich andeutende ermahnende Rede seiner Mutter ab, „ist auch geschehen, ich habe sie eine halbe Stunde früher bestellt. Sie werden jeden Augenblick vorfahren.“

„Also warten wir noch ein bißchen“, gemütlich rief es der Onkel Metzger aus dem Vorderzimmer herüber. „Liebstes Gustchen“ – er hob ihr sein Glas entgegen –, „es geht uns hier nicht schlecht.“

„Aber den Herrn Pfarrer läßt man nicht warten.“ Schon seit ihren Jugendtagen ärgerte sie sich über das Phlegma ihres Vetters.

Herr Suchefad war in seiner Unruhe währenddessen auf den Balkon herausgetreten. Jetzt zog er wieder die Uhr aus der Tasche und blickte nun in unverhüllter Sorge durch den Ausschnitt im Grün der Bäume auf die Straße.

„Noch nichts zu sehen.“

„Ob man das Mädchen schnell zum Nachsehen auf die Straße schicken sollte?“ Er zögerte, schritt nervös die wenigen Meter auf dem Balkon hin und her. Plötzlich horchte er auf, das Rollen eines Fuhrwerkes traf sein Ohr. „Das werden sie sein.“ Er beugte sich etwas über die Brüstung: „Gott sei Dank, sie kommen.“

„Die Wagen sind da!“ Rasch trat er zu den Gästen in das Zimmer, eilte durch den Salon, in dem die Damen sich auf seine Worte nun zum Aufbruch rüsteten. Er ging ins Schlafzimmer zu seiner Frau, die noch an ihrem Täufling nestelte. „Meinen Zylinder, die Wagen sind da, Tinchen, hier hatte ich ihn doch hingelegt, Tina, und die weißen Handschuhe, eben habe ich sie doch noch gehabt ...“ Er war sichtlich aufgeregt.

Aber nicht nur er war nervös. Umgeben von den Damen, lag Frau Kerner vor dem Sessel und durchsuchte die Tiefen des

Gestühls nach ihrem kleinen Silbertäschchen. Nur Mottenkugeln hatte sie bisher geborgen. Martchen jammerte nach ihrer Ansteckblume, und Onkel Walter probierte zu seinem Vergnügen schon zum zweiten Mal die abgelegten Zylinderhüte durch. Nun machte er es systematisch, er ging der Reihe nach, wobei er auch der Ordnung halber die Damenhüte nicht vergaß.

Aber schließlich kam doch alles in das rechte Lot. Die Handschuhe des Hausherrn lagen in der Küche, das Silbertäschchen zog Onkel Kerner aus der Tasche. Er war wirklich unschuldig, hatte die Tante es ihm doch vor Stunden zur Aufbewahrung gegeben. Martchen fand die Ansteckblume, und Onkel Walter hatte auch einen Zylinder gefunden, den er für den seinen hielt. Etwas groß war er, doch die Narrheit mußte schließlich einmal enden.

Die Gäste ordneten sich zu Paaren auf dem Flur. Nur Onkel Metzger fehlte. Die Tante lief, ihn suchend, durch die Zimmer. „Metzger, hat man Worte, da sitzt er noch . . .“

Erschreckt fuhr der Onkel aus leichtem Schlummer hoch. Die Nachtarbeit macht müde, auch pflegte er zu dieser Stunde sonst zu schlafen. Resolut griff die Tante ihrem Mann unter den Arm und zog ihn zu den anderen. Sie griff den letzten der Zylinderhüte von der Garderobe und stülpte den hohen Hut ihm auf den glattrasierten, blanken Schädel. Daß es nicht der richtige Hut war, daß nun die feierliche Manneszier ein wenig auf dem mächtigen, runden Haupt zu balancieren schien, dafür konnte sie nichts. Mochte er sich selbst rechtzeitig um seine Sachen kümmern. „Dahin“ – die Tante schob ihren Mann nach vorn –, „ist das die Möglichkeit, da hat der Mann schon wieder vergessen, daß er heute die Tante Kerner führt!“

Metzger trat neben seine Dame, wandte seine Aufmerksamkeit dabei seinen Handschuhen zu. Vergeblich versuchte er, sie auf die arbeitsfreudigen Hände zu zwängen. „Die verfluchten Dinger wolln doch wieder nicht!“ Wütend knurrte er es vor sich hin. „Aber Otto, benimm dich!“ (Wie in vielen Ehen hielt auch die Tante Metzger die Erziehung ihres Mannes selbst nach langen Ehejahren durchaus noch nicht für abgeschlossen und bemühte sich bei jeder Gelegenheit, dies Versäumnis aus der Jugend nachzuholen.)

„Die Handschuhe meine ich natürlich . . .“, er zerrte an seiner Rechten, „so, nun is der Knopf wenigstens ab.“ Mit einem triumphierenden Blick auf seine Frau bot er darauf Frau Kerner seinen Arm: „Meine Gnädigste, darf ich bitten?“

„Sind wir nun soweit?“ Herr Suchefad, der seine Frau führte und gleich hinter der Hebamme mit dem Täufling stand, erhob sich auf die Zehenspitzen und überblickte wie ein Heerführer vor der Schlacht den kleinen Zug. Mußte doch alles in guter Ordnung vor sich gehen, denn hinter jeder Tür in den unteren Etagen lauerten Augen und Zungen.

Es war soweit. Man durchschritt in feierlicher Ordnung, zwar, wie Frau Rat ihrem Gatten zuflüsterte, ein wenig zu schnell, Treppenhaus und Vorgarten und arrangierte sich in den Kutschen. Die Schläge klappten zu, die sonntäglich ausgeruhten Pferde zogen an und fielen, als seien selbst sie sich des fröhlichen Anlasses der Fahrt bewußt, bald in einen flotten Trab.

*

In der Sakristei der kleinen Derwitzer Kirche, die sich inmitten alter, niedriger, schilfgedeckter Bauernhäuser hinter dem Schutzwall mächtiger Eichen verbarg, stand der Herr Pastor vor dem Spiegel. Er hatte bereits den Talar angezogen und war nun dabei, die Bänder des Beffchens kunstvoll unter dem Halskragen zu verbergen. Er drehte sich vor dem schon ein wenig erblindeten Glas, um das Bild seines Hinterkopfes aufzufangen. Nichts störte beim Gebet vor dem Altar, bei dem er ja der Gemeinde den Rücken zukehren mußte, die Andacht der Gemeinde mehr als die auf dem Rücken herunterhängenden Bänder – das Gewand war in Ordnung.

Er schlug jetzt in der Bibel die Stelle auf, die er seiner Ansprache zugrunde legen wollte. Er las sie nochmals durch und rekapitulierte seine Predigt. Danach legte er die Bibel griffbereit neben die Agende, in der er den Abschnitt „Taufe“ durch ein Zeichen angemerkt hatte.

Er war bereit. Sie sollten nun kommen, zu Haus erwartete ihn seine Frau mit einem besonders guten Sonntagsessen.

Er ging hinaus in das Kirchenschiff. Oben, auf der kleinen Orgelempore, lag der Küster über der Brüstung und sah hinunter. Auch er hatte seine Vorbereitungen für die feierliche Handlung bereits beendet: Das Orgelpult war geöffnet, das Notenheft für das Eingangslied aufgeschlagen. Eine ältere Geigerin, die auf besonderen Wunsch mit ihrem Spiel die Feiern zu umrahmen pflegte, hatte ihr Instrument schon gestimmt. Sie zupfte nun gedankenlos an den Saiten, drehte auch ab und an an den Wirbeln und wandte schließlich ihre Aufmerksamkeit dem Bogen zu. Sie saß hinten an der Tür zur engen Treppe und hörte dem alten Hoppe zu, der von seinen Bälgen halb heruntergetreten war und ihr den neuesten Dorfklatsch zuflüsterte.

Es sollte nicht viel gesungen werden, nur ein Lied, denn leider kannten nur wenige der heutigen Menschen noch die Liedertexte. Selbst auf die bäuerliche Bevölkerung hier in der Nähe der Großstadt traf dies zu. An heißen Sommersonntagen, an denen den Bauern mehr die Ernte als die Kirche im Sinn lag, war der Gesang der Gemeinde fast nur einstimmig zu hören. Da der Pfarrer selbst keine Stimme hatte, klang allein der mächtige Baß des Kantors über den wenigen, dünnen Stimmen der alten Mütterchen, die, für jede Arbeit schon zu alt, auch an solchen Tagen für den Herrgott Zeit hatten.

Schweigend schaute der Pfarrer auf seine Helfer, mit denen ihn eine langjährige Zusammenarbeit verband. Zwischen ihnen bedurfte es nur weniger Worte, um sich über Aufbau und Ablauf einer Feierlichkeit zu verständigen. Sie waren alle aufeinander eingespielt. Der Küster hatte noch zu tun. Er verteilte den Liedtext auf den Stühlen vor dem Altar, rückte hier und dort noch einen Stuhl gerade in die Reihe, trat dann zu einer Säule zur Rechten des Altars und löste ein Seil.

Interessiert blickten jetzt alle Anwesenden in die Höhe. „Reifbauer soll doch mal kommen und die Rolle schmieren!" Der Pastor meinte es zu seinem Küster, der das Seil nun ein wenig anzog. „Er ging in der letzten Zeit schon immer so schwer."

„Jetzt während der Ernte hat der Schmied nur so viel zu tun", erwiderte der Küster. Er gab – das Ende um die Hand geschlungen – das Seil ein wenig schnippend frei. Nun löste sich oben, unter dem Dach der Kirche, ein Engel, und – einmal in Bewegung – schwebte er mit schrillem Quietschen der Rolle herunter.

Er lag waagerecht im Raum und hielt in den Händen vor dem pausbäckigen Kindergesicht das Taufbecken.

Auf einem seiner Spaziergänge war Herr Suchefad auch nach Derwitz gekommen und war, durch die Orgelmusik angelockt, in das Kirchlein getreten. Dabei hatte er diese Holzskulptur entdeckt. Sofort stand es bei ihm nach der Geburt des Jüngsten fest, diesen unter dem Holzengel taufen zu lassen, war er doch gewohnt, seinen Familienfesten eine eigene Note zu geben.

Der Engel hatte es Herrn Suchefad in seiner etwas plumpen Natürlichkeit angetan. Einst mochte die Plastik von einer nicht ungeschickten Hand geschnitten worden sein, doch der Zahn der Zeit hatte an Nase und Haaren genagt. Mancher Dorfmaler hatte sich im Laufe der zwei oder drei Jahrhunderte, die der Engel alt sein mochte, bemüht, dem Mangel durch Farbe abzuhelfen; so prangten jetzt auch wieder die Wangen leuchtend rot aus einem kalkig weißen Gesicht.

Der Küster maß mit den Augen die Höhe des Taufbeckens über dem Boden. Er verknotete das Seil und ging zu der Figur, die leise schwankend vor den Stühlen schwebte. Er wischte mit einem Tuch das kleine Becken aus und schickte sich an, das Taufwasser einzugießen.

„Ein wenig tiefer wollen wir ihn noch hängen", meinte der Pfarrer. Ohne Widerspruch ließ der Küster das Seil noch etwas nach. Dann goß er das Wasser ein und ging zum Altar, um als letztes die beiden großen Kerzen neben dem Kruzifix anzuzünden.

Auch er war nun bereit. Mit einem Blick überprüfte er nochmals alles und ging dann zur offenstehenden Eingangstür. Breit flutete ein Balken sonnigen Lichtes in das Dämmern des Kirchenschiffs, leuchtete auf dem roten Läufer, der den Mittelgang bedeckte (es war eine Taufe erster Klasse) und spielte noch auf den Blättern der Oleanderbäume, die man um den Altar aufgestellt hatte. Jetzt begannen oben im Turm die Jungen die kleine Glocke zu läuten.

„So, sie kommen . . ." Der Herr Pastor schritt nun auch zum Eingang des Gotteshauses, um dort die Eltern und den Täufling zu begrüßen.

Doch statt der Taufgesellschaft war ein Kremser vorgefahren. Aus ihm stiegen mehrere Herren und traten zu dem Geistlichen. Männer des Gesangvereins waren es. Sie waren ohne Wissen ihres Sangesbruders Suchefad gekommen und berieten nun mit Pfarrer und Kantor, wann sie ihren Gesang in die Feierlichkeit einschalten könnten.

Danach verschwanden sie rasch auf der knarrenden Stiege zum Chor. Die kleine Glocke, deren Läuten nach der Ankunft des Wagens bereits etwas träge zu werden schien, verstärkte nun wieder ihre mahnende Stimme. Jetzt erschienen in schwarzen Umhängetüchern auch einige der alten Frauen, um zu Ehren Gottes und zur Erbauung der eigenen Augen und Ohren an der Handlung als Zuschauer teilzunehmen. Ihnen folgte auf dem Fuße die Taufgesellschaft.

Es war eine stattliche Zahl von Gästen, die mit dem Präludium der Orgel, von dem Pfarrer geführt, durch das Kirchenschiff schritt und sich auf den Stühlen um den Taufengel niederließ.

Der Pfarrer war in die Sakristei getreten; das leise Scharren der Schuhe, das gedämpfte Rücken der Stühle verstummte allmählich, nur ein Räuspern klang hier und da auf, war es doch in der Kirche gegenüber der sommerlichen Hitze draußen im Freien recht kühl. Die Damen fröstelten ein wenig in ihren leichten Sommerkleidern. Die Orgel setzte mit dem Vorspiel ein, und die Taufgesellschaft griff zu den Liedertexten. Plötzlich brach das Spiel ab, der Chor setzte ein. Überrascht wandte die kleine Gemeinde sich um, man blickte verstohlen zur Empore. Herr Suchefad hatte, ohne sich umzuwenden, die Stimmen seiner Sangesbrüder erkannt. Dankbar war er für die Ehre ihres Besuchs an diesem Tag. Er lauschte. Aber nicht wie sonst achtete er aufmerksam und kritisch auf die Reinheit der Stimmen. Heute, zu dieser Stunde, überfiel ihn wie nie zuvor der Strom des gewaltigen Liedes, das wie ein Jauchzen und Brausen von der Empore klang, gegen die dunkelgebräunten Balken des offenen Dachgestühls schlug und in seiner Macht und Inbrunst die Mauern des kleinen Gotteshauses zu sprengen schien: „Lobe den Herren, den mächtigen König . . .“

Ja, er durfte, er mußte wohl loben. Er mußte danken, daß er soweit geführt worden war. Neben sich hatte er seine liebe Frau. Zur Linken saßen, die großen Augen auf die flimmernden Kerzen und dann wieder auf den hölzernen Engel vor ihnen gerichtet, seine beiden Ältesten. Sie hatten sich, wie, um einander in all der Feierlichkeit Schutz zu geben, an die Hand gefaßt. Vor ihnen stand die Amme, den Jüngsten auf den Arm, ihn leise wiegend, damit er nicht wieder schreie.

Ja, er durfte mit seinem Schicksal zufrieden sein. Leise legte er seine Hand auf die seiner Frau. Sie wandte sich ihm mit fragendem Blick zu, doch seine Lippen flüsterten ein „Nichts“, und er wies nickend nur auf die beiden Kinder und sah dann lächelnd auf den Jüngsten vor ihnen in den Armen der Amme. Unter den Klängen der Orgel, die das Thema des Chorals abschließend leise wiederholte, war der Pfarrer aus der Sakristei getreten. Nun stand er vor den Taufgästen, die sich von ihren Sitzen erhoben hatten.

„Im Namen des Vaters und des Sohnes und des Heiligen Geistes. Amen.“ Seine Rechte schlug das Kreuzeszeichen. Auch ihn hatte der Gesang des Männerchors – wann erfüllte wohl einmal wieder ein gleicher Wohlklang sein kleines Kirchlein – in eine frohe und eifervolle Erregung versetzt. Voll innerer Bewegung las er langsam den Text aus der Agende. Wie oft hatte er schon in seiner Amtstätigkeit diese Worte zu lauschenden Menschen gesprochen! Heute aber ergriff es ihn wieder wie an dem Tage, an dem er als junger Pastor zum ersten Mal hatte diese heilige Handlung vornehmen dürfen. Heute las er die Worte wieder wie damals bewußt. Heute war in ihm das reine Mühen, ganz in den Geist der Stunde einzudringen, der Diener des Herrn zu sein... „Mir ist gegeben alle Gewalt im Himmel und auf Erden. Darum gehet hin und lehret alle Völker und taufet sie im Namen des Vaters und des Sohnes und des Heiligen Geistes, und lehret sie halten alles, was ich Euch befohlen habe. Siehe, ich bin bei Euch alle Tage bis an der Welt Ende – Wer da glaubt und getauft wird, der wird selig werden, wer aber nicht glaubt, der wird verdammt werden.“

Er wandte sich im Gebet zum Altar und ging danach in die Sakristei zurück.

Die Taufgäste hatten wieder Platz genommen. An die Brüstung der Empore war jetzt die Geigerin getreten. Sie setzte den Bogen an, blickte zu dem Kantor hinüber, der, den Kopf hebend, das Zeichen zum Einsatz gab.

Händel klang auf, das Largo. Die Mutter liebte die Weise sehr und hatte sie sich für die Taufe besonders erbeten. Auch ihr Mann schätzte die Melodie, aber er war doch mehr für Beethoven. Während sie die leisen, zarten Klänge liebte, empfand er mehr bei einem Fortissimo. Es war für ihn der Ausdruck der Kraft, der Lebensbejahung und der Lebensfreude.

Diese Freude war in ihm, als der Geistliche seine Predigt

begann. Er hatte ihr den 3. Vers des 127. Psalms zugrunde gelegt, in dem es heißt: „Kinder sind eine Gabe des Herrn und Leibesfrucht ist ein Geschenk."

„Lobet den Herrn", so führte der Pfarrer aus, „der dieses Kind zur Welt geboren hat. Danket Ihm, ihr Eltern, ihr Paten und Anverwandten für dieses neue, junge Leben. Danket aber auch, du Vater und Mutter, daß er euch gesund erhielt. Es ist eine Gnade des Herrn, ein Kind gebären zu dürfen. Gnade und Verpflichtung zugleich. Was ist das Leben, in das wir gerufen werden?"

Die noch eben warme und gütige Stimme des Pfarrers wurde in lehrhaftem Eifer härter: „Was ist das Leben ohne die Zuflucht zu Gott, ohne die ständige Zwiesprache mit ihm im Gebet und in seiner heiligen Kirche . . .?"

Herr Suchefad setzte sich gerader. Er selbst war kein großer Kirchgänger, auch hielt er persönlich nicht allzuviel vom Beten. Doch war er, wie nur noch wenige seiner Generation, recht bibelfest. Dies verdankte er dem Militärgeistlichen an der Garnisonkirche in Potsdam. Bei ihm hatte er Konfirmandenunterricht gehabt. Der „spiritus militaris" hatte sich auch dort nicht verleugnet, und die Jungen hatten viel auswendig lernen müssen. Noch heute hatte er viele Lieder, Psalmen und Sprüche im Kopf. Die Liebe zur Kirche war bei diesem strengen Unterricht jedoch nicht sonderlich gefördert worden.

Es war zuviel Heuchelei in der heutigen Kirche. Er dachte an den Kaufmann in der Heimat seiner Frau, den reichsten Mann des Ortes, der als einer der frömmsten Männer der Gegend galt. Schon als junger Mensch hatte er ihn beobachtet, wie er sonntäglich in seinem tiefen und bequemen Kirchenstuhl saß und schlief.

„Sie kommen doch nicht voran, unsere Pfarrer", etwas mißgestimmt grübelte Suchefad, während er den Worten des Geistlichen lauschte. „Wenn doch einer einmal etwas Neues bringen würde!" Aber immer sprachen sie den altbekannten Vers vom Jammertal, den kannte man schließlich selbst schon zur Genüge. Not und Sorge, das wußte ein jeder, die kamen schon von ganz allein, das brauchten die Leute doch nicht noch zu beschreien.

„Auch das Kind", sagte der Pfarrer jetzt, „das wir heute in die Gemeinschaft der Christen aufnehmen wollen, wird in seinem Leben nicht immer ohne böse Gedanken und ohne Sünde bleiben.

Nicht immer wird es so unschuldig sein wie heute, da es noch hilflos in den Armen seiner Mutter liegt. Böse sind wir von Jugend auf. Das rechte Leben aber ist der Kampf gegen den Teufel in uns. So weist denn, ihr Eltern und auch ihr Paten, ihm den rechten Weg, den Weg zur Kirche, in der er Schutz findet und Trost vor den Anfechtungen der Hölle."

Nein, in diesem Punkt konnte Herr Suchefad dem Geistlichen nicht folgen, so sympathisch er ihm auch sonst als Mensch erschien. In diesen Dingen behielt er doch seine Meinung für sich selbst. Protestant war er. Dies faßte er aber auch so auf, daß er im Protest stand gegen jede, aber auch gegen jede menschliche Macht, die sich zwischen ihn und das Übergeordnete, Übersinnliche drängen wollte. Alte, liebe Bräuche und Gewohnheiten verbanden auch ihn mit der Kirche seiner Eltern. Er liebte die Gesänge in den feierlichen, hohen Gemäuern – doch: Seine Rechnung mit seinem Gott, die machte er für sich allein. So gedachte er auch seine Kinder zu erziehen.

Sie redeten doch immer das gleiche: erst die „böse Welt", die sich doch manchmal, so fand er heute wenigstens, ganz annehmbar anließ, dann die Anpreisung der eigenen Firma – in aufsteigendem Ärger wurde Suchefad in seinen Gedanken ganz ketzerisch – und zuletzt der Hinweis auf die ewige Seligkeit, von der auch der Geistliche vor ihm jetzt mit gläubig durchglühter Stimme sprach: „... dann wird auch dieses Leben einst nach Kämpfen, Sorgen und Mühen vor Gottes hohem Richterstuhl stehen und eintreten als ein rechter Christ in das Gefolge des Herrn, eingehen in die ewige Seligkeit ..."

Unwillkürlich fiel Suchefad in diesem Augenblick der Ausspruch von Karl Marx ein: „Religion ist Opium für das Volk." War das so falsch? Was wußte man von der ewigen Seligkeit? Was wußte von ihr so ein armer Teufel draußen auf der Landstraße, den die Gendarmen von einem Dorf zum anderen hetzten – konnte er sich dafür etwas kaufen? Wurde er satt davon?

„Opium für das Volk" – konnte man von solchem Proletarier Glauben verlangen, wo man selbst nur kühl und fast unbeteiligt neben ihm stand? Konnte man es ihm verdenken, wenn er sich nicht mehr vertrösten ließ und schon hier auf Erden sein bißchen Seligkeit verlangte ...?

Doch wie kam er nur hier auf diese dummen Gedanken,

ausgerechnet bei der Taufe seines Jüngsten? Ärgerlich schalt er sich selbst: Er war doch kein Sozialdemokrat, kein Revoluzzer. Er hatte gar keine Neigung dazu und durfte wohl auch mit seinem Schicksal zufrieden sein. Aber oft genug beschäftigte er sich innerlich mit diesen Dingen, sie packten ihn, ließen ihn nicht frei.

Er blickte hinüber zu seinen Gästen. Da saßen sie. Bürger wie er selbst, in selbstverständlicher Behäbigkeit. Was mochten sie denken, was mochte sie bewegen hinter den glatten Stirnen? Sie waren alle satt und sicher in ihren Lebensumständen. Keiner glaubte wohl, des kirchlichen Trostes und der Erbauung zu bedürfen, die hier gespendet wurden. Für seinen Vater und seine Mutter mochte dies hier noch einen Inhalt haben, aber für Metzger oder für seinen eigenen Bruder Walter? Den Studiosus Vetter Albert sah er im Augenblick sogar ungeniert und offen lächeln. Der Junge war blasiert, nun, das Leben würde auch ihn noch in die Mangel nehmen. Ob er dann aber zur Kirche finden könnte? Wohl kaum. Selbst seinem so ernst und tief veranlagten Freund Kerner, das wußte er, bedeutete die Kirche kaum noch etwas, obwohl er gesammelt und aufmerksam der Handlung folgte. Die Kirche war nicht mehr zeitgemäß. Die Welt war eine andere geworden seit Luthers Zeiten, diesseitiger. Die gewaltigen Impulse erhielt sie nicht mehr wie vor 400 Jahren aus der Theologie. Jetzt beherrschte die exakte Forschung das Leben, und was man brauchte, das war eine Hilfe für dieses diesseitige Leben.

Aber die Kirche gab diese Hilfe nicht. Herr Suchefad war Protestant. Er protestierte auch in seiner Kirche dagegen, daß sie, die seiner Meinung nach eine Religion für das Leben bringen sollte, in Wahrheit mit der Lobpreisung des Jenseits nur gegen das Leben sprach. Was aber konnte die Kirche gerade darüber sagen? Nicht mehr und nicht weniger wie jeder gewöhnliche Mann. In Wahrheit also nichts!

Das „Amen“ des Pfarrers riß ihn aus seinen Grübeleien. Ein leichtes Aufatmen ging durch die Reihen der Gäste. Man rückte auf den Stühlen und schüttelte das leichte, bequeme Dämmern von sich ab, das einen so gern bei einer Predigt an heißen Sommertagen in einer Kirche befällt. Eine leise Spannung legte sich in der Erwartung des Taufaktes über die Versammelten. Man mußte wach sein, bereit, auf die Fragen des Pfarrers gehörig zu antworten. Denn, wer wollte sich gern dabei eine Blöße geben!

Doch zuvor setzte nochmals der Chor mit einem Lied ein. „Die Himmel rühmen des Ewigen Ehre“ sangen die Herren. Jubelnden Fanfaren gleich begannen die Tenöre, stürmten mit der jauchzenden Melodie voran, erhoben sich über die ruhigen und kraftvollen Bässe, die, ein Ausdruck der Stetigkeit, das Eilende und Kämpferische der hellen Stimmen untermalten.

Welche Gewalt war in diesem Gesang! Alle beklommenen, schwermütigen und zweifelnden Gedanken waren aus den Herzen der Menschen gewichen, und nur Freude und Dankbarkeit erfüllte sie unter den Tönen. Ja, so dachte Herr Suchefad, das war es, was ihn mit der Kirche seiner Väter verband: die Musik, der Gesang, der so streitbar und kühn, so siegesgewiß und jetzt auch so lobpreisend alles das wiederzugeben vermochte, was wohl je eines Menschen Brust bewegt hatte.

Nachdem das Lied verklungen war, trat auch er in erhobener Stimmung in den Kreis der Paten vor den leise schwankenden Engel, um sein Kind in die Gemeinschaft dieser, trotz allem auch seiner Kirche, aufnehmen zu lassen. Aufmerksam folgte er den Worten des Geistlichen, der jetzt neben der Taufschale in den Händen des Engels stand. Langsam griff der Pfarrer in das Becken und hob die Hand über den Kopf des Kindes. Die Amme hatte das Kind Tante Marte gegeben. Klopfenden Herzens hielt das Mädchen den Schwestersohn dem Pfarrer entgegen. Sie wußte, welche Symbolik sich damit verband. So wollte sie – sie gelobte es sich in diesem Augenblick – auch das Kind in seinem Leben halten, soweit sie es vermochte und sofern man es von ihr verlangen würde – und wahrlich, sie hat das Versprechen gehalten in ihrem Leben.

„Gero Walter Suchefad, ich taufe dich im Namen des Vaters...“, langsam zog der Pfarrer die Hand zurück, um erneut das Naß aus dem Becken zu schöpfen, „und des Sohnes...“ Mit großen Augen blickte das Kind aus dem weißen Kissen. Einige Tropfen netzten die Lippen des Täuflings. Aus dem kleinen Mund schob sich die Zunge, suchte den Trank zu erhaschen. Auf und ab fuhren die geballten Fäustchen, ein kleines, wohliges Krähen klang aus dem Kissen. „...und des Heiligen Geistes.“

„Dem Himmel sei Dank, er hat nicht geschrien.“ Frau Tina atmete auf. Wie ein Stein fiel es ihr vom Herzen, als sich nun der Pfarrer nach dem dritten Segenszeichen vom Küster die Agende mit den Gebetstexten geben ließ.

„Heiliger, gnädiger Gott“, so sprach er, „wir haben dir dieses Kind im Glauben übergeben, und du hast es aufgenommen in die Zahl deiner Kinder, die zu Erben des ewigen Lebens berufen sind. Dafür danken wir dir ...“

Inbrünstig klang sein Gebet. Er schloß mit dem „Vaterunser“, in das er wohl für sich selbst sein ganzes Leben mit allen Irrungen und seine Befreiung hineinzulegen vermochte. Dann bat er die Mutter, das Kind zu nehmen. Frau Suchefad stand jetzt allein, das Neugeborene im Arm, etwas von ihrem Mann entfernt, der, die beiden älteren Kinder an den Händen, wie ein guter Schutzengel hinter sie getreten war. Noch einmal dankte der Pfarrer Gott, daß er sie in der Stunde der Gefahr beschützt und ihr ein gesundes Kind beschert habe. Nie dürfe sie die Güte und Gnade des Allmächtigen vergessen. Der Pfarrer schwieg. Er hob den Kopf und warf einen kurzen Blick hinauf zur Orgel. In seinem Spiegel über dem Spieltisch fing ihn der Kantor auf. Leise setzte sein Spiel ein.

„Der Herr segne dich und behüte dich“, sprach der Pfarrer vor dem Altar, „der Herr lasse sein Angesicht leuchten über dir und sei dir gnädig. Der Herr erhebe sein Angesicht über dir und gebe dir Frieden. Amen.“

Und wie sich langsam die Stimme des Geistlichen steigerte, so erhob sich auch der Klang der Orgel, und das „Amen“ verklang im jubelnden Brausen des kleinen Instrumentes.

Er konnte schon etwas, der Herr Kantor. Die Anwesenheit der musikbeflissenen Herren aus der Stadt ließ ihn zeigen, wessen er fähig war. Er phantasierte über ein Thema des alten seligen Bach. Er konnte kein Ende finden, wie der Bälgetreter Hoppe draußen auf der Treppe meinte; für eine Taufe brauchte er heute wirklich reichlich Luft. Sonst tat er's mit der Hälfte.

Unten wandten sich die Gäste langsam dem Ausgang zu. Noch einmal reichte der Pfarrer den Eltern glückwünschend die Hand. Die Einladung zum Essen lehnte er mit dem Hinweis auf den weiten Weg ab, obwohl man ihm einen Wagen für die Rückfahrt angeboten hatte. So verabschiedete man sich. Ehe er sich zum Gehen wandte, trat Herr Suchefad nochmals an den Taufengel heran und ließ ein blankes Fünfmarkstück in das Becken fallen. Es war, wie er erfahren hatte, üblich, dem Küster auf diese Weise für seine Mühe zu danken. Auch die Kollekte am Ausgang bedachte er reichlich. Mochte sie für gefallene Mädchen im Innern oder für die Heidenmission draußen bestimmt sein. Heute, in seiner Freude, gab er, ohne nach der Bestimmung zu fragen, obwohl er sonst den Standpunkt vertrat, man solle lieber die Heiden bei der Religion selig werden lassen, die sie sich selbst erdacht hatten. Danach begrüßte er kurz die Sangesbrüder. Er dankte ihnen für ihr Erscheinen und bat sie, zusammen mit dem Herrn Kantor an einem der nächsten Abende zum Bahnhof Neubabelsberg zu kommen, wo man die Geburt und Taufe noch nachträglich feiern würde. Endlich schritt er, seine Frau am Arm, an der Spitze seiner Gäste über den kleinen Friedhof durch eine Mauer gaffender Dorfjugend zu seinem Wagen.

„Gott sei Dank, das wäre geschafft!" Aufatmend ließ er sich in das Polster des Wagens neben seine Gattin fallen. Ihnen gegenüber hatte auf dem Rücksitz die Amme mit dem Jüngsten und neben ihr die beiden älteren Kinder Platz genommen. Ein wenig unwillig sah Frau Suchefad ihren Mann von der Seite an. Doch lächelnd sagte er: „Nun kommt der zweite, der heitere Teil – ich habe ordentlich Hunger." Sie mußte lachen: „Nun, dem wird leicht abzuhelfen sein, fahren wir etwas flotter, daß wir die ersten sind. So gewinnen wir auch Zeit, noch einmal nach der Tafel zu sehen."

Suchefad rief dem Kutscher den Wunsch seiner Frau zu. Die Pferde griffen aus, und lange vor den anderen erreichten sie das Waldhaus.

Ein Sonntag in der Parkvilla

Während die Familie Suchefad in der Derwitzer Kirche den Jüngsten taufte und daheim im Waldhaus Lina Müller mit Kathrin und einer Kochfrau für das Festmahl sorgte und die Tafel richtete, während hier im Haus alles emsig beschäftigt war, herrschte in der großen Parkvilla Stille und völlige Sonntagsruhe. Sonst verlebten die Herrschaften die warmen Augusttage nicht am Griebnitzsee. Frau von Hütter, Engländerin von Geburt, fuhr seit den ersten Jahren ihrer Ehe regelmäßig zur „season“ in die Heimat. Gewöhnlich verbrachte sie auch noch die Augustwochen auf der Insel. Sie stammte aus einer reichen Familie und war auf dem Lande groß geworden. Wie viele Engländer liebte sie die Natur, liebte die großen Parks, an die sie hier in der neuen Heimat der Besitz in Neubabelsberg mit seinem alten, schönen Baumbestand erinnerte. In diesem Jahr war sie in Deutschland geblieben. Die Geburt eines Kindes – nicht viel älter war es als der kleine Suchefad – hatte ihre Ärzte veranlaßt, ihr von dem anstrengenden gesellschaftlichen Leben in der englischen Hauptstadt abzuraten.

Man führte das Haus in Neubabelsberg völlig im englischen Stil. Seine Bauart war ebenso wie die des Schlosses Babelsberg der englischen Neugotik entlehnt. Es hatte eine große, weiträumige Eingangshalle, von der sich die Treppe zum Obergeschoß emporschwang. Die Zimmer hatten Kamine, wenn auch der praktische Sinn des Herrn von Hütter sich nicht mit ihnen begnügte und er überall noch zusätzlich Zentralheizungskörper hatte einbauen lassen. So war das Haus gut zu beheizen, ein Vorzug, der den Hausherrn bei schönem Winterwetter oft veranlaßte, die Stadtwohnung auf einige Tage mit der Parkvilla zu tauschen und sich in der herrlichen Winterlandschaft zu erholen.

Das Haus war also ständig bewohnt und hatte sein bleibendes Personal neben der Dienerschaft, die die Herrschaft stets begleitete. Eine weit ausgedehnte Gärtnerei wurde von einem verläßlichen Obergärtner betrieben. Kutsch- und Reitpferde wurden gehalten, und auch eine Milchwirtschaft auf einer am Ende des

Parks liegenden Meierei war vorhanden. Selbst eine kleine Schafherde hatte Herr von Hütter – um seiner Gattin eine Freude zu bereiten – im letzten Jahre beschafft und so das Bild eines englischen Schloßbesitzes auf das Glücklichste abgerundet.

Obwohl die Villa für die Aufnahme vieler Gäste eingerichtet war, lebte man hier draußen zurückgezogen. Freilich ließen der große Bekannten- und Freundeskreis sowie die Verpflichtungen des Hausherrn es nie ganz vermeiden, daß man Gäste hatte. Einer oder der andere wurde fast stets zum Wochenende erwartet. In diesen Tagen waren aber die Eheleute ganz für sich und konnten sie ohne jede Verpflichtung ganz zwanglos verbringen.

Herr von Hütter war sehr früh aufgestanden. Er hatte eine leichte Sporthose und ein ärmelloses Sporthemd angezogen und darüber einen Pullover gestreift. Dann war er in die ebenerdigen Küchenräume hinuntergestiegen, aus denen ihm einige laute Stimmen, unterbrochen vom Klappern des Geschirrs, entgegenschollen.

„Guten Morgen!" Die beiden Mädchen verstummten plötzlich. Fast hätte die eine vor Schreck einen Teller fallen lassen. „Das war ja der Herr selbst!" Sie beide, die als Abwaschfrauen Dienst taten, hatten ihn bisher nur von ferne gesehen. Ihre Götter, von denen ihr Wohl und Wehe abhing, waren der Küchenchef und die Kaltmamsell.

„Kann ich etwas zu essen bekommen?"

„Der Küchenchef...", stotterte die eine, „...die Kaltmamsell", fiel die andere ein, „...wir werden sie rufen."

„Nein, lassen Sie", Herr von Hütter winkte ab, „ich will kein Frühstück, keinen Kaffee oder Tee, nur ein Brot oder ein Brötchen. Wo ist denn hier der Speiseschrank?"

Er war inzwischen in die kalte Küche getreten, die sauber aufgeräumt hinter dem Herdraum lag. Die beiden Frauen blieben hinter ihm in der Tür stehen. Suchend streiften seine Augen die hellen Schranktüren.

„Alles abgeschlossen", meinte die eine der beiden hinter ihn, „den Schlüssel hat die Mamsell."

Ein Schatten fiel in seine frohe Morgenstimmung. Das mußte ja wohl so sein, war alles in Ordnung – aber es half ihm jetzt wenig, er wollte etwas essen. Sein Blick fiel auf die elektrisch betriebene Aufschnittschneidemaschine. Ein Musterstück war es, ein Versuchsmodell, plante man doch, die Elektrizität auch für den Haushalt nutzbar zu machen und die Fabrikation von elektrischen Haushaltsmaschinen in großem Umfang aufzunehmen. Das Gebiet war noch völlig unerschlossen.

Seine Hand glitt wie spielend über die Maschine: „Geht der Apparat?“

„Ach, die Mamsell sagt“, eine der Frauen antwortete und fiel dabei in ihren Nowaweser Jargon, „is' allens Mist mit den neumod'schen Kram. Sie schneid' alles immer noch mit de Hand.“

„Hm, sehr interessant.“ Darum sah das Maschinchen auch noch so neu aus. Diese Auskunft lautete ganz anders als die Antworten, die er im Büro auf seine Rückfragen von seinen Herren erhalten hatte. Langsam schritt er durch die Räume dem Ausgang zu, in respektvollem Abstand gefolgt von den beiden Mädchen. Beiläufig fragte er weiter: „Und die Abwaschmaschine?“

„Die hat der Chef rausgeschmissen, die nimmt ihm nur Platz weg, hat er gemeint.“

Herr von Hütter dankte und ging. Draußen vor dem Hause blieb er nachdenklich stehen. Es war doch ganz gut, wenn man auch einmal persönlich den Dingen nachging.

Aber er hatte Hunger. Woher bekam er jetzt etwas zu essen? Flüchtig spielte ein ironisches Lächeln um seinen Mund. Ihm fiel die Geschichte ein, die man sich vom Kaiser Franz Joseph, dem Österreicher, erzählte. Der Kaiser soll einmal beim Frühstück den Wunsch geäußert haben, künftig einen Wecken mehr als bisher zu essen. Ehrerbietig wurde der Wunsch vom Oberstkämmerer entgegengenommen und weitergeleitet. Der Dienstweg jedoch von Ober- und Unterkämmerern und sonstigen Hofchargen bis zum Bäcker war so lang, daß der Kaiser nach mehrmaligen Erkundigungen des Fragens müde geworden, sich wie bisher mit den üblichen drei Wecken begnügt haben soll.

Bald war es bei ihm auch soweit.

Wie einfach es doch die kleinen Leute hatten! Da ging man an den Küchenschrank, schloß auf und nahm sich, was man begehrte. Aber er – er mußte nun wohl hungrig auf das Wasser. Freilich hätte er zu jeder gewünschten Zeit seinen Tee erhalten, wenn er das Frühstück gestern abend bestellt hätte. – Aber das war es ja gerade, was er haßte, das, was er einmal nicht wollte, diesen ewigen Zwang, diese ewige, vorbedachte Ordnung!

Voller Ärger schnippte Herr von Hütter mit dem rechten Fuß. Er schob die Hände in die Hosentaschen und machte sich mißmutig auf den Weg. Ein Pfeifen ließ ihn zurückblicken. Holla, da nahte der Retter in der Not! Den Korb mit den Brötchen auf der Schulter, bummelte ein Bäckerjunge pfeifend die Einfahrt herauf. „Komm einmal her, mein Sohn“, rief ihn Herr von Hütter an, „was bringst du denn?“

„Brötchen, auch ’n paar Sechserstücken for’t Personal.“

„Na, dann gib einmal her“, genießerisch wählte er aus dem reichlichen Vorrat, biß sofort in eins der noch warmen Brötchen, drei weitere steckte er sich in die Tasche.

„Aber...“, dem Jungen verschlug es die Sprache, er kannte ihn nicht, „aber die sind doch alle for die Herrschaft...“

„Schon gut“, nickte der Herr ihm zu, „sag nur, ich hätte mir mein Frühstück schon genommen.“ Damit ließ er den Jungen stehen und schritt den Weg zum See hinunter.

Hütter war in den dreißiger Jahren. Aber trotz der auf ihm lastenden Verantwortung für den großen Betrieb hatte er sich bisher eine gewisse jugendliche Frische erhalten können. Sie beruhte nicht nur auf ständiger sportlicher Betätigung, sondern auch auf einer inneren Ausgeglichenheit, ja einer gewissen Sorglosigkeit. Er pflegte seine Entscheidungen wohl zu überlegen. Waren sie jedoch einmal gefaßt, so konnte er sich auch von schwebenden Dingen freimachen, sie ruhen und ausreifen lassen. Er hielt sich innerlich einfach von ihnen fern; ihn beschäftigten sie so lange nicht, bis sie erneut an ihn herangetragen wurden. Es war vieles noch in ihm von einem großen Jungen, trotz der korrekten und beherrschten Haltung, die ihn im Verkehr mit Gleichgestellten und Untergebenen nie verließ.

So freute er sich auch, als er nun eilig dem Bootshaus zuschritt, über den Sturm, den sein unerwartetes Erscheinen in der Küche und sein Griff in den Frühstückskorb in den unteren Regionen des Hauses hervorrufen würde. Aber den Küchenchef merkte er sich wegen der Maschinen vor! Er konnte ihn nicht leiden, diesen fetten, eingebildeten Mann. Seine Frau freilich hielt große Stücke auf ihn und seine gastronomische Kunst.

Unten im Bootshaus ließ er das Ruderboot – einen ganz neuen Einer – zu Wasser, holte die Dollen und den Rollsitz aus dem Schrank, stieg ein und stieß mit dem Bootshaken kräftig ab, so daß der schmale Kiel weit in den See hinausschoß.

Es war doch ein fabelhafter, schnittiger Kahn!

Voller Freude setzte er die Ruder an und zog kräftig durch. Jeden Morgen müßte man eine Stunde rudern können!

Die Sonne stand schon über den Kiefern am Ufer des Sees. Sie spielte in den kleinen Wellen, die sich im Kiel des Bootes kräuselten, und lag auch wohlig wärmend auf den entblößten Armen und Beinen des Mannes. Herr von Hütter kam gut voran. Am Westrand des Sees ließ er das Boot auslaufen und bog vorsichtig in den schmalen Graben ein, der vor dem Bau des Teltowkanals die Verbindung zwischen dem Griebnitzsee und der Havel hergestellt hatte. Es war nicht einfach, in dem engen, im Sommer stets ein wenig wasserarmen Graben zu rudern. Aber er war geschickt und lag bald ausruhend auf dem Tiefen See vor dem Schloß Babelsberg. Es erhob sich links von ihm über der ansteigenden weiten Rasenfläche. Es lag ganz still, wie verwunschen, in der Morgensonne.

Seit dem Tode des alten Kaisers war das Leben aus dem Schloß geschwunden – und es war doch einst dort oben Geschichte gemacht worden. Weltgeschichte sogar, als der alte Herr hier vor 40 Jahren Bismarck zu seinem Minister berufen hatte. Einige Pfauen schritten jetzt gravitätisch über den Rasen. Gleich einem Fächer glänzte das Gefieder eines Hahns in schillernden Farben auf – nur schade, daß sein Lockruf so mißtönend klang.

Hütter wandte den Blick vom Schloß. Über den Bäumen des Parks zeichneten sich in der Ferne scharf die weißen Kuppeln des Observatoriums auf dem Telegraphenberg gegen das dunkle Grün des umgebenden Waldes ab. Hoch erhob sich auf dem anschließenden Brauhausberg das Gebäude der neuen Kriegsschule. Vom nahen Potsdam grüßten die Kuppel der Nikolaikirche und die Türme der Garnison- und der Heiliggeistkirche herüber. Zur Rechten schwang sich in niedrigen Bögen die Schinkelsche rote Backsteinbrücke über die Glienicker Enge. Soeben öffnete man die Mittelfahrt, um eine Zille mit großem, geschwelltem Segel hindurchzulassen.

Es war schön hier in der Mark Brandenburg. Gab es noch eine Hauptstadt in Europa, die sich einer solchen reizvollen Umgebung erfreuen konnte, wie Berlin?

Ein wenig lehnte sich Herr von Hütter auf dem schmalen Rollsitz zurück. Wie selten kam er infolge seiner vielen Verpflichtungen zu solchen erholsamen Stunden wie heute. Während er sich den Sweater um die Schulter legte, dachte er an seine Arbeiter. Viele sahen mit Neid auf seinen Reichtum. Sie mußten hart arbeiten – zugegeben –, nach Arbeitsschluß waren sie jedoch frei, während Verantwortung und Sorge um das Unternehmen ständig auf ihm lasteten.

Ein leichter Wind kam auf und drehte das Boot. Die Glienicker Lake schob sich mit dem Park des Jagschlosses Glienicke in sein Blickfeld. Hier wohnte Prinz Friedrich Leopold, ein Vetter des Kaisers. Weiter im Inneren der Lake lagen zwei Ausflugslokale, von denen sich besonders „Bürgershof" großer Beliebtheit erfreute. Am Ende der Bucht waren Kinder beschäftigt, mit viel Geschrei einen großen Ruderkahn in das Wasser zu bringen.

Ob sein Sohn, der jetzt in der Parkvilla unter der Obhut der Spreewälder Amme und einer englischen Nurse seinem Leben entgegenschlief, auch einmal so ungezwungen würde spielen können? Er würde sich wohl kaum in gleicher Freiheit austollen dürfen. Auch er selbst war schon im Hinblick auf seine kommenden Aufgaben von Privatlehrern und in exklusiven Internaten erzogen worden. Lernen mußte auch sein Sohn, mehr als andere – ihn jedoch wollte er in eine öffentliche Schule geben, ihn nicht abkapseln von anderen Kindern. Was man mit ihm nach dem Abitur machen würde, ob Jus oder die Technik in Frage käme – was wußte man, was dann wichtiger war? Im vergangenen Jahrhundert, als sein Großvater begann und das Unternehmen dank seiner technischen Erfindungen innerhalb weniger Jahrzehnte zur Weltgeltung führte, war alles noch einfacher, war noch von einem zu überblicken, lag alles noch in einer Hand. Aber heute – man wußte selbst nicht, müßte man mehr Techniker sein oder mehr Kaufmann, in der Fabrikation auf dem laufenden bleiben oder im Handel. Kaufmann, das war wohl zukünftig das richtigste, mit genügenden Kenntnissen der technischen Möglichkeiten, Organisator, um bei dem Zusammenschluß in den Aktiengesellschaften nicht überspielt zu werden. Es wehte jetzt ein scharfer Wind auf dem Weltmarkt. Der Vorsprung durch die Erfindungen des Großvaters war so ziemlich ausgeglichen. Auch in anderen Ländern baute man heute hervorragende elektrische Maschinen, und nicht alles, was man aus Amerika berichtete, war nur Bluff. Er hatte es auf seinen Reisen selbst gesehen.

Es war vielleicht bedauerlich, daß man sich nicht auch dort rechtzeitig wie in England engagiert hatte – aber, wer dachte zu Zeiten des Großvaters schon an Amerika –, und heute war es zu spät.

Es würde nicht ganz so einfach werden für seinen Karl Friedrich. Sicherlich war es ein Vorzug, als ein von Hütter geboren zu sein. Er selbst war stolz darauf. Aber der Name war auch Verpflichtung, konnte zur Bürde werden – wie bei den kaiserlichen Prinzen, die er schon immer ihrer verlorenen Jugend wegen bedauert hatte.

Von Hütter wendete das Boot und ruderte zurück. Auf dem Griebnitzsee ließ er sich jedoch noch Zeit. Er fuhr langsam an der Schilfwand des Ostufers entlang. Schließlich konnte er nicht der Versuchung widerstehen, trieb an einer klaren, seichten Stelle mit kräftigem Schwung in das Schilf und sprang in das Wasser. Lange schwamm er, zog dann noch das Boot an Land und legte sich in die Sonne. Endlich, fast war es Mittagszeit geworden, ruderte er wieder seinem Bootshaus zu.

Schon von weitem sah er seinen Spaniel, der seiner Spur gefolgt und sich wartend in den Schatten des Bootshauses gelegt hatte. Nun sprang der Hund freudig bellend am Ufer hin und her, lief auch bis zur Brust in das Wasser hinein. Es mochte ihm aber nicht ganz behagen, denn schnell patschte er wieder zurück an Land und brachte schließlich mit seinem freudigen Ungestüm das anlegende Boot fast zum Kentern. Energisch mußte ihn von Hütter ermahnen, ehe er soweit Ruhe gab, daß er aussteigen und das Boot festmachen konnte. Jetzt tollte der Hund vor seinem Herrn den Uferweg hinauf, der Parkvilla entgegen. Ab und an kam ihm eine Witterung in die Nase, dann blieb er zurück und stöberte zwischen altem Laub, scharrte auch wohl ein wenig an einem Kaninchenloch. Doch folgte er bald wieder seinem Herrn und bettelte um einen Stein. Nach einem Wurf streckte sich sein goldbrauner Körper, und er jagte davon, um zu apportieren. Es war ein vergnügliches Spiel für beide.

Plötzlich lief der Hund in einen Seitenweg. Herr von Hütter hörte gleich darauf sein lautes, freudiges Bellen. Neugierig folgte er ihm und sah, wie der Spaniel den Kinderwagen mit seinem Jungen umsprang.

Es war ein seltsames Gespann, das ihm dort entgegenkam. Die rundliche blühende Amme in der malerischen Spreewaldtracht schob den Wagen. Ihr gutmütiges, gesundes, in frischen Farben strahlendes Gesicht unter der breit ausladenden Haube war mit einem Lächeln zum Kind geneigt. Neben ihr schritt, schlank und groß, ein wenig mager fast, in ernster Würde, die noch durch ein langes, enganliegendes graues Kostüm gehoben wurde, die Nurse. Ein Buch hatte sie unter dem Arm. Wie die Nurse kein Wort deutsch, so verstand die Spreewälderin kein Wort englisch. Gott allein mochte wissen, wie sich die beiden miteinander verständigten. – In bezug auf das Kind allerdings, das hatte man schon bemerkt, wurden sie mit Hilfe einer unmißverständlichen Zeichensprache immer einig. Bald würde ja auch das Kind der Brust entwöhnt und die Amme entbehrlich sein.

Herr von Hütter begrüßte die beiden. Mit einem leichten Knicks erwiderte die Deutsche, die Nurse neigte ein wenig den schmalen Kopf.

„How does he feel?“ Er beugte sich über den Wagen, der Kleine verzog ängstlich das Gesicht.

„Oh, thank you very much, he's very well, sir.“

Hütter ließ seine Hand mit dem Ringfinger vor den Augen seines Sohnes spielen. Das Sonnenlicht brach sich blitzend in einem Stein. Ein Lächeln überflog das Gesicht des Kleinen, und seine Händchen haschten nach dem blinkenden Ding.

„Er merkt es schon“, beobachtend verfolgte von Hütter die Reaktionen seines Jungen.

„O ja, er ist überhaupt schon weit“, stolz warf es die Amme ein. Von Hütter unterhielt sich noch etwas im Weitergehen mit den beiden, fragte auch die Nurse, ob sie sich in seinem Haus wohl fühle und ob sie mit ihrer Unterbringung zufrieden sei. Dann verabschiedete er sich, tätschelte zärtlich die Wangen des kleinen Burschen und bog vor dem Hause ab, um noch kurz in den Pferdestall zu sehen.

Es war doch eine Freude, solch ein schönes und gesundes Kind! Lange genug hatte er sich in den ersten Jahren seiner Ehe danach gesehnt. Nun war der Nachfolger da, und das Leben erhielt damit doch eigentlich erst seinen rechten Sinn. Man wußte schließlich jetzt erst, für wen man arbeitete.

Im Stall trat er in die Box zu seinem Reitpferd. Er klopfte den

Hals des Tieres, das sich zu ihm herunterbeugte und die Rocktaschen suchte, dann auch mit weichen Lippen nach seinen Händen haschte.

„Nein, Zucker habe ich heute nicht bei mir, den habe ich vergessen. Aber“ – er sprach tröstend zu dem Pferde – „du bekommst ihn noch heute.“ Damit verließ er den Stall und ging zur Villa hinüber. Er sprang die Treppen zu seinem Zimmer hinauf, um sich umzuziehen. Man wollte heute auf der Terrasse essen, so hatten sie es am Vorabend verabredet.

Dort erwartete Frau von Hütter bereits ihren Mann. „Guten Morgen, hast du gut geschlafen?“ Aus einem Korbsessel, geschützt durch einen großen, weiten Sonnenschirm, begrüßte sie ihn. Sie sprach deutsch, ein etwas hartes, englisch gefärbtes Deutsch, in dem sie die Laute wie in ihrer Muttersprache schleifend verknüpfte. „Und du selbst?“ Hütter beugte sich über sie und küßte leicht ihre Stirn. Wenn sie deutsch sprach, war sie in besonders guter Stimmung. Er setzte sich neben sie auf einen Hocker. „Ich habe unsern Sohn schon begrüßt“, mit einem leisen Lächeln hing er in Gedanken der Begegnung im Park nach.

„Er ist wohl mehr der deine“, sie gab das Lächeln zurück, während sie seine Augen suchte.

Der Mann schüttelte leicht den Kopf: „Mir scheint, seine Augen, seine hellen Haare, er hat sie wohl von dir.“

„Das sind veränderliche Merkmale, mein Lieber, doch eigensinnig ist er schon, das bleibt, und das hat er von dir“, sie lachten beide, tauschten noch einige Beobachtungen über das Kind aus. Schließlich berichtete er auch von seinen Erlebnissen am heutigen Vormittag.

„Dann mußt du aber sehr hungrig sein!“ Sie griff zur Klingel und läutete.

Ein Mädchen erschien in der Tür, ihm gab sie den Auftrag, das Essen sofort anzurichten.

Ihr Lunch war verhältnismäßig einfach. Suppe und Fleischgang waren eine Konzession an seine deutsche Eßgewohnheit (er hatte sich doch nie recht an das späte englische Dinner gewöhnen können). Zum Nachtisch gab es frische Süßkirschen, die der Obergärnter erst vor einigen Stunden selbst gepflückt und zur Küche gebracht hatte.

„Sie sind von dem Schößling, den mir daddy gab, sie tragen erstmals in diesem Jahr."

„Oh", mit einem versonnenen Lächeln griff Frau von Hütter nach einer Kirsche, hielt sie einen Augenblick in der Linken. Die Heimat stand plötzlich vor ihren Augen, der große Gutsgarten, durch den sie als Kind der Frau des Gärtners entgegengelaufen war, um aus ihrer Hand die ersten Kirschen des Jahres zu empfangen. Ihr Mann schien ihre Gedanken zu erraten. „Im nächsten Jahr", so tröstete er, „kannst du wieder zu Hause sein." Doch sie schüttelte den Kopf. „Nein, nicht ohne dich."

Hütter blickte auf, er ergriff ihre Hand und neigte sich dankbar über sie. Die Geburt des Kindes hatte sie einander nähergebracht, das spürte er.

Seine Frau hatte in den Wochen, in denen sie in Erwartung des Kindes allen gesellschaftlichen Veranstaltungen fernbleiben mußte, erstmals das Glück der Stille empfunden. Wie wenige Stunden hatte sie in Wahrheit bisher gemeinsam mit ihrem Mann verlebt? Wann konnten sie sich aussprechen, wann gehörten sie sich überhaupt selbst? Verpflichtungen reihten sich an Verpflichtungen. Während sie in England in der season als Gast auf den Landsitzen von Freunden und Verwandten weilte, war er in Deutschland, oder es hielten ihn bei seinem Besuch Besprechungen in London fest. Kaum, daß sie irgendwo am Wochenende einige flüchtige Worte miteinander wechseln konnten. Von einem gemeinsamen Leben und gemeinsamen Interessen, von einem gemeinsamen Tragen von Sorgen war eigentlich nicht zu reden. Diese hielt man als Gentleman von ihr fern. Nicht einmal über den Stand ihrer Vermögen waren die Frauen der Gesellschaft unterrichtet.

Was wußten sie eigentlich voneinander, was wußte sie von der Arbeit ihres Mannes? Sie blickte ihn verstohlen an. Mit den Jahren war er nicht jünger geworden, stellte sie fest, und entdeckte manche Sorgenfalte in seinem Gesicht. Einmal, in der ersten Zeit ihrer Ehe, war sie in seinem Büro gewesen und hatte sich auch durch einige Werkstätten führen lassen. Aber, soviel sie sich auch mühte, sie hatte kaum Sinn und Zweck der kreischenden Maschinen, der lärmenden Hämmer begriffen. Sie hatte sich sogar vor dem glühenden Eisen gefürchtet, das gleich einer züngelnden Schlange unter den Walzen des Drahtwerkes hervorschoß, bis es einer der Arbeiter mit geschickter Hand mit der Zange gefaßt und es gleich einem Dompteur mit elegantem, spielerischem Schwung zurück in die Walzenstraße geworfen hatte. Froh war sie damals, als man das Werktor wieder hinter sich gelassen hatte.

Wen kannte sie, mit dem er täglich zusammen war? Einige der Direktoren waren ihr mit ihren Damen bei gesellschaftlichen Veranstaltungen vorgestellt worden. Aber auch diese Frauen, bis hinunter in die Kreise der kleinen Bürger, schienen das Arbeitsleben mit dem Manne sehr wenig zu teilen.

Für die Dame war es, so wurde ihr bewußt, terra incognita. Sie bedauerte es, konnte es aber nicht ändern. Um so mehr versuchte sie jetzt, seinen privaten Interessen zu folgen. Mit ihm teilte sie die Liebe zum Sport. Sie war keine schlechte Reiterin und versuchte auch, seiner Liebhaberei für die Landwirtschaft Geschmack abzugewinnen. Die Deutschen unter ihrer Dienerschaft – die wichtigsten Posten waren mit Leuten aus ihrer Heimat besetzt – beobachtete sie mehr als bisher. Überrascht stellte sie fest, in wie vielen Charakterzügen sich beide Völker glichen. Sie sah aber auch das Trennende. Die Deutschen, so schien es ihr, waren betriebsamer als ihre Landsleute, unruhiger, lebhafter. Es mochte nicht schaden. Jeder wollte dem Anschein nach recht schnell vorankommen. Sie waren tüchtig, aber auch rebellischer. Ihr sagte die ruhige, wenn auch etwas träge Art ihrer Landsleute mehr zu.

Sie läutete nach dem Tee, ließ das Tablett seitlich auf einem Tischchen abstellen und schenkte ihrem Mann selbst ein.

„Nebenan im Waldhaus ist heute Taufe.“ Sie nahm selbst Tee. „Der dritte Junge ist es in der Familie.“

„Woher weißt du das?“ Überrascht fragte ihr Mann, ihn freute das Interesse, das sie an ihrer Umgebung nahm.

„Oh, man erfährt es vom Personal“, erwiderte sie und setzte versonnen hinzu: „Der dritte Junge . . .“

Sie griff zu dem leichten Gebäck, das auf einer Schale zwischen ihnen stand: „Was sind dies eigentlich für Leute, die dort wohnen? Der Mann heißt William mit Vornamen.“

„Ach, du meinst die Suchefads. Er ist Verwaltungsmann beim neuen Forschungsinstitut, das sie im Wald auf dem Landgut Eule eingerichtet haben, eine ordentliche Familie.«

„William – hat er eine englische Mutter?“

„Das glaube ich nicht, dies wäre in seinen Kreisen etwas ungewöhnlich und hätte sich schon herumgesprochen. Englische Vornamen waren aber vor einigen Jahren in Deutschland sehr beliebt. Man bewunderte England seines Reichtums wegen, es war für uns Vorbild, die Werkstatt der Welt ..."

„Und heute nicht mehr?"

„Nun, wir haben aufgeholt, sind selbst ein Industriestaat geworden, das gibt Ärger wegen der wachsenden Konkurrenz auf den Weltmärkten. ‚Solange ich England kenne', sagte mir kürzlich einer unsrer Diplomaten, ‚habe ich dort noch niemals eine solche Erbitterung gegen eine andere Nation wahrgenommen wie jetzt gegen uns."

„Es ist viel Emotion geweckt worden", erwiderte Frau von Hütter. „Die offenkundige Sympathie der Deutschen für die Buren hat zu Hause verstimmt, dazu der Kaiser mit seinen Reden. Mit den Hunnen hat er selbst die Deutschen verglichen ..."

„Ach, das war vor zwei Jahren beim Boxeraufstand, als er das Expeditionskorps nach China verabschiedete", warf Herr von Hütter ein. „Sie sollten sich durch ihre Tapferkeit einen ruhmvollen Namen machen, hat er gesagt. Mit den Hunnen, das war ein recht unglücklicher Vergleich, ich gebe es zu. Unser hoher Herr ist leider gelegentlich recht impulsiv."

„Die englische Presse war empört ..."

„Nicht nur die englische. Um den ganzen Erdball lief das Wort, es hat uns sehr geschadet. Es war ein Fauxpas, und nur infolge der Dummheit – oder des Ehrgeizes eines Reporters – allgemein bekanntgeworden. Der Kaiser ist nicht gegen England, trotz seiner Vorliebe für eine deutsche Flotte. Er ist hier sogar vielen als Anglomane suspekt. Denk an seine Mutter, die Kaiserin Friedrich, sie dachte nur englisch, war eine echte Tochter der alten Queen Viktoria. Sie bestand auf einem englischen Kammerdiener, englischer Küche, englischer Kinderstube, sie schrieb Aufsätze über Politik und hielt die englische Verfassung wie alles Englische für das Beste auf der Welt, das erregte hier Widerspruch."

„Sie war eine starke Persönlichkeit ..."

„Mit der sich ihr Sohn Wilhelm überhaupt nicht vertrug", warf von Hütter ein, „dagegen soll ihn seine Großmutter, die alte Queen, sehr gern gehabt haben."

„Ja, sie liebte ihn, ihren ältesten Enkel, seines Charmes, seiner Intelligenz und seiner Offenheit wegen. Außerdem hatte er Witz, den – wie man bei uns sagt – sein Onkel Eduard aber wenig schätzte. Es mag für den fast zwanzig Jahre Älteren oft bitter gewesen sein, hinter dem Neffen zurückzustehen, den bei seinen Besuchen in England kaiserlicher Pomp und Glanz umgaben. Er war dagegen mit 60 Jahren immer noch der Prinz of Wales, Sohn einer Mutter, die allein zu bestimmen gewohnt war."

„Es heißt, die beiden mögen sich nicht, sind wohl auch sehr entgegengesetzte Naturen – und stehen nun beide an der Spitze unserer Völker: Kaiser Wilhelm und King Edward ..."

Beide blickten sinnend in das Grün des Parks. Eine Sorge um die Zukunft schien zwischen ihnen zu schwingen, bis Frau von Hütter das Schweigen unterbrach: „Wie sind wir nur daraufgekommen, uns den schönen Tag mit solchen dummen Gedanken zu verderben? – Richtig, die Taufe bei diesem William ..."

„Suchefad", ergänzte er.

„Ja, bei dieser Familie war es – wir sollten ihr gratulieren." Frau von Hütter sprach es leichthin.

Überrascht sah er auf, setzte zögernd hinzu: „Nun ja, sind ja gewissermaßen Nachbarn, und auf dem Lande ..."

„Es wird sie sicher freuen", meinte seine Frau.

„Ohne Zweifel", Herr von Hütter lächelte ein wenig obenhin, dann schlug er vor: „Wir werden Blumen hinüberschicken, der Gärtner wird sie noch heute fertigmachen können."

Er erhob sich, um die Anweisung zu geben und eine Karte mit dem Glückwunsch zu versehen. „Du wirst ruhen müssen, Liebste", meinte er und beugte sich verabschiedend zu ihr. Ihre Hand griff jedoch nach einem Knopf seines Jacketts, spielte mit ihm: „Wollen wir nicht erst zusammen nach unserem Sohn sehen?"

„Aber gern", er rückte ihren Stuhl, und beide gingen durch die Halle in das im ersten Stock gelegene Kinderzimmer.

Neben der Wiege, über der sich ein Himmel aus blauem Voile wölbte, saß die Nurse mit einem Buch. Als die Herrschaften ins Zimmer traten, erhob sie sich und machte ein Zeichen, daß der Kleine schlafe. Auf leisen Sohlen näherten sich die Eltern und beugten sich beiderseits über den Rand der Wiege. Das Kind hatte sich auf die Seite gelegt. Die zu Fäusten geballten, winzigen Händchen hatte es vor den Mund gepreßt. Der unhygienische

Nuckel war aus diesem Kinderzimmer verbannt. Ab und an bewegte sich die seidene, am Rande mit blauen Bändern durchzogene Bettdecke vom Strampeln der Beinchen.

Mit glücklichem Lächeln wies die Mutter auf das kleine, zarte Ohr, hinter dem sich flaumweiche Härchen kräuselten. Sie beugte sich tief hinunter und küßte ihr Kind, das sich schlaftrunken bewegte. Der kleine Mund verzog sich, als wollte er weinen. Die Eltern traten zurück, während die Nurse mit leichtem Schaukeln der Wiege das Kind wieder beruhigte. Sie gingen zur Tür und schlossen sie leise hinter sich. „Es ist doch dein Junge“, sagte Frau von Hütter lächelnd zu ihrem Mann.

„Nun, wer weiß, wir werden ja sehen“, erwiderte er und setzte hinzu: „Wenn er das Gute von uns beiden in sich hat, dann wird er schon werden.“ Sie gingen den Korridor entlang. „Aber nun mußt du dich ausruhen. Der Sanitätsrat hat mir besonders ans Herz gelegt, darüber zu wachen.“

Sie lachte: „Der gute Alte! Er scheint zu denken, du hättest nichts anderes zu tun. Aber beruhige dich, ich seh mich schon vor.“

Leichtfüßig schritt sie die Treppe hinunter. Ihr Mann schaute ihr nach. Von unten blickte sie noch einmal zu ihm hinauf und winkte ihm lächelnd zu, ehe sie in die Tür ihres Salons verschwand. Dann wandte er sich seinem im oberen Stockwerk liegenden Arbeitszimmer zu. Die wenigen Stunden der Muße verbrachte er hier in den einfacheren Räumen und nicht in der Bibliothek im unteren Stockwerk. Er streckte sich auf dem kühlen Ledersofa aus. Weit waren die Fenster geöffnet, in vollen Wellen flutete die Sommerluft hinein. Er nahm ein Buch zur Hand, legte es jedoch bald wieder zur Seite. Flüchtig blickte er noch in die Sonntagszeitung, doch schnell fielen ihm die Augen zu. Im Einschlafen empfand er wohltuend die Erholsamkeit dieses seltenen Sonntagnachmittages, der so ganz seiner Frau und ihm gehört hatte.

*

Drüben im Waldhaus aber nahm man soeben die Blumen in Empfang. Reichlich lohnte Herr Suchefad den Gärtnerburschen ab und stellte den Blumenkorb mit eigener Hand in die Mitte der Gaben. Es war ein wundervolles Arrangement. Mit seinem Vater stand Herr Suchefad vor dem Geschenk und fühlte sich über die aufmerksame Gabe sehr, sehr geehrt, ohne zu wissen, daß er sie im Grunde nur seinem Vornamen William verdankte.

Alltag bei Suchefads – Das Frühkonzert Pfingsten 1907

Es war ein sehr schönes Fest geworden. Alle Beteiligten stimmten in der Erinnerung an die Taufe bei Suchefads darin überein. Zwar hatte der Tante Metzger die Ochsenschwanzsuppe nicht kräftig genug geschmeckt, auch erschien ihr, bei der vor allem nach der Verlegung des Geschäftes in den neuen Berliner Westen das Geld keine Rolle mehr spielte, der ganze Lebenszuschnitt bei den jungen Leuten recht bescheiden. Dazu noch den dritten Jungen! Aber der Georg William mußte wissen, was er tat und was er sich zumuten konnte; ihrer Meinung nach hätte ja schon einer genügt.

Sonst aber hatte auch sie nichts weiter auszusetzen. Sie waren wirklich nett aufgenommen worden. Der Neffe verstand es, seinen Familienfesten immer eine besondere Note zu geben. Diesmal hatte er am Abend seine Gäste in den verdunkelten Salon gebeten, an dessen freier Wand, so konnte man in dem schwachen, aus dem Vorderzimmer einfallenden Licht erkennen, ein weißes Leinentuch gespannt worden war. Nachdem alle Platz genommen hatten, löschte der Hausherr auch dies Licht. Dunkelheit umfing sie. Aber gleich darauf ließ er durch eine hinter den Gästen aufgestellte Lichtquelle auf der Leinwand einen Kreis weiß aufleuchten. Auf diesem weißen Lichtfleck erschien Tante Eugenie aus Trempin in ihrer ganzen Körperfülle. Ein wenig verschwamm noch das Bild und verzerrte sich nun unförmig in die Breite. Herr Suchefad bemühte sich um die richtige Einstellung des Objektivs – jedoch, die gewaltigen Proportionen dort vorn gerieten nur in Bewegung, ohne sich zu einem porträtähnlichen Bilde zusammenzuziehen. Köstliche Heiterkeit belohnte den Hausherrn für seinen originellen Einfall.

Er selbst aber stand ärgerlich hinter seinem Bildwerfer und versuchte, den Gästen seine wahre Kunst zu beweisen. Aber auch er mußte, wie so mancher Große vor ihm, erfahren, daß das Volk weniger nach dem Ernst-Erhabenen als nach der Burleske begehrt. So gab er seine Versuche, das Bild zu richten, schließlich auf und ließ auch die Bilder der Anwesenden als Karikaturen über die Leinwand zittern. Selten war ihm bei seinen Lichtbild-Vorführungen später ein derartiger Erfolg beschieden wie bei dieser Erprobung des neuen Apparats.

Ja, es war ein gelungenes Fest gewesen. Alle Gäste waren wieder gut nach Hause gekommen, wenn man sich auch von Onkel Walter erzählte, daß es erst am Abend des folgenden Tages geschehen sei. Aber er war noch Junggeselle und hatte keinerlei Verpflichtungen. Allmählich war auch die gewöhnlich den Familienfesten folgende regere Korrespondenz verebbt, die Dankschreiben an alle Gratulanten waren gewissenhaft erledigt worden, und der Alltag bestimmte wieder auf gleichmäßigen Wellen das Leben im Hause Suchefad. Der Junge wuchs heran, und wie schon bei ihren älteren Kindern erlebte die Mutter beglückt auch an ihrem Jüngsten das Wunder des Werdens, die Wandlung, die sich in jedem Menschlein in den ersten zwei, drei Jahren seines Lebens vollzieht, wenn in ihm mit der ersten sinnlichen Wahrnehmung der Prometheusfunke des eigenen Egos erwacht. Wenn mit den ersten lallenden Worten in ihm der Geist – die Fackel der Freude, das Feuer der Not und die düstere Flamme des Bösen entzündet ist. Wenn das Kind den Hort der Gnade, das dämmernde Reich zwischen Werden und Sein verläßt, dann zittert wohl in die Freude einer jeden Mutter ein leiser Schmerz, ein Ahnen, daß die Trennung beginnt, die ein Leben lang währt.

Fragte man später Gero, wessen er sich als Erstes entsinnen könne, so sagte er, daß es das Rauschen der Blätter der riesigen Pappel war, die hinter dem Waldhaus ihre Zweige in den Himmel reckte. Ab und an trug der Wind aber auch mit dem eifrigen, raschelnden Plaudern der Pappel mit sich einen anderen Klang: streng, klar, fordernd, silberhell, den er nicht vergessen konnte.

*

Er war fünf Jahre alt, als er ihn wieder vernahm. Er spielte mit seinen Brüdern auf dem Sandplatz im Wäldchen gegenüber dem Waldhaus und hatte plötzlich das Burgenbauen unterbrochen: „Still, seid einmal still, hört ihr, da schimpft wieder der liebe Gott!“

„Was sagst du: Der liebe Gott schimpft?“ Das Mädchen Kathrin, die bei den Kindern saß, hatte von ihrer Näharbeit verwundert aufgeschaut. „Ja, hörst du's nicht?“ Gero versuchte brummend die Töne nachzuahmen.

„Ach, das meinst du“, das Mädchen lachte: „Das ist nicht der liebe Gott, das ist nur das Glockenspiel der Garnisonkirche in Potsdam. Bei Westwind hört man es manchmal bis hierher – aber kommt, morgen ist Pfingsten und Frühkonzert, da hat eure Mutter noch viel zu tun, und ich muß ihr jetzt helfen.“

Das Frühkonzert! Über ihrem Spiel hatten sie es fast vergessen! Jubelnd waren sie in das Haus gelaufen: „Vater geht ja mit uns morgen zum Frühkonzert!“ Sie bestürmten die Mutter mit Fragen, standen ihr überall im Wege – und sie hatte noch soviel vorzubereiten: Der Mann, die drei Kinder, das Mädchen, ihre eigene Garderobe, der Pfingstkuchen, der Mittagsbraten für die Feiertage, an alles mußte sie denken!

Es wurde spät für sie an diesem Sonnabend, noch in der Nacht saß sie am Nähtisch über den Kindersachen. Dann legte sie die guten Anzüge zurecht: drei Hosen, drei Matrosenjacken, drei Hemden, Unterzeug, Wadenstrümpfe, drei Schlipse und drei Matrosenmützen. Die Schuhe standen von Kathrin blank geputzt davor. Die Hand der Mutter strich über die Sachen. Alles war frisch und sauber gewaschen und geplättet – wenn es nur morgen abend auch noch so sauber wäre, wenn nur nichts unterwegs passieren würde! Frau Tina seufzte: Sie war wohl sehr müde – oder sah sie nur immer schwarz?

Am nächsten Morgen aßen die Kinder kaum vor Aufregung und Erwartung. Der Vater wurde ernstlich böse: „Wer nicht richtig frühstückt, bleibt zu Haus“, drohte er, so daß sie ihren Kakao tranken und ihre Milchschnitte aßen. Dann brachen sie auf und waren im Treppenflur, um niemanden zu stören, mäuschenstill. Draußen war es schon ganz hell, doch stand die Sonne noch sehr tief, und unter den Kastanienbäumen war es frisch und kühl. Die Straße war ganz leer, kein Mensch war außer ihnen weit und breit zu sehen. Nur die Vögel sangen überall in einem vielstimmigen Chor: Im Wald an der Eisenbahn und im Park der Hütterschen Villa, und der Vater lehrte seine Söhne, sie an den Stimmen zu unterscheiden. Den Kunstgesang der Amsel kannten sie bereits, auch das fröhliche Werben des Finken und das Locken der

Meisen. Ab und an flötete auch ein Pirol dazwischen. „Ist das nicht schon ein herrliches Frühkonzert?“ Suchefad war plötzlich stehen geblieben: „Eigentlich brauchen wir gar nicht nach Bürgershof.“ – „Aber Vater“, die Jungen waren erschrocken (nur die Mutter hatte den Schalk in seinen Augen gesehen), „wir wollen doch den Trompeter hören – und den Kesselpauker“, bettelten sie. „Nun, wenn ihr durchaus wollt . . .“

Sie gingen weiter, ließen den Bahnhof Neubabelsberg zur Linken liegen. Ein Zug lief dort soeben ein, und Ausflügler stiegen aus, die gleich Suchefads nach Glienicke zum Frühkonzert gehen wollten. Rechts der Straße blinkte zwischen den Bäumen der Griebnitzsee. Sie bogen in die lange Kaiserstraße ein. An ihrem Anfang lag hinter einem hohen Gitter in morgendlicher Stille die Villa Müller-Grothe, ein sehr schönes, stattliches Haus. Wieder blieb der Vater stehen, um die Jungen auf einen seltenen Strauch aufmerksam zu machen. Frau Tina hörte schweigend zu, ging langsam neben ihrem Mann. So war er nun: oft ein guter Vater und oft entsetzlich streng. An Gero, seinem Jüngsten, war ihm der Jähzorn aufgefallen. Den wollte er ihm schon austreiben, so hatte er grimmig gesagt – und hatte sich doch oft selbst nicht in der Gewalt, wenn er die Kinder schlug. Er war der beste Vater, wußte viel und anschaulich zu erklären, doch fehlte ihm häufig die Geduld. Meist war er gleich vielen anderen Vätern mit sich selbst beschäftigt, in seine Gedanken und Pläne eingesponnen.

Konnte sich ein Mann überhaupt in das Leben eines Kindes versetzen? War nicht sein Lebensinhalt nur der Beruf, die Stellung, das Ansehen, das er genoß? Manchmal schien dies Frau Tina auch auf ihren Mann zuzutreffen. Er war häufig heftig und schalt viel, so daß die Kinder oft genug nicht nur Respekt, sondern auch Angst vor ihm hatten.

Heute, an diesem schönen Morgen, waren sie alle aber nur froh, und unermüdlich bestürmten die Jungen den Vater mit Fragen. Wozu der Ring bestimmt sei, den das große blanke Löwenmaul in seinen Zähnen hielt. Gero wollte es wissen und blieb vor einem schönen schmiedeeisernen Gitter stehen, spielte am Ring.

„Wirst du! Ich werd’ dir helfen – die Leute schlafen doch noch.“ Der Vater hatte schon die Hand erhoben.

„Aber Georg, er weiß es doch noch nicht, daß dies eine Klingel ist“, Frau Tina wehrte seinem Schlag.

„Na ja, es ist ein Klingelzug, und wenn du ziehst, dann läutet es drinnen, und die Leute kommen heraus.

Gero wußte es nun, doch das bleckende Löwenmaul hatte es ihm angetan. Als er später einmal den gleichen Weg mit Kathrin spazierenging, blieb er zurück, zog – und rannte flink davon.

Immer zog er, wenn sie diese Straße gingen, bis eines Tages hinter dem Gitter ein alter Herr erschien: „Ach, du bist der Bengel, der immer klingelt, warte, ich werde dir helfen." Damit riß er einen Stock aus dem Rasen neben dem Tor und kam auf die Straße. Doch ehe er schlagen konnte, war Gero bei den Brüdern und dem Mädchen. Der Alte schalt hinter ihnen her. Seitdem ging Gero nicht mehr gern diese Straße entlang. Er mied das Gitter mit dem schönen Löwenkopf am Tor auch noch, als er schon größer und vernünftiger geworden war.

Im Übermut sprang er jetzt den anderen voraus. Er war glücklich! Die Freude erfüllte völlig sein Inneres, daß es ihn zu zersprengen drohte. Diese Freude verlangte, wie so oft bei ihm, nach einer Äußerung. Ihn packte das Glück wie viele Erwachsene der Zorn, der auch nach einem Tun verlangt.

Wie viele Menschen werden nur von einem splitternden Lineal oder einem zerschmetterten Topf vor dem Herzschlag bewahrt!

Gero hätte in diesem Augenblick schreien können, einfach laut schreien. Später sang er auch oft im Freien – wortlos –, nur um der inneren Bewegung Herr zu werden. Sein Verstand sagte ihm, er dürfe es nicht. Aber heraus mußte das, was ihn zu sprengen drohte. Er sah einen Zaun vor sich – gleich einer Katze sprang er ihn an. Er wußte wohl, daß er seinen guten Anzug trug, wußte hinter sich den Vater, bangte im gleichen Augenblick vor seinem scheltenden Wort, erwartete es – und kletterte doch hinauf. Die Mutter sah den Jungen eher als der Vater. „Gero", rief sie leise mahnend. Als er ihre Stimme hörte, schien der Zwang von ihm zu weichen. Er kam zu ihr zurück. „Was hast du mir versprochen? Warum tust du das?"

Ja, weshalb tat er dies? Er konnte es der Mutter nicht erklären. Auch später sprach er nicht von dem ihn oft überkommenden Zwang, etwas zu tun, von dem er wußte, daß der Vater ihn dafür strafen würde. Man sprach im Hause Suchefad nicht über Gefühle, deshalb hielt der Vater ihn oft auch für verstockt.

Jetzt gab er der Mutter die Hand und ging von nun an artig neben ihr.

„Wer wohnt in diesem großen Haus?“ Ehrhardt wies auf eine Villa, die mit weißen Kacheln verblendet in der Morgensonne blitzte. Ein frisch geharkter Fahrweg schwang sich von der Einfahrt zur Tür des Hauses. Hinter Bäumen verborgen lag zur Linken der Pferdestall. Ein Bursche führte ein gesatteltes Reitpferd heraus.

„Reiche Leute, mein Sohn.“

„Sind wir auch reiche Leute?“ Der Älteste warf die Frage ein.

„Nein, mein Sohn.“

„Warum nicht, Vater?“ wollte Karl-Wilhelm wissen.

„Ach, frage nicht so viel“, der Vater wurde ärgerlich.

Immer, wenn Väter nicht mehr weiter wissen, werden sie ärgerlich, dachte Frau Suchefad. Sie erwiderte an seiner Statt: „Wir haben nicht so viel Geld wie diese Leute.“

Herr Suchefad schämte sich bei ihren Worten etwas seiner raschen Art. Um wieder einzulenken, setzte er hinzu: „Wenn du groß bist und hast viel verdient, dann kannst du auch hier wohnen. Du mußt dann aber furchtbar fleißig sein.“

„Warst du auch furchtbar fleißig?“

„Verdammter Bengel“, Herr Suchefad knurrte es vor sich hin. Ihm wurde der Älteste langsam doch zu naseweis.

„Aber Schatzi“, Frau Tina lächelte verschmitzt zu ihm hinüber, so daß sich sein Ärger legte. Sie wußte manchen Jungenstreich von ihm und auch, daß er nie Erster in der Klasse gewesen war. Schnell war sie wieder ernst: „Natürlich war dein Vater fleißig.“

Stumm gingen sie weiter. Ob er, der kleine Bursche, nun wohl überlegte, warum sie trotz des Vaters Fleiß nicht in einem solchen schönen Haus wohnten?

Für Kinder ist es doch recht schwer, sich zwischen solchen Widersprüchen zurechtzufinden. Sie sind folgerichtig, sie sind auch von Natur aus meist wahrhaftig. Wir – das Leben erst – zeigen ihnen Unlogik, zwingen sie zur Lüge. Wann aber ist Lüge gut, wann eine Sünde? So mancher findet wohl, solange er lebt, auf diese Frage keine Antwort.

Geros Schritte wurden müde. Schwer lag seine in der Mutter Hand. Besorgt verlangsamte sie ihren Schritt und munterte den Jungen auf.

„Wir sind nun bald in Bürgershof.“

Vor ihnen erhob sich das Osttor des Parkes Babelsberg. Es war mit Zinnen gekrönt, gleich einem wehrhaften Kastell gebaut. Viele Menschen kamen von links den abschüssigen Landweg von Nowawes herunter und gingen in den Park, um hier, ohne Entrichtung eines Eintrittsgeldes, das Konzert aus dem am anderen Ufer der Glienicker Lake liegenden Restaurant zu hören. Suchefads folgten der scharf vom Tor nach rechts abbiegenden Straße. Der Wind trug ihnen Marschmusik entgegen.

„Sie spielen schon." Die Töne ließen alle Müdigkeit vergessen. Musik! Die Jungen waren plötzlich wieder frisch und liefen voraus, den wenigen Häusern zu, die sich am Nordufer der Glienicker Lake längs der Straße aneinander drängten. In ihrer Mitte lag das Ziel des Ausfluges, das Restaurant „Bürgershof".

Herr Suchefad schritt schneller aus. Man wollte sich um acht Uhr mit den Eltern im Lokal treffen. Man mußte pünktlich sein, des Tisches wegen. Die Mama wünschte nicht zu nahe der Musik, jedoch auch nicht zu fern zu sitzen. Der Mücken wegen durfte der Platz aber auch nicht zu dicht am Wasser sein.

Es war oft nicht sehr leicht, den Wünschen der Frau Rat gerecht zu werden.

Ein kleines, gelbes Kassenhäuschen sperrte den Eingang des Lokals, der sonst weit und einladend geöffnet war. Halbwüchsige Nowaweser Jungen drängten sich davor und blickten neugierig in den Garten. Gelegentlich versuchten sie, mit einem Erwachsenen hineinzuschlüpfen, doch der Kassierer trieb sie meist zurück.

„Zwei Erwachsene, ein Kind." Herr Suchefad zog seine Börse. Stolz nahm sein Ältester seine Eintrittskarte. Ging er mit seinem Vater, war er sechs Jahre alt, ging er mit Tante Marte aus, so war er fünf und gleich den jüngeren Brüdern frei. Wozu sollte man das Geld wegwerfen, so meinte sie. Man konnte es für ihn noch sparen, er war ja noch so klein. Der Schwager durfte es aber nicht wissen. Männer sind – so fand Tante Marte – in vielen Dingen recht pingelig.

Gaststätten haben ihre eigene Note. Geboren aus der Lage, der Eigenart, auch dem Erfindungsreichtum des Besitzers, wird sie von einem tüchtigen Wirt liebevoll gepflegt. Auch manches, später berühmt gewordene Original (das zu seiner Zeit oft genug schwer in der Kreide gestanden haben mag), gelegentlich auch ein gekröntes Haupt, bringen dem Gastwirt goldene Zinsen. Arm ist jedoch die Mark Brandenburg an solchen stolzen Zeugen aufmerksamer Gastlichkeit. Kaum kann man hier – um ein berühmtes Beispiel herauszugreifen – der Schiffergesellschaft in Lübeck etwas Gleiches an die Seite stellen, auch fehlt ein solcher Schutzpatron, wie ihn jeder Heidewirt mit Hermann Löns besitzt. Die Mark ist nüchterner oder auch poetischer, wie man's nimmt.

Auf dem Bahnhof Neubabelsberg bei Herrn Schmar war es das Frikassé vom Huhn, das die Gäste anzog, beim „Landmann" hinter dem Brauhausberg der Kreuzotterschnaps, der auch den stärksten Mann zum Wanken bringen konnte. Auf Nikolskoe war es die Potsdamer Stange, eine Mischung von Lager- und Jungbier, das aus etwa 30 cm hohen, zylindrischen Biergläsern, den Stangen, getrunken wurde. Kuhfort besaß sogar zwei Attraktionen und zeigte sich damit von Saisoneinflüssen unabhängig. Sommers sang dort die Nachtigall, und im Spätherbst ging man gern hinaus, um das Röhren der Hirsche im nahen Wildpark zu hören.

Bei Bürgerhof nun sprach man vom Kaffee, nur vom Kaffee, den man hier unnachahmlich gut zuzubereiten wußte.

Es hat also ein jedes Haus sein eigenes Gesicht, gleich jedem Menschen. Doch wie bei diesem die Gesellschaftsschicht und der Beruf, so prägt bei jenem die Zweckbestimmung den Typ. Dieser zeigte Bürgershof als Ausflugslokal großen Stils mit einem ausgedehnten Garten. Zwei lange, offene Hallen flankierten ihn und ließen den Blick auf die Glienicker Lake frei. Am Ende der einen Halle erhob sich unmittelbar am Wasser gleich einer hochgestellten Muschel der Musikpavillon.

Herr Suchefad bog um die Ecke des an der Straße gelegenen Haupthauses und blieb, den Garten überschauend, stehen. Unter den großen Kastanienbäumen waren auf sauber geharktem Kies viele Tische und Gartenstühle aufgestellt. Viele waren bereits von Gästen besetzt. In der Musikmuschel hoben sich die roten Uniformen der konzertierenden Gardehusaren vom weißen Hintergrund leuchtend ab, die Instrumente blitzten. Eben erhob der dunkelhäutige Pauker die Schlegel, ließ sie behende auf dem Kalbfell tanzen.

„Aha, La Traviata, Ouvertüre – nein, ein Potpourri", meinte Herr Suchefad zu seiner Frau. „Siehst du sie schon?" Er überschaute die Tischreihen.

„Da vorn sind sie, Mama winkt uns mit ihrem Sonnenschirm." Frau Tina hatte die Schwiegermutter am Kleid erkannt, sie trug auch heute schwarz. Tina beugte sich zu den Kindern, rückte bei Karl-Wilhelm noch den Schlips zurecht, setzte Ehrhardt die Mütze gerade – die Schwiegermutter hatte einen scharfen Blick, sie hielt auf „Anstand“, tat sehr viel „der Leute wegen“ und war nur allzuleicht geneigt, zu rügen und zu ermahnen.

Herr Suchefad lüftete den Hut mit einer leichten Verbeugung nach links: „Revisor Kurhs, Kollege von Papa, mit Tochter“, sagte er leise zu seiner Frau, „Walter will man mit ihr zusammenbringen. Dahinten sind noch mehr vom Rechnungshof – sehen wir nicht hin, ist ja das reine Spießrutenlaufen heute. Wir fallen so schon auf mit unseren dreien.“

Schnell trat er an den Tisch der Eltern. Sie waren mit den beiden unverheirateten Töchtern auch soeben erst eingetroffen. Man begrüßte sich. Herr Suchefad fragte nach den Brüdern, nach der dritten Schwester, die das Konzert ebenfalls besuchen wollten. Die Brüder waren in der Frühe, so erfuhr er, mit dem Ruderboot von der Alten Fahrt in Potsdam aufgebrochen und würden bald hiersein. Die Schwester hatte wahrscheinlich die Zeit verschlafen.

Sie reservierten Stühle und setzten sich zurecht. Herr Suchefad nahm an der Seite seines Vaters Platz, sein Ältester ging zu der Großmutter, die eine Schwäche für ihn hatte. Frau Ernestine saß ihr gegenüber bei ihrem Mann. Die beiden Jüngsten blieben ihr zur Seite. Der Kuchen wurde ausgepackt, der Kaffee kam – man aß und trank.

„Tinchen, ist das dein neuer Frühjahrshut?“ Die Schwägerin Elise fragte.

„Schon wieder einen neuen Hut?“ Die Rätin wurde aufmerksam, den Töchtern hatte sie es strikt verwehrt, sich einen neuen anzuschaffen. Der alte war ihrer Meinung nach noch gut genug mit einer neuen Blume drauf. „Und auch ein neues Kleid?“ Frau Tina wurde rot, die Schwiegermutter konnte ihr die Freude an jedem neuen Staat verleiden. Am besten war es, sie zog für sie nur alte Fummel an.

„Elises und Alines Kleider haben wir geändert“, sagte die Schwiegermutter streng, „nur ein paar Rüschen wurden dazugekauft.“

„Im billigsten Laden“, Frau Tina setzte es verärgert für sich hinzu. Sie kannte ihre Schwiegermutter und ihre Lieferanten gut. Aus Sparsamkeit nahm sie bei jedem Einkauf noch so manchen

Ramsch, den man vielleicht einmal würde verwenden können, mit nach Haus. Schubladen und Schränke quollen in ihrer Wohnung von solchen Sachen über.

„Ich habe mir das Kleid selbst genäht, um zu sparen.“ Die Schwiegertochter verteidigte sich.

Ihr Mann horchte auf und fiel in das Gespräch ein. „Ist es nicht hübsch, das Kleid, Mama?“

„Nun ja, mein Sohn“, die Mutter gab es fast widerwillig zu. Sie wollte hier mit ihm nicht streiten. Herr Suchefad sah froh auf seine Frau. Er fand sie wirklich apart in ihrem neuen Frühlingsstaat. Der große gelbe Hut unterschied sich kaum von ihrem vollen, hochgekämmten blonden Haar. Die Rosen, die den Hut in üppiger Fülle schmückten, schien das Haar selbst zu tragen. Schmuck saß ihr weißes Kleid. Die Bluse mit den weitgepufften, halben Ärmeln war mit Stickerei verziert. Die Taille war noch immer, trotz der Kinder, fabelhaft. Der Rock fiel glockig, sie trug ihn wahrhaft königlich, und Sternfiguren hüpften fröhlich am Saum bei jedem Schritt. Sie war doch eine stattliche Erscheinung.

Im Augenblick war er so froh. Er wollte es ihr sagen. Er hob die Kaffeetasse lächelnd hoch und grüßte, wie beim Wein, sie mit den Augen! „Laß sie nur reden“, schienen sie zu sagen, „du bist schön.“

Der Unmut wich von ihr, sie nickte ihm verstehend zu und lauschte dann den Weisen der Kapelle. Noch war der Rundfunk nicht erfunden, der für jeden zu jeder Stunde den Äther tönen läßt. Noch begegnete man ehrfurchtsvoller der Musik. Zwar war man hier im Freien bei einem Frühkonzert, und die Schicklichkeit verlangte nicht unbedingt zu schweigen, doch war man meist still, und nur die Pausen füllte lebhaftes Gespräch.

Da saßen nun die beiden Schwestern Tina gegenüber, sittsam in ihren geänderten Kleidern neben ihrer Mutter, wie Küchlein unter einer strengen Glucke. Gewiß, sie hatten alles nett gemacht. Die Blusen hatten nach dem neuesten Schnitt Matrosenkragen, die langen, faltenreichen Röcke am Saum ein schmales, blaues Band. Die Taille zierte eine bunte Schärpe. Es war alles sehr nett, sehr schön, doch – „alles wie gewollt und nicht gekonnt“. Das gelegentliche Urteil ihres Mannes fiel Frau Tina ein. Die Kragen waren viel zu klein. Sie wußte schon die Antwort, falls sie fragen wollte: „Der Restekauf gab nicht mehr heraus.“ Die Schärpen, schreiend rot, waren halb geschenkt auf einem Ausverkauf erworben. Die alten Hütchen aber – wer mochte wissen, wo die Schwiegermutter sie im verflossenen Jahr erstanden hatte?

Es war alles ganz hübsch, es war nett, aber es war nicht schick! Und deshalb nahm man ihnen auch die Freier alle vor der Nase weg. Zu hausbacken waren sie gekleidet, doch ihre Mutter sah es nicht. So saßen sie daheim – Aline half im Haushalt, Elise malte nicht schlecht – und beide warteten gleich vielen anderen „besseren Töchtern" vergebens auf den Mann.

„Da kommen die Onkel." Karl-Wilhelm hatte sie zuerst entdeckt. Walter, der zweite Sohn des alten Herrn Suchefad, stand Ausschau haltend an dem Geländer, das den Bootssteg vom Garten trennte. Nun hatte er seine Angehörigen gesehen und setzte mit elegantem Schwung über den Zaun. Ihm folgte der jüngste Bruder Hermann.

„Sie kommen doch nicht etwa nur im Trikot?" Frau Rat nahm das Lorgnon. „Tatsächlich, was sollen die Leute sagen?" Empört blickte sie ihren Mann an.

Ihre Söhne wanden sich geschickt durch die eng stehenden Stuhlreihen und traten mit einem fröhlichen Gruß an den elterlichen Tisch. Sie waren in lange schwarze Hosen und ein schwarzweiß gestreiftes Hemd gekleidet. Vor einigen Tischen, an denen Bekannte saßen, hatten sie mit einer kleinen Verbeugung die weißen Rudermützen gelüftet. Die Sporttracht stand ihnen gut. Walter wußte das und ließ sich gerne bewundern.

„Zieht eure Jacken an, es ist nicht nötig, daß wir auffallen. Dort hinten sitzt dein Chef, Walter."

Die beiden folgten der väterlichen Weisung, begrüßten darauf ihren Bruder und die Seinen und ließen sich von den Schwestern mit Kaffee und Kuchen bedienen.

„Hast du die ‚Alte Liebe' auch gut festgemacht, Walter?" Herr Suchefad fragte. Das Boot war früher sein Eigentum gewesen. Bei der Geburt des Ältesten hatte er es den Brüdern überlassen, weil seine Frau nun nicht mehr rudern konnte. Walter bejahte kurz. Er ließ sich beim Essen ungern stören. Das Rudern machte Appetit. Er und Hermann hielten auch nochmals fleißig mit, als bald darauf sein Schwager Oskar mit der Schwester Bärbel eintraf.

Ein Händeklatschen lief jetzt von der ersten Tischreihe durch den Garten, obwohl die Kapelle nicht spielte. Alle Gäste schauten auf. Sie sahen, wie ein Musiker mit seinem Instrument den Pavillon verließ, zum Bootssteg ging und fortgerudert wurde. Drüben am anderen Ufer stieg er aus. Man sah ihn unter einem Baum stehen.

„Aha, ‚Die Post im Walde', das Echo ist auf seinem Platz."

Es war, wie Onkel Walter vermutet hatte, die „Post im Walde", die nun folgte. Man saß im Schatten wunderbarer alter Bäume, sah auf das stille Wasser, sah im Park am anderen Ufer in grünem Fließen verschwenderisch die Büsche auf die Wellen fallen. Dazwischen tropften in wundervollem Rot die Blätter einer Buche nieder. Man ließ sich von den Klängen in den Wald entführen. Das Echo klang so zart von drüben, klang, als sei es echt.

Der Beifall für den Künstler wollte nach dem Verklingen der Idylle kaum enden. Viele Male mußte sich der Stabstrompeter vor dem Publikum verneigen, ehe er seine Musiker in die Pause entließ. Sie standen bald mit Bekannten aus dem Publikum am Tresen beim Bier, während der Dirigent zur Meldung an den Tisch des Kommandeurs getreten war, der ihm mit seinen Offizieren und deren Damen heute sogar die Ehre gegeben hatte. Das Stück war unbestritten ein Erfolg.

Die Pause brachte auch für die Besucher eine Entspannung. Bekannte gingen jetzt von Tisch zu Tisch, um sich ein frohes Fest zu wünschen. Die größeren Kinder liefen zu der Schaukel und zur Würfelbude. Gern wären die drei Suchefads auch dorthin gegangen, doch der Vater litt es nicht. Nur nahe um den Tisch durften sie etwas spielen.

Die Herren hatten Bier bestellt und sich Zigarren angezündet. Man sprach ein wenig über Politik. „Nun, Hermann, was machen unsere guten Elsässer?" Der Schwager Oskar, ein Mann von Mitte Dreißig, blies das Feuer seiner Zigarre etwas an, „helfen sie dir tüchtig bei deinen Vermessungsarbeiten am Rhein?"

„Na ja . . ." Hermann – er war Landmesser und zu Arbeiten in die Rheinniederung bei Straßburg beordert – zögerte mit der Antwort. „Preußen sind's nicht, und mancher scheint dort auch heute noch der französischen Lebensart nachzutrauern."

„Ist doch altes deutsches Land", der alte Herr warf es ein.

„Aber seit mehr als 200 Jahren von den Franzosen besetzt, eine sehr lange Zeit", meinte Hermann. „Man kommt nicht recht dahinter, was sie meinen und wollen. Sie reden mit uns aus dem

Reich nicht offen. Soviel habe ich aber herausgehört: Die meisten scheuen sich vor der Militärzeit bei ‚Preußens'. Vielleicht wäre es besser, wenn sie ein selbständiges Bundesland würden, anstatt als Reichslande unter Statthalterschaft zu stehen."

„Auf keinen Fall dürfen wir das tun", lebhaft sagte es Walter. „Würden wir das Land jetzt sich selbst überlassen, so hätten dort die welschgesinnten Notabeln und die Kleriker wieder die Oberhand."

„Man sollte vielleicht auch schärfer durchgreifen", meinte Hermann. „Es gibt dort Veranstaltungen wie die des ‚Souvenir français' die alles wieder aufrühren. So etwas würde ich verbieten, also grundsätzlich nicht auf deutschem Boden erlauben. Auch die Flucht in die Fremdenlegion würde ich verhindern. Es ist eine Schande! Die Hälfte der Legion sind Deutsche, vor allem Elsaß-Lothringer."

„Sehr freundlich sind die Leute uns gegenüber also nicht", Georg Suchefad nahm das Wort, „vielleicht liegt's daran, daß sie nicht wissen, wohin sie gehören. Immer zwischen Deutschen und Franzosen, da bildet sich zwangsläufig Nörglertum heraus. Die Gegenwart ist stets schlecht, und das Gold liegt in der Vergangenheit."

„Nun", der alte Herr schaltete sich in die Unterhaltung der Söhne ein, „ich bin mit ihnen während des Feldzuges 70/71 ganz gut ausgekommen. Das, was du von ihnen erzählst, Hermann, wird sich geben, wie oben in Schleswig-Holstein und in Hannover. Dort sind auch noch viele keine begeisterten Preußen. Aber sie gewöhnen sich daran. Doch sprechen wir von etwas anderem. In Rußland scheint es sich allmählich wieder zu beruhigen, für den Zaren sah es in den letzten Jahren böse aus."

„Na, Kunststück!" Walter sprach sehr forsch – „Nach dem verlorenen Krieg mit den Japanern und danach die Revolution . . . in jedem anderen Land wäre sie geglückt."*

„In Deutschland, glaub' ich, nicht", Oskar antwortete bedächtig.

„Wie darf man so etwas auch nur zu denken wagen!" Die Frau Rat (sie verfolgte mit großem Interesse die Politik) war empört.

---

* 1904/05 Russisch/japanischer Krieg und erste russische Revolution, die von zarentreuen Regimentern blutig niedergeschlagen wurde.

„In Deutschland nicht. Die Leibeigenschaft ist bei uns Gott sei Dank seit langem abgeschafft", Schwager Oskar begründete seine Meinung.

„In Rußland auch, seit mehr als vierzig Jahren", Walter gab sich nicht geschlagen, „besteht in Praxi jedoch wahrscheinlich immer noch, wie bei uns. Wenn du kein Geld hast, bist du Sklave deines Herrn. Frage einmal Georg, wie man verfährt, wenn einer von den Arbeitern zu mucksen wagt."

„Aber Walter, das ist doch kein Vergleich! Sie sind doch keine Leibeigenen, sie sind doch frei und können aufhören, wenn sie wollen", sagte Herr Suchefad.

„Jawoll", nickte der Bruder, „tu das mal, wenn du sechs Rangen am Hals hast und vielleicht auch noch krank bist und es dir nicht anmerken lassen darfst. Dann heißt's nur still sein und schlucken..."

Der alte Herr mischte sich ein: „Daß die Russen den Krieg verloren haben, ist kein Wunder. Ein Admiral – man stelle sich vor –, ein Admiral kommandiert die Armee! Er verstand überhaupt nichts vom Landkrieg. So etwas wie die Kapitulation von Port Arthur unter General Stoessel wäre einem preußischen General nicht passiert!"

„Na ja, wir Preußen sind ja auch was Besonderes."

Der alte Herr Suchefad überhörte bewußt den etwas spöttischen Einwand seines Sohnes Walter und spann seinen Gedanken fort. „Nach allem, was in den Zeitungen steht, herrscht eine ungeheure Korruption in Rußland. Die Verwaltung ist nicht sauber. Bei den Beförderungen spielt Konnexion eine größere Rolle als Eignung und Fähigkeit. So hätten wir 70 auch nicht gewonnen."

„Das gibt's doch überall, Papa", Walter gab sich nicht zufrieden, „mir scheint, von unseren hohen Herren verdankt so mancher sein Gehalt und seinen Sessel auch mehr dem alten Namen als dem eigenen Verstand. Vor allem auch beim Militär. Freie Bahn dem Tüchtigen, heißt es, nur nicht in unserem Heer. Warum ist jedem aus dem Mannschaftsstand die Offizierslaufbahn versperrt?"

„Sahst du nie in Neubabelsberg Exzellenz Lademann?" Georg warf es fragend ein.

„Den, ja den nennt ihr immer." Sein Bruder lachte. „Er ist euer

Kronzeuge, der es seit 64 nun glücklich bis zur Exzellenz gebracht hat. Einer ist es, einer ist es geworden. Einer aus der Millionenarmee! Und tausend andre scheuern sich täglich in den Sielen wund, verlieren die Lust am Dienen. Was haben sie nicht mit dem auch alles angestellt! Ich – offen gesagt – möchte er nicht sein. Er war ja doch nur geduldet unter den anderen, und jeder kleine Junker dünkte sich über ihn erhaben, selbst, als er schon sein Kommandeur war. Wie ist es denn heute mit den Unteroffizieren? Wer ist es, der noch kapituliert?* Ja, ich habe sie mir genau angesehen und angehört auf dem Lustgarten, auf dem Bassinplatz – Gelegenheit gibt's ja bei uns in Potsdam genug. Ich hoffe nicht, daß ich noch dienen muß, auch nicht als Einjähriger. Ich verzichte drauf! Jawohl, Mama, auch wenn es dein Herzenswunsch ist – ich verzichte darauf, mich von einem minderwertigen Menschen schinden zu lassen, ohne allen Sinn und Verstand! Was sind denn heute die Unteroffiziere, wer bleibt denn heute noch beim Militär? – Nur Arbeitsscheue und Knechte, die zur Arbeit zu faul sind. Ich glaube, Georgs Schwiegervater hat nicht so ganz unrecht damit ..." Der junge Mann hatte sich in Feuer geredet.

„Walter", der alte Herr wurde streng, „wir sind hier in einem öffentlichen Lokal."

„Ach was, Papa, soll man, darf man die Wahrheit nicht unter uns sagen?" Er wandte sich an seinen Bruder: „Wie war es denn mit dir, mit deiner Bezirksversammlung? Ist das nicht übertrieben, ist das nicht zum Lachen? Ein Mensch, der niemals Soldat war, soll Kasten kriegen?"

„Dein Bruder hätte den Arrest verdient, es war Betrug, durch den er sich der Pflicht am Vaterlande entziehen wollte." Die Rätin sprach es ernst mit scharfer Stimme.

„Das nennst du Dienst am Vaterland, Mama, wenn man alle Augenblicke zur Wehrversammlung gehen muß, um sich den Sermon eines alten Trottels anzuhören? Wir als Beamte kriegen's noch bezahlt, doch wer ersetzt dem Arbeiter den Lohnausfall?"

---

* „Kapitulieren" war ein Ausdruck für die freiwillige Verpflichtung, länger zu dienen. Die Bezirksversammlung war eine Versammlung der im wehrpflichtigen Alter stehenden gedienten und ungedienten Männer.

„Jetzt aber bitte Schluß damit“, gebot der alte Herr. Ihm wurde das Thema unbehaglich. „Das sind ja ganz gefährliche Gedanken.“

„Ja, Papa, die Zeit ist auch gefährlich, wie Nietzsche sagt... – was ist denn da los?“ Er unterbrach sich und schaute zum Geländer vor dem Bootssteg. Von dort erklang aufgeregtes Rufen. „Wer sind denn die Eltern?“ Die Menschen reckten die Köpfe, einige eilten zum Bootssteg.

Herrn Suchefad stieg eine böse Ahnung auf. „Tina, wo sind die Jungen?“

„Sie haben eben noch hier gespielt“, Frau Ernestine sah sich suchend um, „sie sollten nicht weiter als bis zu den nächsten Bäumen gehen.“

Ein Mann kam die Treppe vom Bootssteg herauf, er trug ein Kind im Arm. Herr Suchefad sprang auf. „Natürlich Gero! Wenn man nicht immer auf ihn aufpaßt. Das hatte man nun von dem blödsinnigen Gerede!“

Es war sein Jüngster, den sie ihm dort triefend brachten, die beiden andren trollten gleich begossenen Pudeln hinterdrein. Man trug den Jungen in das Haus. Zum Glück war das Wasser am Steg nicht sehr tief. Der Mann hatte das Unglück auch gleich bemerkt und ihn aus dem Wasser herausgeholt. So hatte Gero nur tüchtig Wasser geschluckt. Die Mutter zog ihn aus und trocknete ihn ab. Herr Suchefad stand dabei und suchte, den Tatbestand zu klären.

Karl-Wilhelm erzählte, wie es zu dem Unfall gekommen war. Sie hatten sich mit einem fremden Jungen um Onkel Walters Boot gestritten und waren schließlich alle vier hineingestiegen. Ehrhardt hatte mit einem Stock das Wasser gepeitscht. Der Kleine hatte versucht, ihm den Stock zu entreißen, und – schon war es geschehen.

Man wickelte Gero in irgendein Tuch, rief eine Droschke. Eben begann die Kapelle den zweiten Teil des Konzertes mit einem flotten Marsch. Schweigend fuhren sie nach Haus. Herr Suchefad war über die jähe Unterbrechung des Ausflugs recht verstimmt.

*

Aus dem obersten Stockwerk des Waldhauses ertönte bald darauf Ehrhardts Jammern, der seine Prügel erhielt. Auch Karl-Wilhelm bekam seinen Klaps, weil er nicht besser aufgepaßt hatte. Frau Suchefad hängte währenddessen die nassen Kleider ihres Jüngsten auf die Leine. Danach nahm sie den heißen Tee und ging an sein Bett. Flüchtig dachte sie an ihre trübe Ahnung vom gestrigen Abend – irgend etwas kam doch stets dazwischen. Ein Glück, daß es noch so glimpflich abgegangen war.

Gero selbst lag mäuschenstill in seinem Gitterbett und wunderte sich darüber, daß heute statt seiner Ehrhardt die Prügel erhalten hatte. Er hat es nie begriffen, warum er diesmal frei ausgegangen war. – Aber nicht nur dem Kind, so deucht uns, bleiben oft im Leben die Sprüche Justitias ein Rätsel.

Die Schleichpatrouille

Gero stand im sechsten Lebensjahr. Es war im Herbst. Da die beiden Brüder jetzt täglich allein mit der Eisenbahn zur Schule fuhren, nur in den ersten Tagen hatte sie die Mutter auf dem Weg begleitet, wurde auch er nicht mehr ganz so streng beaufsichtigt und durfte oft auch allein auf die Straße gehen.

Dabei traf er einmal Franz, seinen heimlichen Freund Franz. Franz ging auch schon in die Schule, jedoch nicht wie die Brüder Suchefad in die höhere, sondern in die Volksschule. Franz verschmähte es heute nicht, den Gruß des Kleinen zu erwidern. Er blieb vor Gero stehen: „Bist du allein unten?“

„Ja, ganz allein.“

„Ohne Kathrin?“ (Franz betonte den Namen stets auf der ersten Silbe, hartnäckig hielt er daran fest.) „Willste mitkommen? Ich weiß was Feines.“

Gero glühte vor Stolz, daß Franz mit ihm spielen wollte. Er nickte strahlend.

„Wir machen eine Schleichpatrouille in den Park“, abenteuerlich funkelten Franzens Augen. Gero klopfte das Herz bis an den Hals. Das Betreten des Parkes hatte ihm der Vater zwar streng verboten, und doch – eine Schleichpatrouille mit Franz war sicher etwas sehr Feines, wie konnte er dem widerstehen? Er nickte wieder wortlos vor Spannung und Eifer.

„Na, dann komm! Aber ganz still mußt'e sein.“ Daß seine Schleichpatrouille durchaus einen realen Hintergrund hatte und daß es ihm ganz nützlich erschien, in dem Kleinen bei einer möglichen Entdeckung einen Mittäter zu haben, sagte er nicht. Er eilte voraus, verschwand im Garten der „Grünen Tanne“. Hinter den Fliederbüschen wand er sich hindurch und schlüpfte durch ein Loch im Zaun. Er schien den Weg schon genau zu kennen. Gero blieb ihm auf den Fersen, er war nicht minder behende als der Große.

Sie waren im Park. Franz nahm den Kleinen an die Hand. Er strebte dem Baumgarten zu. Die Äpfel wollten gerade reifen, und einige Pflaumen hingen noch, wunderbare, große, süße Pflaumen, der Stolz des Gärtners Schmidt – auch Franz wußte, wie gut sie schmeckten. Er nahm nicht den kürzesten Weg. Dieser führte am Haus des Gärtners vorbei. Unter den Baumgruppen hielt er sich, war ein Weg zu queren, lugte er erst vorsichtig wie ein Späher nach rechts und nach links.

Herrlich aufregend war dieses Schleichen. Gero brannte vor Eifer, dem Freunde alles bestens nachzumachen. Er suchte ihn im Schleichen sogar noch zu übertreffen. Wo dieser sich nun duckte, kroch er, das Lob des Freundes machte ihn stolz. Einmal, als seine Schürze an einem Ast hängenblieb und einriß, dachte er auch ganz flüchtig an die Mutter, daß sie vielleicht schelten würde – aber, was half es: Man war auf Schleichpatrouille, war Späher, und Späher müssen eben kriechen und sich ducken, wenn auch der Anzug fleckig wird.

Wie alle Kinder nahm er das Spiel bitter ernst und konnte sich in ihm völlig verlieren. Es war einige Jahre später bei einer Aufführung, die die Kinder des Ortes vor den Eltern zeigten. Er war Indianer und hatte gemäß der Regieanweisung nach erbittertem Kampfe zu sterben und bei Schluß der Szene tot liegenzubleiben. Er kämpfte taper, starb programmgemäß und lag über einen Balken hingeworfen als Toter. Die Lage wurde ungemütlich, der Balken drückte ihn – aber er lag da, hingestreckt, während im Hintergrund die Hütte der Trapper abbrannte. Die Zuschauer spendeten Beifall, stiegen dann über die offene Szene der Waldlichtung, in die sie die Hütte hineingebaut hatten. Noch hatte ihm der Anführer nicht gesagt, daß er sich erheben dürfe – also blieb er liegen, auch als sich die Menschen über ihn beugten. „Der Kleine liegt ja, als sei er wirklich tot“, eine junge Frauenstimme sagte es mitleidig über ihm. „Was er für nette Hosen anhat“, hörte er die Stimme weiter sagen (das Mädchen hatte sie ihm aus einem Sack geschneidert). „Daß Indianer schon Zement gehabt haben, wußte ich bisher noch nicht“, eine lachende Männerstimme war jetzt über ihm, „sieh doch hier, er hat ja den Stempel grad' auf dem Po“.

Bei diesen Worten sprang der Tote plötzlich auf und verschwand in der Dämmerung des Waldes. Am nächsten Abend weigerte er sich, Toter zu spielen. Auch zog er die Sackhose nicht wieder an, von deren Rückseite schön, groß und rund der Firmenstempel „Zementfabrik Atra“ leuchtete.

Aber jetzt mit Franz war er Späher. Er kroch hinter Franz durch das Gestrüpp des Parks. Manchmal liefen sie schnell über eine Lichtung, um sofort wieder unter den Bäumen zu verschwinden. Schon längst wußte Gero nicht, wo sie waren, wo sein Zuhause, das Waldhaus, lag. Aber er hatte keine Zeit, sich zu fürchten.

Sie kamen an eine lange, schilfgedeckte Erdhütte, die am Rande eines Ackerfeldes stand. Am anderen Ende winkte der Baumgarten. Es schien dem Führer der Schleichpatrouille ratsam, erst einmal allein die Lage zu erkunden. Er hieß den Kleinen an der Hütte zu warten, bis er wieder käme. Flink verschwand er hinter ihr im Gebüsch. Noch sah ihn Gero längs des Feldrains im Wald, dann war er allein.

Er stand ganz still, blickte dorthin, wo der Freund verschwunden war. Lieber wäre er mit ihm gegangen. Angst wollte ihn beschleichen, ein Gefühl der Verlassenheit, wie es jeden Menschen überfällt, der sich plötzlich in einer fremden, unbekannten Gegend allein weiß. Seiner angeregten Phantasie schien die Umwelt voller Gefahren. Ein Rascheln erklang hinter ihm im Gebüsch. Er fuhr herum, es war nichts, aber er ging doch vorsichtig einige Schritte weiter, trat auf den Weg. Verzagt steckte er den Zeigefinger der Linken in den Mund, steckte die Rechte in die halb aufgerissene Schürzentasche und wartete.

Plötzlich hörte er auf dem weichen Boden des Weges einen Schritt, er drehte sich hastig um. Ein dickes, graues Tier kam ihm entgegen. Auf ihm saß ein Junge, nicht größer und älter als er selbst. Mit einer Reitpeitsche versuchte er, den Esel zu einer schnelleren Gangart anzutreiben. Weiter hinter dem kleinen Reiter wandelte eine schlanke, große Dame, grau gekleidet, einen Regenschirm und ein Buch in der Hand. Gero stand in bewunderndem Staunen, es schien ihm wie in einem Märchen.

Der fremde Junge hatte ihn bemerkt und lenkte sein Reittier auf ihn zu. Nur unwillig folgte es dem Zug der Zügel, schließlich hielten sie aber beide doch dicht bei Gero.

„Was machst du denn hier?“ rief der Junge. Er gab sich Mühe, recht stattlich auszusehen, jedoch gelang es ihm nicht recht. Der dicke Esel hatte den Kopf geneigt und schnupperte am Strohdach der Kohlscheune. Dann begann er an den alten Strohhalmen behaglich zu knabbern, er ließ sich auch durch das eifrige Zucken am Zügel nicht stören.

„Ich warte auf meinen Freund Franz“, erwiderte Gero und setzte sogleich neugierig hinzu: „Ist das dein eigenes Pferd?“ Er hatte bisher noch keinen Esel gesehen und hielt ihn für ein graues Pferd.

Der andere nickte hoheitsvoll und fragte weiter: „Kannst du auch reiten?“

„Ja“, eifrig erwiderte Gero, „auf Milchmanns Liese darf ich manchmal reiten, aber nur immer ein Stückchen.“

„Willst du einmal auf Selim reiten?“

Gero nickte mit glänzenden Augen. Der andere Junge rutschte herunter. Gero versuchte hinaufzuklettern, doch es gelang ihm nicht, die Steigbügel waren zu hoch. Auch mochte wohl Selim den neuen Reiter nicht tragen. Aus seinen runden Augen blickte er sich um, zuckte mißbilligend mit seinen großen Ohren und drehte sich jedesmal, wenn die Kinder den Sattel zu ergreifen versuchten, mit einer trägen Bewegung zur Seite. Er war unglaublich faul und fett. „Wir müssen auf Miss Elinor warten“, sprach der fremde Junge schließlich, „sie hilft uns hinauf.“ Er musterte sein Gegenüber. „Wie heißt du eigentlich?“ fragte er, wartete Geros Antwort jedoch nicht ab, sondern nannte seinen Namen: „Ich bin Karl-Friedrich von Hütter.“ Er sprach es klar und mit Betonung aus, fast schien er sich seines Namens schon bewußt.

Miss Elinor hatte die beiden Jungen erreicht, sie sprach englisch zu Karl-Friedrich.

„Was sagt deine Tante?“ Gero fragte verwundert seinen neuen Freund. „Das ist nicht meine Tante, das ist Miss Elinor“, Karl-Friedrich belehrte Gero, „sie will wissen, wie du heißt.“

„Ich heiße Gero“, ein wenig befangen sagte er es, „Gero Suchefad.“

„Wo wohnst du denn?“ fragte Karl-Friedrich weiter.

„Neubabelsberg, Villa Waldhaus“, Gero schnurrte die ihm früh eingeprägte Antwort herunter.

Die Nurse betrachtete ihn scharf durch ihr Lorgnon. Verlegen strich Gero unter ihren strengen Blicken über seine zerrissene Schürze und sah an seinen Hosenbeinen herunter, die infolge der Patrouille durch das Gestrüpp auch nicht mehr ganz sauber waren. Karl-Friedrich stand stumm dabei, blickte fragend auf die Dame. Endlich nickte sie „Allright“. Sie wandte sich von den beiden Buben ab und strebte einem Baumstumpf seitlich des Weges zu.

Mit der Post hatte man ihr „The Man who was Thursday" („Der Mann, der Donnerstag war") von Gilbert Chesterton aus der Heimat geschickt. Sie war begierig, in diesem neuesten humoristischen Roman ihres berühmten Landsmannes zu lesen. So war es ihr ganz lieb, daß ihr der Himmel in diesem kleinen, nicht ganz sauberen, aber dem Anschein nach ganz guterzogenen Wicht einen Spielkameraden für Karl-Friedrich beschert hatte.

„Wir dürfen zusammen spielen, sagt Miss Elinor." Karl-Friedrich freute sich.

„Verstehst du, was sie sagt?" Gero staunte. Der andere nickte: „Es ist Englisch – verstehst du auch Englisch?"

„Nein."

„Mama spricht mit mir nur Englisch – deine Mama auch?" sagte Karl-Friedrich.

„Nein, wir sprechen so, so ..." Gero wußte sich nicht auszudrücken, „wir sprechen immer nur so ... – aber, was wollen wir spielen?" Gero hatte Franz ganz vergessen.

„Warst du schon da drinnen in der Scheune?" fragte Karl-Friedrich.

„Nein", Gero blickte durch den offenen Eingang in den dunklen Raum.

„Aber ich, wenn die Männer den Kohl hereinbringen für den Winter. Komm ..."

Sie schlüpften beide hinein. Eine dumpfe, feuchte Erdluft umfing sie. Es war ganz dämmerig drinnen, zu beiden Seiten des Mittelweges faßte man in staubigen, mülligen Sand. Ein bißchen umheimlich war es den Kindern in dem Schuppen. Am Ende schnitt sich in einem scharfen Viereck der Ausgang leuchtend in das sie umgebende Dunkel. Sie traten wieder hinaus ins Freie.

„Franz!" Gero rief den Freund, der zurückgekommen war und nun am Rande des Gehölzes stand. Mißtrauisch blickte er zu ihnen hinüber, kam nur zögernd mit langsamen Schritten heran. „Franz, das ist Karl-Friedrich, er hat ein eigenes Pferd und wollte mich reiten lassen." Der Kleine berichtete stolz dem großen Kameraden. Die beiden anderen musterten sich gegenseitig. Franz schien mit der neuen Bekanntschaft noch nicht ganz einverstanden zu sein, auch kannte er wohl Karl-Friedrich schon vom Sehen.

„Wo is'n die graue Frau?“ fragte Franz schließlich.

„Missis Elinor?“ Auch über dem jungen von Hütter lag es wie eine gewisse abwartende Reserve.

„Ja, die so komisch red't, die man nicht versteht“, nickte der große Junge.

„Ach, die Tante sitzt dahinten“, rief Gero, „sie hat's erlaubt, wir dürfen miteinander spielen.“

Die beiden wollten zum Esel gehen, doch Franz folgte ihnen nicht. Er zeigte sich vor Missis Elinor nicht. Er schien vor ihr einen Höllenrespekt zu haben. Weil er nicht mitging, kehrten sie wieder zu ihm in den Schatten der Kohlscheune zurück.

„Wollen wir wieder Schleichpatrouille spielen?“ fragte Gero und setzte, zu Karl-Friedrich, hinzu: „Schleichpatrouille ist fein ...“

Franz überlegte. Noch standen sie zögernd. Im Baumgarten war es heute nicht geheuer, die Gärtner waren dort an der Arbeit, fast hätten sie ihn vorhin erwischt. „Ihr könnt ja doch nicht mit“, sagte er geringschätzig, „wenn du wegläufst, dann haut dich die graue Frau.“

„Missis Elinor darf mich nicht schlagen“, Karl-Friedrich sagte es stolz.

„Und wenn du ihr wegläufst?“ fragte der Größere voller Neugier.

„Dann ...“ Ein wenig zögerte Karl-Friedrich mit der Antwort (er war ihr nämlich bisher noch niemals weggelaufen). „Dann auch nicht“, setzte er entschlossen hinzu, „mich darf niemand schlagen, hat Papa gesagt.“

„Niemand? Auch nicht in der Schule?“ fragte Franz zweifelnd, hatte man ihm doch schon oft genug dort den Hosenboden stramm gezogen.

„Ich geh' gar nicht zur Schule, ich habe bei Miss Elinor Stunde.“

Franz wußte darauf nichts zu erwidern, so machte er den Vorschlag: „Wollen wir an die Bäke?“ Er ging, ohne sich umzusehen. Die beiden anderen Jungen folgten ihm.

Außer Sichtweite der Miß blieb er stehen, er holte aus der Tasche seiner Hose, die eine verdächtige Rundung zeigte, einen Apfel, biß hinein, hielt ihn dann Karl-Friedrich entgegen: „Da hast'n Apfel.“

Den Jungen ekelte etwas davor, den angebissenen Apfel zu

nehmen, doch er überwand sich. „Das ist unsere Ration, jeder Indianer hat seine Ration immer bei sich“, belehrte Franz, holte aus der anderen Tasche einen weiteren angebissenen Apfel hervor und reichte ihn Gero. Auch er biß hinein. Weil es „Ration“ war und jeder Indianer sie aß, schmeckten den Jungen die halbreifen Äpfel herrlich. Dann liefen sie weiter. Franz ging jetzt mit den beiden mitten auf dem Weg. Hier, in dem hinteren, entfernteren Teil des Parkes war man vor Begegnungen mit dem Gärtner oder den Arbeitern sicher. Hier wurde nichts gepflegt, hier wuchs noch alles wild, anders als in der Nähe der Parkvilla.

Auf einem kleinen Hügel erhob sich seitlich des Weges eine große, schon im unteren Stamm sich dreifach verzweigende Kastanie. Franz machte halt. Er hieß die beiden Jüngeren unter den Baum treten und auf ihn warten. Er selbst ging, als Kundschafter sichernd, gebückt den Weg weiter vor. Rechts von ihnen mündete ein wenig begangener Pfad ein. Bis zu ihm schlich Franz vor, dann richtete er sich auf und kam mitten auf dem Weg wieder zurück.

Die Luft war rein, auch der Schäfer war mit seiner Herde in einem anderen Teil des Parks, sie konnten über die Wiese gehen. Sie trabten alle drei weiter, liefen den Wiesenpfad entlang und verschwanden in dem dichten Erlen- und Weidengebüsch, das die träge fließende Bäke schützend umwucherte. Krähen strichen heiser krächzend ab. Ärgerlich über die Störung klatschten ein paar fette Frösche, die sich noch in der Herbstsonne hatten wärmen lassen, ins Wasser. Erstaunt über diesen, hier in der Wildnis so seltenen Besuch ließen auch die Grillen einen Augenblick das Geigen. Eine Blindschleiche kroch geschwind unter die Wurzeln. Es fanden damals noch nicht viele Menschen hier in dies heimliche Paradies der kleinen tierischen Lebewelt, kaum, daß ein Angler einmal den Sumpf durchquerte, um sich Fischköder zu suchen. Einen Damm wollten die Knaben bauen. Unter Franz' Kommando brachen sie Weidenäste ab, warfen sie in das Wasser und freuten sich an der sich daran träge brechenden Strömung. Sie schleppten alte, im Winter ausgespülte Wurzeln heran, suchten Steine und mühten sich redlich. Aber schließlich erlahmte der Eifer, wie er stets bei Kindern zu erlahmen pflegt, wenn das Spiel zur Arbeit wird. Gero fand keine Wurzeln mehr, die Steine lagen viel zu weit und versanken alle im Bett des Fließes. Auch Franz wurde es müde, dicke Äste abzubrechen. Es strengte ihn an. Halbfertig ließen sie das Werk liegen, trollten sich weiter am Ufer entlang. Es war ein mühseliges Klettern zwischen verästelten Weiden und knorrigen Wurzeln. Es war gut, daß sie zu dritt waren, einen allein hätte sicher die Furcht in dieser dichten, grünen Wildnis überfallen.

Franz griff nach einem großen, schweren Stock, stieß ihn fest in das morastige Bett des Fließes und schwang sich hinüber. Es ging auch so, warum sollte man noch einen Damm bauen? Karl-Friedrich wollte es ihm gleichtun. Er trat dicht an das Wasser heran, nahm den Stock, tief sank sein Fuß ein. Erschrocken zog er ihn zurück, übelriechender Morast haftete an Schuh und Strumpf.

„Au weh, nu' gibt's was aus de Armenkasse", Franz platzte damit heraus (es war ein beliebter Ausdruck seines Stiefvaters, bevor er ihm als Strafe für eine Ungezogenheit die Hosen stramm zog). Karl-Friedrich verstand ihn nicht, jedoch hatte er mit seinem Mißgeschick die Lust an diesem Spiel verloren. Er warf den Stock zur Seite, lief über die Wiese und stieg den Abhang zum Park hinauf. Franz und Gero folgten ihm. Auf dem Wege zur Kohlscheune kam ihnen schon Miss Elinor mit einem Gärtnerburschen entgegen. Zum ersten und einzigsten Mal in ihrem Leben war sie aufgeregt und schloß jetzt den Wiedergefundenen, hastig und überstürzt redend, in ihre langen Arme. Gero stand mit staunenden Augen dabei. Franz zog ihn am Ärmel. „Komm", flüsterte er, „komm rasch, die graue Frau haut dich." Das wirkte, Franz war doch sein Freund. Hastig stolperte Gero hinter dem Großen her, der zwischen den Parkbäumen untertauchte.

Miss Elinor schien die ganze Villa alarmiert zu haben. Von allen Wegen hörten die beiden, die sich nach Hause schlichen, Stimmen, die „Karl-Friedrich" riefen. Vor dem Hauptweg verharrten sie, sie mußten ihn kreuzen. Plötzlich drückte Franz dem Kleinen den Kopf tief in das Farnkraut, ganz tief, bis in das feuchte Moos. Mit klopfendem Herzen lag er selbst, das Gesicht in die Erde gedrückt, neben ihm. Zwei Arbeiter gingen vorüber. Die Jungen wagten kaum zu atmen, doch sie wurden nicht entdeckt. Vorsichtig erhob sich Franz, gab Gero ein Zeichen; wie gehetzt setzten sie über den Weg und schlüpften bald aufatmend und erleichtert durch das Loch im Zaun in den Garten der „Grünen Tanne".

Mit einem Kopfnicken entließ Franz den Kleinen. Es war trotz des etwas plötzlichen Abschlusses ein schönes Spiel gewesen, so meinte Franz für sich. Er zog sich in eine Ecke hinter der Eingangstür der elterlichen Wohnung zurück. Einige Pflaumen hatte er noch. Er holte sie aus der unergründlichen Tiefe seiner Taschen, pustete den Sand ab. Sie waren etwas zerquetscht, trotzdem mundeten sie ihm köstlich. Ganz anders schmeckten sie als die kleinen blauen, aus denen sie zu Hause für den Winter das Mus kochten.

*

Herr von Hütter saß unterdessen an dem kleinen, schweren Eichentisch dicht neben der Treppe der Eingangshalle. Geschäftliche Unterredungen, die sich auf den Gutsbetrieb bezogen, pflegte er hier des öfteren abzuwickeln. Er hatte sich eine Zigarre angezündet, sog ein wenig unruhig daran. Es war schlimm, wenn man nur den einen Sohn hatte. Ein Glück nur, daß seine Frau nicht zu Hause war. Sie hätte sich gar zu sehr aufgeregt, als vorhin das Fräulein ganz verstört ins Haus gestürzt war und vom Verschwinden Karl-Friedrichs berichtet hatte. Weit konnt der Junge ja nicht gelaufen sein, auch waren genügend Leute unterwegs. Sie würden ihn bestimmt bald finden.

Er trat an die geöffnete Eingangstür. Warm schlug ihm die Luft von draußen entgegen. Er entsann sich aus seiner Jugend eines ähnlichen Vorfalles. Er hatte noch kein Kindermädchen für sich allein gehabt, damals war man noch nicht so weit – aber, da kam er ja, der Ausreißer! Etwas unordentlich sah er aus, doch schien ihm nichts Übles geschehen zu sein.

Herr von Hütter ließ sich berichten. Hm, der Junge kam wohl in die Jahre, in denen er auch Spielkameraden brauchte. Er würde mit seiner Frau reden. Man würde sich umsehen, wenn man im kommenden Winter wieder die Stadtwohnung bezog. Diese Buben hier, die sich so unvermutet zu ihm gesellt hatten, schienen ihm nicht der rechte Umgang für seinen Sohn zu sein.

Dasselbe meinte auch Herr Suchefad, als ihm seine Frau einen abgeschwächten Bericht von dem Ausflug seines Jüngsten gab. Daß er in den Park gelaufen war, erwähnte sie nicht. Gegen den jungen von Hütter hätte er gewiß nichts einzuwenden gehabt. Dieser Spielkamerad konnte seinem Sohn im Leben nur dienlich sein, so meinte er, doch Franz – er schüttelte mißbilligend den Kopf. Bei aller Dankbarkeit gegen Lina, seine Mutter – Franz war doch nicht das Rechte für seine Jungen. Von ihm konnten sie, man sah es doch immer wieder, nichts Gutes lernen. So ermahnte er seinen Jüngsten bei nächster Gelegenheit ernstlich, das Nachbarkind zu meiden.

Der einzige, den man nicht fragte, wo er gewesen war, war Franz. Seine Mutter half von früh bis spät in den Wohnungen der Sommergäste, und der Vater saß des Abends stumm und verbittert am Tisch. Der Junge war meist sich selbst überlassen und sah selten ein Lächeln auf den Gesichtern der Eltern. Franz vergaß diesen gemeinsamen Ausflug bald. Die beiden anderen aber entsannen sich, als sie sich nach langen Jahren zufällig trafen, noch gut dieser ihrer ersten Begegnung und konnten über dieses Abenteuer herzlich lachen.

2. Buch

Schule

Kohlhasenbrück

Ein Jahr war vergangen. Suchefads waren inzwischen nach Kohlhasenbrück verzogen, zum Bedauern der Mutter noch ein wenig weiter in den Wald hinein. Gerade fünf Häuser standen damals dort. Noch weiter war der Weg zum Bahnhof Neubabelsberg, noch weiter war man von der Stadt und ihrer Wärme entfernt, die Frau Ernestine so sehr vermißte. Niemanden kannte sie hier. Sie hatten umziehen müssen. Zum einen war die Wohnung oben unter dem Dach des Waldhauses für die Familie zu klein geworden, zum anderen wünschte auch der Arbeitgeber des Herrn Suchefad den Umgang.

Suchefad war kaufmännischer Prokurist beim Zentralinstitut für wissenschaftlich-technische Untersuchungen. 1899 hatte das Kartell deutscher Munitions- und Waffenfabriken das bei Kohlhasenbrück gelegene „Landgut Eule" – kurz „die Eule" genannt – angekauft. Vom Fiskus waren noch 30 Hektar des Potsdamer Forstes auf 99 Jahre hinzugepachtet worden. Wie eine zeitgenössische Quelle schrieb, war auf diese Weise „ein Platz gewonnen worden, der wegen seiner Lage (für die Versuche mit teilweise hochexplosiven Sprengstoffen) als ein günstiger bezeichnet werden mußte". Es war hier „einer raschen Verbindung mit der Hauptstadt Berlin, der Centrale wissenschaftlich-kommerziellen und technischen Lebens in Deutschland, Rechnung getragen" worden.

Diese rasche Verbindung dank der Berliner Stadt-, Wannsee- und Stammbahn nützten auch die meisten der dort beschäftigen Wissenschaftler aus. Allmorgendlich gegen 1/2 10 Uhr strebte eine lockere Gruppe gutgekleideter und meist eifrig diskutierender Herren, vom Bahnhof Neubabelsberg kommend, am Waldhaus und an Kohlhasenbrück vorbei dem Institutsgelände zu. Es kam selten vor, daß sich jemand eine der am Bahnhof wartenden Pferdedroschken nahm. An der Spitze ging meist, durch einen wallenden Havelock vor dem Wetter geschützt, der hochgewachsene Professor Braunschweig. Bemüht, mit ihm Schritt zu halten, sah man neben ihm oft den kleineren, lebhaften Dr. Tousseau. Beide gehörten zur Gruppe der Chemiker. Gemächlicher hielten es die ihnen folgenden Ingenieure. Unter ihnen war auch der Dipl.-Ing. Wilm. Er ist durch die Herstellung der ersten aushärtbaren Aluminiumlegierung, des Duraluminiums, weltbekannt geworden.

Ein guter Fußgänger brauchte eine knappe halbe Stunde für den Weg vom Bahnhof bis zum Haupttor des Institutgeländes. Es lag schon im „Großen Wald" (wie die Kohlhasenbrücker den südlich der Stammbahn beginnenden Teil des Potsdamer Forstes nannten) am Waldweg zum Jagdschloß Stern. Vom Haupttor waren es noch runde 10 Minuten bis zu den einstöckigen Häuschen des ehemaligen Landgutes. Vor ihnen trennten sich die Herren und gingen zu den auf dem weitläufigen Gelände verstreut liegenden Gebäuden und Laboratorien, in denen Laboranten und Handwerker schon seit der Frühe arbeiteten.

Gegen drei Uhr des Nachmittags fand sich – wie ein Bächlein aus einzelnen Rinnsalen – die Gruppe auf dem Hauptweg wieder zum gemeinsamen Abmarsch zum Bahnhof Neubabelsberg zusammen. Heutige Menschen werden diese morgendliche und nachmittägliche Wanderung als Zeitverschwendung belächeln. Auf diesem Weg in freier Natur mag jedoch mancher Gedanke zwischen den Wissenschaftlern geklärt worden sein. In den zwei Jahrzehnten seines Bestehens hat das Zentralinstitut seinen Beitrag zur damaligen Weltgeltung der deutschen Forschung geleistet.

Wegen der teilweise gefährlichen Versuchsobjekte mußte einer der leitenden Angestellten auch außerhalb der Arbeitszeit stets schnell erreichbar ein. Deshalb hatte man Herrn Suchefad angeboten, für ihn und seine Familie auf dem Gelände ein modernes Haus zu erbauen. Suchefad hatte jedoch abgelehnt. So reizvoll auch die Umgebung zwischen dem kürzlich eröffneten Teltowkanal und dem Hochwald war – hier würde seine Frau tagsüber mutterseelenallein sein, auch mußte man den weiten Schulweg der Kinder bedenken. Diese Gründe waren für jeden einleuchtend – daß er vor allem bei dieser auf den ersten Blick sehr großzügigen Lösung des Wohnungsproblems eine Einschränkung seiner persönlichen Freiheit befürchtet hatte, verschwieg er. So war man als Kompromiß auf das nahe Kohlhasenbrück gekommen.

Kohlhasenbrück. Der Name erinnert an jenen Kaufmann Hans Kohlhaase aus Cöllen an der Spree, der hier am ehemaligen Übergang des alten Königsweges über das Bäketal 1539 zur Durchsetzung seines Rechtes einen mit mansfeldischem Silber beladenen Geleitzug für die kurbrandenburgische Münze in Berlin überfallen hatte. Dichterisch überhöht, hat Heinrich von Kleist in seiner Novelle „Michael Kolhaas" den Ort weit bekannt gemacht. 1838 hatte man neben dem alten Königsweg den Damm für die Berlin–Potsdamer Eisenbahn (die erste preußische, und deshalb „Stammbahn" genannte Eisenbahn) gezogen und das Bäkerinnsal selbst mit einem steinernem Rundbogen überbrückt. Gleiche Brücken wurden später für die bis Potsdam weitergeführte Wannseebahn und 1879 für die „Kanonenbahn", die strategisch wichtige Wetzlarer Bahn, gebaut. Zwischen ihr und der Stammbahn lag das Anwesen, auf dem einst der Kohlhasenbrücker Krug gestanden hatte. In neuerer Zeit war an seiner Stelle ein modernes Ausflugslokal und Hotel erbaut worden. Neben ihm war einiges Feld an der Straße frei geblieben. Dies hatte der Besitzer, Herr Mayer, zu parzellieren begonnen. Er selbst bewohnte „Mayers Hof" an der Schnittstelle des neuen Königsweges mit der Bäkestraße. Diese war erst kürzlich nach dem Zuschütten des Bäkelaufes zwischen den beiden Bahnlinien entstanden. Das Schüttgut entstammte dem Aushub des Teltowkanals, der rund 200 Meter nordöstlich am Rande der ehemaligen Bäkewiesen in den festen Boden der Machnower Heide gegraben worden war.

Unter den damals in Kohlhasenbrück stehenden fünf Häusern hatten Suchefads nur die Wahl zwischen einer Wohnung in der erst vor kurzem von Herrn Mayer gegenüber dem Restaurant erbauten, mehrstöckigen „Villa Thekla" und der ersten Etage eines einstöckigen Hauses. Dessen Erdgeschoß war in der guten Jahreszeit meist an Sommergäste vermietet, im Winter bewohnte es die Hausbesitzerin, Frau Sorgen, mit ihren Kindern selbst. Hinter dem Haus lag ein großer, von einem langen, ehemaligen Stallgebäude flankierten Hof und ein Nutzgarten. Das Grundstück zog sich bis an den Bahnkörper der Wetzlarer Bahn hin. Im Stallgebäude waren Quartiere für Sommergäste eingerichtet worden. Hier wohnte des Sommers auch die Wirtin. Manche Nacht hat sie aber auch mit ihren Kindern auf dem Heuboden geschlafen, weil sie nach dem frühen Tod ihres Mannes jede aus dem

Vermieten verdiente Mark bitter nötig hatte. Die „Villa Thekla" bot mit Bad und Toilette in der Wohnung einen für jene Zeit hohen Komfort, auf den man im anderen Haus verzichten mußte. Dennoch entschieden sich Suchefads für die einfachere Wohnung. Sie hatte drei Zimmer an der Straßenfront, von denen Suchefads die zwei hintereinanderliegenden, größeren zum Eßzimmer und zur „Guten Stube" bestimmten, während das kleinere, über dem Eingang des Hauses gelegene dritte von Herrn Suchefad sofort bei der Besichtigung zu seinem Reich (zu Vaters „Puddelkammer", wie man sie später en famille zu nennen pflegte) ausersehen wurde. Zum Garten hin lagen das Elternschlafzimmer und das Kinderzimmer sowie die Küche.

Vor dem Kinderzimmer stand auch hier ein Baum, und wenn der Westwind scharf wehte, wiegte das Rauschen seiner Blätter auch hier die Kinder in den Schlaf. Anders war es jedoch als das von der Pappel hinter dem Waldhaus, das als erster sinnlicher Eindruck in Geros Bewußtsein gedrungen war. Die Pappel wußte eilfertig zu plaudern und auch ganz zart und leise zu erzählen, wenn ihr der Wind die Mär von einer großen Liebe zugeflüstert hatte – oder auch zornig zu lärmen, wenn der Wind über die Felder brauste. Hier stand ein Ahorn vor dem Fenster (die Kinder nannten ihn den „Nasenbaum", weil man sich die Flügel seiner Samen im Herbst als Horn auf die Nase kleben konnte). Schwerer war er zum Reden zu bringen, ein tüchtiger Wind mußte wehen, dann jedoch war es gewichtiger, metallischer, härter. Blies ein Weststurm über das Land, so vernahm man auch hier noch zwischen dem Geräusch der aneinanderscheppernden Blätter den Silberton des Glockenspiels der Potsdamer Garnisonskirche, und Frau Sorgen sagte dann: „Ist Westwind, 's wird Regen geben."

Hof, Stall und Garten des Sorgenschen Grundstücks boten ideale Möglichkeiten zum Spielen für die Kinder. Hier konnten sie tollen, ohne daß man Ärger mit anderen Mietern oder dem Hauswirt hätte befürchten müssen. Außerdem bot diese Wohnung im Gegensatz zur anderen reichlich Nebengelaß auf Boden und Keller, und – sie hatte wie das Waldhaus einen großen Balkon.

Das Haus lag nur wenige Meter von der Straße entfernt hinter einem schmalbrüstigen Vorgarten. Trotzdem wohnte man in ihm ruhig, weil es noch keine Automobile gab und nur gelegentlich schwere Pferdefuhrwerke durch den Ort fuhren. Der Straßenlärm wurde auch meist durch das Geräusch der auf den Bahnlinien vor und hinter Kohlhasenbrück vorbeihastenden Züge übertönt, das man als gegeben hinnahm. Zwei Linden flankierten die vorgebaute Balkonfront. Sie gaben sommers den Bewohnern des Hauses das Gefühl, mitten im Grünen zu sein. Dem Haus gegenüber lag auf der anderen Straßenseite ein niedriges Häuschen. Es mochte einst einem Arbeiter des Kruges als Wohnstatt gedient haben; jetzt wurde es an Sommergäste vermietet. Vom oberen Balkon des „Lindenhauses" konnte man ohne Behinderung über das Dach des gegenüberliegenden Hauses auf die mächtigen, wohl an die achtzig Jahre alten Kiefern des „Kleinen Waldes" blicken. Es war jener Teil des Potsdamer Forstes, der bei der Trassierung der Stammbahn zwischen Bahndamm und Kohlhasenbrück vom „Großen Wald" abgetrennt worden war. Er begann unmittelbar hinter dem kleinen Haus auf der anderen Straßenseite.

Die Mietforderung der Frau Sorgen war erträglich, so schlossen Suchefads den Vertrag mit ihr, kündigten im Waldhaus und nahmen an einem Frühlingstag des Jahres 1908 Abschied von ihrer ersten eigenen Wohnung, in der sie viele schöne Stunden verlebt hatten.

Der Möbelwagen stand vor dem Gartentor, und Männer trugen Stühle und Schränke aus der Tür. In einem fast schon leeren Zimmer hatte Suchefad seine Kinder zusammengeholt, weil sie – die das Geschehen aufgeregt verfolgten – die Träger bei der Arbeit störten. „Es wird Mittag, wir wollen ein Picknick machen", schlug er vor.

Picknick hatten sie noch nie gespielt, deshalb saßen sie alle drei aufmerksam und still bei ihm um einen hochgestellten Reisekoffer auf Kisten und Packen und verzehrten das von der Mutter schnell hergerichtete, einfache Mittagsmahl. Nachdem die Packer auch den letzten Koffer herausgetragen hatten und sie heruntergegangen waren, durfte Gero auf den Bock des Möbelwagens zum Kutscher steigen. Stolz verkündte er von oben Franz, der noch ein Stück Weges neben dem Wagen einhergelaufen war: „Ich fahre nach Amerika, und du bleibst hier!"

Seine Reise dauerte nicht lange. Die Pferde hatten den Wagen nur eine knappe Viertelstunde über die Wannseebahn-Schranke und die Überführung des Königsweges über die Wetzlarer Bahn zu ziehen, dann waren sie in Kohlhasenbrück, Geros Amerika. Ehe er sich mit der neuen Umgebung recht vertraut gemacht hatte, begann für ihn ein neuer Lebensabschnitt: Er kam in die Schule.

Wir säen und beackern das edelste Feld

Herr Suchefad, einst „Viktorianer“ – Schüler des Viktoria-Gymnasiums in Potsdam – hatte sich entschlossen, seine Kinder auf das Realgymnasium in Nowawes zu schicken. Die moderne Zeit, so hatte er an sich selbst erfahren, verlangte weniger geistes- als naturwissenschaftliche Kenntnisse. Was nützte einem Kaufmann, Ingenieur oder Chemiker das Griechische? Außer daß man gelegentlich mit einem Zitat seine „Bildung“ unter Beweis stellen konnte – im Grunde genommen gar nichts. In einer Welt, in der fast täglich aufsehcnerregende Erfindungen bekannt wurden, konnte man damit nicht viel anfangen. Kenntnisse in den lebenden Sprachen waren nützlicher, Latein als Basis ließ man noch gelten. Beides bot der Lehrplan der Realgymnasien.

Die Nowaweser höhere Schule war noch im Aufbau begriffen, war noch ein „Realprogymnasium“ und hatte 1908 noch nicht ihre ersten Abiturienten entlassen. Man durfte dort – so hoffte Suchefad – bei den Lehrern einen moderneren Geist als in dem „ehrwürdigen“ Potsdamer Gymnasium erwarten. Die Nowaweser Schule bot sich für die Kinder auch wegen des kürzeren Schulweges an. Wie vielen höheren Lehranstalten Preußens war dem Realgymnasium in Nowawes eine Vorschule angegliedert. Sie ermöglichte es den Eltern – wie es in einem zeitgenössischen Fachbuch hieß –, daß „ihre Söhne und Töchter mit den Kindern des niederen Volkes überhaupt nicht in Berührung kamen“. Dieser Gesichtspunkt war für Herrn Suchefad (er vertrat liberale Anschauungen) nicht ausschlaggebend. Mehr sprach für die Vorschule, daß der Unterricht in ihren drei Klassen auf den Lehrplan der höheren Schule eingestimmt war, deren „Zöglinge für spätere wissenschaftliche Arbeit vorbereitet wurden“. Das Schwergewicht in den Lehrplänen der Volksschulen lag dagegen in der Ausbildung für den Übergang in praktische Berufe und Tätigkeiten. Volksschüler wurden außerdem auch erst nach dem vierten Schuljahr und Bestehen einer Aufnahmeprüfung in die höhere Schule aufgenommen, während die Vorschüler ohne weiteres aus der dritten Vorschulklasse in die Sexta der Vollanstalt versetzt werden konnten.

Also kamen die Suchefadkinder zum „dicken Willi uff de hohe Schule“. Der „dicke Willi“, wie ihn die Nowaweser vox populi respektlos nannte, war der etwas zur Korpulenz neigende, mittelgroße Gymnasialdirektor Dr. Willi Stahl. Gleich vielen nicht sehr hochgewachsenen Menschen hatte er sich angewöhnt, die ihm mangelnde imponierende Größe durch forsches Auftreten auszugleichen. Kollegen nannten ihn deshalb auch gelegentlich den „kleinen Napoleon“.

Nur wenige Oberlehrer konnten Direktor werden. Kenntnisse, Weltgewandtheit, die Kunst der Menschenführung waren nötig, um einen solchen Posten auszufüllen, vor allem aber Verbindungen, Verbindungen...

Bei Herrn Dr. Stahl hatte sich alles auf das glücklichste vereint. Das väterliche Geschäft in der Friedrichstraße – der besten Geschäftsgegend im damaligen Berlin – hatte ihm ein ausgedehntes, angenehmes Studium und die Promotion ermöglicht. Seine Heirat hatte gute Verbindungen zum Provinzialschulkollegium geschaffen. So hatte sich seine Berufung auf den viel begehrten Posten als Leiter dieser Anstalt dicht vor den Toren der Reichshauptstadt fast von selbst ergeben.

Stahl war gleich den meisten Lehrern an den höheren Schulen weniger aus innerer Berufung als aus nüchterner Überlegung Oberlehrer geworden. Zwar war man als solcher im Endgehalt nur den Richtern unterster Instanz gleichgestellt, jedoch sprachen das Ansehen in der Bevölkerung und vor allem die langen Ferien für den Beruf. Nach Studium, Ablegen des Oberlehrerexamens (pro facultate docendi) und einem zweijährigem Vorbereitungsdienst in einer Vollanstalt war man bereit und fähig, den preußischen Normalbürger zu erziehen.

Volksschul- und akademisch gebildete Lehrer hatten nicht viele Gemeinsamkeiten. Wie in der militärischen Hierarchie die Offiziere vom Unteroffiziersstand, so trennte auch im Bildungswesen eine unüberbrückbare Schranke den Oberlehrer vom „gewöhnlichen Lehrer“, der seine Ausbildung auf Präparandenanstalt und Lehrerseminar erhalten hatte. Jeder mochte sich entfalten und Ansehen in seinen Kreisen erlangen.

Schlimm erging es nur denjenigen Volksschullehrern, die (von allen „Dorfschulmeistern" beneidet) in den Vorschulen der höheren Lehranstalten unterrichten durften. Sie waren nicht Baum noch Borke. Von ihresgleichen in den Volksschulen getrennt, wurden sie von den Akademikern im Kollegium der höheren Schulen nie für voll genommen. Man vergaß in Überheblichkeit und Standesdünkel, daß gerade sie es waren, denen die Kinder im empfänglichsten Alter anvertraut waren, daß sie als erste „säten und beackerten das edelste Feld".

Man vergaß, daß sie den Grundstein zu legen hatten, auf dem die Akademiker aufbauten, und daß ein schlechter Unterricht in der Vorschule viel schlimmere Folgen für Kinder hat als gelegentliche schwache Leistungen von Lehrern in späteren Jahren.

Auch dem Turnlehrer, dem Gesang- und dem Zeichenlehrer gab man im Kollegium gern zu verstehen, daß sie im Grunde genommen sich nicht zur geistigen Elite der Nation rechnen dürften, falls sie nicht (wie bei den Turnlehrern häufiger anzutreffen) durch ein weiteres wissenschaftliches Fach ihre akademische Bildung unter Beweis stellen konnten. Die Herren Oberlehrer pflegten auch ihnen gegenüber das „Herr Kollege" meist nicht ohne eine gewisse Herablassung zu gebrauchen.

So lebten die Lehrer der Vorschulklassen, die Herrscher über die noch unflüggen Kinderseelen, selbst in dem großen Schulgebäude ein einsames und oft gedrücktes Leben. Sie waren stets die Letzten in der Sitzordnung bei den Vollkonferenzen des Kollegiums und bei den Aufmärschen der Schule.

In Nowawes waren die Herren Letz, Schwalbe und Frisch als Vorschullehrer tätig. Sie verdankten die Anstellung an der höheren Schule vor allem den guten Verbindungen zu den Vorstehern der Gemeinde. Alle drei waren in dem aufstrebenden Industrieort von den Eltern her oder durch Heirat begütert.

Als erstem begegnete Gero Herrn Letz, dem Klassenlehrer der untersten Vorschulklasse. Er stand neben dem Direktor, als die Mutter Gero zum Schulbesuch anmeldete. Die beiden in Gehröcke gekleideten Herren und das feierlich-fremde, große Arbeitszimmer des Direktors machten ihn verlegen. Er wagte nach seiner Verbeugung kaum zu ihnen aufzublicken. Zudem fesselte ihn ein weißes Etwas, das in seiner Augenhöhe dicht vor ihm auf dem Embonpoint des Herrn Dr. Stahl an der von der linken zur rechten Westentasche reichenden goldenen Uhrkette hing: Es war ein

Zahn. Tatsächlich: ein ganz großer, langer, am Ende etwas gebogener, weißer Zahn!

Das mußte aber weh getan haben, als man ihm den gezogen hat! So lang und auch noch krumm – der Herr Direktor muß, dachte Gero, sehr tapfer gewesen sein. Nur tapferen Männern – so hatten die Eltern ihm vor einem kürzlichen Besuch beim Dentisten gesagt –, die beim Zahnarzt nicht schrien (schmerzstillende Injektionen waren damals noch nicht üblich), übergab man den gezogenen Bösewicht in einem rosa wattierten Schächtelchen zum Andenken.

Jedoch: Ein so langer Zahn, paßte der überhaupt in den Mund? Ob er bei den oberen Zähnen gesessen hat, vielleicht vor dem Ziehen über die Unterlippe hinausgeragt hatte? Auf Tierbildern hatte er solche Zahnstellung schon gesehen. Aber Tiere hatten, wie er sich entsann, stets zwei solcher großen Zähne. Ob beim Direktor einer noch im Mund war? Verstohlen hob der Junge die Augen. Von unten erschienen ihm Doppelkinn und das Gesicht des Mannes wie ein fleischiges Gebirge.

„Gero ...", die Mutter beugte sich zu ihm hinunter und zuckte an seiner Hand, „der Herr Direktor hat dich etwas gefragt!"

„Ja ...", verwirrt fuhr der Junge auf. Über seinen Gedanken und Vorstellungen hatte er alles um sich vergessen und war der Unterhaltung der Erwachsenen nicht gefolgt. Die Mutter entschuldigte ihn, er sei an sich lebhaft (oft fast zu lebhaft), aber manchmal träume er auch noch.

„Das wird sich geben, sobald er mit den anderen Jungen zusammen ist", meinte Herr Letz. „Vielleicht ist er mit seinen 5¾ Jahren auch noch ein bißchen jung", mit einem Blick auf die Personalien in seiner Hand setzte er es überlegend hinzu, „er liegt fast auf den Tag genau an der Aufnahmegrenze."

„Ach", Dr. Stahl tat den Einwand mit einer Handbewegung ab (er wünschte das Gespräch zu beenden), „wir werden ihn nehmen. Andere Jungen im gleichen Alter können dem Unterricht gut folgen." Herr Letz widersprach nicht (weshalb sollte er sich auch dieser Lappalie wegen mit dem Chef streiten), und so fand sich Gero nach Ostern 1908 am ersten Schultag, von der Mutter auf Weg und Bahnfahrt begleitet, bei Herrn Letz in der dritten Vorschulklasse ein.

Wenn er später mit dem Direktor zusammentraf (und er wurde

im Laufe der Schulzeit zu mancher unangenehmen Aussprache vor den hohen Herrn zitiert), fiel sein Blick stets als erstes auf die goldene Kette mit dem weißen Zahn. Schon bald nach der ersten Begegnung hatte er vom Vater erfahren, daß dies eine Jagdtrophäe, ein Eberzahn, sei. In irgendeiner Weise schien dem Jungen jedoch der Raffzahn zum Wesen des Direktors zu gehören. Vertrauen hat er zu ihm nie gewonnen.

Wie Herr Suchefad der Didaktik des Herrn Vorschullehrer Letz auf die Sprünge half

Bereits im Sommer nach der Einschulung wurde es Herrn Suchefad hinterbracht, daß sein Jüngster im Gegensatz zu seinen Brüdern nicht zu den Besten der Klasse, ja, nicht einmal zu den mittelmäßigen Schülern zu rechnen sei. Man hätte sich redlich bemüht, so hieß es, zu ihm zu finden, jedoch halte er sich leider dem Lehrer gegenüber fast verschlossen. Dabei weise sein sonstiges Verhalten, wie Beobachtungen ergeben hätten, darauf hin, daß er zumindest eine mittelmäßige Intelligenz besäße.

Nun, davon war Herr Suchefad überzeugt, und er begann wieder einmal, sich selber intensiver mit seinem Jüngsten zu beschäftigen. Von seiner Frau wußte er, daß Gero nur ungern zur Schule ging. Hier mußten Strenge und Ermahnungen helfen. Er nahm ihn sich vor und stellte zu seinem Ärger fest, daß Gero noch gar nichts konnte. Er war Linkshänder (Linkshändigkeit galt damals als Makel). Deshalb hatten die Eltern schon bald, nachdem sich diese Veranlagung beim Kleinkind herausgestellt hatte, ihr entgegenzuwirken versucht. Sie banden dem Jungen ein Bändchen um die „schöne Hand" – trotzdem benutzte Gero nach wie vor die Linke. Er versuchte jetzt, auch links zu schreiben. Das war unmöglich. Man schrieb mit der rechten Hand, also hatte er sich daran zu gewöhnen!

„Wenn du nicht lernst, wirst du Steineklopfer", so drohte der Vater.

Steineklopfer zu sein, das war schlimm. Im vergangenen Winter hatte Gero den Mann gesehen. Unter einem dreibeinig von Stangen gestützten Dach aus Leinensäcken saß er, einen weiteren Sack zum Schutz gegen den schneidenden Wind um die Schultern gelegt, am Chausseerand hinter einem großen Haustein. Neben sich hatte er auf der einen Seite einen Haufen von Wackersteinen, aus dem er mit der bis zur halben Fingerlänge von einem Handschuh geschützten Linken Stein für Stein aufnahm, ihn auf den Haustein legte und anschließend mit der Rechten zum Schotterstein zerschlug. Gewiß, auch dies war eine Kunst. Gero hatte beobachtet, wie der Mann gelegentlich einen Stein erst von allen Seiten besah, ehe er ihn auf den Haustein niederlegte und mit einem einzigen Schlag des schweren Hammers zertrümmerte.

Nein, Steineklopfer wollte er nicht werden. Lieber Kaiser, der so herrlich anzusehen war.* Also mußte er wohl lernen. Zwischen Einsicht und Verlockung lag jedoch ein weites Feld. Oft genug warf er, kaum daheim, die Schulmappe in die Ecke und raste die Treppe hinunter in den Wald oder auf die Neubauten, die in diesen Jahren der Prosperität in Kohlhasenbrück emporwuchsen. Der Ort war als Villenvorort entdeckt und als ständiger Wohnsitz für wohlhabende Berliner Geschäftsleute, die sich den Arbeitsbeginn nach eigenem Ermessen einrichten konnten, modern geworden. Er war nicht so exklusiv wie das benachbarte Neubabelsberg, in dem neben dem Geburtsadel der des Geldes die Villen am Griebnitzsee bewohnte, oder wie Wannsee. Vor allem am Großen Wannsee hatten sich in diesen Jahren die führenden Männer aus der deutschen Hochfinanz und Großindustrie ihre oft schloßartigen Villen erbaut. Kohlhasenbrück war bescheidener, war mittelständig. Es wurde, wie später einmal ein in Wannsee wohnender Primaner etwas geringschätzig dem Quartaner Gero gegenüber äußerte, der Wohnsitz von „kleinen Juden und Krämern aus der Friedrichstraße" – sie siedelten sich jetzt hier an.

Herr Suchefad untersagte dem Sohn streng, vor Erledigung der Schularbeiten zu den Brüdern hinauszulaufen. Aber was half dies! Mit großen, abwesenden Augen saß er über seinem Heft und träumte dem Spiel der anderen nach oder er lief ungeduldig zum Fenster, um hinauszulauschen. Ertappte ihn der Vater, so setzte es wohl Schläge, auch beaufsichtigte er gelegentlich selbst das Schreiben und Lesen, jedoch konnte er keinen rechten Fortschritt

---

* Gegen das Kaiserwerden hatte er wenig später, als er zu lesen gelernt hatte, auch Bedenken. Mühsam hatte er in der Potsdamer Tageszeitung gelegentlich den ausführlichen Hofbericht gelesen und dabei gefunden, daß sich der Kaiser oft umziehen mußte. Am Morgen, so las er, trug er bei der Besichtigung des Regiments die Uniform der Gardeducorps, mittags bei einem Empfang englischer Gäste zu deren Ehren die Uniform eines britischen Admirals, kurz darauf die der Gardehusaren, und am Abend war er beim Essen mit einem österreichischen Prinzen in die kleine Uniform seines österreichischen Regiments gekleidet. So oft mußte sich der arme Kaiser am Tage umziehen! Das war nichts für Gero. Also wurde man vielleicht doch lieber Lokomotivführer! Der brauchte sich mit seinen Sachen nicht so vorzusehen und stand auch ganz oben.

erreichen. Plötzlich kam Herrn Suchefad ein glänzende Idee. Er wollte es den Herren Pädagogen beweisen, wie man Kindern das Lesen beibringt: Aus dem Leben sollten sie lernen! Durch Anschauung mußten sich die Buchstaben dem Kinde einprägen. Mit einem jeden mußte sich eine bestimmte Vorstellung, ein fester Begriff verbinden!

Eines Abends hatte er sich zur Verwunderung seiner Frau an seinen Schreibtisch gesetzt, hatte einen neuen Tuschkasten sowie ein sauberes Schulheft hervorgeholt und begonnen, mit viel Liebe eine Fibel für seinen Jungen anzufertigen (Ach, daß dieser ihm die Mühe so wenig dankte!). Danach hatte er beschlossen, Geros Studien selbst zu überwachen: Er nahm ihn eines Tages zum Nachmittagsdienst mit in sein Büro.

Die Institutsverwaltung war in einem der ebenerdigen Häuser des ehemaligen Landgutes Eule untergebracht. Sie lagen in einem großen, offenen Viereck um einen weiten Rasenplatz. Einige große, sehr schöne Tannen standen darauf. Herr Suchefad teilte sein Büro mit dem ersten Buchhalter, es lag links vom Hausflur. Das gegenüberliegende Zimmer, rechts vom Flur, hatte man als Empfangs- und Besprechungszimmer mit einem langen eichenen Tisch, einigen Ledersesseln und ebensolchen Stühlen eingerichtet. An diesen Tisch wurde Gero an den Nachmittagen gesetzt, während der Vater selbst in das Büro ging.

Es war ganz still in Geros Zimmer, nur draußen sangen die Vögel, huschte auch ab und an ein Eichkätzchen über den Rasen. Der Junge saß vor seiner geöffneten Fibel. Einen richtigen Klecks hatte der Vater auf eine Seite gemacht, einen Fettklecks, und einen Buchstaben daneben geschrieben. Rund war dieser, fast gleich einem Kreis, und ein paar Beinchen waren fein säuberlich darüber gesetzt. Der Vater hatte ihm erklärt, es wäre stets der Anfangsbuchstabe des abgebildeten Gegenstandes – das war ein Klecks, also bedeutete dies ein „K“. Gero überlegte: Ebensogut konnte dies aber auch ein „F“ sein, weil der Klecks auch fettig war, man konnte es deutlich spüren. Wie gern hätte er gewußt, was der Vater damit gemeint hatte. Er kaute an seinem Bleistift und betrachtete nachdenklich die Zeichnungen, blätterte im Heft. Vorn, auf der ersten Seite, das sollte ein Arm sein, also ein „A“. Zuerst hatte er „H“ dazu gesagt, weil er das väterliche Kunstwerk für das Bild einer Hand gehalten hatte. Der ob der Mißdeutung seiner Zeichnung erboste Vater hatte ihm einen „Katzenkopf“ gegeben. Seither wußte Gero, daß dies ein Arm – sein Arm – sein sollte, und das Zeichen ein „A“.

Lesenlernen war doch zu langweilig. Er war trotz des Verbotes des Vaters an das Fenster getreten, hatte die Arme auf die Fensterbank gestützt und träumte in den sonnigen Tag. Plötzlich fühlte er sich im Genick gepackt – der Vater! Unbemerkt war er eingetreten: „Daß man dich auch nicht einen Augenblick alleinlassen kann!“ Es setzte einige Ohrfeigen, dann befahl er dem Jungen, sein Heft zu nehmen, und „Marsch“ ging's hinüber in das Allerheiligste, in Vaters Büro. An einen kleinen Tisch wurde er gesetzt: Er sollte sich ja nicht ablenken lassen und die Buchstaben schreiben, sonst setze es was.

Still saß Gero und mühte sich wieder um das Verständnis der Zeichen. Verstohlen ließ er seine Augen in dem Raum schweifen. Noch nie zuvor hatte er sich hier so ungestört umsehen können. Der Bürostuhl des Buchhalters nahm ihn gefangen. Aus einem Dreibein erhob sich eine ganz dünne Eisenschraube, sie trug oben einen Sitz. Die Rockschöße des Mannes hingen seitlich herunter. Beugte sich der Buchhalter beim Addieren der Zahlenkolonnen weit über das hohe Pult, ächzte die Spindel.

Wie der dünne Stiel nur den Mann tragen konnte! Gero wartete, daß er zusammenbrechen würde. Gewaltig erschien ihm von seinem niedrigen Tischchen aus der Körper des Buchhalters auf dem hohen Büroschemel. Nun drehte er sich sogar auf dem Sitz um und zwinkerte Gero über die Brillengläser verschmitzt zu. Gero erwiderte das Lächeln, senkte aber wieder schnell die Augen auf sein Heft. Nach einer kleinen Weile blickte er verstohlen zum Vater auf. Neben dessen Schreibtisch war an der Wand ein Sprachrohr befestigt. Jetzt nahm der Vater den Stöpsel heraus, pfiff in den Trichter, lauschte. Eine quäkende Stimme war aus der Muschel zu vernehmen. Der Vater legte nun selbst den Mund an das Rohr und bestellte einen Boten. Wenn Gero doch auch einmal hineinsprechen dürfte!

Der Buchhalter stand auf, trat an die Hinterwand des Raumes. Eine Eisentür war dort in die Wand eingelassen. Zwei Räder waren oben und unten zu sehen, in der Mitte ein Griff. Der Vater gab dem Mann einen Schlüssel, ganz fein war er gezackt. Gero kannte ihn, er hatte ihn oft als ganz kleiner Junge an Vaters

Schlüsselkette bewundern und mit ihm spielen dürfen. Der Mann schloß auf, drehte an dem Griff, ein Knacken antwortete. Nun schraubte er an den Rädern und zog die schwere Eisentür auf. Der dunkle Safe gähnte in Schwärze. In ihm verschwand jetzt der Buchhalter mit seinen dicken Büchern.

Wenn die Tür nun zuschlagen würde, wenn er drin bleiben müßte, in der Dunkelheit – über Nacht! Ein Schauer überrieselte den Jungen bei dieser Vorstellung. Bangend schaute er auf die schwarze, gähnende Öffnung.

Der Buchhalter trat jedoch wohlbehalten wieder heraus. Gero atmete auf. Langsam und mit voller Kraftanstrengung schwenkte der Mann die Eisentür ein, drehte an den beiden Rädern und legte den knackenden Riegel wieder vor. Dann gab er dem Vater den Schlüssel zurück.

„Wollen Schluß machen für heute“, meinte der Vater. Er reichte dem Mitarbeiter die Hand, dann griff er zu Geros Heft und begann den Jungen abzufragen. „Dummer Bengel, ist das hier, das dritte Bild, ein Apfel? Ist ein Apfel so gelb?“

„Nein“, verschüchtert antwortete Gero leise.

„Eine Citrone ist es, ein ‚C‘ also, merke dir's nun endlich, ein ‚C‘!“

Sie gingen die Bilder weiter durch. Gero wußte vieles noch nicht. Der Vater mühte sich redlich, die Ungeduld zu bezwingen und ruhig zu bleiben. Und doch übermannte ihn bald der Ärger. Am meisten empörte es ihn, daß sein Sohn den Clou des Werkes nicht erfaßt hatte. Wie lange hatte er selbst nach einem Sinnbild für das „Ö“ gesucht und endlich gemeint, es in dem Ölfleck, vom eigenen Finger auf den Rand des Heftes gedrückt, bestens gefunden und unmißverständlich erklärt zu haben. Nun sagte der Bengel „K“ dazu! „K“ wie Klecks.

„Nein“, der erboste Vater gab es ihm handgreiflich zu verstehen, „‚K‘ wie Katzenkopf, das wirst du dir schon merken.“ Danach brach er entmutigt die Lektion des Tages ab und ging nach Hause. Traurig und unglücklich schlich ihm sein Jüngster nach – es war wirklich nicht leicht, so klug zu werden, wie es die Erwachsenen waren.

Schließlich lernte er das Lesen aber doch noch, wußte auch, daß jenes Tier mit den langen Ohren, auf dem er vor einem Jahr zusammen mit Karl-Friedrich v. Hütter zu reiten versucht hatte, ein Esel war. „E“ wie Esel! Er lernte es auch, einigermaßen dem Pensum der Klasse zu folgen und mit der „schönen Hand“ zu schreiben, so daß er den Eltern nicht die Schande antat, schon nach dem ersten Schuljahr sitzenzubleiben. Aber ein guter Schüler wurde er nicht. Er sei fahrig, meinte Herr Letz, wie er bereits bei der Aufnahme bemerkt habe, noch viel zu verspielt und unaufmerksam. Dies drückte sich bei der Versetzung in dem Platz aus (damals war der „Platz“ noch ein Maßstab für die Leistung. Die guten Schüler saßen vorn auf der ersten, die schlechtesten hinten auf der letzten Bank). Herr Letz setzte Gero in das hintere Mittelfeld.

Gero, Herr Frisch und ein angenehmer Abend am Stammtisch des Herrn Schmar

Im zweiten Schuljahr ging der Junge in die Obhut des Herrn Schwalbe über, eines gleich seinen Kollegen in die Zeit passenden, lebensfrohen und lebensklugen Mannes. Recht und schlecht – eigentlich mehr schlecht als recht – mühte sich Gero unter seiner Anleitung, den weit verästelten Baum des Wissens zu erklimmen. Oft verstand er nicht, warum er all diese Dinge lernen mußte. Oft gab es auch im zweiten Schuljahr Tränen, gab es viele Ermahnungen der Eltern, schließlich bewältigte er auch das Pensum der zweiten Vorschulklasse und wurde in die erste versetzt.

Versetzt zu werden, das Ziel der Klasse zu erreichen, war letzten Endes die Hauptsache. Darin unterschied sich die Osterzensur von denen, die es vor den Großen Ferien Anfang Juli, vor den Herbst- und vor den Weihnachtsferien gab. Im ganzen war meist die Osterzensur nicht besser als die anderen. In einem oder dem anderen Fach hatte sich auch in ihr ein „nicht ganz genügend“ oder sogar „mangelhaft“ eingeschlichen. Während der Vater bei schlechten Quartalszeugnissen dem Jungen oft voller Zorn die Mappe um die Ohren schlug, versöhnte ihn Ostern stets der Schlußsatz „Gero (Karl Wilhelm oder Ehrhardt) wird gemäß Konferenzbeschluß vom (hier folgte eine Datumsangabe) in die Klasse (hier der Name der entsprechenden Klasse) versetzt!“

Hatte er dies gelesen, gab es noch einige Ermahnungen – weil man es den Jungen nicht zu leicht machen durfte – und danach den Taler für die neue bunte Schülermütze. An ihr war, wie beim Militär an Schulterstücken und Litzen der Rang, beim höheren Schüler die Bildungsstufe erkennbar (der Volksschüler trug keine bunte Mütze). So hatten die Vorschüler etwa gelbe, die Sextaner, Quintaner und Quartaner grüne, die Tertianer rote, die Sekundaner blaue und die Primaner weiße Mützen. Ein bis drei goldene Borten um den Mützenrand verrieten darüber hinaus dem Kundigen, zu welcher Klasse innerhalb der Wissensstufen der Schulhierarchie der Mützenträger gehörte.

Gero hatte jetzt als Schüler der 1. Vorschulklasse die gelbe Mütze mit drei Streifen bekommen. Er wechselte zu Herrn Frisch. Im Gegensatz zu den Kollegen Letz und Schwalbe, die in den Handwerkervereinen eine Rolle spielten, hielt er sich in dieser Beziehung zurück. Er war in seiner Freizeit meist mit der Verwaltung und Verwertung seines kleinen Vermögens beschäftigt. Er sah wachen Auges in die Welt. Nicht zuletzt war es der Besitz, der einem Mann die Achtung seiner Mitbürger eintrug. Er kannte manchen, dessen Vater noch als kleiner Handweber unter der düsteren Petroleumlampe fast Tag und Nacht über dem Webstuhl gesessen hatte, und der heute als Fabrikant in der Gesellschaft des Ortes eine Rolle spielte. Geld öffnet alle Türen, Geld ist Macht! Noch war er nicht so weit, daß er die lästigen Fesseln des Schuldienstes hätte abstreifen können, aber in stillen Abendstunden, wenn er rechnend über Mieteinnahmen und Zinserträgen saß oder aufmerksam den Stand der Kuxe und Aktien verfolgte (er spekulierte ein wenig), träumte er ab und an von dem Tage, an dem er sich als wohlsituierter Rentier nur der angenehmen Beschäftigung des Geldeinnehmens und -verwaltens widmen könnte. Vorläufig setzte er sein zwar nicht sehr hohes, aber stets sicheres Gehalt als einen durchaus annehmbaren Aktivposten in die Rechnung seines Lebens ein. Auch gedachte er durchaus nicht, dem Staate durch einen zu frühen Abgang das wohlverdiente Ruhegehalt zu schenken. Aber ab und an spielten seine Gedanken schon mit einem passenden Leiden, das – eine vorzeitige Pensionierung rechtfertigend – die Möglichkeit offenließ, bei durchaus noch ausreichender Gesundheit sich seinen Geschäften ganz zu widmen. Einer der ihm bekannten Herren hatte es auf diese Weise auf nahezu vierzig Pensionsjahre gebracht und war dank seiner Betätigung als Häusermakler noch zu einem reichen Mann geworden.

Es läßt sich leicht verstehen, daß bei solchen vielseitigen und schwerwiegenden Interessen die Gedanken des Herrn Frisch selbst im Unterricht oft nicht bei seinen Schülern waren. Trotzdem hatten sie ihn gern. Er machte es ihnen nicht allzu schwer, trug sein Pensum vor und fragte nicht viel danach, ob man es verstanden hatte. Am liebsten stand er an der Tafel und zeichnete mit nicht ungeschickter Hand Häuschen und Gärten, Portale und Toreinfahrten, wie sie ihm wohl für die ihm vorschwebenden

Bauten in den Sinn gekommen waren (in den ihm gebotenen Grenzen beteiligte er sich auch an den Terraingeschäften in den benachbarten Villenkolonien). Ab und zu freilich begann er mit seiner Klasse zu büffeln. Eine der sich periodisch wiederholenden Besichtigung durch den Schulrat mochte in Sicht sein, oder auch der Herr Direktor hatte seine Teilnahme am Unterricht für die nächste Zeit angesagt. Vor solchen Tagen brachte Herr Frisch seine Schäfchen „auf Vordermann". Er war ein gewiefter Routinier, ein Besichtigungsfachmann par excellence. Er kannte seine Mitmenschen und ihre Schwächen – und den Herrn Schulrat sowie seinen hochverehrten Direktor Dr. Stahl hatte er gründlich studiert. Deshalb schlug bei ihm auch selten eine Visitation fehl. Er pflegte vor dem erwarteten Besuch die Sitzordnung der Schüler ein wenig zu ändern. Er setzte einige der Besseren zwischen die minder Guten, so daß bei Fragen die Antworten stets aus der vollen Mitte zu kommen schienen. Auch übte er wenige Themen in Frage und Antwort ein. Bei diesen Vorbereitungen kamen ihm seine Zöglinge mit feinem Instinkt entgegen und lernten fleißig, beispielsweise die Regeln der deutschen Sprache herunterzuschnurren.

Ob solchen Erfolges seiner Arbeit galt Herr Frisch bei seinen Vorgesetzten als vorbildlicher Pädagoge. Das Einpauken der Regeln war gut für diejenigen, die (wie viele Nowaweser) mit dem „mir" und „mich" auf Kriegsfuß standen – Gero und manchen anderen langweilte es. Zu Hause wurde ein gutes Deutsch gesprochen, und er verstand nicht, wozu er dies lernen sollte. Er paßte nicht auf und neckte sich auch während der Stunde oft mit Kameraden, so daß er für Herrn Frisch bald zu den ausgesprochenen Rüpeln zählte. Der Bengel tat ihm nicht einmal den Gefallen, sich vor den Visitationen anzustrengen. Schon der Kollege Schwalbe hatte ihn bei einer gelegentlichen Unterhaltung über ihre Schüler als einen im höchsten Grade unaufmerksamen Knaben geschildert. Schwalbe habe, so meinte er, den Schlüssel zu diesem Kinde nicht gefunden. Der Herr Kollege Frisch würde vielleicht mit ihm mehr Erfolg haben. Aber auch Frisch stellte fest, daß Gero kein guter Schüler war – jedoch, weshalb sollte er sich über ihn aufregen? Der Bengel wollte nicht, also gut. Herr Frisch warf seine Perlen nicht vor die Säue. Flüchtig erwog er vor dem Klassenwechsel, den Jungen nicht zu versetzen, schließlich schob er ihn noch mit einer halbwegs befriedigenden Beurteilung in die Sexta weiter – was sollte er sich mit diesem schwierigen Jungen noch ein weiteres Jahr herumärgern.

Vor allem aber hatte ihn zu diesem Entschluß ein netter Abend mit Herrn Suchefad bewogen. Zufällig war man am Stammtisch des Herrn Schmar im Bahnhof Neubabelsberg zusammengekommen, hatte sich ein wenig näher kennengelernt. Vater Suchefad, so stellte Herr Frisch zu seiner Überraschung fest, war ein vorurteilsfreier, unterhaltsamer Mann, ein Mann von Belesenheit, und – was nicht zu unterschätzen war – auch mit Beziehungen. Es wurde gemunkelt, daß er sich jetzt hier auch ankaufen wolle –, weshalb sollte man einen solchen Mann vergrämen? Das Gesicht in Ernst gesammelt und die Stirn in sorgenvolle Falten gekraust, hatte Frisch auf die Frage des Vaters nach den Leistungen seines Sohnes ein wenig geklagt. Aufmerksam war Suchefad seinen Worten gefolgt, während um ihn die Reden der Runde fröhlich schwirrten. Herr Frisch genoß die Beachtung, die Suchefad ihm schenkte. Wohltuend überrieselte ihn das Gefühl der Macht. Für Gero war er gewissermaßen Schicksal. Hier war er nicht der arme Volksschullehrer Frisch, auf den man sonst wenig hörte – heute nahm man ihn hier ernst. Nicht allzu oft geschah dies in dieser Runde reicher Bürger. Doch er hielt weise Maß mit seiner Kritik, beruhigte Herrn Suchefad. Es würde sich schon geben mit seinem Sohn, er würde ein besonderes Auge auf seinen Gero werfen.

Herr Suchefad war ein wirklich netter Mensch. Jetzt saßen Frisch und er hinter einer Flasche Haut-Souternes; mochten sich andere mit ihm verfeinden, er tat es seines Bengels wegen nicht. Es gab noch genügend Klippen in den höheren Klassen, in denen der Junge sitzenbleiben konnte. Was schadete es, daß er ihn weiterschob? Aufsässig war er, aber kein Halbblöder wie der von Berchent, den man ihm in die Klasse gegeben hatte. Lächelnd trank er Herrn Suchefad zu, nahm einen kräftigen Schluck, um den inneren Grimm zu ersticken. Gegen die Aufnahme dieses Jungen hatte er sich mit Händen und Füßen gewehrt.

Albrecht Achilles Adolar Graf von Berchent – wenn er nur den Namen hörte, lief ihm die Galle über! Es war auch fast das einzige, was der Kretin selbst von sich zu sagen wußte. Er wurde von allen seinen Mitschülern gehänselt und merkte es kaum –, trotzdem saß er in seiner Klasse. Der Herr Direktor hatte es gewünscht und ihn gebeten, sich dieses Jungen besonders anzunehmen (man munkelte etwas von „höheren" Weisungen). Alle Hände hatte Herr Frisch zu tun, um den Jungen vor den Streichen seiner Mitschüler zu schützen. Hatten diese ihm jedoch wieder einmal übel mitgespielt, ohne daß er es hindern konnte, so erschien die Gräfin in der Schule und beschwerte sich beim Direktor. Als ob Herr Frisch allein für ihren Sprößling angestellt sei! In die Hilfsschule gehörte dieser Junge, besser noch in die Klapsmühle, in der er einst mit Bestimmtheit enden würde –, aber auch Albrecht Achilles Adolar würde versetzt werden, ob Frisch es wollte oder nicht. Am liebsten hätte er jetzt kräftig geflucht, hätte mit jemand von diesem seinem Ärger gesprochen, ihn sich von der Seele geredet. Er besann sich aber und schwieg. Man war hier in einer fröhlichen Runde und erwähnte keine unliebsamen Dinge. Von denen, die hier saßen und tranken, trug keiner seine Sorgen auf den Markt. Das schädigte den Ruf. Man war hier, um sich bei einem guten Tropfen zu unterhalten. So vergaß auch Herr Frisch seinen Kummer und hielt mit den anderen Herren kräftig mit.

Es war der letzte Zug, der ihn von Neubabelsberg nach Hause brachte. Mit Müh' und Not fand er in Nowawes aus dem Abteil und folgte dort etwas unsicheren Ganges langsam den wenigen späten Reisenden zum Ausgang des Bahnsteiges. Vor dem Knipser, der ihm die Fahrkarte abnahm, blieb er stehen, reckte sich hoch (der Schulärger war in seinem weinumwölkten Haupt wieder emporgestiegen) und sprach lallend mit erhobenem Zeigefinger: „Ja, mein Sohn, Deine Leistungen ... Hupp", ein Aufstoßen unterbrach seine Rede, „... Deine Leistungen geben zu ernsten Besorgnissen ... ern--sten--Be--den--ken Anlaß. Jawohl!" Frisch stützte sich auf den Rand der Wanne, die den Sitz des Beamten umschloß: „Ja, mein Sohn, wenn Du ... Dich nicht ganz erheblich besserst, dann bleibst Du sitzen!" Er tätschelte liebevoll die Backen seines Gegenüber: „Hörst Du, mein Sohn, dann bleibst Du sitzen--äh -- wirst das Ziel der Klasse nicht erreichen ... Hupp."

Er starrte dem Mann mit der Dienstmütze in das verdutzte Gesicht und sagte fast traurig: „Du erreichst es nicht, verlaß Dich drauf ... ich", Frischs Zeigefinger fuhr bedeutsam gegen die eigene Brust, „ich, ja ich werde dafür sorgen." Mit freundlichem

Grinsen wandte er sich ab, kehrte jedoch nach wenigen Schritten nochmals um und rückte dem Knipser vertraulich nahe. Alkoholdunst schlug dem Mann entgegen: „Aber Du brauchst es gar nicht zu erreichen . . . geht auch so. Kein Mensch erreicht sein Ziel . . . ist nur immer . . . unterwegs danach . . . geht auch so . . .“ Damit schwenkte er heimwärts, und der Knipser konnte hinter ihm, dem letzten Fahrgast, die Türen des Bahnhofs schließen.

*

Noch bis zur Verteilung der Zensuren vor den Osterferien mußte Gero um sein Schicksal bangen. Am letzten Schultag aber übergab Herr Frisch ihm sein Zeugnis mit dem Bemerken, daß auch er versetzt worden sei. Er war nun Sextaner, und wer unter den ersten 12 in die Sexta kommt, so hatte der Vater gesagt, erhält eine Uhr. Karl Wilhelm und Ehrhardt – sie waren zusammen eingeschult worden – hatten diese Bedingung erfüllt und besaßen seit dem Vorjahr Uhren. Gero hatte Pech, er war dreizehnter geworden. Dies sei fast so gut wie zwölfter, hatte die Mutter gemeint. Der Vater blieb jedoch fest: Was gesagt worden war, hatte zu gelten! Deshalb durfte Gero „seine“ Uhr (des Rabattes wegen hatte Herr Suchefad die drei Uhren schon vor einem Jahr zusammen gekauft) beim Vorlegen seines Zeugnisses zwar einmal sehen, danach hatte der Vater sie aber wieder im Schreibtischfach verwahrt.

Zunächst war Gero ein wenig bedrückt. Wie schön wäre es gewesen, wenn er – selbstverständlich ganz zufällig – die Uhr vor seinen Klassenkameraden und Franz hätte hervorholen und nach der Zeit sehen können. Sie hätten wohl Augen gemacht! Unter diesem Aspekt war es schade, daß die Uhr wieder in Vaters Schreibtischfach statt in seiner Hosentasche tickte. Jedoch tröstete er sich bald: Uhren, vor allem die Gläser, waren sehr empfindlich (und nur dem Vater – so hatte er gesagt – war in seinem ganzen Leben, auch schon als Junge, kein Uhrglas entzweigegangen). Eine Uhr ist ein zerbrechlich Ding, man ersparte sich vielleicht viel Ärger, wenn man sie noch nicht besaß.*

* Die Uhr hat noch drei Jahre im Schreibtischfach des Vaters gelegen. Gero erhielt sie erst als Quartaner, in dem Jahr, als er sitzenblieb. Herr Suchefad hatte zu dieser Zeit wohl den Glauben an den erzieherischen Wert des Geschenks verloren.

So nahm Gero seinen Taler für den Kauf der neuen grünen Schülermütze mit dem einen goldenen Streifen mit dem Versprechen in Empfang, sich in der Sexta in seinen Leistungen zu verbessern, und entwich in das Kinderzimmer.

Jetzt waren Ferien! Vierzehn Tage Osterferien!

Seit Wochen hatte er sich auf sie gefreut. Sie hatten seine Phantasie so beherrscht, daß er sich nur mit Mühe auf die Schularbeiten hatte konzentrieren können. Wochenlang hatte ihn die Erwartung in Spannung gehalten, hatte er sich bis ins letzte die Stunde des Ferienbeginns ausgemalt, hatte sie durchlebt – nun, da sie gegenwärtig war und er vor seinem Schreibfach saß, um seine Schulhefte zu verschließen, schien diese köstliche Stunde von ihrer Höhe gestürzt, schien das soeben noch leuchtende Ziel, da es erreicht, glanzlos und leer. Verwundert lauschte der Junge in sich hinein, wo sich jetzt nichts regte, wo nur Müdigkeit war – und etwas wie ein Verlangen nach den in der sehnenden Erwartung durchpulsten Wochen.

Die Geschäftigkeit der Brüder um ihn brachte ihn zu sich zurück. Er sprang auf, plötzlich verwandelt: Neue Wünsche fielen ihm ein. Übermütig neckte er Karl Wilhelm, lief in die Küche zu Lene – der Bann war gebrochen, er war wieder er selbst. Wieder war er auf einem Weg, wieder in einer Erwartung, lebte in der Vorfreude auf etwas Unbekanntes, Neues. Die Gegenwart war abgetan, lag hinter ihm.

Gleich vielen Menschen lebte er nie in ihr, weil sie in ihrer Ruhe ängstigt. Nur Ausgang neuer Wünsche und Hoffnungen kann sie für diese Ruhelosen sein – oder Reflexion des Vergangenen. Von den drei Leben der Seele fand Gero stets die wunderbar verschlungenen Pfade durch die blühende, üppig wuchernde Wildnis des Kommenden, fand immer wieder neue Einsichten in sonnenüberflutete Landschaften, in die der Geist hinausstürmen konnte – oder er blickte zurück in die Schründe und tiefen Schluchten der Vergangenheit. Zum wichtigsten jedoch, zum Leben, zum bewußten Leben selbst, fand er schmerzend schwer.

Gendarmenrudi und die Königlichen Hoheiten

Aus den fünf Häusern, die Suchefads bei ihrem Umzug in Kohlhasenbrück angetroffen hatten, waren binnen weniger Jahre knapp zwanzig geworden. Die neuen, in vornehmem Abstand von der Straße erbauten Häuser hatten kein Schriftband wie „Villa Thekla" oder „Villa Sonnenschein" an ihrer Front, obwohl die Freude am Ornament des abklingenden Jugendstils genügend Raum dafür geboten hätte. Sie hatten es nicht nötig, sich als Villa anzupreisen – sie waren es. Der Zuschnitt verriet das herrschaftliche Haus (die hochherrschaftlichen fand man in Neubabelsberg und Wannsee). Im halbhohen Souterrain waren Küche, Wäscheraum und Nebengelaß, im hochgelegenen Erdgeschoß, das man über eine oft repräsentativ gestaltete Vordertreppe mit dem Hinweis „Nur für Herrschaften" erstieg („Dienstboteneingang hinten" stand unmißverständlich darunter), lagen Eß- und Herrenzimmer sowie der oder die Salons für die Dame des Hauses und auch meist ein Wintergarten, und im Obergeschoß die Schlafräume und das Bad. Küche und Speisezimmer waren mittels eines Speiseaufzuges verbunden, der Verständigung diente ein Sprachrohr oder neuestens auch ein Haustelefon. (Mit Aufzug und Telefon ließ sich – so fanden die Kinder – schön Post spielen). Dieser großzügigen Raumeinteilung entsprach das Hauspersonal. Im Souterrain regierte unbeschränkt die Köchin, in der ersten Etage das im Servieren ausgebildete erste Stubenmädchen.

Unter den neuen Einwohnern waren auch einige kinderreiche Familien, so daß es den jungen Suchefads nicht mehr an Spielgefährten mangelte. Es waren Ferien, zwar nur „kleine" Ferien, wie im Herbst und zum Weihnachtsfest, trotzdem waren es in ihrer Ungebundenheit wunderbare Tage. Allmorgendlich trafen sich die Jungen um 10 Uhr mit „Anschlag" an Scharwenkas Eiche (einer vor dem Hause des bekannten Pianisten stehenden stattlichen Eiche) und beratschlagten, was an diesem Tag zu spielen sei. Kamen Soldaten zu Felddienstübungen durch den Ort, so liefen sie mit ihnen in den Großen Wald. Bei der Kavallerie faßten sie unten an die Lanzenschäfte, die ihnen die Reiter entgegenhielten, und trabten neben den Pferden durch den tiefen Sand der Waldwege. Besser als die Rekruten kannten sie den Wald und halfen ihnen oft, sich zu orientieren. Manchem Dörfler fiel es schwer, die Landkarte zu lesen, deshalb nahmen viele Soldaten die Hilfe der Jungen gerne an. Als ständige „Schlachtenbummler" wußten sie, wo üblicherweise der „Feind" stand, und kannten die sich stets wiederholenden Fragen der inspizierenden Offiziere an die aufgestellten Posten.

Dies war wie in der Schule, und wie in der Schule konnte man vorsagen. Vorsagen machte Spaß. Wie zufällig stand man bei Ankunft der Ronde hinter dem Posten und murmelte: „Posten fünf innerhalb der Postenkette von Forsthaus Heidehaus bis ..."

Besonders Franz und Kutti waren Meister im Vorsagen. Bei den Husaren und Ulanen ging es immer gut. Der abfragende Offizier saß hoch zu Roß vor dem abgesessenen Posten und hörte das Flüstern der Jungen nicht. Beim „Ersten Hieb" (so wurde das Erste Garderegiment zu Fuß im Volksmund genannt) hatte Gero einmal Pech. Wie gewohnt hatte er sich hinter einen der Grenadiere gestellt und flüsterte ihm das „Posten fünf innerhalb ..." zu. Doch der inspizierende Feldwebel hatte ein feines Gehör. „Halt's Maul, du Bengel, scher' dich weg, sonst gibt's was aus der Armenkasse!" Mit unmißverständlich erhobener Hand fuhr er den Jungen an, so daß Gero sich schleunigst aus dem Staube machte und seinen armen Krieger dem Wüterich überließ. Übungen kleinerer Einheiten, wie Kompanien oder Schwadronen, fanden im Potsdamer Forst fast täglich statt. Kam eine größere Abteilung, so ließ in den Ferien der Vater ihnen dies sagen, damit sie sich auch das Biwak ansehen konnten.

Eines Tages war das ganze Erste Garderegiment durch Kohlhasenbrück marschiert und im Wald untergetaucht. Ihm folgte die neu in Bornstedt aufgestellte Maschinengewehr-Kompanie. Der Landgendarm Rudolph war auch dabei. Es mußte also eine größere Übung sein, die man sich als Kohlhasenbrücker Junge selbstverständlich nicht entgehen lassen konnte. Das Regiment war bis nach Albrechts-Theerofen marschiert und hatte auf dem sandigen Acker vor den wenigen, im Boden fast versunkenen, noch strohgedeckten Katen der Ansiedlung Halt gemacht. Die Gewehre waren zusammengestellt und kleine Gräben ausgehoben worden. In den Gräben brutzelte über Holzfeuer Essen in den Kochgeschirren. Die Sicherungsposten waren aufgestellt worden, und es herrschte nun die Geschäftigkeit des Kriegsvolkes, die den Lesern der „Woche“ oder der „Rundschau“ als friedliche „Manöverbilder“ bekannt war. Wer nicht auf Posten stand, auf Patrouille war oder kochte, versuchte zu schlafen, weil die Übung bis zum nächsten Morgen dauern sollte und der Hauptangriff des „Feindes“ für die Nacht erwartet wurde. Mehrere sehr junge Leutnants waren in die das Feld begrenzende Schonung gegangen und vergnügten sich nun dort, ihre Kräfte an den gleich Spargelstangen hochgeschossenen dünnen Kiefernstämmchen zu erproben. Mit Jubel quittierten sie, sofern es einem gelungen war, ein Bäumchen abzuknicken.

Der Oberst, der soeben einen Melder abgefertigt hatte und mit seinem Adjutanten mitten auf dem Feld stand, war aufmerksam geworden. Er hatte den Gendarmen herangewinkt und war, von diesem in respektvollem Abstand gefolgt, schlendernden Schrittes, wie absichtslos, an den Rand der Schonung gegangen. „Kgl. Hoheiten“, rief er den übermütigen jungen Offizieren zu, „das Auge des Gesetzes wacht.“ Dabei hatte er auf den Gendarmen gewiesen, der salutierend stramm stand. Glutende Röte überlief das Gesicht des Mannes. Hier war er, der Zwölfender und Landgendarm Rudolph, nicht der Hund, den man hinter jedem kleinen Sünder herjagte, den jeder Referendar und Assessor gleich einem Nichts behandelte – hier war er einmal – ein einziges Mal – selbst das Gesetz, der Staat. Es war ein großer, aber auch banger Augenblick in seinem Leben, hier zu stehen, selbst über der Krone! Ein Augenblick, der sekundenschnell vorüberging, mit dem Obersten, der sich abgewendet hatte und wieder zu seinen Stabsoffizieren zurückgekehrt war, und den jungen Leutnants, die von den Bäumchen abließen und zwischen den Katen des Theerofens andere Zerstreuung suchten.

Die Kinder hatten den Vorgang beobachtet. „Määnsch, Gendarmenrudi (so war der Spitzname des Gendarmen bei denen, die ab und zu mit ihm zu tun hatten) – unn’ nen Leutnant kuscht vor ihm! Det muß ick Vatern sagen.“ Franz nahm seine Holzpantoffel in die Hand (Schuhe trug er der Sparsamkeit wegen nur auf dem Weg zur Schule) und rannte spornstreichs heimwärts. Auch die anderen Jungen folgten, weil es Mittag geworden war. Die

Suchefads stürmten zur Mutter in die Küche. Etwas zerstreut – sie stand am Herd und beobachtete das Aufschwimmen der Kartoffelklöße – hörte sie ihnen zu. „Kgl. Hoheiten hat der Oberst zu den Leutnants gesagt", begann Karl-Wilhelm zu erzählen, „und Auge des Gesetzes zu Gendarmenrudi", ergänzte voller Eifer Gero.

„Wer ist denn das? Wer hat denn das gesagt?" fragte die Mutter.

„Franz", wie aus einem Munde antworteten die drei.

„Natürlich Franz! Das dürft ihr nicht sagen, hört ihr? Sonst wird der Vater böse. Das ist der Herr Rudolph." Frau Tina versuchte (obwohl sie sich innerlich amüsierte) streng zu sprechen.

„Ja", eifrig setzte Gero den Bericht fort, „und der Oberst hat auf den Gendarmenrudi" (schnell verbesserte er sich), „auf Herrn Rudolph gezeigt, der hat stramm gestanden, und dann haben sie die Bäume nicht mehr abgeknickt – kann der Gendarm dem König was sagen?"

„Das war kein König", die Mutter legte etwas Holz nach, „das waren Prinzen."

„Aber er hat doch Kgl. Hoheit gesagt."

„Auch Prinzen redet man so an", erwiderte die Mutter. Plötzlich verlor sie jedoch die Geduld: „Nun sind sie mir doch auseinandergefallen, die schönen Klöße! Lene, ein Sieb und raus mit euch, fragt euren Vater, wenn er kommt."

Die Jungen verschwanden im nebenliegenden Kinderzimmer und warteten auf den Vater. Er hatte auch Urlaub und war in die Stadt gefahren, mit dem Auftrag, seiner Frau Rouladen mitzubringen.

Jedoch kam er nicht zum Mittagessen. Statt seiner klingelte verspätet der Hausdiener vom nebenanliegenden Hotel und bestellte einen schönen Gruß von Herrn Suchefad. Er hätte soeben antelefoniert (das Restaurant Kohlhasenbrück hatte kürzlich einen Telefonanschluß bekommen) und ließe bestellen, daß er für ein paar Tage zur Schwiegermutter nach Trempin gefahren sei, sie sollten ohne ihn essen.

Ja, so war Herr Suchefad. Bereits auf dem Rückweg hatte er auf dem Bahnhof am Fahrtanzeiger „Jüterbog" gelesen, und plötzlich war ihm eingefallen, daß er schon lange nicht mehr bei der Verwandtschaft seiner Frau gewesen war. Er wollte doch einmal wieder sehen, was sie machten: die Schwiegermutter und die liebe

Marte sowie der Schwager August Sander in seinem großen Kaufladen, die seine drei Buben in jedem Sommer in den großen Ferien immer so nett aufnahmen. Kurz entschlossen war er noch einmal in die Stadt gegangen, um einen großen Räucheraal zu kaufen (den bekam man in dem Provinznest nicht alle Tage), hatte telefoniert und sich dann beruhigt in den Fernzug gesetzt. Seine Frau würde auch ohne ihn zurecht kommen, und er ging dem Trubel mit den Kindern aus dem Wege.

Der Tag des Herrn

Das Osterfest war vorüber. Herr Suchefad war befriedigt, voller netter Eindrücke aus Trempin heimgekehrt und nun wieder tagsüber im Büro, die Kinder waren wieder in der Schule. Der Übergang in die Sexta hatte Gero nicht viel Neues gebracht. Er hatte die ihm vertrauten Kameraden aus der ersten Vorschulklasse und einige neue Mitschüler, Übergänger aus der Volksschule, angetroffen. Diese waren nun bemüht, sich ihren Platz in der ihnen noch fremden Gruppe zu erkämpfen. Das gab einige anregende Rangeleien. Hier mitzumachen, war viel interessanter und wichtiger als die Lateinstunden, in denen ein junger Oberlehrer seine Adepten in die Geheimnisse der Grammatik einzuweihen versuchte. Er ließ viel auswendig lernen, verstand in seiner pedantischen Art es jedoch nicht, die Sprache seinen Schülern nahezubringen. Immerhin, einige Vokabeln hatte Gero sich bereits eingeprägt, konnte schon das Präsens von „amare" konjugieren, als der Himmelfahrtstag und die Aussicht auf die Pfingstferien eine angenehme Unterbrechung der Schultage brachten.

Dieser Himmelfahrtstag begann mit jenen seltenen, beglückenden Stunden, in denen die liebliche Eos am frühen Morgen mit zarter Hand den aus Bäketal und -wiesen zwischen den dunklen Kiefern der Machnower Heide und des Potsdamer Forstes hängenden bläulichen Nachtschleier zu heben schien. Verzaubert war die herbe märkische Landschaft, übersponnen in attischer Unberührtheit von glasklarer Luft. In ihr schwang der betörend-süße Duft der Flieder- und Robinienblüten, deren Büsche und knorriges Gewächs in Überfülle die Bahnlinien säumten. Heimat waren sie vielen Nachtigallen, die ihre schwermütigen Strophen in den dämmernden Morgen sangen.

Himmelfahrt war auch vor dem Ersten Weltkrieg schon der Tag der Herrenpartien, und der große, von hochgewachsenen Linden überschattete Kaffeegarten des Hotels Kohlhasenbrück, das Herr Greif bewirtschaftete, war ein beliebtes Ziel dieser Ausflüge.

Schon früh hatte an diesem Morgen Klappern von Pferdehufen und das Poltern von Wagenrädern auf dem Kopfsteinpflaster der Straße die Suchefads geweckt. Ein erster, mit bunten Girlanden geschmückter Kremser, besetzt mit einer noch mäßig fröhlichen, noch nicht recht in Schwung gekommenen Herrengesellschaft, war vorübergefahren. Ein Bierfaß sah man auf dem Wagen, auch einen großen Korb mit Essenszeug. Pauke, Quetschkommode und Stoßgeige schwiegen noch.

„Die kehren bei Greif nicht ein", sagte Herr Suchefad, der auf den Balkon getreten war, zu seiner Frau (sie richtete die Frühstückstische), „die wollen sparen, fahren in den Wald." Den von einem Giebel überdachten Balkon hatten Suchefads auf beiden Seiten verglasen lassen, so daß man vor Zugluft geschützt war. Auf der vorderen Brüstung waren links und rechts Blumenkästen befestigt und mit Geranien bepflanzt worden. Hinter jedem der Kästen hatten sie einen Tisch auf den Balkon gestellt, einen rechteckigen, größeren zur Rechten und einen kleineren Rundtisch zur linken der Balkontür. Am größeren wurde in der schönen Jahreszeit zu Mittag gegessen, an ihm saßen die Eltern auch zum Kaffeetrinken und beim Abendbrot, während man – um mehr Ruhe zu haben – die Jungen zu diesen Mahlzeiten an den runden Tisch gesetzt hatte. Fuhr ein Wagen unten auf der Straße vorbei oder gingen Menschen vorüber, so reckten sich sowohl rechts wie links die Köpfe über die Balkonkästen, über den Rand des ‚Storchennestes' (so nannten bald die Kohlhasenbrücker den Suchefadschen Balkon), in dem sich lange nach Gero – selbst für Vater und Mutter unvermutet, aber von beiden mit herzlicher Freude begrüßt – noch ein Nachkömmling, ein kleines Mädchen (sie nannten es Bärbel) den drei Buben zugesellt hatte.

Im Garten des Herrn Greif war es mit der steigenden Sonne lebhaft geworden. Viele durcheinanderschwirrende Stimmen waren schon von ferne daraus vernehmbar. Die Kellner hatten reichlich zu tun, und von der im hinteren Teil des Gartens gelegenen Kegelbahn hörte man ab und zu lauten Jubel nach dem Poltern zusammenstürzender Kegel. Einer der Männer hatte wahrscheinlich „Alle Neune" geworfen. Plötzlich verebbte das Stimmengewirr, ein Männerchor hatte mit seinem Liedvortrag begonnen, sang gekonnt das Preislied auf die Natur, die Schöpfung, sang „Dies ist der Tag des Herrn . . ."

Suchefad hatte die Zeitung zur Seite gelegt. „Horcht“, sagte er zu den Jungen, „welche wundervollen Stimmen, die haben Tenöre . . .“ Lauschend folgte er dem Vortrag – er verstand ein wenig von der Sangeskunst, weil er bis zu seiner Heirat selbst in einem Chor mitgewirkt hatte. Beifall rauschte auf, als das Lied verklungen war, laute Bravorufe und Händeklatschen waren aus dem Garten zu hören, und auch Herr Suchefad applaudierte – selbstverständlich dezent. „Die können singen“, sagte er anerkennend zu den Jungen, „vielleicht bringen sie noch mehr.“

Sie brachten mehr. Der Beifall des zahlreichen Publikums ließ sie nicht ruhen, sie sangen mit kurzen Unterbrechungen weiter – aber nun nicht mehr allein: Ein zweiter Verein war aus Wannsee heranmarschiert und hatte nun seinerseits lauthals den „Tag des Herrn“ gepriesen. Danach hatte sich zwischen den beiden Chören ein edler Wettstreit entwickelt, ein kleiner Sängerkrieg wurde ausgetragen. Beide hatten im Laufe des Vormittags abwechselnd ihr Repertoire vorgetragen, nun waren schon einige Einsätze nicht mehr ganz exakt, auch schien schon hie und da eine Kehle wegen der reichlichen Schmierung in den Pausen ein wenig rauh, so daß Herr Suchefad beim Mittagstisch auf dem Balkon leise grollend meinte, daß sie nun genug gesungen hätten und langsam aufhören könnten. Danach zog er sich zur Mittagsruhe in seine Puddelkammer zurück. Auch in Greifs Garten schien Ruhe einzukehren.

Jedoch, man hatte sich auch dort nur mittäglich gestärkt. Der Streit der Sänger war noch nicht entschieden, und man begann von Neuem, dazu ertönte nun auch noch flotte Marschmusik. Vom Dampfersteg her bewegte sich ein weiterer Zug froher Männer dem Wirtsgarten zu – freudig und laut begrüßt von den dort anwesenden Gästen. „Dampfer mit Musik“ war für die Kinder fast schöner, als wenn die Soldaten kamen. Sie waren die Treppe heruntergesprungen, hatten den Zug begleitet und standen nun am Wirtshauszaun und schauten den Männern zu, die sich lärmend miteinander unterhielten und sich immer wieder zutranken. Manch einer stand auch nicht mehr ganz sicher auf den Beinen, mancher verhielt sich für einen Erwachsenen auch schon recht wunderlich.

Franz stand plötzlich neben ihnen: „Kommt, Kegelaufsetzen, ich schaff's nicht auf zwei Bahnen.“ Es hatte ihn Überwindung gekostet, sie um Hilfe zu bitten, hätte er doch gern das Aufsetzgeld allein eingesteckt. Aber den Keglern dauerte es zu lange, sie hatten Suchefads Jungen am Zaun gesehen und Franz beauftragt, sie zu holen.

„Wir dürfen nicht, hat Vater gesagt."

»Gibt auch 'ne Mark für jeden", lockte Franz.

„Wir dürfen von Fremden kein Geld nehmen", sagte Karl-Wilhelm.

„Die geben auch noch mehr, kommt schon", drängte Franz. „Vater sieht's ja nicht. Helft mir doch!"

Helfen mußte man als Freund, Ehrhardt und Gero ließen sich überreden, liefen mit Franz auf die Kegelbahn. Geld hatten sie von den Männern nicht angenommen, eine Brause hatten sie sich jedoch jeder schenken lassen. Auch Kegelaufsetzen machte Spaß, so fanden sie, man hatte das noch gar nicht gewußt. Die Kegel purzelten, flink setzten sie sie auf, ein herrlicher Wurf kam. Alle Neune! Sie freuten sich mit dem glücklichen Kegler, schrien vor Begeisterung – um plötzlich zu verstummen. Karl-Wilhelm war gekommen. Er hatte sich draußen am Fensterrahmen hochgezogen, „schnell", sagte er, „Vater pfeift", um augenblicklich wieder zu verschwinden.

Ehrhardt und Gero ließen ihre Kegel fallen, sprangen mit einem Schwung aus dem Fenster und waren hinter der Kegelbahn verschwunden. Einer der Kegler, der sich schon zum Wurf gebückt hatte, richtete sich wieder auf und drehte sich erstaunt zu seinen Kegelbrüdern um.

Was war denn das? „Weshalb geht's nicht weiter, wo sind die hin?" riefen sie über die Bahn zu Franz. „Weg!" rief Franz zurück.

„Kommen die wieder?"

„Nee", entschieden schüttelte Franz den Kopf, „Vater hat gepfiffen", dies schien dem Jungen alles zu erklären.

Kopfschüttelnd und noch ärgerlich sahen die Männer, wie er sich bückte, um wieder beide Bahnen allein zu bedienen. (Im Grunde war er mit dieser Lösung nicht unzufrieden, kam er dadurch doch noch zum doppelten Aufsetzgeld.)

„Vater hat gepfiffen!" Das Signal kannten nicht nur die Suchefads, sondern auch die anderen Kohlhasenbrücker Kinder. „Vater pfeift", hieß Alarm, sofort nach Hause kommen, stante pe, sonst gab's Sturm zu Hause. Deshalb saßen auch Ehrhardt und Gero kaum zwei Minuten später am runden Tisch. „Wo bleibt ihr nur", hatte ihnen das Mädchen an der Küchentür zugeflüstert, „wo bleibt ihr nur, Vater ist schon ärgerlich!“

In der Tat, Herr Suchefad war ärgerlich. Er hatte sich auf einen ruhigen und erholsamen Nachmittag auf dem Balkon gefreut, und nun sangen die „Brüder“ von nebenan im Wirtsgarten noch immer, jetzt nicht mehr schön, sondern mit bierseliger Stimme. Er versuchte seinen Ärger zu unterdrücken, sich vor seinen Kindern zu beherrschen. Jetzt stimmten einige – man wußte nicht, zum wievielten Male – das Lied zum Lobe des Tages an, eine andere Gruppe versuchte es mit dem schönen Mai . . .

„Das ist ja nicht mehr auszuhalten, diese Brüllerei.“

Wütend war Suchefad aufgesprungen: „Ehrhardt, Gero, lauft sofort zum Gendarmenrudi (der Vater selbst sagte heute ‚Gendarmenrudi‘!), das ist kein Singen mehr, das ist ruhestörender Lärm! Er soll für Ruhe sorgen. Schließlich ist Feiertag.“

Die Kinder eilten davon, sie waren froh, dem übelgelaunten Vater aus den Augen zu kommen. Gendarmenrudi fanden sie jedoch nicht. Er war nach Stolpe gerufen worden, wo zwischen den Gästen der „Deutschen Eiche“ und des „Reichsadlers“ – zweier so benannter Ausspannlokale, die sich an der Königsstraße gegenüberlagen – der Sängerstreit nunmehr handgreiflich ausgetragen wurde. Sie kamen unverrichteter Dinge zurück.

Deshalb hörte Herr Suchefad an diesem Tage noch viel, viel „Gesang“ und Frau Ernestine noch viele seiner wütenden Verwünschungen, bis endlich am späten Abend wieder Ruhe eingekehrt und zwischen dem Rattern der Eisenbahnzüge nur noch das schmelzende Lied der Nachtigallen zu hören war.

Kaisergeburtstag 1912

Gero Suchefad war kein guter Schüler. Er hatte mit Hängen und Würgen die Sexta und Quinta durchlaufen und war jetzt Quartaner. Wieder schlichen die Schultage über Wochen und Monate dahin, reichten einander die Hand im Bangen um ungenügend vorbereitete Hausaufgaben, in der Angst um blaue Briefe und Arreste. Leuchtende Perlen in diesem Kranz des Leidens waren die besonderen Feiertage, die den Schulalltag unterbrachen. Nicht allzu viele feierte man im damaligen protestantischen Preußen; zwei oder drei kirchliche, Bußtag, Karfreitag und Himmelfahrt wurden begangen, daneben gab es als staatliche Festtage Kaisersgeburtstag, den Sedantag (zur Erinnerung an die Schlacht bei Sedan am 2. September 1870) und von örtlicher Bedeutung den Tag der Frühjahrsparade in Potsdam.

Kaisers Geburtstag. An diesem 27. Januar gingen die Jungen ohne Schulmappen in ihren Sonntagsanzügen zur Schule. Auf dem Wege zeigten sie sich gegenseitig die Fahnen, die man auch in Nowawes herausgehängt hatte. Sie waren nicht so zahlreich wie im benachbarten Potsdam. Dort ließ kaum einer in der Innenstadt es sich nehmen, durch das Zeigen der schwarz-weißen preußischen oder schwarz-weiß-roten deutschen Farben seine Verbundenheit mit dem Herrscherhaus zu bekunden. Am Abend des Festtages ging man dort auch durch die Straßen, um die Illumination in den Fenstern zu bewundern.

Nowawes war im Gegensatz zur Residenz „rot“. Unter der Arbeiterschaft seiner Industrie hatte die Sozialdemokratische Partei eine zahlreiche Gefolgschaft, die ihrer Ablehnung der Monarchie wegen diesen Tag nicht zur Kenntnis nahm. Hier hatte nur das Bürgertum geflaggt und mancher Geschäftsmann sogar ein blumenumkränztes Kaiserbild in sein Schaufenster gestellt.

Diese zu betrachten, hatten die Jungen keine Zeit, außerdem kannten sie das Porträt „ihres Kaisers“ aus den elterlichen Häusern gut genug; sie mußten eilen, um rechtzeitig zur Schulfeier zu kommen. Nun zogen sie die Mützen, der Oberlehrer Sneder hatte sie überholt. In einem blauen Umhang wehte er vorüber, in Uniform. Knapp saß ihm die blaue Infanteriemütze mit rotem Rand auf dem Kopf: Nicht Oberlehrer Sneder, nein, Leutnant Sneder war er heute, leider nur Leutnant d. R. Leicht tippte er dankend mit dem Zeigefinger der Rechten an das Mützenschild. Gern ließ er sich bewundern, nicht nur von seinen Schülern, sondern lieber noch von den jungen Damen, die ihn mit ihren Blicken verfolgten. Oberlehrer konnte schließlich jeder sein – aber Offizier, der erste Mann im Staate, nicht.

In der Schule hatten sich die Kinder in ihren Klassen gesammelt und waren danach unter Aufsicht ihrer Klassenlehrer geschlossen in die Aula eingezogen. Die linke Wand des Saales war fast gänzlich von Fenstern durchbrochen, die rechte zeigte vier Wandfelder. Drei waren mit Gemälden aus der Antike ausgefüllt, das vierte Feld war weiß geblieben – es sollte bald Namen füllen, die Namen derjenigen, die aus dieser Anstalt 1914 lachenden Mundes und leuchtenden Auges hinauszogen, um niemals wiederzukehren. Die Vorderseite des Saales nahm ein Podium ein, auf ihm stand ein Katheder. Hinten spannte sich zwischen Fußboden und der hohen Decke eine Empore. Auf ihr nahm jetzt der Chor unter Aufsicht des Gesanglehreres Platz. Alles war neu in der Aula, sie war, wie alles in diesem Gebäude, nach den modernsten Gesichtspunkten der Pädagogik erbaut. Die Jungen saßen auf bequemen, weißen Bänken, eine Bildwerferanlage war vorhanden, und es war möglich, das Podest in eine Bühne zu verwandeln. Die Väter des jungen aufstrebenden Industrieortes hatten sich die höhere Schule etwas kosten lassen. Sie, die es zumeist durch Fleiß und Tüchtigkeit zu Vermögen und einer geachteten Stellung in der Gemeinde gebracht hatten, waren stolz auf „ihre“ Schule, die im Vorjahr die ersten Abiturienten in die Welt entlassen hatte.

Die Jungen nahmen in der Aula nach einer festen Ordnung Platz. Ganz hinten setzten sich die Vorschüler zu beiden Seiten des Mittelganges, davor die Sextaner und Quintaner, die Quarta schloß sich an, es folgten die Tertien und die beiden Sekundaklassen, und vorn auf der zweiten Bank nahmen die Primaner Platz. Die erste Bank blieb zunächst leer, sie wurde für die Lehrer freigehalten.

Die älteren Herren des Kollegiums standen noch in Unterhaltungen vertieft nahe dem Podium. Die jüngeren Oberlehrer und die Lehramtskandidaten blieben, gleich Feldwebeln in der Kompanie, zur Aufrechterhaltung der Ordnung in den hinteren Bankreihen. Von der Empore blickte der Gesanglehrer auf die belebte Menge unter sich. Gleich einem Feldherrn hatte er, den Taktstock in der Rechten, die Arme vor der Brust gekreuzt. Auch heute trug er seinen dunklen, samtenen halblangen Rock und eine große Halsschleife à la Wagner, um bereits auf diese Weise seine Verehrung für den großen Meister der Töne zu zeigen.

Der Pedell schloß unten die großen Flügeltüren. Alle Klassen waren eingerückt, die Feier konnte beginnen. Jedoch einer fehlte noch: der Herr Direktor.

Man wartete. Vorn hatte sich um den Leutnant Sneder ein Kreis gebildet. Die Herren besprachen die Einordnung ihres Standes in die Rangliste. Einer der Lehrer warf die Frage auf, ob man – um ihr Ansehen in der Öffentlichkeit zu heben – eine Uniform für Pädagogen einführen sollte (selbstverständlich mit Offiziers-Epauletten für Oberlehrer). „Für alle würde dies wohl nicht das richtige sein«, meinte Sneder mit einem maliziösem Lächeln. Er zwirbelte dabei die Enden seines Schnurrbartes in die Höhe und blickte auf den kleinen, sehr gescheiten, aber recht eitlen Kollegen Dr. Umfig, der sich vergebens mühte, seinen krumm studierten Rücken gerade zu richten. Der Professor Bolz, als rangältester Lehrer der Anstalt Vertreter des Direktors, der bisher abseits gestanden hatte, trat hinzu. „Schon wieder in Uniform, Herr Kollege? Sie üben jetzt recht oft."

„Höherer Befehl, Herr Professor, wird wohl nötig sein." Sneder schnarrte seine Antwort.

„Sieht es so gefährlich aus in der Welt?" Ein wenig Spott lag in der Stimme des Professors, jedoch setzte er wie entschuldigend hinzu: „Ich beschäftige mich wenig mit Politik."

„Nun, so, wie es jetzt ist, kann es wohl nicht bleiben. Bedenken Sie, meine Herren: Algeciras 1906, Frühjahr 1907, als der Krieg wegen Marokko unvermeidlich schien und man in den Zeitungen von allerhand Kriegsvorbereitungen jenseits der deutschen Westgrenze las, 1909 die Aufregung wegen Bosnien und der Herzegowina."

„Ob mit ihrem Erwerb unsere österreichischen Verbündeten glücklich werden", zweifelnd warf einer der Herren es ein, „der ganze Balkan ist doch jetzt ein Pulverfaß."

„Jawohl, es sieht überall nicht gut aus", Sneder fand sich in seiner Beurteilung der politischen Lage nur bestätigt, „und vor einem halben Jahr nun wieder Krach mit Frankreich um Marokko!"

„Daß wir unser Kanonenboot Panther dorthin schickten – man spottet heute schon vom ‚Panthersprung nach Agadir' –, war wahrscheinlich nicht sehr weise", warf ein anderer ein. „Es hat in England die antideutsche Stimmung aufgeheizt."

„Auf jeden Fall mußten wir Flagge zeigen", meinte Dr. Umfig (er war Mitglied im Deutschen Flottenverein), „hätten nur größere Kähne sein müssen, zumindest ein Kreuzer. Wie sagten doch S.M.: Unsere Zukunft liegt auf dem Wasser!"

„Bei allem schuldigen Respekt vor unserem hohen Herrn erlaube ich mir meine persönliche Meinung, daß zunächst das Heer die entscheidende Rolle in den kommenden Auseinandersetzungen spielen wird", entgegnete Sneder.

„Sie denken ernstlich an einen Krieg?" Erstaunt fragte ihn Professor Bolz. Er lebte in der Welt der Antike, und ihn beschäftigte seit vielen Jahren nur die Frage, ob die Ilias von Homer allein geschrieben worden oder aber das Werk vieler Autoren sei. Er bekümmerte sich wenig um das Tagesgeschehen.

„Nun, man wird nicht leugnen können", erwiderte Sneder, „daß über Europa eine politische Spannung liegt. Marokko hat doch wieder einmal gezeigt, daß Frankreich unser Erbfeind ist, sie können dort den Verlust von Elsaß-Lothringen nicht vergessen. Die Polenfrage – der Panslawismus – alles Dinge, die an das Wort des Vegetius erinnern: ‚Si vis pacem, para bellum.'"

Eine Unruhe in den hinteren Reihen der Schüler unterbrach die Unterhaltung der Herren. Sie blickten zur Flügeltür, jedoch, sie öffnete sich noch nicht, der Direx (so nannten ihn die Schüler in ihren Unterhaltungen) kam noch nicht. Die Ursache des gedämpften Lärmes war eine kleine Balgerei zwischen den Schülern. Lange hatten sie still gesessen, es war langweilig geworden, und nun war man wieder dabei, sich gegenseitig ein wenig zu buffen und zu necken. Mit einigen Ohrfeigen stellte Herr Frisch schnell die Ordnung wieder her.

„Schläge an den Kopf sind zu vermeiden", so stand es in der Vorschrift, jedoch nahm ihm hier niemand den kleinen Ausrutscher in die körperliche Züchtigung übel, weder die Schüler noch die Kollegen. Die Würde des Ortes verlangte hartes und rasches Durchgreifen.

„Auch aus ethischen Gründen muß ein Krieg kommen", der kleine Dr. Umfig warf es gewichtig ein, „mit unserer Welt geht es so nicht weiter. Sehen Sie in die Literatur, nichts als uferloses, auswegloses nihilistisches Zeug . . ."

„Meine Herren", der Zeichenlehrer, ein älterer Mann, der bisher schweigend zugehört hatte, mischte sich ein, „sprechen wir nicht etwas leichtsinnig von dieser ultima ratio? Ich habe zwar nur den Chinafeldzug mitgemacht, einen kleinen Krieg, wenn Sie so wollen" – mit leichter, abschwächender Handbewegung fügte er den Satz hinzu –, „jedoch ein Krieg ist grausam, hart, sehr hart . . ."

„Als Männer haben wir die Pflicht, auch dem Schlimmsten furchtlos ins Auge zu sehen." Nicht ohne Schneid warf ihm Leutnant Sneder die Entgegnung hin, und Dr. Umfig setzte in wohlwollend belehrendem Ton hinzu: „Gewiß, wir werden geprüft werden durch einen Krieg – aber ist Not nicht stets läuternd, sollen wir sie nicht begrüßen, die uns erheben wird?"

Der Zeichenlehrer wurde der Antwort enthoben. Gleich einer Woge rauschte das Scharren vieler Jungenstiefel nach vorn, in Wellen sprangen die Schüler, Bank für Bank, auf, standen stramm, die Gesichter zum Mittelgang gerichtet. Die Flügeltür hatte sich nochmals geöffnet, in ihr stand, einen Augenblick verharrend, der Direktor.

Der etwas zur Korpulenz neigende mittelgroße Mann (mancher nannte ihn deshalb auch den „kleinen Napoleon") übersah die Versammlung in der Aula. Dann straffte er sich und betrat langsam den Saal.

Unnachahmlich beherrschte er die Kunst des Auftritts. Langsam schritt er durch den Mittelgang, den Chapeau claque in der gewinkelten Linken. Gleich einem General blickte er mit seinen hellen Augen seine Schüler an, er inspizierte sie, die wie Soldaten, ohne sich zu rühren, zwischen den Bänken standen.

Dr. Stahl hatte den Mittelgang der Aula durchschritten und stand nun vor der ersten Bank. Mit einem verbindlichen, wohlabgewogenem Lächeln grüßte er die Herren Kollegen. Er pflegte sie so anzureden, für sie war er selbst jedoch der „Herr Direktor". Er hielt auf Distanz und blickte befriedigt über die Reihe schwarzer, in der Verbeugung geneigter Rücken – auch das war in Ordnung. Danach wandte er sich den Schülern zu und gab, mit einem knappen Stakkato des Zylinders nach unten, das vertraute Zeichen zum Hinsetzen. Bevor er sich selbst auf seinem Platz bequem zurücklehnte, drehte er sich nochmals um und schaute zur Empore hinauf, leicht hob er die Hand, und der Chor setzte ein.

Einen Hymnus auf den Kaiser hatte man eingeübt. Die Jungen sangen begeistert, laut. Zu laut, wie ihr Gesangslehrer, Herr Korn, vermeinte. Mit stimmlosem Schelten und dämpfender Gebärde der Hände suchte er ihren Überschwang zu steuern. Vergebens. Je mehr er den Mund „leiser, leiser" hauchend verzog, desto lauter sangen sie. Ihnen bereiteten die Grimassen des Lehrers das größte Vergnügen. Herr Korn kochte innerlich vor Wut, er schämte sich dieser Brüllerei – er brauchte jedoch keine Angst zu haben, daß man ihn deshalb kritisieren würde. Die dort unter ihm saßen, verstanden alle nicht sehr viel von der Musik. Sie beurteilten den lauten Gesang wohlwollend als recht zackig.

Der Chor nahm Platz, Herr Korn trocknete mit dem Taschentuch die feuchte Stirn und setzte sich zur Seite. Leichten Schrittes war inzwischen unten im Saal Sneder auf die Empore gegangen, jetzt legte er auf dem Katheder ein umfangreiches Manuskript nieder. Er hatte die Festrede zu halten.

„Hochverehrter Herr Direktor, meine Herren Kollegen" – beide Anreden begleiteten leichte Verbeugungen zur Lehrerbank –, „liebe Schüler! Über die Veranlassung unserer Feier zu sprechen, ist am 27. Januar im Kreise vaterländisch gesinnter Deutscher nicht nötig. Das ganze Volk ist heute mit seinen Gedanken bei unserem Kaiser und König, unserem Obersten Kriegsherren, dessen erhabene Persönlichkeit alle Mannestugenden gleich einem strahlenden Kristall in sich vereint. Mir ist es hier vergönnt, von den Pflichten zu sprechen, die euch, der Jugend Deutschlands, gegenüber Thron und Vaterland aufgegeben sind. Euch sei dieser Tag Ansporn, ihm, dem erhabenen Führer unseres Volkes, in Treue und Pflichterfüllung nachzueifern."

Und nun griff er voll in die Seiten der Geschichte, durchpflügte sie nach Beispielen heroischer Vaterlandsliebe, rückwärts schauend bis in die Antike. Im klassischen Hellas verweilte er (er wußte, daß die griechische Geschichte ein Steckenpferd seines Direktors war).

Der Oberlehrer war kein schlechter Redner und konnte seine jungen Zuhörer fesseln, oft sogar begeistern. „Dort“, er wies mit ausgestreckter Hand auf eines der großen Gemälde an der Wand der Aula, das die Akropolis zeigte, „dort unter dem leuchtenden Himmel Attikas lebte echte Vaterlandsliebe. Denkt an die Thermopylen! Dort setzte sich spartanischer Heldengeist im Kampf gegen barbarische Übermacht über die Jahrtausende ein herrliches Denkmal, jeder vaterländischen Jugend in der Welt Mahnung und Anruf zugleich. Von den Feigen verlassen, von einem Unwürdigen verraten, den sicheren Tod vor Augen, kämpften sie, pflichtgetreu bis auf den letzten Mann. Von ihrem stolzen Tod leuchtet über die Jahrhunderte die Kunde in dem Distichon, das einst die Amphiktyonen auf das Denkmal für die Gefallenen schreiben ließen.

> Wanderer, kommst du nach Sparta, verkünde dorten, du
> habest uns hier liegen gesehen, wie das Gesetz es befahl!

Nicht dem Feigling flicht die Nachwelt ihre Kränze, nicht dem Verschlagenen winkt der höchste Ruhm. Dulce et decorum est pro patria mori – süß und ehrenvoll ist es, für das Vaterland zu sterben! Stets haben Klio und Kalliope den Lorbeerkranz dem gereicht, der sich einsetzte für das höchste der Güter, der sein Leben gab für Volk und Vaterland.“

Einen Augenblick verhielt er noch schweigend hinter dem Katheder, dann raffte er schnell seine Manuskriptblätter zusammen und ging zur Lehrerbank. Direktor Dr. Stahl hatte sich erhoben. Anerkennend drückte er Sneder die Hand und trat danach selbst auf das Podium neben das Pult. Schweigend wartete er, bis die Erregung der Jungen nach der Rede des Oberlehrers abgeklungen war.

„Ich habe wenig“, begann er langsam, „dem ausgezeichneten Vortrag des Herrn Oberlehrer Sneder – der heute im Ehrenkleid des Kriegers unter uns ist – hinzuzufügen. Vaterlandsliebe, Liebe und Treue zum angestammten Herrscherhaus sind die Grundlagen unseres Seins.“ Sein in der Hüfte abgewinkelter linker Arm zuckte den gefalteten Chapeau befehlend kurz in die Höhe. Wie ein Mann sprangen die Schüler auf (auch dieses Zeichen war ihnen vertraut), sie standen stumm. „Für Kaiser und Reich, dafür leben wir, dafür sterben wir. Laßt uns einstimmen in den Ruf: ‚Seine Majestät, unser allergnädigster Kaiser und König, der Schirmer und Mehrer des Reiches – möge Gott ihn schützen, ihm ein langes segensreiches und ruhmvolles Leben schenken –, unser über alles geliebter Kaiser. Hurra, hurra, hurra!"

Dreimal schnellte der Zylinder in die Höhe, dreimal scholl das Hurra kurz, laut und klar aus vielen Jungenkehlen, brauste gegen die Decke, und begeistert sangen sie danach die preußische Königshymne „Heil dir im Siegerkranz ...". Stehend sangen sie das Lied. Einen Augenblick herrschte nach dem Ende des Gesanges völlige Stille – „Die Feier ist geschlossen." Verabschiedend hob sich der Zylinder bis zur Gesichtshöhe des Direktors, ehe er die Stufen des Podiums herabschritt.

Auch dies hatte wieder geklappt.

Aber das nun Folgende klappte nicht, klappte nie, trotz aller Ermahnungen, trotz des Dazwischentretens der Lehramtskandidaten und der Vorschullehrer. Vergeblich auch das Mühen des Professors Bolz, der spornstreichs dem Ausgang zugeeilt war, um mit seiner Autorität für einen geordneten Auszug der Schüler zu sorgen.

Mit einem Freudenschrei stürmten die Knaben hinaus, füllten die Korridore, strömten auf die Straße. In wenigen Minuten lag das große Gebäude, das noch soeben einem aufgestörten Bienenhaus geglichen hatte, verlassen im Lichte der bleichen Januarsonne. Nur die Unglücksraben, die von den Lehrern erwischt worden waren, gingen gesittet bis zur Schulpforte, um auf der Straße aber auch sogleich die Sorge um den Tadel zu vergessen und davonzustürmen – heute war schulfrei!

Suchefads Kinder hatten sich am Bahnhof zusammengefunden, hier erwartete sie der Vater. Er war heute bester Laune und begrüßte seine Knaben, auch einige ihrer Kameraden. Er lud sie alle ein, mit ihm zu kommen. Seine Söhne kannten bereits den weiteren Verlauf des Tages; sie fuhren nach Potsdam. Zum Lustgarten ging es, man mußte sich beeilen, das Salutschießen nicht zu versäumen. Als sie das Stadtschloß umrundet hatten und in die Schloßstraße einbogen, fuhren schon die Geschütze mit donnernden Rädern im scharfen Trab durch die Straße und bogen in den Lustgarten ein. Schnell drängten sie hinterdrein, um an den Kolonnaden zwischen Marstall und Stadtschloß, auf dem heute die kaiserliche Standarte wehte, noch unter den Schaulustigen einen vorderen Platz zu bekommen.

Vor ihnen wendete mitten auf dem Lustgarten die Batterie, die Geschütze wurden abgeprotzt, standen in einer Linie, die Mäuler gegen das kleine Wäldchen gerichtet, neben ihnen die Kanoniere, die Geschützführer ausgerichtet dahinter. Ein scharfes Kommando ertönte, nun hob der kommandierende Offizier die Hand zur halben Höhe und riß sie nach Sekunden wieder nach unten (ob ihm dies der Direx mit dem Zylinder abgeguckt hatte?) – donnernd brach sich der Schall des ersten Schusses an den Bäumen des kleinen Wäldchens und kam als schwaches Echo zurück. Der zweite folgte, Schuß um Schuß, regelmäßig, genau, wie mit der Stoppuhr abgemessen wälzten sich Feuerblitz und Donnerschlag die Reihe der Geschütze entlang, von der ersten bis zur sechsten Kanone: 101 Schuß, der Königssalut. Dann wieder Kommandos, und es wurde aufgeprotzt.

Befriedigt lösten sich die Zuschauer von der Mauer der Kolonnaden, um die ausrückende Batterie nochmals zu sehen, dann verliefen sie sich in den angrenzenden Straßen.

„Was machen wir nun?“ Herr Suchefad stand inmitten seiner Schar, ein wenig geheimnisvoll lächelnd. Sein Ältester, der den Schalk in seinen Augen bemerkt hatte, nahm das Wort: „Machen wir es nicht wie immer am Kaisergeburtstag?“

„Wenn ihr meint – nun, dann kommt.“ Suchefad wandte sich zum Gehen, er strebte der Hofkonditorei von Gericke in der Schloßstraße zu. Seine Jungen wußten es schon: An Kaisers Geburtstag ging er mit ihnen in eine Konditorei. Es war das einzige Mal im Jahr, daß er sie ausführte. Sonst war er nicht dafür, seine Kinder zu verwöhnen. Aber an diesem besonderen Feiertag wurde eine Ausnahme gemacht, und jeder der Jungen konnte sich das aussuchen, was er am liebsten aß. Es dauerte einige Zeit, bis alle Kinder ihre Wahl getroffen und sich an einem langen Tisch wieder zusammengefunden hatten. Die Entscheidung war bei dem verlockenden und reichhaltigen Angebot von Gericke nicht leicht gewesen. Schließlich hatten alle ihre Lieblingsstücke, Suchefads Gero sein Nußtörtchen, der Älteste einen Windbeutel mit Sahne und Ehrhardt ein schönes Stück Streuselkuchen – das größte der Auslage. Ihre Schulkameraden schwankten zwischen

Mohrenköpfen und zarten Ochsenaugen oder blieben bei der Schokoladentorte. Herr Suchefad beobachtete ihr Treiben, die schnelle Entscheidung der einen, das abwägende Zögern der anderen. Es war interessant, wie sie wählten. Auch beim Kuchen konnte man auf den Charakter des einzelnen schließen (von psychologischen Erkenntnissen sprach man damals in breiteren Kreisen noch nicht).

Nach dem Genuß verabschiedeten sich die Mitschüler von Suchefads, die noch zu den Großeltern gehen wollten. Auch dieser Besuch gehörte zum festen Programm dieses Tages. Flüchtig überflog Herr Suchefad die Anzüge seiner Söhne, ob sie alle noch in Ordnung seien. Frau Tina hatte ihm dies besonders eingeschärft, weil der strengen Schwiegermutter Augen jede Vernachlässigung im Anzug der Jungen entdecken und später rügen würde. Suchefad schien alles in Ordnung zu sein: die weißen Kragen der Jungen noch sauber, die sorgsam gebundenen Schlipse noch nicht zerzaust. So fanden sie sich in der großelterlichen Wohnung ein.

Der alte Herr Suchefad kam ihnen entgegen. Heute hatte er seinen schwarzen Gehrock angezogen und alle Orden angelegt. Mit einer tiefen Verbeugung begrüßten ihn die Jungen, gaben im Salon auch der Großmutter artig und ein wenig befangen die Hand. Nach wenigen Fragen und Antworten entwichen sie ihr in das Eßzimmer, in dem es sich mit den dort sitzenden Tanten ein wenig gemütlicher und freier plaudern ließ. Sie bekamen Saft zu trinken, und die altbekannten Bilderbücher wurden zur Unterhaltung gebracht.

Drinnen blieben Eltern und Sohn bei einem Glas Wein. Herr Suchefad hatte sich eine Zigarre angezündet, sein Vater rauchte auch hier in ihrem Reich – trotz der unwilligen Blicke seiner Frau – seine lange Pfeife. Es war schließlich nur einmal im Jahr Kaisers Geburtstag, da mochte es auch – wie sie meinte – im Salon stinken.

„Nun, wie war es?“ Er wandte sich fragend an seinen Sohn.

„Wie immer, Papa, gut. Kein Schuß blieb stecken, es ging wie am Schnürchen.“

Befriedigt nickte der alte Herr. Früher hatte er sich als alter Soldat dieses Schauspiel auch des öfteren angesehen. „Es sind doch immer noch die alten Preußen“, meinte er anerkennend.

„Wenn nur nicht im Heer auch der neue Ungeist einziehen

wird“, mit sorgender, schon etwas brüchiger Stimme warf es die Großmutter ein. Noch trug sie ihr hochgeschlossenes schwarzes Staatskleid. Trotz körperlicher Beschwerden, die sie schon des öfteren heimsuchten, war sie am Morgen in Begleitung der ältesten unverheirateten Tochter ausgegangen und hatte sich in die Gratulationsliste für Sr. Majestät eingetragen. „Ich verstehe die neue Zeit nicht mehr“, fuhr sie mit einem Seufzer fort, „wie diese Partei von Königsmördern, diese Sozialisten, soviel Stimmen bei der letzten Wahl gewinnen konnten. Zu unserer Zeit, Wilhelm, damals, wäre dies nicht geschehen.“

Schweigend nickte ihr der alte Herr zu (er ließ sich selten auf einen Disput mit ihr ein). „War es nicht gut, früher“, fuhr sie fort, „hatte nicht jeder ordentliche Mensch sein Brot bei uns? Aber da werden sie aufgehetzt, die Arbeiter, und wollen immer mehr, alles wegnehmen, alles teilen ...“

„In gewissem Sinne ist dies natürlich, Mama“, ihr Sohn warf es vorsichtig ein, um sie nicht zu erzürnen, „in jedem Menschen liegt ein Trieb voranzukommen, seine Lebensumstände zu verbessern. Ebensowenig wie mir kannst du es dem Arbeiter verdenken ...“ Schon oft war Suchefad zu seiner Mutter bei diesem Thema in Widerspruch geraten. Im Gegensatz zu ihr, die streng konservativ dachte, vertrat er liberale Anschauungen, wenngleich er sich in dieser Richtung nicht stark engagierte.

„Willst du etwa den Roten noch das Wort reden? Diesen Faulenzern, diesen Nichtstuern, die Gott leugnen, Thron und Altar gewaltsam stürzen wollen?“ Die alte Dame sprach erregt.

„Aber Mama, nein, um Gottes willen nein.“ (Man hätte gleich dem Vater besser auf dieses Thema nicht eingehen sollen, so fand er jetzt.) Er drückte beruhigend ihre Hand. Unwillig entzog sie ihm die Rechte, zerknüllte nervös das Taschentuch in der Linken.

„Nur verstehen will ich“, sagte Suchefad, „suche die Gründe für diese bedrohliche Entwicklung. Man muß doch zugeben, es ist auch nicht alles Gold, was glänzt, bei uns. Es muß auch ein Gegengewicht vorhanden sein, gegen die Herrschenden, sonst verlieren sie den Boden ganz und gar unter den Füßen, denken, nur sie allein wären auf der Welt ...“ Er suchte einzulenken.

Seine Mutter schüttelte den Kopf, blieb starr. „Ich lasse mich nicht bekehren. Glaub mir, mein Sohn, es wird ein schlimmes Ende nehmen, wenn diese vaterlandslosen Gesellen einmal die

Macht gewinnen. Ihre Begehrlichkeit kennt keine Grenzen. Ich halte es, wie's früher war: Bürger, Bauer, Edelmann. Ein jeder bleib in seinem Stand, arbeite und bete, beschützt von der uns von Gott gegebenen Obrigkeit, unserem Kaiser."

Die Mutter sagte dies bestimmt, jedoch mit einer Gläubigkeit, die ihren Sohn rührte. Deshalb schwieg er. Er leerte langsam sein Glas, wechselte noch einige Worte mit den Eltern über das eigene Zuhause, dann erhob er sich und rief seine Jungen. Es war Zeit heimzufahren.

Frühjahrsparade

Nach Ostern lachte der Frühling ins Land, und schwerer noch als im Winter wurde es, bei den Schularbeiten auszuharren. Drüben, über der Straße, lockte der Wald, lockten die Spiele mit den Brüdern und Schulkameraden, die jetzt, da immer mehr Häuser in der Villenkolonie gebaut wurden, sich zahlreicher fanden. Und wieder kam ein Tag, an dem sie schon früh nach Potsdam fuhren: der Tag der Frühjahrsparade. Er war schulfrei.

Am Vorabend hatten die Suchefad-Kinder noch erregt darüber diskutiert, wo man wohl am besten den Aufmarsch der Regimenter sehen könnte. Ehrhardt wollte in die Nauenerstraße gehen, durch die die Artillerie einziehen würde. Ihn interessierten vor allem die Kanonen. Karl-Wilhelm war mehr für das Berliner Tor, durch das die eleganten Husaren und die Gardedukorps einreiten würden. Gero sprach sich für die Breite Straße aus, weil durch sie stets nach Aufmärschen alle Soldaten abzogen. Das Argument überzeugte, und sie beschlossen, sich dort aufzustellen.

Am Tage der Parade war die Straße bereits Stunden vor Beginn des Schauspiels schwarz von Menschen. Kopf an Kopf standen die Potsdamer zu beiden Seiten auf den Gehsteigen, um die Soldaten zu sehen. Eine Parade, besonders bei einem so wunderbaren Frühlingswetter wie in diesem Jahr – einem richtigen Kaiserwetter –, ließen sich nicht viele entgehen.

Nur mühsam hielten die blauuniformierten Schutzleute die Fahrbahn frei. Darauf eilten ab und an Offiziere zum Lustgarten, hohe Generäle, gefolgt von ihrer Suite, ritten vorüber. Veteranen in Uniform, dekoriert mit den Orden und Ehrenzeichen dreier siegreicher Kriege, wurden zu der Ehrentribüne am Gitter des Lustgartens gefahren. Das 1. Garderegiment war schon am frühen Morgen auf den Paradeplatz eingerückt. Nun marschierte das Lehrinfanteriebataillon vorüber. In seinen Reihen sah man Jäger in grünen Uniformen neben dem Grenadier in Blau; der eine trug einen Tschako, der andere die Pickelhaube. Die Truppe bot einen ungewohnten Anblick für das an Gleichmaß und Gleichheit gewohnte Auge der Potsdamer Bürger. Aber man wußte: Dies war eine Elitetruppe! Nur ausgesuchte Männer, Abkommandierte aus allen deutschen Fußtruppen (außer den bayerischen) dienten hier. Das Bataillon war die Klammer, der Garant für eine einheitliche Ausbildung der deutschen Infanterie.

„Eine fabelhafte Truppe“, meinte ein korrekt gekleideter Mann neben den Jungen, „die Elite unseres Heeres. Wer hier dient, kann sich was darauf einbilden.“

„Nun ja“, ein bärtiger Mann (der Kleidung nach schien es ein Arbeitsmann zu sein) nahm die Worte auf, „aber ein Schinderklub.“

„Wie belieben?“ Der Bürger fragte indigniert zurück.

„Die armen Kerls haben nichts zu lachen im Dienst.“

„Im Dienst, mein Lieber, gibt's nirgends etwas zu lachen.“ Der erste antwortete etwas von oben herab: „Dienst will stets ernst genommen werden.“

„Mag richtig sein, Herr, mag sein. Doch was man beim Kommis macht, das ist oft mehr als das ...“

„Wollen Sie etwa den Dienst in unserer glorreichen Armee als ... (der Bürger suchte nach einem treffenden Wort) ... als Spielerei bezeichnen?“ Ein Unterton aufkommender Entrüstung lag in seiner Frage.

Heller Trompetenklang enthob den Bärtigen einer Antwort, lockende Fanfarensignale antworteten. Bewegung kam in die Wartenden. „Der Kaiserruf, sie blasen den Kaiserruf! Jetzt reitet er von der Stadtschloßseite in den Lustgarten ein.“

Alle lauschten den verwehenden Tönen. Vom Turm der Garnisonkirche klang das Glockenspiel dazwischen – die Parade hatte begonnen. Von ihr selbst sah man in der Breiten Straße nichts, mußte warten, bis die Besichtigung der Regimenter und der Vorbeimarsch beendet waren.

Der Bürger erinnerte sich seines unterbrochenen Gespräches und fragte nochmals: „Wollen Sie behaupten, daß dies Spielerei ist?“

„Haben Sie gedient, Verehrtester?“ Ein leicht spöttischer Ton lag in der Gegenfrage des Bärtigen.

Der Bürger wurde etwas verlegen, er gab sich jedoch nicht zufrieden: „Sie weichen meiner Frage aus, Herr ...“

Ruhig antwortete der andere: „Ich hab' es selbst mitgemacht, habe meine Jahre beim ‚Ersten Hieb' heruntergerissen. Ich weiß, wovon ich spreche, was dran ist." Er nickte, sich erinnernd, mit dem Kopf: „Seit fünf Uhr morgens stehen sie nun da drinnen, zugeknöpft bis an das Kinn in der Sonne. Mit einer Schnur haben die Unteroffiziere die Fronten ausgerichtet. Stundenlang heißt's stillstehen, dann auf der Stelle rühren, präsentieren, jedes Mal, wenn so ein hohes Tier vorübergeht. Eine Schinderei ist's, Herr! Und vorher: ‚Langsam Schritt'. Zwei Jahre lang, immer wieder ‚Langsam Schritt'. Als ob man damit einen Krieg gewinnen könnte, mit ‚Langsam Schritt', immer eins-zwei, eins-zwei. Oder mit dem Exiziermarsch! 80 cm lang der Schritt, die Fußspitzen des erhobenen Beines nach unten gedrückt, das Standbein mit angehobenen Hacken – manchmal träume ich noch davon! Dagegen sind die paar Felddienstübungen eine wahre Erholung. Aber auch draußen im Dreck, wenn man sich hingeschmissen hat, Deckung sucht, dann kommt vielleicht so ein blöder Zwölfender . . ."

„Herr, Sie beleidigen den Beamtenstand!" Der Bürger fiel dem Bärtigen erregt ins Wort.

Doch dieser wischte mit einer Handbewegung den Einwand fort. „. . . oder solch junger Gelbschnabel von Leutnant, klopft einem auf die Schulterklappen, ob man nicht dem Weiß mit ein bißchen Kreide nachgeholfen hat, und das im Manöver! Eine Schinderei ist's, das wollte ich Ihnen nur sagen, eine Schinderei, von der Sie keine Ahnung haben, Sie Zwerg." Lachend wandte sich der Mann ab und drängte durch die Menge nach hinten.

„Unverschämtheit, das ist Beleidigung unseres glorreichen Heeres, Frechheit, ich lasse Sie verhaften." Der Bürger gestikulierte wild.

Vorn bei der Schutzmannschaft war man auf den Streit aufmerksam geworden. Einige Straßenjungen, die ihn, auf den Ästen der Bäume sitzend, mit Neugier verfolgt hatten, pfiffen aufreizend. Ein Polizeioffizier brach sich durch die Menge Bahn. Sollte hier etwa einer der russischen Anarchisten sein und einen Anschlag planen? Man mußte aufpassen. Wenn man solch eine Kreatur erwischen würde, förmlich unter den Augen seiner Majestät unschädlich machen könnte – welche Chancen für das Avancement!

„Was ist hier los?" fragte er die ihn Umringenden. Alle redeten auf ihn ein, überschütteten ihn mit Antworten. Es war kein klares Bild von der Situation zu gewinnen. Also, erst einmal arretieren, den größten Schreier festnehmen, das weitere würde sich auf der Wache ergeben. „Sie kommen mit!“ Er wandte sich an den Bürger.

„Was, mich, mich wollen Sie verhaften“, dem Angesprochenen verschlug es fast die Sprache, „mich festnehmen, einen königlichen Beamten . . .?“

Fassungslos zerrte er mit vor Aufregung zitternden Händen ein Dokument aus seinem Jackett und hielt es dem Polizeileutnant entgegen (es wies ihn als Amtsdiener a. D. bei der Regierung aus). Der Offizier überflog das Papier, danach war der Mann offenbar ein harmloser Zeitgenosse. Er bedauerte es fast, ließ ihn stehen und zwängte sich wieder durch die Menschenmauer nach vorn.

Infolge des Geschiebes waren die Suchefad-Brüder in die hinteren Reihen abgedrängt worden. Man mußte wieder nach vorn, sonst sah man hinter den Rücken der Erwachsenen nichts. Geschickt nutzten sie, jeder für sich, Lücken und Bewegungen in der Menge aus und standen bald wieder dicht hinter den Schutzleuten. Von den Soldaten war jedoch noch nichts zu sehen. Immer noch tönten vom Lustgarten her Trompetensignale und Musik. Hin und wieder vernahmen die Wartenden ein verschwimmendes „Hurra“ aus vielen Kehlen. Man wußte: Auf dem Paradefeld ritt der Kaiser jetzt die Front ab, und mit dem Hurra antworteten die Regimenter auf den Gruß Seiner Majestät.

Hinter den Jungen ging das Gespräch weiter. „Immer kriegen se' de' Falschen, die Bolizisten“, ein Mann sprach den Amtsdiener in sächsischer Mundart an, „das hette ’ne scheene Bescheerung wär'n kään für Sie, Herr Nachpär.“

„Empörend so etwas“, die Erregung des Bürgers hatte sich noch nicht gelegt. „So ein Halunke, der mit dem Bart, verdrückt hat er sich! Ein Glück, daß ich mich legitimieren konnte.“

„Ja, ja, ich trage mei' Papier immer bei mich . . . is' doch gut, man sieht's mal wieder. Awär – der mit'n Part, der wär' doch sicher kein richtiger Preiße?“

„Nein“, der Bürger stimmte ihm zu, „bestimmt nicht.“

„Awär, sin' nich bei Ihn' die Arbitter ooch säär rot, wie bei uns, ich bin Se nämlich aus Dräsen“, setzte der Mann hinzu.

„Als königlicher Beamter habe ich mit solchen Menschen nichts zu tun“, erwiderte der Amtsdiener, „aber es wird Zeit, daß sie endlich einmal zur Raison gebracht werden.“

„Das wärsch wohl, wäre ganz scheen“, zustimmend nickte der Sachse, „wissen'se – ich bin nämlich Schlossermäster – Mäster Bliemchen“ – mit leichtem Anheben des Hutes stellte er sich vor (die Verbeugung blieb wegen der engen Tuchfühlung der Zuschauer nur angedeutet).

„Sehr angenehm, Reiger“, erwiderte der Amtsdiener, „früher bei der königlichen Regierung.“

„Bei-d-uns“, Herr Bliemchen fuhr fort, „sind'se doch recht riehrig, die Roten, sogar bei de Truppe soll'n se schon achitieren...“

„Da müßte eben mal preußische Zucht rein“, antwortete Herr Reiger.

„Ob das was nitzen täte...“ Bliemchen wiegte zweifelnd den Kopf.

„Verlassen Sie sich drauf! Und dann 'nen richt'gen Kriech, der reißt alles wieder zusammen. Mit Gott für König und Vaterland! Das sollten Sie mal sehen...“

Aufmerksam hatte Gero dem dicht hinter ihm geführten Gespräch der Erwachsenen gelauscht. Ablenkung bot dem Auge jetzt nur die absperrende Polizei. Ein Hauptmann der Schutzmannschaft ritt die Reihe der Absperrung ab. Der Leutnant machte Meldung. Forschend überflog der Vorgesetzte die Menge. Ein Herr aus der Ansammlung grüßte zu ihm herauf. Dankend legte der Offizier mit einem verbindlichen Lächeln die Rechte an den Helmrand. Der Herr in der Menge war ein angesehener Geschäftsmann.

Er mischte sich jetzt in das Gespräch der beiden. „Der Herr hat ganz recht“, er nickte dem Amtsdiener zu, „nur ein Krieg wird wohl diesen Unruheherd ausbrennen können, mit Blut und Eisen.“

„Ich weeß nich recht, 'nen Krik, 'nen richtjen Krik...“ Bliemchen hatte Bedenken.

„Das ist das einzige Mittel, um wieder Ruhe zu schaffen...“, bestimmt sagte es der Geschäftsmann.

„Krik, mai Kutesta, Krik is immer 'ne zweeschneitje Sache. 's kann ooch leichte ins Ooche gähn.“

„Bei uns nicht, Verehrtester“, der Geschäftsmann klopfte dem

Sachsen vertraulich auf die Schulter, „bei uns nicht ... da ...“ (der stattliche Mann hatte über die Köpfe der Menge die Straße überblickt), „da kommen sie, die Garanten des Sieges. Sehen Sie sich diese Kerls richtig an ... Hurra, hurra“ – er stimmte in die begeisterten Rufe der Menge ein –, „hurra, unserer Garde, unserem ‚Ersten Hieb‘ ...“

Mit stillem Spiel näherte sich vom Lustgarten her das Erste Garderegiment zu Fuß, baumlange Männer, jeder einzelne, auf dem Kopf die hohe friderizianische Mütze. Das Pflaster dröhnte. In Zwölferreihen marschierten sie, die schweren Gewehre im alten Marschgriff seitlich an die Schulter geklammert. Jetzt hob der Kapellmeister den Taktstock, die Musik setzte ein. Die Pauke dröhnte dumpf, hell läuteten dazwischen die Glocken des Schellenbaumes: Preußens Gloria. Preußens Männer spielten den Marsch, Preußens beste Soldaten schritten hinterdrein. Manchem von ihnen, dem noch vor wenigen Minuten von dem langen Stehen die Kraft versagen wollte – sie hatten sich zusammengerissen und fühlten die Auszeichnung, im stolzesten Regiment der Monarchie dienen zu dürfen. Vergessen waren in diesen Minuten die heimlichen Flüche, die stillen Verwünschungen und die unterdrückte Auflehnung gegen den Drill und die Härte des Dienstes. Sie gehörten zur Elite der Nation. Helden waren sie in den Augen der Menge, der Mädchen, der Bürger, nicht mehr der einfache Arbeiter aus der Fabrik oder der Knecht vom Lande.

Langsam verrauschte der Jubel, als sie vorübergezogen waren. Von neuem schwoll er an: Das Gardejägerbataillon marschierte vorbei. Hell schmetterten die Hörner in der frischen Frühlingsluft. Hinter ihm kamen die Husaren, vor dem Zug der Stabstrompeter. Gero hatte den Mann bei den Frühkonzerten schon früher gesehen. Er erkannte ihn heute kaum wieder. Er ritt ein prächtiges schwarzes Pferd, sein Gesicht verschwand fast unter der schweren, pelzbedeckten Tschapka. Verwegen hing der Pelz über dem Rücken seiner goldverschnürten, roten Attila, der knappen Uniformjacke der Husaren. Hinter dem Stabstrompeter ritt der Kesselpauker, ein Schwarzer auf weißem Pferd. Wie ein Zirkusreiter lenkte er es mit den an den Steigbügeln befestigten Zügeln. Er hatte so beide Hände frei und ließ nun zur Freude der Zuschauer die Schlegel in einem furiosen Wirbel auf dem Trommelfell der beidseits des Sattels befestigten Pauken tanzen. Das

Regiment folgte. Eine kleine Pause trat ein, man konnte Atem schöpfen. Sie währte jedoch nicht lange, leise riefen sich vorn an der Absperrung die Schutzleute ein „Achtung" zu. Der Hauptmann ritt noch einmal seinen Abschnitt ab, rief mit scharfer Stimme hier einige allzu neugierig vordringende Zuschauer zur Ordnung, drohte an anderer Stelle sogar mit dem Pferd in die sich schiebende und drängende Menge einzureiten (es geschah dabei kein Unglück. Polizeipferde waren gut geschult und verstanden es, in einer Art Piaffe mit ihren Keulen jede Menschenmauer sanft zurückzudrängen). Vom Ausgang des Lustgartens hörte man ein vielstimmiges Rufen, Hüte und Mützen wurden geschwenkt.

„Er kommt, der Kaiser kommt!"

Die Jungen auf den Bäumen wagten sich trotz der drohenden Gebärden der Schutzleute noch weiter auf die Äste der Straßenbäume hinaus: „Da, er ist schon ganz nahe, der Kaiser mit dem Gardedukorps, hurra, hurra, hurra ..."

Hinter der Musik ritt er jetzt vorüber, weit vor allen anderen Offizieren des Regiments. Herrlich leuchtete sein goldverzierter Helm, den der Adler mit wehrend gespreizten Schwingen zierte. Die Brust umspannte der schimmernde Küraß, ein Ordensstern schmückte seine linke Seite. In scharfem Kontrast zu der schneeweißen Uniform setzten sich die hohen, bis über die Knie reichenden glänzend schwarzen Reitstiefel ab.

„Unser Kaiser!"

Dicht vor ihnen ritt er vorüber. Ihnen entrückt, unnahbar, mit verschlossenem Gesicht. Einen Gott hätte sich Gero nicht größer, nicht herrlicher vorstellen können als ihn, seinen Kaiser. Er hätte neben seinem Pferd herlaufen mögen, um immer nur ihn ansehen zu können. Herrlich müßte es sein, für ihn zu kämpfen und zu fallen gleich den Männern von den Thermopylen!

Das Winken und Rufen der Menge lief mit dem Kaiser die Reihe der Zuschauer entlang. Hinter ihm folgte das Regiment. Wie lebendgewordene Statuen erschienen die stattlichen Männer auf ihren hochbeinigen, schweren Pferden aus der Sicht der Kinder. Küraß und Adlerhelme blitzen in der Sonne, zur Seite klapperten die Karabiner in den Gewehrschuhen. Hinter ihnen ritten die Ulanen auf flinken, kleinen Pferden vom Paradefeld. Schneidig sahen sie aus in ihrer dunkelblauen, engtaillierten Ulanka mit den breiten Schultern. Fröhlich blickten ihre jungen

Gesichter unter der ein wenig schief aufgesetzten Tschapka (gleich einem winzigen Tischchen schloß sie oben ein viereckiger, blanker Lederdeckel ab, von ihm fiel eine Fangschnur zum rechten Schulterstück). Lustig flatterten die schwarzweißen Wimpel an ihren Lanzen. Nach ihnen polterten die Geschütze der Garde-Feldartillerie-Regimenter über das Kopfsteinpflaster, und die Abfahrt der Ehrengäste begann.

Langsam lösten sich Zuschauer aus der Menge, gingen befriedigt nach Hause oder eilten an die Ausfallstraßen der Innenstadt, um „ihr Regiment" nochmals zu sehen und zu grüßen. Behend waren die Straßenjungen von den Bäumen gesprungen, sie waren fort, ehe sie der Schutzmann fassen konnte. Die Absperrung wurde aufgehoben, und die Schutzmannschaft sammelte sich zum Abgang.

Die Suchefads fanden an dem zuvor verabredeten Treffpunkt wieder zueinander. Es war – wie sie übereinstimmend feststellten – eine schöne Parade gewesen. Karl-Wilhelm hatte die Gardekorps, Ehrhardt die Kanonen und Gero die flinken Jäger gesehen – und der Kaiser war an allen dreien ganz dicht vorbeigeritten!

Sie gingen zur Eisenbahn, um nach Hause zu fahren. Hohe Offiziere überholten sie in Kaleschen. Auf dem Potsdamer Bahnhof war auf dem Fernbahnsteig ein roter Teppich ausgelegt, über ihn schritten hohe Paradegäste aus Berlin, auch ausländische Offiziere waren unter ihnen, zu dem bereitstehenden Sonderzug.

In Neubabelsberg eilte kurz darauf der Bahnhofsvorsteher aufgeregt hin und her. Er war heute in einen langen blauen Uniformrock gekleidet, ein Zweispitz bedeckte sein Haupt, und einen Galanteriedegen trug er an der Seite. Er hatte keine Zeit, den Gruß der Kinder, die soeben mit der Stadtbahn heimgekehrt waren, zu erwidern. Der Hofzug nahte!

Vorn, am Ende des Fernbahnsteiges, war ein Bahnmann mit einem roten Signalfähnchen postiert. Auf den Meter genau brachte der Lokomotivführer den Zug vor ihm zum Stehen. Nun schleppten zwei Arbeiter (auch sie hatten ihren Feiertagsrock angezogen) ein mehrstufiges Treppchen vor einen Salonwagen. Der Vorsteher öffnete salutierend, um den hohen Gast des Glienicker Hofes nach dem Aussteigen über das Bahngelände zu geleiten – jedoch: Niemand stieg herab!

Der Vorsteher war verwirrt, stand noch salutierend auf den

Stufen, als in einem viel weiter vorn laufenden Wagen ein Fenster aufgerissen wurde und ein Fahrgast mit ärgerlicher Stimme nach der Treppe verlangte. Ehe jedoch die Arbeiter sie vor sein Abteil geschleppt hatten, hatte der Offizier die Tür geöffnet und war auf den Perron herabgesprungen. Dann ging er so schnell, daß ihm der Vorsteher kaum folgen konnte, zum Ende des Bahnsteiges und schritt auf dem Bohlenweg über die Geleise (niemand außer den Bahnbeamten und den von ihnen geleiteten hohen Herren durfte sie überschreiten, das Publikum mußte der Sicherheit wegen die Unterführung benutzen). Kurz fertigte der Prinz den Beamten vor dem Bahnhofsgebäude ab, er hatte es offenbar eilig.

Gero hatte das Schauspiel vom nebenstehenden Bahnsteig aufmerksam verfolgt. Jetzt verspürte er ein drängendes Bedürfnis und lief deshalb zu einem Häuschen, das sich seiner Zweckbestimmung wegen verschämt hinter Büschen verbarg. Hastig umrandete er den gegen Einsicht winklig verbauten Eingang – und prallte zurück, stand still, wußte nicht, ob er weitergehen oder fliehen sollte. Dort an diesem Ort stand... der Prinz!

Erschrocken drückte sich der Junge gegen die Mauer, er wagte kaum zu atmen, bis der Mann in seiner glänzenden Uniform hinausgegangen war. Er starrte hinter ihm her.

Weit hinter den Brüdern kam er nach Haus. Tief nachdenklich war er den Weg gegangen. Ein Prinz, dort, ein Prinz...

„Was ist dir denn, Junge?“ Die Mutter stand in der Küche neben dem Mädchen, um das Mittagessen zu bereiten. Er schien ihr verstört zu sein, deshalb ließ sie von der Arbeit, nahm ihn mit in die Schlafstube: „Nun sag, was hast du?“

Zögernd, nach Worten suchend, erzählte er ihr sein Erlebnis, stockend: „... und dort traf ich einen Prinzen, er mußte... genau wie ich...“

Frau Tina lächelte leicht, ohne es Gero jedoch zu zeigen: „Nun ja, Junge, auch Prinzen müssen mal dorthin, sind doch Menschen wie wir.“

„Auch der Kaiser?“ Er fragte zögernd.

„Auch der Kaiser“, nickte sie. Als sie den Schatten auf seinem Gesicht sah, setzte sie hinzu: „Aber große Menschen sind sie alle, große und kluge Menschen!“

Am Nachmittag mochte er nicht spielen, er mußte noch immer

an die Begegnung in dem verschwiegenen Häuschen denken. Auch Prinzen waren Menschen wie er selbst, und keine höheren Wesen ohne die menschlichen Bedürfnisse.

Daß er dies noch nicht bedacht hatte! Er schalt sich selbst dumm – und trotzdem senkte sich mit der Erkenntnis Traurigkeit in ihn. Ein Schatten war auf sein strahlendes Bild vom Kaiser gefallen. Jetzt wußte er's: Der Kaiser war auch nur ein Mensch.

Als Gero am Abend in seinem Bett lag und die Mutter sich zum Gutenachtkuß zu ihm hinunterbeugte, hielt er sie, mit ihrer Hand spielend, noch einen Augenblick zurück. Mit grüblerischen Augen fragte er plötzlich: „Mutter, muß Krieg kommen?"

„Wer sagt denn das?"

„Alle sagen es, die Lehrer, die Großmutter in Potsdam, ein Mann heute auf der Parade."

„Ach, denk nicht daran, die Leute machen sich nur wichtig", beschwichtigte ihn Frau Tina.

„Auch Oberlehrer Sneder?"

Sie blieb ihm die Antwort schuldig: „Denk nicht dran, schlaf jetzt ein." Sie küßte ihn leicht auf die Stirn und erhob sich. „Man soll nichts herbeireden", sagte sie leise.

Kirchgang in die Garnisonkirche

Herr Suchefad war ein Frühaufsteher und wünschte am Sonntagmorgen alle seine Lieben um sich am Kaffeetisch zu sehen. Deshalb kam er eine halbe Stunde nach sieben Uhr in das Kinderzimmer, zog die Vorhänge zurück und rief ein fröhliches „Guten Morgen, aufstehen, es ist Sonntag" in den Raum. Noch schlaftrunken antworteten Karl-Wilhelm und Gero mit einem gedehnten „Jaa...", während Ehrhardt ruhig weiterschlief. Aufstehen war schwer, und so drehten sich auch Karl-Wilhelm und Gero noch einmal um, nachdem der Vater das Zimmer wieder verlassen hatte, und fielen in den Schlaf zurück.

Doch kurz darauf schreckten sie wieder auf: Der Vater kam zum zweiten Wecken! Nun aber, mit der kleinen Schwester auf den Schultern, marschierte er mit einem aufmunterndem „Taramtata" in die Stube, um mit dem Aufziehen der „Alten Tante" – so nannten sie die alte Bauernuhr, die mit ihren Holzrädern mühsam seit vielen Jahrzehnten die Stunden abknarrte – ihr eine Freude zu bereiten. Als er die Buben noch in den Federn sah, wurde er ärgerlich.

Schnell standen sie jetzt auf, rangelten ein wenig um die Waschschüssel und zogen sich dann rasch an. Um 8 Uhr pünktlich mußten sie am Kaffeetisch sein, korrekt angezogen und mit geputzten Schuhen. Das verlangte die Ordnung im Hause Suchefad.

Es war ein angenehmer Vorsommertag, zwar noch zu frisch, um auf dem Balkon zu frühstücken, doch immerhin so, daß man Lust verspürte, die Fenster offen zu lassen. „Ihr könntet einmal wieder in die Kirche gehen." Nicht ohne Absicht sagte es Herr Suchefad, war er doch damit seiner drei unruhigen Geister für den Vormittag ledig und konnte sich, ohne gestört zu werden, seinen Liebhabereien in der Puddelkammer widmen.

„Au, ja...", Gero war sogleich Feuer und Flamme – „aber in die Garnisonkirche, und nachher zum Aufziehen der Wache!"

Als Kohlhasenbrücker gehörten sie zwar zur Gemeinde Wannsee und zur dortigen Stolper Kirche, jedoch durch alte Gepflogenheit, den bequemeren Einkauf und dank der Eisenbahn war man mehr mit dem nahen Nowawes und vor allem mit Potsdam verbunden. Es war Herrn Suchefad gleich, in welche Kirche sie gingen. So antwortete er: „Meinetwegen. Aber um eins seid ihr pünktlich wieder hier, damit eure Mutter nicht mit dem Essen warten muß." (Im Grunde war er es, der nicht zu warten liebte.)

„Ja, um eins sind wir wieder da!" Zwar konnte man dann nicht beim Rückmarsch der Wache vom Stadtschloß dabeisein und mußte zusehen, daß man den Stadtbahnzug um 12 Uhr 42 ab Potsdam noch gerade erwischte – aber auch so war es eine nette Abwechslung. Am Sonntagvormittag sollten sie sich still verhalten, und draußen konnten sie der sonntäglichen guten Sachen wegen auch nicht spielen. Also eilten sie flugs zum Bahnhof Neubabelsberg, wutschten durch die Sperre in der Unterführung (wie auch noch die heutigen Fahrschüler hatten sie die Monatskarten stets zur Hand), sprangen die Treppe zum zweiten Bahnsteig hinauf und erreichten noch den Vorortzug nach Werder.

Daß man eines Vormittags mit der Stammbahn fahren konnte, war Sonntag: Hielt sie doch nicht in Nowawes, fuhr an den kleinen Weberhäuschen in der Retzowstraße und an der dahinter liegenden Schule vorüber stracks bis Potsdam durch. Dort stiegen sie aus, verließen den Bahnsteig durch die hintere Sperre, liefen über den weiten Vorplatz (auf dem der Sonntagsfrühe wegen nur wenige Kutschen und Fußgänger zu sehen waren) und gingen über die Lange Brücke. An ihrer Stadtseite sahen sie zur Linken auf die breite steinerne Treppe, die sich dort in ausladenden Stufen zum Havelspiegel senkte.

„Da sind sie, unsere Schwäne, und so viele heute", Karl-Wilhelm wies verweilend auf den weißgefiederten Schwarm. „Was hat damals Kathrin gesagt, wißt ihr es noch?"

„Ja", erwiderte Gero eifrig, „wenn die Havelschwäne sterben, sterben auch die Hohenzollern."

„Das ist alles Unsinn, was die Kathrin uns damals erzählt hat, waren alles nur dumme Märchen, hat der Vater gesagt", Ehrhardt warf es besserwissend ein. Er wandte sich zum Gehen: „Los, weiter, sonst kommen wir zu spät." Sie liefen unter den Kolonnaden hindurch und betraten den Lustgarten.

So hieß noch immer die weite Sandfläche vor der Hauptfront

des Stadtschlosses, obwohl der Soldatenkönig die Schöpfung seiner Vorfahren vor nun schon fast 200 Jahren zu einem Exerzierplatz für seine Langen Kerls hatte glattwalzen lassen. Später war der südliche Teil wieder zu einem Park umgestaltet worden. Vor der Grünen Treppe – so nannte man die Rampe zum ersten Stockwerk des Schlosses, obwohl sie keine Stufen hatte – dehnte sich aber seither der weite, gelbe Sand.

Die Jungen liefen am Schloß und auch an der Reitbahn vor dem Marstall vorbei und waren in der Breiten Straße. Flugs hatten sie auch diese durcheilt, und nun sahen sie auf dem Platz zwischen dem säulengeschmückten Kopfbau des Langen Stalles (der dem 1. Garderegiment im Winter als Exerzierhaus diente) und der Garnisonkirche in Reih und Glied Soldaten, angetreten zum sonntäglichen Kirchgang. Der Osteingang der Kirche war ihnen vorbehalten, deshalb umrundeten die Jungen den Bau und betraten die Kirche durch den für die Zivilbevölkerung bestimmten Westeingang. „Weiter nach vorn" – Ehrhardt schob seine Brüder, die sich in eine der hinteren Bankreihen drücken wollten, energisch weiter –, „von hier sieht man doch gar nichts."

Widerstrebend folgten die Brüder dem Zweiten, quetschten sich, nicht ganz in den ersten Reihen, jedoch auch nicht mehr unter der Empore, an sitzenden Bürgern vorbei in eine Bankreihe. Sie blieben einen Augenblick mit gesenktem Kopf und gefalteten Händen stehen. Man tat dies so, hatte man Gero gelehrt, um sich zu sammeln. Der Onkel – er war Pfarrer in einem kleinen thüringischen Dorf – hatte auch einmal gesagt, um zu beten. Gero konnte dies nicht. Alles war viel zu interessant um ihn herum, er wurde zu sehr abgelenkt. Es war ihm auch stets peinlich, glaubte er doch zu spüren, daß alle in diesem Augenblick, da er allein zwischen den Sitzenden stand, nur auf ihn starrten. So zählte er meist in der Kirche heimlich bis zwanzig, um sich dann aufatmend zu setzen.

Still war es hier in den Minuten vor Beginn des Gottesdienstes. Nur hie und dort war ein Hüsteln zu hören, knarrte eine Diele unter dem Fuß eines Eintretenden, schneuzte sich auch ab und an jemand, unbekümmert um die Weihe des Ortes. Gelegentlich gab auch ein Kirchendiener mit gewichtig flüsternder Stimme eine Auskunft.

Die Augen konnten wandern. Wie hoch die Kirche war! Nicht

allzuweit vor ihnen war der Altar. In der Mitte lag auf ihm aufgeschrägt die Bibel, zu ihren Seiten flackerten im Zugwind leicht zwei große, in hohen Leuchtern steckende Kerzen. Blumen standen daneben. Vergoldete, halbhohe Gitter sonderten den Altarraum vom Gestühl in den beiden Schiffen der Kirche. Sie bildeten eine Gasse, einen Freiraum bis hinüber zu den Hoflogen.

Goldgebronzte Gitterstäbe zierten auch die offenstehende Tür hinter dem Altar. Sie führte zum Haupteingang der Kirche unter dem Glockenturm. Von dort aus, so hatte man den Kindern gesagt, gelangte man auch zur Gruft, in der die Särge des Alten Fritz und seines Vaters standen.

Die Kirche war hell, weiß, eigentlich in ihrem Inneren kahl – bis auf die beiden Säulengruppen, die hinter dem Altar aufragten und ganz von selbst das Auge jedes Besuchers auf sich zogen. Aus rötlichem Marmor glatt poliert, standen je zwei Säulen neben Altar und Tür. In herrischem Aufstreben unterbrachen sie das waagerechte Doppelband der zwischen den acht massigen Pfeilern der Kirche schwingenden Emporen. Sie erhoben sich von mannshohen Konsolen und trugen oben den in der Höhe mehrfach unterteilten Architrav. Beide waren aus kostbarem schwarzem Stein gefertigt. Im scharfen Kontrast hoben sich von ihnen der mattweiß schimmernde Marmor der Säulenfüße und Laubkapitelle sowie die zwischen ihnen in der Höhe der ersten Empore hervortretende Kanzel ab. Auf der Kanzelbrüstung sahen die Jungen die berühmte Sanduhr. Sie bestimmte, wie man ihnen gesagt hatte, die Dauer der Predigt. „Sand raus, Predigt aus!" So lautete die Vorschrift, und danach hatte sich der Herr Hofprediger zu richten. Über der Kanzel stieß der Baldachin gleich einem Schiff in den Kirchenraum vor, trug auf emporschwingenden, weißsteinernen, sich oben zur Krone schließenden Simsen das sich siegreich aus einem goldenen Strahlenfächer abhebende Auge Gottes. Wie ein kostbares Möbel in einer nüchternen Alltagsstube war dieser sakrale Bereich in die Kirche hineingestellt worden, atmete hier der barocke Überschwang der Formen, kündete im Emporstreben von der Herrlichkeit Gottes und der Macht dessen, der von Gottes Gnaden hier einst geherrscht hatte.

Es gab viel zu sehen an diesem Kunstwerk, Gero hatten es vor allem die beiden auf dem Baldachin sitzenden, von zwei mächtigen preußischen Adlern flankierten steinernen Ritter angetan.

Richtige Füße hatten sie, sie steckten in Eisenschuhen. Auch richtige Hände hatte ihnen der Künstler gegeben, man konnte die einzelnen behandschuhten Finger sehen, die irgendeine Waffe umklammerten – aber der Kopf, wo war der Kopf, das Gesicht! Hinter dem geöffneten Visier der Rüstung gähnte ein schwarzes Loch. Sollten es nur Rüstungen sein, die man da oben als Krönung auf das Gebälk gesetzt hatte? Er wußte es nicht und ließ den Blick schließlich zur Seite wandern, zu den gewaltigen Pfeilern. Hier waren sie ausgestellt, die Beutefahnen aus den früheren Kriegen, die Preußen großgemacht und seine Ehre begründet hatten. Über ihm waren es französische Feldzeichen aus den Jahren 1812 bis 1815, aus den Befreiungskriegen. Die unter den Fahnengestellen angebrachten Schilder wiesen es aus. Die an der gegenüberliegenden Pfeilerseite gleichfalls in übereinander angebrachten Gestellen ausgestellten Fahnen stammten aus dem siebziger Krieg und von 1866, er wußte es vom Großvater, der beide Feldzüge mitgemacht hatte. Ja, wenn er groß wäre und dann auch Krieg sein könnte – er wollte wohl auch eine Fahne erobern wie jener schwarze Husar, dessen Bild er in einem Lesebuch gesehen hatte. Wie stolz sah er aus, trotz des blutverschmierten Verbandes um die Stirn, als er seinem König die eroberte österreichische Standarte übergab! Ganz warm wurde ihm bei der Vorstellung, und er fuhr auf. Energisch zog ihn Ehrhardt auf den Sitz zurück. „Bist du verrückt geworden", zischelte er.

Ach ja, erschrocken besann Gero sich. Man war ja in der Kirche und nicht auf dem Schlachtfeld bei Torgau, still sitzen mußte man jetzt.

Vom Turm der Kirche klang das Glockenspiel mit einer kurzen Melodie: Es war also dreiviertel zehn. Die Augen des Jungen wanderten vom Pfeiler neben ihm die Brüstungen der Emporen entlang. Alles war hellweiß, mit dezent vergoldeten Schnörkelranken waren die Mittelfelder etwas hervorgehoben.

„Heilig, heilig ist der Herr – alle Lande sind seiner Ehre voll", las er oben an der Brüstung der zweiten Empore und darunter an der ersten „Jesus Christus gestern und heute und derselbe auch in Ewigkeit". Die anderen, an den weiter von ihm entfernten Emporen geschriebenen Sprüche konnte er nicht lesen, auch wurde seine Aufmerksamkeit von Kommandos abgelenkt. Gedämpft drangen sie von außen in das Kirchenschiff. Jetzt kamen die Soldaten!

Jetzt brachen draußen die Glieder in Zweierreihen ab, marschierten auf die Kirchentüren zu. Das harte Geräusch des Marschtrittes auf dem Pflaster wandelte sich, wurde vernehmlicher und ging jetzt in ein hohl klingendes Stampfen über: Die Soldaten waren schon in der Kirche, stiegen zu den oberen Emporen. Und nun, da die Schritte ganz vernehmlich wurden, quoll es ganz oben unter dem Dach aus den Eingängen und füllte die harten, schmalen, steil hintereinander ansteigenden Bankreihen. Der einzelne Soldat war von unten nicht mehr zu erkennen, so groß war die Entfernung. Als sie sich oben gesetzt hatten, schien es dem Schauenden wie ein mehrfach übereinander angeordnetes dreifarbenes Band aus Blau, Rot und Gelb. Blau, das waren die Uniformröcke, das schmale Rot die Kragen, und das etwas breitere Gelb, das waren die Gesichter der Soldaten da oben.

Über dem Schauspiel des Einmarsches hatte Gero den „Vorschlag“ (genau zwischen den Stundenvierteln schlug auf der Garnisonkirche eine Glocke an) nicht gehört, und er schreckte fast auf, als das „Lobe den Herrn“, das Stundenlied des Glockenspiels, erklang. „Schon zehn – nun mußte es gleich anfangen“ – doch plötzlich ging eine Bewegung, ein Raunen durch die Kirche: Der Kaiser, Seine Majestät, war gekommen! Oben in der Höhe waren die Soldaten zur Habtachtstellung aufgesprungen, in den Logen der ersten Empore hatten sich der Hofstaat, die Offiziere in ihren bunten Uniformen und ihre Damen erhoben. Aller Augen waren auf die Kaiserloge (untertreibend der „Kirchstuhl der Majestät“ genannt) gegenüber dem Altar gerichtet. Nun trat der Kaiser an die Brüstung, hob leicht die Hand zum Gruß, blickte zu den Logen, in das Schiff der Kirche, auch hinauf zu den einfachen Soldaten, und ließ sich dann in den im Hintergrund der Loge stehenden Sessel nieder, so daß man ihn von unten nicht mehr sehen konnte. Jetzt setzte das Spiel der Orgel ein, nach dem Eingangschoral trat der Hofprediger vor den Altar, verlas den Bibeltext des Tages, und der Dienst an Gott nahm seinen Verlauf.

Von der Predigt, ihrem Inhalt, verstanden und behielten die Jungen nicht viel (nur herrlich mußte es sein, so fand es jedenfalls Gero, dem Kaiser gegenüber dort oben von der Kanzel so schön schimpfen zu können). Jedesmal, sobald der Brauch bei einer Textstelle aufzustehen verlangte, schaute der Junge (und nicht nur er allein, mit ihm auch viele Erwachsene) verstohlen nach oben zur Kaiserloge, um ihn in seiner wundervollen Uniform nochmals zu sehen. Jedoch, der Kaiser hielt sich während des Gottesdienstes im Hintergrund – also mußte man versuchen, nach Kirchenschluß schnell hinauszukommen, um ihm und seinem Gefolge bei der Abfahrt der Kutschen noch zuwinken zu können.

Es gelang nicht. Zu viele der Kirchgänger hatten den gleichen Gedanken gehabt, hatten, kaum daß der Geistliche den Segen gesprochen, sich hinausgedrängt und den Jungen den Weg versperrt.

„Wenn wir hinten gesessen hätten", Gero sagte es vorwurfsvoll zu Ehrhardt, als die Jungen sich vor der Kirche wieder zusammenfanden.

„Dann", antwortete Ehrhardt, „hättest du ihn überhaupt nicht gesehen, hättest gar nicht gewußt, warum die Leute sich so hatten!"

Damit hatte er recht. So vertrug man sich und ging zur Schloßstraße. An dem kleinen, umsäumten Rasenplatz vor dem Steubendenkmal stellten sie sich auf.

Das Denkmal war, wie man am Sockel lesen konnte,

Dem deutschen Kaiser
und dem deutschen Volke
gewidmet vom Kongreß
der Vereinigten Staaten
von Amerika als Wahrzeichen
ununterbrochener Freundschaft.

Nachbildung des Denkmals
für General Friedrich Wilhelm
August von Steuben
geboren in Magdeburg 1730
gestorben im Staate New York 1794
Errichtet in Washington.
In dankbarer Anerkennung
seiner Verdienste im Freiheits-
kampfe des Amerikanischen Volkes
MCMXI

Die Jungen hatten schon früher die römischen Zahlzeichen entziffert, sie bedeuteten 1911. Im Vorjahr war die Statue aufgestellt worden – daß die ununterbrochene Freundschaft zwischen beiden Völkern nur noch einige Jahre währen sollte, daran dachte an diesem Tage noch niemand. Noch war die Welt in Ordnung und das Paradieren ein Schauspiel.

Hier, am Denkmal, sah man das Aufziehen der Wache gut, ganz gleich, ob das 1. Garderegiment zu Fuß aus der nahen Priesterstraße, die Gardejäger vom Berliner Tor oder das Lehr-Infanterie-Bataillon aus der Kaserne hinter dem Neuen Palais die Wache stellten.

Heute, am Sonntag, kam die Wache mit Musik. Deshalb hatten sich schon viele Schaulustige eingefunden. Es waren Bürger und auch Offiziere mit ihren Damen, die ein wenig hin und her promenierten, bis von der Breiten Straße her Marschmusik erklang.

Das 1. Garderegiment war also an der Reihe. Seine Kapelle war bekannt, sie wurde auch des öfteren zur Ausgestaltung von Hoffesten herangezogen.

Jetzt waren die Soldaten schon ganz nahe. An der Spitze sah man die Trommler und Pfeifer, angeführt von einem baumlangen Tambourmajor. Mit angewinkeltem Arm stützte er den Tambourstab in der rechten Hüfte. Das Spiel hinter ihm ruhte, die Pfeifer hatten ihre Querpfeifen in der stramm nach unten gestreckten Rechten, die Trommler die Trommeln zur Seite des Körpers geschwenkt. Ihnen folgte in angemessenem Abstand, im Rhythmus des Marsches seinen kleinen Taktstock schwingend, der Kapellmeister, zwei Schritte hinter ihm der Schellenbaumträger. Es war ein stattlicher Schwarzer, der mit seiner Körperlänge die hinter ihm marschierenden Musiker überragte.

„Der ist Unteroffizier, und die weißen Soldaten müssen ihn auf der Straße grüßen“, Karl-Wilhelm hatte die goldfarbene Litze am roten Kragen des Mannes erkannt. Auch wußte er es aus den Gesprächen der Erwachsenen. Von ihnen waren viele mit der kürzlich erfolgten Beförderung des Schwarzen nicht einverstanden.

„Er ist aus unseren Kolonien“, wußte Ehrhardt zu sagen, „ein Deutscher, aus Afrika.“

Seine Worte wurden von den Klängen der Kapelle übertönt.

Hinter ihr folgte der aufführende Offizier und dann die Glieder der Soldaten. Alle hatten sie Gardemaß, waren lange Kerls. Aus Tradition wurden zum 1. Garderegiment zu Fuß nur Rekruten eingezogen, die größer als 1,80 Meter waren. Plötzlich brach die Musik ab: Der Zug war vorn am Schloß angelangt, betrat den Innenhof durch den niedrigen Durchgang unter dem Westflügel.

Innen vor dem Wachlokal am Fortunaportal begann jetzt die Vergatterung, das militärische Zeremoniell der Wachübergabe. Ihr konnten die Suchefad-Jungen nicht mehr folgen, sie mußten eilen, um noch den Zug nach Haus zu erreichen.

Sie kamen noch pünktlich zum Mittagessen und erzählten aufgeregt und begeistert von ihren Erlebnissen, vor allem vom Kaiser: Sie hatten i h n gesehen.

1912: Wolken über Deutschland

Herr v. Hütter war auf dem Rückweg von Kiel nach Berlin. Er hatte in Kiel wegen einiger elektrischer Ausrüstungen für Neubauten der Kriegsmarine verhandelt und die Reise in Lübeck unterbrochen. Hier wollte er einen Bekannten aus der Jugendzeit besuchen. Beide waren sich als Heranwachsende auf dem Hütterschen Hof in Mecklenburg begegnet. Der Lübecker hatte seinen Gast mit dem Wagen vom Bahnhof abholen lassen. Von Hütter war am schönen Holstentor vorbei durch die Holstenstraße gefahren, hatte den Marktplatz mit dem stolzen Rathaus und der dahinter mächtig aufragenden Marienkirche zur Linken liegen lassen, hatte die Breite Straße gequert und war in die Königstraße eingebogen. Vor einem der alten Patrizierhäuser hatte der Wagen gehalten, und von Hütter war am hohen Portal mit dem kunstvoll gestalteten Oberlicht vom Hausherrn empfangen worden. Beide waren über den gefliesten Boden der Diele, vorbei an der sich elegant zur Höhe schwingenden hölzernen Treppe, in den Seitenflügel gegangen und saßen sich nun in dem modern eingerichteten Arbeitszimmer des erfolgreichen Großkaufmannes gegenüber. Die tief herabgezogenen Fenster gaben den Blick auf einen jener gepflegten Hofgärten frei, in denen sich das Patriziat der Stadt im 18. Jahrhundert im Kontrast zum lärmvoll-geschäftigen Treiben auf der Straße einen Hort der Stille und behaglichen Heiterkeit geschaffen hatte. Die vegetabil im reinsten Jugendstil nach Van der Velde gestalteten Sprossen der Fenster ließen der Natur Eintritt in den Raum. Im Jugendstil war auch die Einrichtung des Zimmers gehalten und zeigte an, daß sein Bewohner mitten im modernen Leben stand.

Die Herren hatten eine Erfrischung zu sich genommen – es war im August und der Tag recht warm – und sich dabei im Gespräch der gemeinsamen Jugend erinnert. In Frage, Antwort und Gegenfrage hatten sie die Brücke aus jenen längst vergangenen Tagen zum heutigen geschlagen und saßen sich nun, einen Augenblick schweigend, gegenüber.

„Unsere italienischen Freunde sind nun auch dabei, sich ein Stückchen aus dem afrikanischen Kolonialkuchen herauszuschneiden." Von Hütter lenkte mit der Bemerkung das Gespräch auf den 1911 von Italien gegen die Türkei entfesselten kolonialen Eroberungskrieg.

„Ja, weshalb auch nicht", antwortete der Lübecker, „nachdem sich England in Ägypten und Frankreich in Marokko festgesetzt haben, nehmen sie sich nun Libyen. Die Gelegenheit schien günstig: Der ‚kranke Mann am Bosporus' hat mit sich selbst zu tun. Auch gehört das Mittelmeer unbestritten in die Interessensphäre Italiens."

Von Hütter nickte. „Das ‚mare nostra' der Römer. Den Gedanken hat bereits Bismarck geäußert. Sie erwähnten Marokko – wir sind dort leider herausgedrängt worden."

„Stimmt", bestätigte der Lübecker, „schon die Konferenz von Algeciras hatte 1906 jedem klargemacht, daß wir dort mit unseren Wünschen ziemlich allein dastanden. Frankreich und England hatten sich offenbar zuvor verständigt, ihre Interessen miteinander abgestimmt. Man spricht seither von einer ‚entente cordiale', einem herzlichen Einvernehmen zwischen beiden. Auch die Italiener stimmten damals gegen uns – unsere Bundesgenossen!" In seinen letzten Worten schwang Sarkasmus. „Der Zwischenfall in Agadir ist beigelegt worden – nun ja ...", er ließ das „ja" vieldeutig fallen.

„Sehr geschickt haben sich unsere Diplomaten in dieser Affäre nicht verhalten", pflichtete von Hütter ihm bei, „ein bißchen Kongo-Urwald gegen unsere Montaninteressen in Marokko und dafür die ganze internationale Aufregung ..." Von Hütter schüttelte den Kopf.

„Es waren, soweit ich es beurteilen kann", sagte der Hanseat, „im vergangenen Sommer wohl ziemlich kritische Tage. Des Schatzkanzlers Lloyd Georges Rede im Mansion Haus mit dem Satz, ‚daß der Friede auch zu teuer erkauft werden könne, war eine ziemlich starke Drohung, und der Krieg stand fast greifbar vor unserer Tür."

„Deshalb haben Sie also", von Hütter nahm den Gedanken auf, „im Mai in der Vorstandssitzung des Deutschen Wehrvereins in Berlin den Vortrag gehalten. Eines der Manuskripte ist auch mir zugeleitet worden."

„Und was sagen Sie dazu?“ Der Hausherr fragte gespannt.

„Es hat mich sehr nachdenklich gemacht“, antwortete von Hütter, „wie Sie wissen, bin ich in England stark engagiert, meine Frau ist Engländerin, und ich habe viele persönliche Freunde drüben. Das ganze Kriegsgerede in der Presse auf der Insel und bei uns paßt nicht in die Geschäfte, stört den Export.“

„Und trotzdem darf man die Möglichkeit eines Krieges nicht aus den Augen lassen“, sagte der Hausherr. „Ich habe mich, bevor ich den Vortrag hielt, gefragt, woher uns in diesem Falle – Gott gebe, daß er nicht eintrete – die größte Gefahr drohe: von seiten Englands durch den hier im ersten Range wirtschaftlichen Krieg oder durch den politischen Krieg mit Frankreich? Ich bin zu der Überzeugung gekommen, daß die Wirkung des wirtschaftlichen Krieges, so brutal-national wie England ihn zur See sicher führen wird, für Deutschland noch schwerere Folgen zeitigen und uns auf die Knie zwingen kann als der politische Landkrieg mit Frankreich.“*

„Sie sehen dies zu schwarz. Ich beurteile die englische Gegnerschaft nicht so pessimistisch wie Sie. Ich hoffe immer noch auf einen Ausgleich mit England, wir sind sein bester Handelspartner. Freundschaftlicher Wettbewerb ist nicht Feindschaft, meinte Sir Edward Seymour, der britische Admiral der Flotte, einmal bei einem Bankett, und über allem Gegeifer von Radaupatrioten und den Reden von spitzfindigen Politikern hat er die Freundschaft zwischen deutschen und englischen Seeleuten betont. Ich war 1909 zufällig bei der Hudson-Fulton-Feier in New York. Das, was damals der ehemalige Bürgermeister der Stadt Low gesagt hat, sollten wir beherzigen.“

„Was sagte er?“

„Wenn Deutschland, England und Amerika Frieden halten und die übrigen Staaten im Interesse des Friedens beeinflussen, ist die pax humana gesichert.“

„Ja, wenn ...“, sagte der Lübecker, in seiner Stimme schwang Skepsis, „wenn ...“

Von Hütter wurde eifrig: „Ich bin optimistischer als Sie. Der Besuch von Sir Ernest Cassel in Berlin im Januar ...“

---

* hier Worte aus der „Rede des Herrn Großkaufmannes E. Possehl, Lübeck, über Wehrmacht und Erwerbsleben in der 1. Gesamt-Vorstandssitzung des Deutschen Wehrvereins“. Berlin (Lehrervereinshaus) am 11. Mai 1912.

„Ist das der Bankier, der als Deutscher in Köln geboren und in England geadelt wurde?“ fragte der Hanseat. Von Hütter bejahte: „Ballin hat ihm eine Audienz beim Kaiser erwirkt. Nach ihm kam dann Haldane, der englische Kriegsminister.“

„Ich weiß es“, sagte der Lübecker. „Nach den Meldungen konferierte der Viscount stundenlang mit dem Reichskanzler und wurde vom Kaiser zum Frühstück geladen. Aber die Vermutungen über das, was verhandelt wurde, gehen weit auseinander.“

„Eines steht jedoch fest“, antwortete von Hütter, „daß auch Haldane sich in Berlin als Freund einer deutsch-englischen Friedenspolitik bekannt hat, und zwar ausdrücklich.“

„Das habe ich auch gelesen. Merkwürdig finde ich es nur, daß man uns ausgerechnet den Kriegsminister als Verhandlungspartner aus England schickt, wo es sich doch nur um die Flotte dreht.“ Skepsis schwang in der Erwiderung des Gastgebers.

„Nun, in England weiß jedes Kind mit der Marine Bescheid.“

„Mag sein, Herr von Hütter, jedoch die Erklärung des Reichskanzlers vor dem Reichstag nach Beendigung des Besuches klingt für mich etwas lahm. Ich habe mir die Zeitungsmeldung herausschneiden lassen“ – der Lübecker griff in eine auf dem Schreibtisch liegende Mappe, „hier ist sie (er las vor): ‚Der Reichskanzler gab die Erklärung ab, daß (hier betonte er die Worte) der englische Kriegsminister Haldane zwar nicht mit der Ermächtigung zu bindenden Abmachungen, aber im Auftrage des englischen Kabinettes mit der deutschen Regierung die Punkte, die Deutschland und England gemeinsam berühren, durchgesprochen habe, um die Grundlagen für vertrauensvolle Beziehungen zwischen den Mächten herzustellen.‘ – Da merkt doch jedes Kind, daß bei der Verhandlung nichts Rechtes herausgekommen ist!“

„Die Engländer müssen eben auch Rücksicht auf ihre vertraglichen Verpflichtungen Frankreich gegenüber nehmen“, verteidigte sie von Hütter.

„Sehr richtig“, der Lübecker stimmte eifrig zu, „und deshalb habe ich als hanseatischer Kaufmann, der als junger Mann 70/71 vom ersten bis zum letzten Kriegstag beim Rheinischen Korps mit dabei war, mir Gedanken über die wirtschaftlichen Fragen für den Kriegsfall gemacht. Unsere Generäle sehen ihn nur unter militärischen Gesichtspunkten – aber was tun wir, was wurde in wirtschaftlicher Hinsicht getan? Nichts! Wer ersetzt die Tausende und

Abertausende von Wehrpflichtigen, die dann in den Fabriken, vor den Hochöfen fehlen? Ende November vorigen Jahres trat eines Morgens der Direktor eines Hochofenwerkes zu mir ins Kontor und schnitt sogleich den möglichen Kriegsfall an, der in aller Munde war. Von seinen 600 bis 700 Arbeitern und Beamten würden sofort ca. 200 eingezogen, sagte er. Mit den verbleibenden 400 bis 500, worunter eine Anzahl Facharbeiter, könne er den halben Betrieb noch vier bis sechs Wochen aufrechterhalten. Dann sind, den englischen Blockadefall angenommen, keine Erze und Kohle mehr da, und er müsse den Betrieb schließen!"

„Sie haben dies in Ihrem Vortrag angeführt."

„Ja, ich habe mir die Zahlen – soweit greifbar – aus den offiziellen Statistiken herausgesucht. Nur Ziffern lassen für diese immens wichtige wirtschaftliche Frage die richtige Beurteilung finden. Ein großer Krieg, in den Deutschland verwickelt wird, dürfte eine Million industrieller Arbeiter zu den Fahnen rufen, außer zwei Millionen sonstiger Wehrmänner jeden Berufes in Stadt und Land. Eine Blockade der Häfen von den Niederlanden bis zur Ostsee wird unsere gewaltige Industrie unmittelbar zum großen Teil zum Erliegen bringen. Ich habe selbst für den Eisenerztransport eine größere Anzahl Dampfer laufen; soweit sie unter deutscher Flagge in der Ostsee und Nordsee fahren (Abgangspunkt Narvik im nördlichen Norwegen und Lulea im schwedischen Norrbotton), muß ich darauf gefaßt sein, daß sie von den schnellen englischen Kreuzern zumal in der Nordsee weggenommen werden, ja ihnen geradezu ins Garn laufen. Deutscher Seehandel und deutsche Seefahrt sind im Kriegsfalle tot."

„Sehen Sie in dieser Beziehung nicht etwas zu schwarz", warf von Hütter ein.

„Ich glaube nicht", sagte der Hanseat, „denken Sie nur an die Sicherung der Ernährung des Volkes, denken Sie an die beispiellose Dürre im vergangenen Jahr."

Von Hütter nickte: „Es war eine Katstrophe, eine Mißernte dieses Ausmaßes hat es seit Menschengedenken nicht mehr gegeben. So hoch nur" – er kantete die linke Hand auf dem Tisch – „stand bei uns in der Mark der Hafer. Die hohen Fleischpreise haben bei unseren Arbeitern schon für Unruhe gesorgt."

„Hier ist's ruhig geblieben", sagte der Lübecker. „1911 war ein Ausnahmejahr, aber auch bei guten Ernten sind wir in der

Ernährung auf die Einfuhr angewiesen. Wenn im Kriegsfalle – ich gehe nur von der Möglichkeit eines solchen mit England und Frankreich aus – unsere Häfen blockiert sind und Rußland als Verbündeter von England und Frankreich ein Ausfuhrverbot für Korn nach Deutschland erläßt, fehlen uns etwa 20% des für unsere Ernährung nötigen Getreides. Die Frage der Sicherung der deutschen Nation mit den nötigen Lebensmitteln im Kriegsfalle ist eine so immens wichtige, daß hierin die Augen ganz offen zu halten höchste Pflicht ist. Auf die finanzielle Seite und andere volkswirtschaftliche Folgen bin ich ja in meiner Schrift auch eingegangen."

„Sie haben darin viel Material zusammengetragen", erwiderte von Hütter anerkennend. „Sie gehen in Ihren Überlegungen aber nur von der Möglichkeit einer kriegerischen Auseinandersetzung mit den beiden Westmächten England und Frankreich aus."

„Ja, das stimmt", sagte der Gastgeber. „Mit Rußland stehen wir in 150jährigen guten, wirtschaftlichen sogar vortrefflichen Beziehungen, so daß ich an einen Bruch mit diesem Land nicht denken mag."

„Aber Frankreich und Rußland haben seit langem einen Vertrag, sogar ein Verteidigungsbündnis", sagte von Hütter. „Im Augenblick ist der neue französische Ministerpräsident Poincaré den Zeitungsmeldungen zufolge in St. Petersburg. Als geborener Lothringer hat er sich in seinen Reden als Deputierter nicht gerade als Freund der Deutschen gezeigt. Viel Gutes können wir von ihm meiner Ansicht nach kaum erwarten."

„Kaum", stimmte der Lübecker zu. „Unter Bismarck wäre diese Entfremdung zwischen Deutschland und Rußland nicht passiert. Er hat stets auf ein freundliches Verhältnis zu Rußland geachtet."

„Richtig", pflichtete ihm von Hütter bei, „aber von seinen Nachfolgern wurde es nicht mehr gepflegt, sonst wäre es niemals zu dieser Allianz gekommen. Jetzt müssen wir mit ihr rechnen. Von den russischen Auslandsanleihen der letzten Jahre hat Frankreich stets den Löwenanteil übernommen. Man investiert auch in der Politik nicht ohne Gewinnerwartung ..."

„Zugegeben", sagte der Hanseat, „die Franzosen sind geschicktere Diplomaten als wir Deutschen. Sie haben das im Russen seit Jahrhunderten verankerte Mißtrauen gegen unsere Tüchtigkeit –

ich denke an das alte russische Sprichwort ‚gib dem Deutschen einen Stein, und er macht Brot daraus' – ausgenutzt. Trotzdem sehe ich keinen Grund für einen Krieg zwischen Rußland und uns, auch die vielen dynastischen Beziehungen zwischen den deutschen Fürstenhäusern und dem Zarenhof sprechen dagegen. Das Treffen von S.M. mit dem Zaren im Juli in Baltisch-Port verlief doch überaus herzlich!"

„Nun", von Hütter gab sich noch nicht zufrieden, „unangenehme Dinge pflegt man – wir wissen es ja selbst – bei Verwandtenbesuchen nicht hervorzukehren."

„Richtig", pflichtete ihm der Lübecker bei, „man hat dort aber doch über unsere gegenseitigen Beziehungen gesprochen. Ich hörte es zufällig von einem Herren aus dem Gefolge Seiner Majestät. Der Zar soll dem Kaiser sein feierliches Ehrenwort gegeben und durch Handschlag und Umarmung bekräftigt und dabei gesagt haben, daß er aus Dankbarkeit für die treue und freundschaftliche Haltung des Deutschen Kaisers im russisch-japanischen Kriege niemals in einem europäischen Krieg gegen ihn das Schwert ziehen würde. Am allerwenigsten als Bundesgenosse von England, das ihm Japan auf den Hals gehetzt habe."

„Der Zar mag dies im Augenblick auch ehrlich gemeint haben", sagte von Hütter, „er ist aber eine labile Natur, und merkwürdige Menschen um die Zarin sollen am Petersburger Hof Einfluß gewonnen haben."

„Sie meinen den Mönch Rasputin?" fragte der Lübecker.

„So heißt er wohl", nickte v. Hütter, „er soll ein ganz ungebildeter Mensch sein, aber hypnotische Kräfte besitzen. Der Zarin hat er die Heilung des Thronfolgers – wie Sie wissen, ist er leider ein Bluter – versprochen. Sie glaubt ihm; für sie spricht aus ihm die mystische Seele Rußlands – aber der Adel haßt diesen obskuren Menschen, haßt ihn wie die Pest und verwünscht ihn wie die Zarin, die ‚Deutsche'.

„Ich gebe zu", erwiderte der Gastgeber, „nach dem verlorenen Krieg gegen Japan ist in gewissen Kreisen eine antideutsche Stimmung geschürt worden. Vor allem die Kapitulation von General Anatolij Stössel in Port Arthur und der von Graf Witte 1905 ausgehandelte Friede haben der antideutschen Fronde Auftrieb gegeben."

„Dabei hat Witte, soviel ich weiß, damals unter geschickter

Ausnutzung der antijapanischen Stimmung in den USA für Rußland mehr herausgeholt, als man nach der totalen Niederlage erwarten konnte", meinte von Hütter.

Der Hanseat nickte. „Richtig. Irgend jemand mußte aber für den im russischen Volk völlig unpopulären Krieg verantwortlich sein – weshalb nicht der Deutsche – dessen Vorfahren übrigens gar nicht aus Deutschland, sondern aus Holland kamen. Seine Mutter ist Russin, er wurde in Tiflis geboren. ‚Totengräber Rußlands' schimpfte ihn die Fronde."

„Die Revolution von 1905 und 1906", von Hütter spann den Rückblick weiter, „hat viel Blut gekostet, auch im Baltikum, auch wir hatten Verwandtschaft dort."

„Im Baltikum waren es wahrscheinlich mehr nationale Emotionen, die den Aufstand der Esten und Letten gegen die deutschbaltischen Gutsherrenschaften verursacht haben", erwiderte der Lübecker. „In Rußland selbst war der verlorene Krieg nur das auslösende Moment für die nach der Industrialisierung noch ungelösten sozialen Fragen. Witte hat 1905 mit dem Oktobermanifest und der Einsetzung der gesetzgebenden Duma die Demokratisierung begonnen."

„Er hat auch noch die Auslandsanleihe von 1906 – die größte, die Rußland bisher gewährt worden ist – unter Dach und Fach gebracht", unterbrach von Hütter, „dann mußte er gehen. Der Mohr hatte seine Schuldigkeit getan."

„Das ist leider richtig. Er war wohl der fähigste Mann, den die russische Diplomatie bisher hervorgebracht hat", sagte der Hanseat, „aber unter seinem Nachfolger Stolypin wurde die Agrarreform energisch angepackt. Dazu brauchte er Frieden. Er erreichte sogar von der Militärpartei, daß die russischen Truppen an der deutschen Grenze vermindert wurden. Die Reform hat schon gute Erfolge gezeitigt, eine Million Bauernhöfe wurden seit 1907 bis heute in Rußland neu reguliert."

„Und wo ist Stolypin heute", trumpfte von Hütter auf, um sich sofort die Antwort selbst zu geben: „Unter dem Rasen, tot! Gegen ihn brauchte die Reaktion nicht mehr zu intrigieren. Die Nihilisten haben ihnen diese Mühe abgenommen, als sie ihn, den ‚Reaktionär', im vorigen Herbst im Kiewer Theater erschossen. Nahe dem Zaren soll er gesessen haben."

„Es ist eine Tragik mit den Russen", erwiderte der Lübecker.

„Stolypin war einseitig, hart, aber eine starke Persönlichkeit. Er wollte aus den Leibeigenen selbstbewußte Bauern machen. Deswegen war er für die einen ein ganz übler Revoluzzer und für die anderen ein Erzreaktionär. Rußland tut sich schwer mit der Abkehr von der Autokratie. Das Attentat war selbstverständlich Wasser auf die Mühlen der Reaktion, die von ihm geschaffene Agrarkommission wurde sofort wieder aufgehoben.“ Er schwieg einen Augenblick und stieß dann heftig hervor: „Ich kann die russischen Bauern verstehen, sie wollen Land. Ich kann die Arbeiter verstehen, sie wollen mehr Lohn – aber was in den Köpfen der Anarchisten vorgeht – das weiß ich nicht.“

„Das übersteigt auch mein Begriffsvermögen“, pflichtete von Hütter bei, „man kann nur hoffen, daß ihr Beispiel nicht auch in Westeuropa Schule macht. Neben dem Anarchismus wachsen, wie man mir sagte, nach der Revolution auch wieder die panslawischen und slawophilen Strömungen in Rußland.“

„In Handelskreisen spürt man davon nichts, schließlich haben wir politisch mit den Russen keine strittigen Fragen“, entgegnete der Hanseat.

„Aber wir sind im Dreibund vertraglich an Österreich gebunden“, gab von Hütter zu bedenken, „und die Wiener haben ihre Probleme mit ihren Fremdvölkern. Die Hälfte der Österreicher sind Slawen – Tschechen, Slowaken, Polen, Serben und noch andere –, knapp ein Viertel der Bevölkerung nur Deutsche, der Rest Ungarn, Italiener und andere Volksgruppen. Das ist gutgegangen, so lange der Türke das Abendland bedrohte, aber heute, da die Türkei mehr oder weniger in Agonie liegt, braucht man das Reich nicht mehr. Die Nationalitäten regen sich, und Rußland fühlt sich als Schutzmacht der slawischen Brudervölker auf dem Balkan. Die Serben träumen vom Wiedererstehen ihres mittelalterlichen Großreiches, das bis zur Adria reichte. Den Russen, der Mutter der Slawen, kann dies nur recht sein.“

„Damit hätten sie die Dardanellen – das Traumziel der Waräger und der Rurik-Söhne, der ersten Kiewer Russen – umgangen, hätten einen freien Zugang zum Mittelmeer“, sagte der Hanseat und setzte eifrig hinzu: „Damit stünden sie aber in schärfstem Gegensatz zu den Engländern, die dies doch auf jeden Fall verhindern wollen!“

„Dies läßt mich auch noch hoffen“, stimmte von Hütter zu.

„Hier treffen sich die Interessen des Dreibundes und Englands. Außerdem hat der Kaiser jetzt den Grafen von Biberstein – wie man sagt, sein bestes Pferd – anstelle des Grafen Wolf-Metternich nach London geschickt. Vielleicht gelingt es ihm, das deutsch-englische Verhältnis zu bessern."

„Trotzdem bleibt meine Besorgnis wegen unserer wirtschaftlichen Abhängigkeiten. Mir schwebt etwas vor, wie ein wirtschaftlicher Generalstab, der neben den militärischen treten sollte. Man müßte auch wirtschaftlich vorsorgen ..."

„Darin gebe ich ihnen völlig recht", von Hütter stimmte zu. „Sie sollten Ihre Denkschrift den obersten Reichsbehörden sowie den Spitzen des Heeres und der Flotte einreichen. Man sieht dort noch vielfach die Außenpolitik nur unter militärischen Aspekten. Viele unserer hohen Herren haben immer noch nicht begriffen, daß moderne Kriege nicht nur draußen im Feld, sondern vor den Hochöfen entschieden werden."

„Ihre Zustimmung gibt mir Mut, ich werde es tun", sagte der Lübecker, sich erhebend, „lassen Sie uns zu Tisch gehen, ein kräftiges Mahl kann Ihnen nicht schaden, bevor Sie heimfahren."

*

Zur gleichen Stunde, in der sich die beiden Männer über die politische Lage unterhielten, arbeiteten Generalstabsoffiziere im Gebäude des Großen Generalstabs am Königsplatz in Berlin an einer Studie, die die außenpolitische Lage des Reiches mit folgenden Worten umriß:

> Ebenso wie der Dreibund bezeichnet sich die Tripleentente (das lose Bündnis zwischen Frankreich, England und Rußland) als ein Defensivbündnis. Aber während der Gedanke der Abwehr dem Dreibundabkommen in ausgesprochener Weise zugrunde liegt, sind in der Tripleentente starke offensive Tendenzen vorhanden ... Rußland hat den begreiflichen Wunsch, sich durch Niederwerfung Österreichs als slawische Vormacht in Europa durchzusetzen, durch Vermittlung Serbiens sich den Weg zur Adria zu öffnen. Österreich hat das defensive Interesse, dies zu hindern. Frankreich hat den Wunsch, die verlorenen Provinzen wiederzugewinnen und Revanche zu nehmen für die Niederlage von

1870. Deutschland will dagegen nur seinen Besitzstand wahren. England hat den Wunsch, sich mit Hilfe seiner Verbündeten von dem Alpdruck der deutschen Seemacht zu befreien. Deutschland denkt nicht an eine Vernichtung der englischen Flotte, auch hier will es sich nur verteidigen. Überall also offensive Ziele auf der einen, defensive auf der anderen Seite... Kommt es also zum Krieg, so kann es keinem Zweifel unterliegen, daß seine Hauptlast auf den Schultern des von drei Seiten umklammerten Deutschlands liegen wird.

Latein, Latein!

Latein, Latein – wer hatte nur das Latein erfunden!

Seit drei Jahren hatte Gero Lateinunterricht – aber noch immer mühte er sich vergebens um diese vertrackte Sprache, noch immer hatte er nicht ihren logischen Aufbau begriffen. Ein Glücksfall war es, wenn er in seinem Extemporale ein „Genügend“ mit nach Hause trug. In der Quarta bekam die Klasse Herrn Professor Bolz als Klassen- und Lateinlehrer.

Es war ein Kreuz mit ihm. Er war ein galliger Herr mit rotem Gesicht (das er – wollte man der Fama glauben – einer Schwäche für geistige Getränke verdankte) und seiner Heftigkeit wegen in der Anstalt gefürchtet. Er geriet bei falschen Antworten schnell in Zorn. „Völlig fünf“ hatte er mit roter Tinte unter eine Lateinarbeit von Gero geschrieben und außerdem noch voller Wut „unter aller Stiebelsohle“ dazugesetzt. Dazu hatte er noch einen „Blauen Brief“ an Geros Vater geschrieben. „Sehr geehrter Herr Suchefad“, so war darin zu lesen, „zu meinem Bedauern mußte ich Ihrem Sohn Gero, nachdem wiederholte Tadel nichts gefruchtet haben, wegen seines Unfleißes besonders im Lateinischen mit zwei Stunden Arrest bestrafen . . .“ Noch einiges andere hatte er hinzugefügt, und gemeint, daß hier, bei diesem Charakter, nur Strenge helfen würde.

Nun, daran sollte es zu Haus nicht mangeln. Fast empörte es Herrn Suchefad, daß der Professor in dieser Hinsicht an seinen Erziehungsgrundsätzen zweifelte. Am liebsten wäre er sogleich zu Bolz gegangen, um mit ihm zu reden, jedoch verschob er seinen Besuch bis nach Geros Arrest.

Gero hatte in diesen Tagen daheim einen schweren Stand. Der Vater vertraute dem Lehrer, obwohl er schon von anderer Seite von den Eigenheiten des Herrn Bolz gehört hatte. Ein wenig hellhörig war er geworden, als einer seiner Schlosser gelegentlich erzählt hatte, daß es in der hohen Schule wohl wie auf dem Kasernenhof zugehen müsse, einen der Lehrer höre man immer bis auf die Straße brüllen und schimpfen. Das wäre wohl nicht die feine Art. Darin mußte Suchefad dem Mann recht geben – jedoch: Bolz war Professor, war Autorität, und die Autorität mußte gestützt werden, auf jeden Fall und um jeden Preis; wohin käme man sonst mit den Bengels? Selbst wenn Suchefad wie gelegentlich in der Vorschule an den pädagogischen Fähigkeiten eines Lehrers gezweifelt hatte – niemals hätte er dies den Jungen gegenüber zugegeben. Reichte man ihnen den kleinen Finger, sie nähmen die ganze Hand und würden stets auch in anderen Fächern die eigene Faulheit mit der Unfähigkeit des Lehrers zu entschuldigen suchen. Kinder neigen zur Flüchtigkeit, spielen lieber, als für die Schule zu arbeiten.

Trotzdem wollte Suchefad sich selbst ein Bild vom Wissensstand seines Jüngsten machen. Bei ihm saß das Latein noch fest. Er kannte „seinen" Ovid und Tacitus besser, als sein Sohn deren Schriften jemals kennenlernen sollte. Deshalb zitierte er Gero eines Sonntagnachmittags zu sich in die Puddelkammer. Er saß an seinem Werktisch, über einen kleinen Apparat gebeugt. „Was heißt", so begann er sein Abhören, „einer, der gelobt sein muß oder soll?" Dabei ließ er sich in seiner Arbeit nicht stören. Gero schwieg. In der Stille hörte er, wie der Vater mit einer feinen Pinzette in einer Schale kleine, für sein Werk passende Schräubchen auswählte. Mit feinem Klang schwang der Glockenschlag eines über dem Werktisch hängenden halbfertigen Uhrwerkes in die Stille.

„Nun?" Suchefad blickte nicht auf, „was ‚loben' heißt, wirst du wohl nach drei Jahren Latein schon wissen!"

„Laudare", sagte Gero. „So, und das Gerundium?" fragte der Vater. Gero schwieg wieder. Ängstlich klopfte ihm das Herz bis in den Hals. Die Antwort lag ihm auf der Zunge – doch, war sie richtig? Bei einem Fehler würde ihn der Vater schlagen. Er zögerte deshalb zu sprechen, sagte nichts, stand neben dem Vater, in dem der Ärger wuchs. Wütend sprang er jetzt auf, griff mit der Linken nach Geros Ohr und schlug mit der Rechten zu: „Verdammter Bengel, ‚laudatus' heißt es, ‚laudatus." Mehrmals wiederholte er das Wort, und bei jedem gab er seinem Jüngsten eine kräftige Ohrfeige. „Damit du es dir endlich merkst", meinte er dabei und setzte in abklingendem Ärger noch hinzu: „Mach, daß du fortkommst, ich will dich nicht mehr sehen."

Flugs war Gero aus der Kammer entwichen und hatte sich auch

am Abendbrottisch still verhalten, um nicht erneut den väterlichen Unwillen zu wecken. Am darauffolgenden Nachmittag saß er mit fünf anderen Sündern in einer großen, leeren Klasse auf der ersten Bank Professor Bolz gegenüber. Bolz hatte einen Text an die Tafel geschrieben, den sie übersetzen sollten. Schweigend saßen sie unter den Augen des Gefürchteten, wagten nicht, sich über die Aufgabe miteinander zu unterhalten. Oben saß er, las jetzt seine Zeitung.

Gero versuchte zu übersetzen, er konnte sich jedoch trotz der Ruhe im Klassenzimmer nicht auf die Arbeit konzentrieren. Vielleicht war es sogar die Stille um ihn, die ihn irritierte. Es fehlte in dieser Stunde mit dem Professor das lebenkündende Wispern, es fehlten die kleinen Heimlichkeiten, die jeder Klassengemeinschaft auch bei Klassenarbeiten eigen sind. Wie ungewohnt war die Schule am Nachmittag! Wie hungrige, gierende Schlünde waren ihm vorhin beim Vorübergehen die zum Korridor geöffneten Türen der Klassenzimmer erschienen, alle bereit und willens, jede kindliche Fröhlichkeit zu verschlingen. Nein, die Schule war kein Vergnügen, kein Spiel, Vorbereitung für den Ernst des Lebens war ihr Sinn und Zweck. Das hatte man die Väter gelehrt, und dieser Grundsatz galt auch für die Erziehung der Jugend.

Etwas schwingt in den Mauern einer jeden Schule, das man nicht sieht. Etwas ist zurückgeblieben in einer jeden vom Flügelstaub junger Seelen, abgestreift von rauhen Händen unfähiger oder überreizter Pädagogen. Etwas ist zurückgeblieben von kindlichem Schmerz über achtlos hingeworfene Ungerechtigkeiten, vom Hohn der Klassenkameraden. Kinder sind oft natürlich grausam und zerstören manch Gespinst feinster Empfindungen. Etwas von all diesem schwingt unhörbar in jeder Schule. Etwas von gestohlenem Leben macht ihre Mauern grau.

Unbewußt mochte es Gero in dieser Arreststunde empfinden. Untätig ließ er sich von einem inneren Lauschen umfangen. Ein Knistern der Zeitung in der Hand des Professors brachte ihn in die Wirklichkeit zurück, und er begann wieder, sich um die Aufgabe zu mühen. Der Text war schwer zu übersetzen. Bewußt hatte Bolz ihn mit grammatischen Fallstricken gespickt, wollte er doch einmal sehen, was sie wirklich konnten.

Einer der Nachsitzer zog seine Uhr aus der Hosentasche,

zeigte schweigend das Zifferblatt nach rechts und links. Die erste Arreststunde war vorüber, jedoch kaum einer der Schüler hatte bisher etwas geschrieben.

Über ihnen auf dem Katheder saß der Professor und las. Es war mäuschenstill.

Mit der Stille hatte sich eine wohltuende Gleichgültigkeit über die sechs Nachsitzer gelegt. Der letzte in der Reihe hatte die Übersetzung aufgegeben und zu malen begonnen. Gero schaute hinaus ins Freie. Er beobachtete die Wolken am Himmel, wie sie sich zu Gebirgen türmten und spielend wieder zerflossen, um weiter zu wandern – wohin? Die Gedanken versuchten, ihnen zu folgen, verloren sich in der Stille. Ein Schüler legte die Feder fort, streckte die Füße weit von sich und lehnte sich bequem in der Bank zurück.

Der Professor rügte ihn nicht. Er saß über ihnen in seine Zeitung vertieft und las.

Geros Nebenmann begann, aus einer Heftseite Papierschiffchen zu falten. Freund Kutti – auch ihn hatte das Verdikt des Professors betroffen – weckte mit auffälligen Kopfbewegungen Geros Aufmerksamkeit. Seine Lippen formten lautlos eine Frage. Wie er die Lippen verzerrte – eigentlich war es zum Lachen –, aber Gero verstand ihn nicht, zuckte nur bedauernd mit der Achsel. Er wußte sich bei der Arbeit ja auch nicht zu helfen. Es war keiner unter ihnen, von dem es sich abzuschreiben lohnte.

Der Professor saß über ihnen, faltete jetzt die vielseitige Zeitung zusammen und griff nach einem weiteren Blatt.

Es waren noch 15 Minuten bis zum Ende der zweiten Arreststunde.

Geros Nebenmann hielt nach einem raschen Blick zum Katheder wieder seine Uhr zur halben Höhe, drehte sie nach beiden Seiten, so daß sie die Kameraden sehen konnten: Gott sei Dank, sie waren bald frei, hatten ihre beiden Arreststunden abgesessen. Die Zeitung schien den Professor mehr als sie zu interessieren – vielleicht verpaßte er die Zeit?

Er schien sie vergessen zu haben, falteten ein Zeitungsblatt nach dem anderen vor seinen Augen aus und las.

Jetzt war es soweit: Fünf Uhr. Der Arrest war abgesessen. Einer der Jungen räusperte sich leise. Im Gefühl der erfüllten Pflicht klappte er sein Heft zu, die anderen taten das gleiche.

Der Professor achtete nicht darauf. Er saß auf dem Katheder und las.

Es war fünf Minuten nach fünf Uhr, Zeit nach Hause zu gehen. Aber keiner getraute sich, Bolz darauf aufmerksam zu machen. Sie scharrten ein wenig mit den Füßen, klapperten vernehmlich mit den Federkästen. Einer nahm umständlich die Schulmappe hervor und steckte sein Heft hinein. Halb erhob er sich aus der Bank, setzte sich aber wieder hin. Ohne Erlaubnis wagte er nicht zu gehen. Endlich nahm sich Geros Nebenmann ein Herz, hob den Finger, meldete sich. Bolz blickte auf.

„Nun?"

„Herr Professor, die zwei Stunden sind rum."

„Bist du mit der Aufgabe fertig", fragte Bolz dagegen, „zeig einmal her." Er streckte die Hand nach dem Heft aus.

Ein Erschrecken erfaßte die Jungen. Reif fiel auf die Hoffnung, die Hefte nicht vorzeigen zu brauchen. Eine unterdrückte Auflehnung ergriff sie alle. Zögernd näherte sich der Schüler dem Katheder, hielt krampfhaft sein Heft zurück: „Herr Professor, die zwei Stunden sind doch rum . . ."

Bis auf die Minute hatte man sie brav abgesessen, jetzt waren es sogar schon zehn Minuten mehr. Sie hatten ihre Pflicht erfüllt, hatten ein Recht nach Hause zu gehen. Keiner hatte gedacht, daß er jetzt noch Fragen stellen würde, keiner glaubte, daß er sie jetzt noch fragen dürfe.

Jedoch, von ihren Gedanken schien der Gefürchtete auf dem Katheder nichts zu spüren. „Zeig' schon her!" Ungeduldig griff er nach dem Heft.

Beklemmende Stille lag über den Sieben. Von draußen, vom Korridor, hörte man das Klappern der Eimer der Scheuerfrauen, ab und an vernahm man auch Worte ihrer laut geführten Unterhaltung, auch ein Lachen tönte dazwischen.

Der Professor hatte im Heft geblättert, blickte jetzt auf: „Wo ist die Übersetzung?" fragte er.

„Auf der letzten Seite, Herr Professor."

„Dies hier?"

„Ja", sagte der Mitschüler leise.

Bolz starrte ihn an. Die Jungen sahen, wie die Ader an seinem Hals anschwoll, wie sich das Gesicht zu tiefem Rot verfärbte. Sie duckten sich; gleich würde es aus ihm losbrechen . . .

„Kirl", Bolz schleuderte dem Unglücklichen vor ihm das Heft an den Kopf, stemmte beide Hände gegen das Katheder... „Kirl"... er schluckte, knirschte mit den Zähnen – und bezwang sich. „Weg, der Nächste."

Flugs entwich der Gescholtene auf seinen Platz, und der Professor nahm vom zweiten das Heft. Aber auch in diesem fand er nicht viel mehr als im vorigen. Er hielt sich nicht lange mit ihm auf, nahm das vom dritten, vom vierten...

Wollten die Bengels ihn foppen? Als letztes hielt er Geros Kladde in der Hand – der Junge hatte sogar überhaupt nichts geschrieben. Blaurot war Bolz im Gesicht geworden, er stürzte vom Katheder herunter: „Seid ihr denn alle verrückt geworden, nichts, nichts hast du geschrieben, nichts..." Er ballte die Fäuste vor Geros Gesicht, als wollte er zuschlagen, besann sich jedoch noch rechtzeitig des Verbots von körperlichen Züchtigungen. So stand er nur drohend ganz dicht vor dem Jungen. Sein stoßender Atem streifte Geros Gesicht. „Was habt ihr euch dabei gedacht? Antworte!" herrschte er ihn an.

Unter den wütenden Augen des Lehrers zuckte Gero zusammen. Doch dann überkam ihn eine Ruhe, wie sie die Verzweiflung oft dem Menschen in höchster Gefahr zu eigen wird. Mochte der Bolz doch zuschlagen. Bei diesem Lehrer hatte er verloren, das wußte er. In diesem Wissen jedoch lehnte sich etwas gegen dessen Brutalität auf, setzte sich etwas zur Wehr, sprach aus ihm der Wille zur Selbstbehauptung. „Nein, Herr Professor, wir können das nicht übersetzen", sagte er, „alle können wir das nicht." Ein wenig hatte ihm dabei die Stimme gezittert. Nun blickte er dem Lehrer gerade in die Augen.

Bolz blieb vor Verblüffung stumm, fand zu sich zurück, zwang sich zur Ruhe. Er begann, die Jungen nach dem zuletzt durchgenommenen Pensum zu befragen.

Sie wußten so gut wie nichts.

Er griff in den Stoff der Quinta zurück (die Uhr hatten Lehrer und Schüler, die sich hier nun erstmals als ehrliche Gegner gegenüberstanden, vergessen), auch davon hatten sie das meiste vergessen oder niemals gelernt. Eine Wüste schien sich vor seinem inneren Auge zu öffnen. Aber er wollte sich Gewißheit verschaffen, ging zu den Anfangsgründen zurück, die man ihnen in der Sexta beigebracht hatte. Hier müßte doch wenigstens etwas geblieben sein, etwas „sitzen“ – fast zögernd stellte er seine Fragen. Aber auch hier versagten die Jungen fast gänzlich.

Stumm stand er nun vor ihnen, blickte von einem zum anderen, starrte, ohne ein Wort zu sagen, auf Gero. Ein Nicken seines Kopfes nahm dieser als Aufforderung zum Reden.

„Nein, Herr Professor, wir können nichts“, noch stockte er ein wenig, fuhr dann aber tapfer fort: „Noch nie haben wir es gekonnt, haben wir Sie verstanden... Keiner aber hat sich Sie zu fragen getraut, weil Sie... weil Sie“, der Mut verließ ihn, dem Lehrer seine Heftigkeit und sein ständiges Schelten vorzuhalten, er schluckte Tränen hinunter: „Nur Angst haben wir immer gehabt, nur immer Angst, vor Ihnen... und...“, er sprach sehr leise weiter und senkte dabei die Augen, „und vor zu Hause auch...“

Es war still in der Klasse. Die Jungen hielten den Atem an, sahen auf ihren Lehrer, der noch immer vor Gero stand. Plötzlich wandte er sich um, seine Hand klammerte sich ans Katheder, langsam, ganz langsam stieg er die eine Stufe der Estrade empor, sank auf den Stuhl. Sein Gesicht war fahl geworden. Mit Erstaunen sahen es die Schüler. „Ihr könnt einpacken, könnt gehen.“ Seine Stimme klang rauh, wie gebrochen.

Wie von einem Banne befreit, rissen sie ihre Hefte von der Bank, stopften sie in die Schulmappen, keiner nahm sich die Zeit, sie hier noch zuzuschnallen. Mit einer linkischen Verbeugung schoben sie sich am Katheder vorbei, flüchteten aus dem Zimmer. Als der letzte die Tür hinter sich schloß, saß Bolz regungslos hinter dem Katheder, den Kopf über die auf dem Pult gekreuzten Arme gebeugt.

Er hatte es genau gesehen und erzählte es im Fortgehen den Kameraden: „Ja, so sitzt er noch drinnen“, und demonstrierend verschränkte er die Arme im Gehen vor seinem Gesicht. Obwohl sie es ihm nicht glauben wollten: Keinen gelüstete es, zurückzuschleichen und durch das Schlüsselloch zu spähen. Sie rannten alle aus dem Schulgebäude, als würden sie gejagt. Die Erregung der letzten Stunde vibrierte in ihren Adern, verlangte Befreiung. Sie sprachen hastig durcheinander: Sollten sie sich freuen, daß sie es ihm einmal „richtig gegeben“ hatten? Waren sie noch einmal gut davongekommen, oder würde er ihnen wieder eine fette Fünf ankreuzen?

Bolz saß allein in der Klasse. Er hatte nicht auf die davonstürmenden Jungen geachtet, saß wie gefällt hinter dem Katheder, den Kopf tief über die Arme gebeugt. In seinen Ohren klangen noch die Worte Suchefads: „Angst haben wir alle, nur Angst vor Ihnen ..."

Seit Jahrzehnten lehrte er Latein und Griechisch. Er hatte Generationen von Schülern die klare Schönheit und den Wohlklang der Alten Sprachen, die ihn selbst ganz erfüllten, beizubringen versucht. Oft, sehr oft war er auf Unverständnis gestoßen. Er hatte trotzdem geglaubt, in seinem Unterricht der Jugend die antike Welt, seine Welt, nähergebracht zu haben. Keiner der Kollegen nahm den Unterricht so ernst wie er. Keiner – das mußte man ihm lassen – präparierte sich gleich ihm auf das Pensum – dies sollte nun alles umsonst gewesen sein? „Weil wir alle nur Angst gehabt haben vor Ihnen, Herr Professor", gellte es in seinen Ohren ...

Es brach in dieser Stunde etwas in ihm zusammen, der Glaube an den Sinn seines Wirkens, seines Lebens überhaupt.

Was wußte er, wie viel oder wie wenig die anderen konnten, die heute nicht vor ihm gesessen hatten? Die Klassen waren viel zu groß, um alle zu durchschauen, recht zu beurteilen. Vielleicht waren sie in ihren Leistungen auch nicht viel besser als diese Wildlinge, die ihn soeben verlassen hatten. Vielleicht waren sie geschickter im Abschreiben, hatten bessere Kladden oder auch als Söhne begüterter Eltern Nachhilfeunterricht. „Angst haben wir vor Ihnen, nur Angst ..."

Die Tür wurde aufgerissen, er fuhr hoch, blickte verwirrt um sich, während eine Putzfrau sie schnell wieder verschloß. „Herrgott, da drinnen sitzt ja noch der Professor Bolz!" Erschrocken raffte sie Besen und Feudel auf und eilte einige Klassenzimmer weiter, um dort mit dem Reinigen zu beginnen. Mit dem Professor hatten alle nicht gern zu tun. Auch sie hatten Angst vor ihm.

Die Störung hatte ihn wieder zu sich gebracht. Er straffte sich, wandte sich zum Gehen: Es war alles Unsinn, was ihn heute hier überfallen hatte. Vielleicht war es die schlechte Luft im Klassenraum, oder seine Galle war wieder einmal nicht in Ordnung. Er müßte wirklich einmal zu Hause bleiben, wie ihm der Arzt schon lange angeraten hatte, oder auch eine Heilkur machen. Nicht ein einziges Mal, er erinnerte sich dessen mit einem grimmigen Lächeln, während er über den langen Korridor schritt, war er während seiner Dienstzeit bisher außer in den Ferien der Schule ferngeblieben. Nicht ein einziges Mal!

Hallend gab die gewölbte Decke seine Schritte wieder, fest klangen sie und sicher. Was hatte Suchefad gesagt? „Angst haben wir, nur Angst . . .“ Der Ausspruch des zweiten Preußenkönigs fiel ihm ein, der nun seit eineinhalb Jahrhunderten drüben in Potsdam in der Gruft neben dem Turm der Garnisonskirche lag, das Wort, das dieser Große einst zu seinen Untertanen gesprochen haben soll: „Lieben braucht ihr mich nicht, nur fürchten.“ Ungeschrieben stand es über dem Eingang der Gruft. Groß ist Preußen durch ihn geworden, den Soldatenkönig und seine eiserne Zucht. Groß, nicht durch Liebe, sondern durch Furcht . . .

Die besten seiner Schüler fielen ihm ein, die durch seinen Unterricht gegangen waren. Viele standen schon im Leben, als Assessoren, Lehramtskandidaten, einige sogar schon als Pastoren, Oberlehrer oder als Offizier. Alle hatten sie ihn nicht geliebt, das gestand er sich jetzt ein, hatten wahrscheinlich auch Angst vor ihm gehabt – aber: Sie waren alle etwas geworden! Angst war ein guter Lehrmeister, er lachte grimmig vor sich hin. Er hatte es bisher nur noch nicht so klar erkannt, nun würde er sie pflegen, die Angst, garantierte sie doch offenbar den Erfolg.

28. Juni 1914

Mit einem weiteren ‚Blauen Brief' war Herr Suchefad kurz vor Schluß des Schuljahres davon unterrichtet worden, daß aufgrund des Beschlusses der Lehrerkonferenz sein Sohn Gero nicht in die Tertia versetzt würde. Er war also darauf vorbereitet, als Gero am letzten Schultag vor den Osterferien hinter den Brüdern an seinen Schreibtisch trat und sein Zeugnis zur Unterschrift vorlegte. Während die Brüder als Belohnung ihren Taler entgegennahmen, ging Gero leer aus. Der Vater knurrte ihn an, schalt aber weniger, als die Kinder erwartet hatten. Zur Strafe für seine Faulheit wurde Gero für eine Woche vom Mittagstisch der Familie ausgeschlossen und in die Küche verbannt. Der Vater wollte ihn damit bei seinem Ehrgefühl packen, weil offenbar alle anderen Erziehungsmittel bei ihm versagten. Außerdem hatte man ihm bei einer kürzlichen Vorsprache in der Schule auch gesagt, daß sein Jüngster für die Tertia noch nicht reif genug, noch zu kindlich sei. Deshalb hatte er von einer härteren Bestrafung und Schlägen abgesehen, und das Leben bei Suchefads lief bald wieder seinen gewohnten Gang. Die beiden älteren Söhne hatten neue Schulmützen und neue Schulbücher bekommen, Gero trug seine alte grüne Kappe mit den drei goldenen Streifen ein zweites Jahr. Er hatte sich rasch in der neuen Klasse eingelebt, genoß es sogar ein wenig, ein „Alter" zu sein. Pfingsten mit den wenigen Ferientagen war vorübergegangen und nun, Ende Juni, freuten sich alle Kinder bereits auf die kommenden Großen Ferien, die zu jenen Zeiten stets und überall in Preußen in den ersten Tagen des Juli begannen.

Der 28. Juni 1914 war ein Sonntag, ein stiller, warmer Sonnentag. Im ‚Storchennest' war die Familie beisammen, die Eltern saßen an dem großen Balkontisch, die Jungen an ihrem Rundtisch. Herr Suchefad las die Sonntagszeitung. Drüben bei seinen Buben hoben sich die Stimmen zu einem kleinen Wortgefecht. Der Vater ließ das Zeitungsblatt sinken und blickte stirnrunzelnd hinüber. Sofort, noch ehe er ein Wort gesagt hatte, herrschte wieder Ruhe und Ordnung am Kindertisch. Seine Jungen saßen gerade und ordentlich auf ihren Stühlen vor ihren Tassen und Tellern, auf denen sich kleine Kuchenberge türmten. Obenauf lag das Sonntagsstück, das sich jeder von ihnen des Sonntags und an den Festtagen selbst am Bäckerwagen aussuchen durfte. Die Kinder griffen munter zu, Karl-Wilhelm als der Älteste war Mundschenk, goß den Brüdern den Kakao nach.

Der Tag war fast schon hochsommerlich heiß. Fast wie vor drei Jahren im Frühjahr 1911 hatte es auch diesmal wenig Regen gegeben, und die Landwirte befürchteten eine schlechte Ernte. Herr Suchefad hatte dies im Trempiner Boten, den er seiner Frau zuliebe neben der Potsdamer Tageszeitung hielt, ohne große Anteilnahme gelesen. Die Bauern klagen immer, so meinte er, ganz gleich, ob die Ernte gut oder schlecht ausfällt. In der „Potsdamer Tante" – so nannte liebevoll der Volksmund das Blatt – fielen ihm die Hofnachrichten ins Auge. Er las, daß der Kaiser wie gewohnt bei der Kieler Woche sei und auch die Offiziere des dort zu Besuch weilenden englischen Geschwaders empfangen habe. Weiter erfuhr er von einem Gartenfest, das der Hof für einen wohltätigen Zweck zu veranstalten beabsichtige, auch von Ordensverleihungen und Beförderungen. Es waren keine aufregenden Meldungen. Er las sie ohne rechtes Interesse. Auf der Hauptseite stand das Neueste über die Kämpfe in Albanien. Dort hatten die Großmächte erst vor kurzem den deutschen Prinzen zu Wied als Fürsten eingesetzt. Es war – wie sich jetzt herausstellte – gegen den Willen großer Teile der Bevölkerung geschehen. Es herrschte Aufruhr dort, und es sah nicht danach aus, als ob sich der Prinz würde halten können. Suchefad interessierte dies wenig. In den letzten Jahren war man gewöhnt, daß es auf dem Balkan Kriege und Unruhen gab. Er überflog die Seite, blätterte die Zeitung weiter durch. Die Schwüle, die unter dem gegiebelten Balkondach kaum von einem Luftzug gemildert wurde, ließ das Denken ohne festes Ziel gleichsam in einem trägen Flusse gleiten. Hier und dort zog eine fett gedruckte Überschrift für Sekunden Suchefads Interesse auf sich, jedoch konnte auch sie ihn nicht wirklich fesseln. Es war zu warm an diesem Tag. Suchefad fühlte sich wohlig in seiner Gedankenleere, empfand sie, als liege er mit geschlossenen Augen nach einem Bade im heißen Sand. Er schien völlig der Ruhe hingegeben. Im Unterbewußtsein kämpfte seine stete Regsamkeit jedoch gegen die Trägheit und machte ihn unlustig mit sich selbst. Nichts verriet an ihm die ihm selbst unbewußte Spannung und Nervosität, und doch übertrug sie sich auf Frau Tina. Über ihr Nähzeug hinweg beobachtete sie ihren Mann und ermahnte die Kinder mit stummen Gebärden, sich ruhig zu verhalten. Sie allein hatte wie stets zu tun. Auf einem freien Balkonstuhl lagen neben ihr frisch gewaschene Kindersachen. Mit einem unhörbaren Seufzer zog sie jetzt ein Paar Sommerhosen hervor – sie gehörten ihrem Jüngsten. Es war unfaßbar, dachte sie, wie man sie so zerreißen konnte. Neben den Sachen lag ein dicker Beutel mit Strümpfen, die sie stopfen wollte. Ihr kam die Wäsche in den Sinn, die noch durchzusehen war, bevor die Kinder nach Trempin in die Großen Ferien fuhren.

Herr Suchefad hielt seiner Frau über den Zeitungsrand seine Kaffeetasse entgegen. „Möchtest du heute nicht auch etwas Sahne dazu nehmen", Frau Tina fragte fürsorglich wie stets, hielt den kleinen Gießer schon in der Hand. Sie hätte es lieber gesehen, wenn ihr Mann seines Herzens wegen den starken Mokka mit Zucker und Sahne getrunken hätte. „Nein, danke", erwiderte er, ohne von der Zeitung aufzuschauen.

Von der Straße wurde die sonntägliche Stille durch laute Stimmen unterbrochen. Karl-Wilhelm reckte sich neugierig auf seinem Stuhl und blickte über den Blumenkasten.

„Siehst du was?" Die Brüder fragten ihn leise. Sie bogen die Hälse, um durch das Laub der Linde etwas von dem zu erhaschen, was unten vor sich ging. Sie wagten jedoch nicht aufzustehen, weil es ihnen verboten war, vor Ende der Mahlzeiten den Tisch zu verlassen.

„Es ist ein fremder Mann dort unten", flüsternd gab Karl-Wilhelm seine Beobachtung an die Brüder weiter.

Eine laute Frauenstimme mischte sich jetzt in die Unterhaltung auf der Straße ein. „Das ist Frau Sorgen", sagte Gero und rutschte aufgeregt auf seinem Stuhl hin und her.

„Was gibt's denn da unten?" Der Vater war auch aufmerksam geworden, hatte die Zeitung zur Seite gelegt. Von der Straße hörte man eilige Schritte, es schienen Menschen zusammenzulaufen.

„Ein Mann hat an der Telegrafenstange drüben etwas festgemacht." Ehrhardt war nach der Frage des Vaters aufgestanden und an die Balkonbrüstung getreten. „Einen Zettel!" Er reckte sich, um besser sehen zu können. „Ist was drauf gedruckt, und nun stehen sie davor, Frau Sorgen, Rechtsanwalt Schmitz kommt auch, und der Kellner von Greifs ..."

„Extrablatt!" Die helle Stimme eines Jungen wurde vernehmbar. „Extrablatt", die drei Suchefads wiederholten das Wort. „Franz Müller ist unten und verteilt Zettel", berichtete Karl-Wilhelm, „soll ich einen holen?" Fragend blickte er zum Vater hinüber, der jetzt auch an die Balkonbrüstung getreten war.

„Ja", nickte er, „lauf runter und gib ihm den Groschen. – Was das nun wieder zu bedeuten hat", meinte er zu seiner Frau, „heute am Sonntag ..." Er achtete nicht darauf, daß mit Karl-Wilhelm auch die beiden anderen Jungen, froh über die unvorhergesehene Abwechslung, mit hinuntergesprungen waren.

„Extrablatt", Franz schwenkte unten auf der Straße mit der Linken ein Blatt in die Höhe, „Extrablatt, der österreichische Thronfolger ermordet!" rief er mit lauter Stimme zum Balkon empor.

„Was, wer ist ermordet worden?" Frau Tina hatte ihre Nadelarbeit sinken lassen und blickte auf ihren Mann.

„Der österreichische Thronfolger, hat Franz gerufen, wir werden es ja gleich lesen." Er ging selbst zur Flurtür, um sie für die Kinder zu öffnen. Kurz darauf trat er, gefolgt von seinen Söhnen, wieder auf den Balkon, setzte sich, während die Kinder ihn umstanden, und las laut vor:

Extrablatt

Einer grauenvollen Bluttat ist der Erzherzog-Thronfolger Franz-Ferdinand von Österreich-Ungarn und seine Gattin, die Herzogin von Hohenberg, zum Opfer gefallen. Durch Schüsse serbischer Fanatiker wurden sie ermordet, nachdem sie einem Bombenattentat, durch das einige Offiziere aus ihrem Gefolge und einige Personen aus dem Publikum verwundet wurden, entgangen waren. Über das furchtbare Ereignis wird uns telegrafiert: „Sarajewo, 28. Juni (Telegramm unseres Korrespondenten). Als der Erzherzog-Thronfolger Franz-Ferdinand und seine Gattin, die Herzogin von Hohenberg, sich heute vormittag zum Empfange in das hiesige Rathaus begaben, wurde gegen das erzherzogliche Automobil eine Bombe geschleudert, die jedoch explodierte, als das Automobil des Thronfolgers die Stelle bereits passiert hatte.

In dem darauffolgenden Wagen wurde der Major...“, Suchefad überflog murmelnd einige Namen..., „erheblich verletzt. Der Täter wurde sofort verhaftet“, sagte er wieder deutlich lesend und fuhr fort: „Nach dem festlichen Empfang im Rathaus setzte das Thronfolgerpaar die Rundfahrt durch die Straßen der Stadt fort. Unweit des Regierungsgebäudes schoß ein Gymnasiast der achten Klasse (Primaner) namens Princip aus Gradow aus einem Browning mehrere Schüsse gegen das Thronfolgerpaar ab. Der Herzog wurde im Gesicht, die Herzogin im Unterleib getroffen. Beide verschieden, kurz nachdem sie in den Regierungskonak gebracht worden waren, an den erlittenen Wunden...“

Suchefad ließ das Blatt sinken und schwieg. „Wie entsetzlich“, sagte Frau Tina, „ein Gymnasiast, ein so junger Mensch, wie konnte er nur so etwas tun, warum...“

„Ja, warum, das frage ich mich auch“, erwiderte ihr Mann und wandte sich an seine Kinder, „ihr könnt runtergehen, spielen.“ Als sie gegangen waren, meinte er: „Die Jungen sind häufig fanatischer, radikaler als Ältere, lassen sich leicht für etwas begeistern – oder auch verleiten.“

„Wie heißt der Ort“, fragte Frau Suchefad, „Serau...“

„Sarajewo“, sagte er nach einem Blick in das Extrablatt. „Ich kenne die Stadt auch nicht, habe noch nie etwas von ihr gehört. Wird wohl irgend so ein kleines Nest sein, da unten auf dem Balkan, in Bosnien, das einst unter türkischer Herrschaft stand. Österreich hat es jetzt annektiert, und die Serben wollen es auch haben. Wenn die tatsächlich dahinter stecken...“

„Aber, das ist doch unmöglich“, empörte sich Frau Tina.

„In der hohen Politik ist vieles möglich, was wir gewöhnliche Sterbliche für undenkbar halten“, antwortete ihr Mann. „Das kann sich Österreich nicht gefallen lassen. – Wer weiß, was daraus noch wird.“

Beide blieben sie stumm, saßen untätig, still. Es schien, als hätte an diesem Tage trotz der leuchtenden Sonne die Welt für einen Augenlidschlag den Atem angehalten. Doch jetzt schmetterte der Fink in der Linde vor dem Balkon wieder seinen fröhlichen Ruf in die Welt, und Frau Tina griff, wie erwachend, in den neben ihr stehenden Wäschekorb. „Ich muß mich beeilen“, sagte sie, „damit die Sachen für die Kinder fertig werden. In einer Woche sind Große Ferien, und sie fahren nach Trempin.“

Briefe, Telegramme

Frau v. Hütter an ihren Mann Robert

Margate-Park, 5. Juli 1914

Bob, Liebster,

die Nacht ist um mich. Ich sitze in meinem alten Zimmer, und es ist wie früher. Ich könnte meinen, wieder die kleine Vicky *Beaconfield* zu sein, und alles, das ganze Leben zwischen damals und heute wäre nur ein flüchtiger Traum. Die alten Gesichter umgeben mich, Parker, der Butler, die Haushälterin Anne, Jeanette, Elizabeth und Mabel, Tom und Jim, der lange Jim, der mich als Kind so oft getragen hat – keiner von den Altvertrauten fehlt, und Mary geht umher, als sei sie nie als Zofe mit mir in Berlin gewesen. Alles ist wie früher: die alten Möbel und Schränke, die schweren Stühle, alle stehen sie noch auf ihrem Platz. Selbst das Stückchen Pappe unter dem Fuß der alten Standuhr – ohne das sie nicht mehr gehen wollte – ist noch da, und noch immer hat „dad" anscheinend keine Zeit gefunden, einen Uhrmacher zu rufen. Am Abend sitzen „dad" und ich uns unten beim Dinner gegenüber, im Kamin flackert ein bedächtiges Sommerfeuer, Jim serviert schweigend, und Parker schenkt „daddy" den schweren Porter ein. Noch immer warnt er mit sorgenvoll gedämpfter Stimme: „Er ist ein wenig kalt, Sir, ich bitte zu entschuldigen, Sir . . ." Er sagt es wie vor einem, wie vor zehn Jahren – wer sagt, daß er es nicht schon vor hundert Jahren zu einem *Beaconfield* gesprochen hat?

Es ist wie ein Traum, es ist wie früher, als sei ich nie fort gewesen – ach, nein, nicht ganz so, denn wenn ich in die Stille des Hauses lausche, wenn ich hinausstarre in die Nacht auf die Bäume, aus deren Grün das Licht meiner Lampe einen hellen Kreis herausschneidet, dann höre ich dich, dann sehe ich unseren Charles-Frederic vor mir. Ob er schon Bogen und Pfeile, seinen Tomahawk für die Reise zurechtgelegt haben wird? Er hatte doch schon so fleißig geübt, in der letzten Zeit, um seine Kunst „dad“ vorzuführen. Liebster, ich bin glücklich hier, wie geborgen fühle ich mich hinter den dicken, alten Mauern unseres Hauses, gleich wie in einem warmen Nest. Aber ein Stachel bleibt, ein kleiner, stiller, zehrender Schmerz: die Sehnsucht. Ich möchte hier sein, bei „dad“, dem guten alten, lieben und herzigen „daddy“, ihn ein wenig umsorgen, ihn pflegen – aber, ich möchte auch bei Euch sein, zu denen ich gehöre. Warum kann man nicht beides haben? Warum nur muß man stets ein Glück aufgeben, um ein anderes zu erringen? Warum stets verlieren, um zu gewinnen? Gibt es nirgends Licht ohne Schatten, nirgends einen süßen Trank ohne Neige, nirgends...?

Aber, ich komme in das Philosophieren. Ich merke, ich habe wohl ein wenig zu viel in deinem Bücherschrank gestöbert – es taugt nicht für eine Beaconfield. „Gebt ihnen ein Schwert und die Hetzpeitsche“, so soll einmal ein Stuart zu einem meiner Vorfahren gesagt haben, „aber kein Buch.“ Zum hunt-master wollte er jeden nehmen, niemals aber zum Kardinal. Ob sich in Charles-Frederic etwas von dem alten Blute regt? Wird er mehr Schotte werden, gleich mir, oder Deutscher gleich dir? Ein richtiger Deutscher mit seinen Grübeleien, seinem Denken und seinen Bedenken, seinen Hemmungen, die Gott-weiß-woher aus ihm kommen? Nein, er soll mir fröhlicher werden, sich nicht soviel mit Hirngespinsten plagen, wie auch du es so gerne tust. Deshalb freue ich mich besonders, ihn bald hier zu haben. Unsere Luft wird ihm gut tun. Noch immer verstehe ich mich nicht selbst, daß ich ihn nicht gleich mitnahm, daß ich dir nachgab, deinen Gründen. Nur ein Wort hätte es dich gekostet, man hätte ihn ohne weiteres die drei Wochen vor den Ferien reisen lassen. Pflichtgefühl sagtest du, und man dürfe keine Ausnahme beanspruchen, nur weil man ein v. Hütter sei – haben bei euch die Lehrer schon mehr zu sagen als die eigenen Eltern? Er ist noch so jung, und das Leben noch so lang zum Lernen und zum Pflichttun – aber, ich will nicht wieder mit dir schelten, auch die drei Tage bis zu seiner Reise werden noch vergehen. Laß ihn über Hull fahren, es geht am schnellsten, und wenn er nach seiner Mutter ist, so macht ihm die See nichts aus. Ich werde ihn selbst abholen, gib ein Kabel vorher, mit welchem Schiff er kommt.

Liebster, ich freue mich unbändig auf ihn. Welches Leben wird es hier sein! Sein Vetter Ralf ist schon hier, das College in Harrow hat bereits Ferien. Er ist schon ein richtiger Gentleman mit seinen 13 Jahren. Gestern ist er mit mir geritten. Wir versäumten sogar den Lunch, so angeregt hatten wir uns unterhalten. Du hättest den alten Parker sehen sollen, wie er mich bei der Rückkehr mit stummer Mißbilligung begrüßt hat. Ach, wie sehr haben mich doch schon eure freieren Sitten verdorben! Ich amüsierte mich köstlich über seine steife Förmlichkeit. Nie hätte ich gedacht, daß in einem Gesicht, ohne eine Miene zu verziehen, sich soviel Tadel ausdrücken ließe. Es geschah ihm wohl zum ersten Mal in den vierzig Jahren, die er nun schon auf Margate-Park ist, daß sich eine Beaconfield über die geheiligten Bräuche des Hauses hinwegsetzte. Ich werde mich sehr mühen müssen, um ihn wieder zu besänftigen.

Liebster, ich freue mich nun doch, daß ich nicht die ganze Zeit der Season in London geblieben bin, sondern mir ein paar Tage mehr für Margate-Park genommen habe. Es ist wie früher, jetzt schon ganz still um mich, nur im Park höre ich die Bäume rauschen. Hin und wieder tönt auch das Knacken eines alten Möbels durch das Haus, als lebe es gleich uns und recke sich ein wenig die vom langen Stehen steifen Glieder. Jetzt klingt das Klirren einer Kette aus dem Stall im Vorhof zu mir herauf, das verhaltene Schnauben eines Pferdes. Ich vermeine, ein leises, schlaftrunkenes Wiehern zu hören, glaube, daß es meine Gazelle ist, die dort unten vielleicht von einem Kleefeld träumt – doch, du kennst sie ja noch gar nicht, meine kleine Rappstute, mit ihrem feinen Kopf, den kleinen, ungeduldigen Hufen: „Dad" hat sie jetzt erst von der home-farm in den Stall genommen und mir gestern morgen zum Geschenk gemacht. Oh, der gute „dad", er verwöhnt mich sehr. Manchmal bin ich jetzt wieder so ganz zu Hause, daß ich mich wie früher als kleines Mädchen im Flur vor meinem Zimmer vor dem Bild der ersten Lady fürchte. Sie schaut aber auch allzu streng aus ihrem alten Rahmen herab. Noch immer schlage ich vor ihr die Augen nieder . . .

Lieber Bob, wenn du nur auch einmal wieder hier sein könntest, wirklich einmal ausruhen, gleich unserem Vetter Percy, der jetzt schon seit einigen Wochen hier ist. Er wird mit uns in den nächsten Tagen nach London gehen. Wir haben dort noch verschiedene Bälle und „teas". Ich kann sie dir nicht alle aufzählen, so viele sind es, und auch Lord Invershell hat uns nicht vergessen, eine Einladung zum Gartenfest in Windsor fand sich vor: Baron v. Hütter nebst Frau Gemahlin. Ich hoffe, auch du wirst ihr Folge leisten können. Ich muß nur noch meine Garderobe in Ordnung bringen lassen.

Doch, ich schwatze von Dingen, die dich langweilen. Wahrscheinlich sitzt du noch am späten Abend am Schreibtisch, hast keine Zeit für die Toilettensorgen deiner Frau. Warum seid ihr Männer ewig in Geschäften? Auch hier reden sie jetzt ständig davon. Früher, so scheint es mir, hatten meine Freunde noch mehr Muße zum Ausruhen. Selbst „dad", der gute, alte, stets fröhliche „daddy", zieht jetzt die Stirne kraus, wenn er hinter seiner Daily Telegraph sitzt. Er lachte zwar, als ich ihm das sagte, und will es nicht wahr haben, daß er besorgt ist. Ob es nur die Kurse sind, die ihn beunruhigen? Ich weiß es nicht. Oder ob er sich auch wegen des gräßlichen Mordes dort unten auf dem Balkan Sorgen macht? Jedenfalls war er, als er es las, furchtbar aufgeregt. Wir saßen nach dem Frühstück ein wenig zusammen, plötzlich warf er die Zeitung auf den Tisch und sprang auf. Selten habe ich ihn so erregt gesehen, er lief, die Hände in den Taschen vergraben, in der Halle stürmisch auf und ab. „Da, lies", er nickte gegen das Blatt, „das ist die Lunte an dem Pulverfaß . . ."

Ich mochte nicht weiter fragen, alle Zeitungen sind ja voll von dem schrecklichen Verbrechen. Alle verurteilen den Mörder auf das Schärfste, und man sagt, daß auch der Hof wegen der Trauer einige Feste absagen wird. Es ist schrecklich, überall, wohin man kommt, spricht man nur noch von dieser Schandtat und von ihren möglichen Folgen. Nie hörte ich früher von „dad" zu Hause etwas von Politik, aber nun redet er von nichts anderem mehr, es ist zu langweilig. Nicht nur in seinem Klub, überall wo er ist, diskutiert er und hört auf die Meinung der Leute. Mit den Pächtern unterhält er sich, und vorgestern geriet er sogar mit Vetter Percy recht heftig aneinander. Ich kannte ihn gar nicht wieder, meinen lieben, alten gemütlichen „daddy". Percy meinte, der Kaiser habe sie alle mit seinen Reden wild gemacht, und nicht der arme Serbe, sondern euer Kaiser sei der wahre Schuldige an dem Mord. Mit seiner Flotte wolle er sogar noch die englische überflügeln.

Ich weiß nicht mehr recht, was „dad" erwidert hat. Er sagte aber wohl, das sei alles dummes Zeug. Er kenne genug Deutsche, wie den Reeder Wellert in Hamburg, den Bankier Cherburg und last not least dich, die alle in verantwortlichen Positionen säßen und mit solchen Flottenplänen nichts im Sinne hätten. Im Gegenteil, gerade die Hamburger fühlten schon mehr wie Engländer als wie die Binnendeutschen, und sie lächeln nur über die Reden ihres „Reisekaisers". Der wolle sich eben auch erst einmal ausschäumen, gleich jungem Wein. Im übrigen sei es auch nicht ganz so einfach für ein so junges Reich wie das deutsche. Eingeklemmt zwischen zwei mächtigen Nachbarn, den Russen und den Franzosen – das habe Lloyd George erst im Januar gesagt –, sei die deutsche Armee eine Lebensnotwendigkeit für das deutsche Volk. Wer wolle es den Deutschen verdenken, daß sie ein starkes Heer unterhielten? Jeder der beiden Nachbarstaaten unterhalte eine Armee, die fast ebenso stark sei wie die deutsche.

Percy gab dies zu, blieb aber hartnäckig bei der Flotte. „Unsere Zukunft liegt auf dem Wasser", hat der Kaiser gesagt, und wenn die Deutschen in dem Tempo wie bisher weiterbauen, dann haben sie bald eine stärkere Flotte als wir. Schon heute kosten uns die Neubauten, weil wir unsere Überlegenheit bewahren müßten, wer weiß wie viele Millionen Pfund im Jahr. Wozu aber bauen die Deutschen Kriegsschiffe? Sie haben kaum Kolonien und schauen deshalb gierig auf unsere überseeischen Besitzungen. Es sei doch klar, so meinte Percy, die Deutschen rüsteten nur gegen uns.

Es sei eben ein Unglück, daß Bismarck nicht mehr lebe, hat „dad" darauf gesagt. Auch hätte man bei euch keine wahren Politiker mehr, und diejenigen, die etwas von Politik verstünden, wie der Fürst Lichnowsky hier in London, die stelle man kalt oder höre nicht auf sie. Aber auch bei uns hier, so meinte er warnend zu Percy, sei in letzter Zeit viel zu viel vom Krieg geredet und geschrieben worden. „Ihr spielt mit dem Feuer" – seine Worte habe ich noch genau im Gedächtnis –, „seht euch vor, daß ihr euch dabei nicht auch selbst die Finger verbrennt."

Als ich zu ihnen trat, beendeten sie schnell ihr Gespräch. Es schien mir, als seien sie etwas verstimmt aufeinander. Wie schrecklich sind doch solche Reden vom Krieg, Liebster! Ist es nicht schön auf der Erde, so, wie es ist?

Draußen schlägt jetzt die Nachtigall in der Hecke am Graben vor dem Eckturm. Auch bei euch werden sie jetzt im Park in den dichten Fliederbüschen an der Meierei singen. Vielleicht gleitet noch das stille Licht eines Segelbootes über den dunklen Griebnitzsee, den man in seiner Schwärze gar nicht sehen würde, wenn nicht die Sterne sich in ihm widerspiegelten. Vielleicht stampft auch noch mit behäbigem Schnaufen einer der kleinen weißen Dampfer über den See nach Glienicke, und das Rollen eines Eisenbahnzuges verhallt im Wald gegenüber der Straße...

Ich bin hier in Margate-Park, ich bin in der Heimat, und bin auch in unserem Haus in Babelsberg. Ich sehe es, sehe euch ganz deutlich vor mir. Ich höre deine Stimme; du wirst noch spät ganz leise zu Frederic gegangen sein, um nach ihm zu sehen, und du denkst auch in diesen Sekunden an mich – und wieder wäre ich jetzt so gern bei euch. Liebster, ich lege dir eine Rose bei, als Gruß. Ich streiche leise über ihre zarte Blüte – ist es nur die Nacht, die mich so schwermütig stimmt, oder der betörend-betäubende Duft, den auch hier der Flieder in die laue Nacht verströmt? Ich bin wohl müde, will zur Ruhe gehen, nicht mehr denken heute. Schick mir den Jungen. Ich glaube fast, ich brauche sein unbekümmertes fröhliches Lachen. Schärfe aber Miß Turner nochmals besonders ein, daß sie ja gut auf ihn aufpassen soll. Unser Frederic ist neugierig und an allem interessiert. Sie soll ihn auf dem Schiff nicht aus den Augen lassen.

Gute Nacht, lieber, liebster Bob, ich grüße dich innigst

Deine Vicky

*

Telegramm an Lady Victoria v. Hütter, Margate-Park

Abreise Karl-Friedrichs verschoben, weil leicht erkrankt. Kein Grund zur Beunruhigung. Schicke am 9. Miß Turner mit ausführlichem Bericht.

Herzliche Grüße
Bob

*

Margate-Park, 8. 7. 1914

Liebster,

soeben wollte ich zur Bahn fahren, um Frederic abzuholen, als mich dein Telegramm erreichte. Welcher Schrecken! Du kannst dir gar nicht vorstellen, wie unruhig ich bin, was mag Frederic fehlen? Tausend Ängste quälen mich, und am liebsten wäre ich sogleich zu euch gefahren und ließ Mary packen – erst „dad" beruhigte mich etwas, so daß ich nun ungeduldig auf die Ankunft von Miß Turner warte. Was mag er nur haben, unser Junge? „Leicht erkrankt", telegraphierst du – was heißt dies? Willst du mich nur nicht ängstigen, mich auf weit Schlimmeres vorbereiten?

Der gute „daddy" hat es heute schwer mit mir. Ich bin launisch wie ein Kind und jage Mary hin und her. Hat er die Masern bekommen oder nur eine Erkältung, hat er Fieber, muß er im Bett bleiben? Bei jedem Läuten der Torglocke schrecke ich zusammen, bange, daß man mir eine neue Hiobsbotschaft bringen könnte. Ich wünschte, ich wäre jetzt bei euch, wäre nie weggefahren. Aber ich muß warten, zähle die Stunden bis zum Eintreffen der Turner. Wohl zehnmal schon habe ich nach dem Kursbuch geläutet, habe die Überfahrten nachgeschlagen, überlegt, ob ich nicht doch zu euch reisen sollte . . .

Was fehlt ihm, unserem kleinen Frederic? Einen Kuß drücke ich auf dieses Blatt für ihn, wache über ihn, Liebster

Deine Vicky

*

Neubabelsberg, Parkvilla
den 8. 7. 1914

Meine geliebte Vicky,

in Gedanken hatte ich diesen Brief an dich schon gestern abend geschrieben, jetzt stelle ich mir vor, wie du dich nach meinem Telegramm um unseren Jungen geängstigt hast. Jedoch konnte ich dir vor deiner Abreise nach Hull zum Empfang der beiden nicht anders Nachricht geben.

Miß Turner wird dir inzwischen von Karl-Friedrichs Unfall erzählt haben. Der rechte Oberarm ist angebrochen, weiter nichts. Ein Unfall, wie Professor Herting sagt, den jeder richtige Junge einmal in seinem Leben gehabt haben muß. Freilich hat Karl-Friedrich Schmerzen gehabt, und ein leichtes Fieber hatte sich in der ersten Nacht eingestellt. Ich ließ es deshalb zu, daß er zunächst in Hertings Klinik bleibt. Heute früh – ich war selbst schon bei ihm – ist der Junge wieder fieberfrei, und im Laufe des Tages soll der Arm in Gips gelegt werden. Mit der Reise wird er sich aber leider noch einige Tage gedulden müssen.

Wie es zu dem Unfall kam? Der genaue Sachverhalt ist mir aus seinen Erzählungen noch nicht klar geworden, ich mochte gestern auch noch nicht weiter in ihn dringen. Es ist wohl beim Überklettern eines Zaunes geschehen, beim Abspringen ist er wahrscheinlich an einem Draht hängengeblieben und unglücklich gefallen – das Fallen will eben auch gelernt sein.

Doch beruhige dich, es ist wirklich nichts Gefährliches. Er könnte vielleicht schon übermorgen mit dem Gipsverband reisen, wenn ich es nicht, vor allem nach Rücksprache mit Professor Herting, für richtig hielte, ihn solange hier zu behalten, bis die Gefahr einer Komplikation völlig ausgeschlossen ist. Bei aller Hochachtung vor eurem Dr. Baker: Er ist Landarzt, und deshalb lasse ich Karl-Friedrich lieber noch in Obhut von Professor Herting. Du kennst seine Klinik in Grunewald. Dein Sohn ist dort in einem der Einzelhäuser untergebracht und bewohnt ein Zimmer mit Balkon, von dem aus man weit über die Wipfel der Bäume auf die Havel sehen kann.

Liebste Vicky, hab' vielen Dank für deinen langen Brief vom 5. Juli, der mich gestern erreichte. Ich habe ihn heute abend nochmals durchgelesen. Dabei stiegen alle die Eindrücke vor mir auf, die ich bei unserem ersten Zusammentreffen bei dem Gartenfest in Margate-Park gewonnen hatte. Es ist mir, als ginge ich wieder auf die alten, trutzigen Mauern des Hauses zu, als wüchsen mir die dicken Ecktürme, der bezinnte Eingang wieder entgegen. Vor allem aber sehe ich euren schönen Park mit der weiten Rasenfläche vor dem Schloß. Wie gern täte ich es Vetter Percy gleich, um mit dir über die Felder zu reiten, oder auch einmal wieder vor Tau und Tag mit der Angelrute in der Hand am Gatebach auf den Fisch zu warten – aber ich kann im Augenblick nicht verreisen, nicht fort von Berlin. Die Welt ist zu unruhig nach dem Geschehen von Sarajewo. Gerüchte über Gerüchte gehen um, und die Meldungen aus unseren ausländischen Niederlassungen verlangen ständig schwere Entscheidungen. Aufträge werden zurückgehalten, und die Börse schwankt wie im Fieber. Viele Aktien liegen 200 bis 300 Prozent unter dem Vorjahreskurs. Man hat den Eindruck von Angstverkäufen, wie zur Zeit der trübsten Tage der verflossenen Balkankriege – und dies alles, ohne daß sich im Grunde genommen etwas Ernstliches in der Welt der großen Politik ereignet hätte.

Beruhigend wirkt in dieser Situation auf mich nur die Geldflüssigkeit, die ein Zeichen dafür ist, daß die Hochfinanz immer noch die allgemeine Lage nicht bedenklich ansieht. Trotzdem: Es herrscht eine allgemeine Nervosität, als „läge etwas in der Luft", wie man hier zu sagen pflegt.

Um so dankbarer bin ich deinem lieben „dad" – den ich ganz besonders von mir zu grüßen bitte –, daß er die jugendlichen Heißsporne zur Ruhe mahnt. Ich bin völlig seiner Meinung, daß keinerlei Interessengegensatz unsere beiden Völker trennt, daß im Gegenteil England und Deutschland zusammengehören. Denken wir nur an die dynastischen Verbindungen unserer regierenden Häuser. Unter Kaiser Friedrich haben sie bei den Deutschen ein starkes Interesse an England geweckt, und die heutige Generation blickt als Folge der stärkeren Zuwendung zur See mit größter Hochachtung auf die maritimen Leistungen deiner Landsleute. Gewiß gibt es auch bei uns Schreier, und leider nicht nur in einer gewissen Presse. Schon lange sehe ich mit Besorgnis das Treiben des Herrn von Tirpitz, der mit seinem Flottenverein im Ausland einer uns abträglichen Stimmung Vorschub geleistet hat. Es ist schade um diesen intelligenten Mann. Er ist bestimmt einer der fähigsten, den wir in unserer an Köpfen so armen Regierung haben, jedoch steht er auf dem falschen Platz. Hätte er seine immense Arbeitskraft in der allgemeinen Politik auswirken können, hätte er sicherlich andere, weitere Gesichtspunkte erhalten. Aber leider steht er an einer gänzlich untergeordneten Position, und sein Ehrgeiz wirkt sich nun in einer schädlichen Volkspropaganda aus.

Doch, was schreibe ich dir von diesen Dingen! Ich muß fast über mich lachen, gleicht doch dieser Brief eher einem Schreiben, das ich an unsere dortige Vertretung als an dich, an meine Geliebte, richte. Du bist anderes zu hören von mir gewohnt! Dies, was mir zuvor in die Feder floß, sind Männersachen. Immerhin mag es gut sein, auch dich von den hiesigen Ansichten zu unterrichten, zumal ich deinem lieben „dad" in der Hast des Tages nicht besonders schreiben kann. Jedenfalls sei ihm nochmals für sein Eintreten für uns Deutsche gedankt. Er soll versichert sein, daß es hier noch genügend Männer gibt, die genauso denken wie er und ich. Drei Viertel unseres Außenhandels geht nach England, und die industrielle Produktion unserer beiden Länder ist auf dem Wege, sich auf das Glücklichste zu ergänzen..., verzeih, ich verfalle schon wieder in das Geschäftliche. Besser wäre es in diesen verfrühten Hundstagen, man würfe einfach alle seine Sorgen über Bord und ginge auf die See gleich dem Kaiser, der vorgestern seine gewohnte Nordlandreise angetreten hat. Die Nerven bräuchten dringend der Erholung. Die ungewöhnlich frühe Hitze, unter der hier fast der Asphalt der Friedrichstraße glüht, scheint verschiedenen Leuten den Kopf verwirrt zu haben, vor allem den Zeitungsschreibern, die man am besten samt und sonders zum Teufel jagen sollte.

Liebste Vicky, ich habe größte Lust, alles hier stehen und liegen zu lassen, und zu dir zu reisen, lieber heute als morgen. Ich werde sehen, ob ich Karl-Friedrich nicht selbst hinüberbringen kann, vielleicht lassen sich dabei auch einige Tage für mich erübrigen. Du bist jetzt schon in London – ob du mir eine Woche noch in Margate-Park schenken könntest? Es wäre schön, wenn wir beide wieder einmal beim alten Schmied von Lancaster einkehren könnten, wie vor zehn Jahren. Erinnerst du dich noch an das alte Haus, in dem sich schon Shakespeare auf seinen Wanderungen erquickt haben soll?

Ich habe soeben in der Klinik angeläutet, unser Bub ist wohlauf, ich habe auch mit ihm selbst telefonisch gesprochen. Er läßt seine liebe Mutter recht, recht herzlich grüßen und bittet sie zu verzeihen, daß er sie so sehr erschreckt hat. Er will auch jetzt ganz brav sein, um schnell gesund zu werden und um bald reisen zu dürfen. Er hat Sehnsucht nach dir und freut sich auf ein Wiedersehen mit „daddy" und Vetter Ralf. Auch läßt er die Pferde recht schön grüßen und Tom – aber mit dem Reiten wird es in diesem Jahr nichts werden, das habe ich ihm schon gesagt. Er war zunächst traurig, er hat es aber eingesehen – trotzdem, es muß ganz streng darauf geachtet werden, daß er nicht doch noch auf ein Pferd klettert. Ich bitte dich, Miß Turner ganz feste und strenge Anweisungen zu geben, daß sie ihn nicht aus den Augen läßt. Jungen nehmen Ermahnungen und Gebote nicht so genau, deshalb muß darauf geachtet werden, daß nicht aus dieser an sich harmlosen Armfraktur durch einen weiteren Fall oder einen Schlag eine Komplikation auftritt, an der er vielleicht sein Leben lang zu tragen hat. Ich denke dabei nur an den Kaiser, der es zwar überspielt, jedoch sicher noch heute unter seiner kraftlosen Linken leidet.

Aber das brauche ich dir nicht zu schreiben. Wenn du den Jungen wegen deiner Verpflichtungen auch nicht ständig unter deinen Augen hast, Miß Turner, der lange Jim und Tom, es sind alles zuverlässige Menschen, die auf ihn gut achtgeben werden.

Liebste Vicky, sobald er reisen kann, kommt er – nein, kommen wir beide. Bis dahin nur noch ein wenig Geduld. Ich hoffe, du wirst nicht mehr allzu lange auf uns zu warten brauchen.

Wir grüßen dich beide von Herzen. Einen Kuß soll ich dir von deinem Buben senden, ich sollte es nicht vergessen. So tue ich es hiermit über die Weite und grüße dich nochmals

inniglich
Dein Bob

*

London, 15. Juli 1914

Lieber, lieber Bob,

nun bin ich ein wenig ruhiger als in den Tagen zuvor, doch noch immer ist die Aufregung der Stunden in mir, dieser Nachtstunden zwischen dem Eingang deines Kabels und dem Eintreffen von Miß Turner. Nie hätte ich gedacht, daß die Zeiger der Uhr so langsam über das Zifferblatt wandern könnten, so qualvoll langsam. Ich glaube, ich habe fast die ganze Nacht geweint.

Verwundert wirst du den Kopf schütteln: Deine so kühle Vicky – der du oft ein wenig mehr vom rheinischen Temperament deiner Großmutter gewünscht hast – in Tränen? Ja, es ist, es war so. In der Sorge um das eigene Fleisch und Blut, um das eigene, einzige Kind, verliert wohl in der Einsamkeit eine jede Mutter die Beherrschung, und es bleibt nur das bangende Herz...

Am liebsten wäre ich der Turner entgegengefahren, doch konnte ich es unmöglich einrichten. Ich war am gleichen Tag zu einem Tee geladen, an dem auch die Herzogin teilnahm. Ich konnte auf keinen Fall absagen. Ich habe aber Miß Turner von der Victoriastation abgeholt und mir noch auf der Fahrt zu Lady Beaufield kurz berichten lassen. Lady B. gab den Tee in ihrem auf das modernste eingerichteten neuen Stadthause. Ich soll entzükkend ausgesehen haben. Die Herzogin, die mich seit meiner Vorstellung, seit vierzehn Jahren, nicht mehr gesehen hat, sagte mir viel Schmeichelhaftes – nun, du weißt, was mich gelöst sein ließ: deine Nachricht.

Freilich, als Mary mir in der Nacht beim Auskleiden half – es war gestern sehr spät geworden, weil wir noch in der Oper waren (übrigens eine ganz vorzügliche Darbietung des „Figaro“, wie ich sie nicht besser in der Kgl. Oper in Berlin gesehen habe), und mir auch noch einmal von der Turner alles erzählen ließ, wurde ich wieder unruhiger. Ob es die Anstrengungen des Tages waren, ich weiß es nicht: Eine Überreizung der Nerven drohte mich wieder zu überwältigen, und ich fand nur schwer zur Ruhe. Noch im Schlaf quälten mich schreckliche Vorstellungen. Ich sah unseren armen Jungen mit zerschmetterten Gliedern unter einem schroffen Felsen liegen.

Am Morgen übergab mir Parker deinen Brief. Tausend Dank, du Lieber! Während ich mich hier erhole, mußt du dich nun auch noch um Charles-Frederic bekümmern. Als ob du nicht gerade jetzt im Werk genug zu tun hättest! Du schreibst so ausführlich – und doch hätte ich noch tausend und abertausend Fragen. Am liebsten würde ich trotz deiner beruhigenden Zeilen zu euch kommen. Nur drei Stunden sind von hier zur Küste, nur acht dauert die Überfahrt, nur sechs braucht der D-Zug von Hamburg nach Berlin – und ich sitze hier! Heute am Morgen war ich fest entschlossen zu reisen, koste, was es wolle. Ich hatte bereits mit Cook & Son telefoniert und eine Passage für übermorgen von Southampton nach Hamburg (ich wollte vorher noch mit „dad“ in Margate-Park sprechen) bestellt. Nach einer Stunde ließ mir das Büro ausrichten, daß sie für diese Route im Augenblick wegen irgendwelcher Manöver zur See keine Buchungen annehmen könnten. Cook empfahl, über Dover-Calais auszuweichen, aber, ärgerlicherweise ist – im letzten Augenblick fiel es mir noch ein – mein Paß abgelaufen. Außerdem bin ich (fast hätte ich es bei dem eigenen Kummer vergessen) in das Komitee des Wohltätigkeitsbasares für die Errichtung eines Kinderheimes in East gewählt worden. Morgen ist die entscheidende Versammlung. Unmöglich könnte ich ihr fernbleiben, also mußte ich die Gedanken an die Reise aufgeben. Ach, Liebster, wie arm sind wir doch, die wir frei zu sein scheinen, wie gefangen im Kreise unserer Pflichten und Verpflichtungen! Dabei ist es eine sehr große Ehre, die uns mit der Wahl zuteil wurde. Neben der Herzogin, die den Basar leitet, gehören die fünfte Lady Dilburn und Miß Mabel Pearson (von der man in der vorhergehenden season viel sprach und die mit ihren neuen Kinderbildnissen sowie mit ihrer Lyrik berühmt geworden ist) auch zum Komitee. Ich konnte auf keinen Fall absagen, weil man auf mein Urteil bei der Ausgestaltung des Festes – der Basar ist als ländliches Fest am Rhein gedacht – großen Wert legte.

Liebster Bob, du siehst, daß mich die gesellschaftlichen Verpflichtungen, das alte, frühere Leben, wieder völlig eingespannt haben. Doch merkwürdig, manchmal fehlt mir jetzt die Freude daran, und ich sehne mich nach der Stille der Sommermonate, wie wir sie in den letzten Jahren in der Parkvilla genießen konnten. Manchmal sehe ich jetzt in den Einladungen und Vergnügen, selbst in den Empfängen bei Hof, nur noch einen Zwang.

Ich freue mich auf euer Kommen. Nicht nur für eine Woche, du Liebster, will ich mit dir nach Margate-Park gehen – viele, viele Tage mußt du mir und Charles-Frederic dort schenken. Habe keine Sorge um ihn, ich selbst werde ihn dort behüten und seine Genesung überwachen. Kommt! Kommt Ihr beide! Kommt so bald wie möglich, kommt sogleich, daß ich Euch in meine Arme schließen kann.

Ich küsse dich, ich grüße meinen lieben, lieben kleinen Jungen
Deine Vicky

NB. Ein Briefchen für ihn lege ich noch ein.

*

Berlin, 23. Juli 1914

Liebste Vicky,

ganz in Eile schreibe ich, um dir für deine Zeilen vom 15. Juli zu danken. Ich hatte gehofft, am morgigen Freitag mit Karl-Friedrich reisen zu können – wie sehr hatte ich mich darauf gefreut, daß du mit uns nach Margate-Park gehen wolltest –, aber, ich darf, ich kann im Augenblick hier nicht fort.

Ich bin gehetzt, sitze schon um neun Uhr in der Verwaltung. In einer Viertelstunde beginnt die Sitzung der Abteilungsleiter. Ich weiß, im Vorzimmer steht schon der Sekretär mit den eiligsten Telegrammen, und Fräulein Neumann ist bereit, sich mit der Frühpost einzuschalten, wenn nicht die gute Malzahn wäre und ihnen den Zutritt zu mir hindern würde. Ich hab' ihr gesagt, daß ich wenigstens diese eine Viertelstunde am Morgen für mich persönlich haben will, für dich und mich.

Liebste Vicky, der Arm Karl-Friedrichs ist soweit abgeheilt, daß ihn Professor Herting ohne Bedenken reisen lassen kann, zumal du selbst seine weitere Genesung in Margate-Park überwachen willst. Wie hatte ich mich auf unser Zusammensein in eurem alten Haus gefreut, wie gern wäre ich morgen zu dir gefahren! Im Gedanken daran werden mir die Stunden hier fast zur Qual. Aber im Augenblick kann ich nicht fort und muß die Abreise nochmals verschieben. Alle Welt wartet voller Spannung auf die Note Österreichs an Serbien, die heute in Belgrad überreicht werden soll. Die Börse ist in Hochspannung, und allgemeine Unschlüssigkeit beherrscht die Stimmung. Ich habe dringende Entscheidungen über Verkäufe auf dem Balkan zu treffen, Angebote wegen der Übernahme von Arbeiten an den türkischen Bahnen sollen raus – und dabei ist die Stimmung der Presse in Petersburg und Paris, ja selbst bei uns in Berlin, nicht so, daß man sie unbeachtet lassen könnte. Schon zeichnet sich am politischen Himmel fast unverkennbar ein Übergreifen des Streites Österreich/Serbien auf die Großmächte ab. Die Nachrichten unserer Geschäftsfreunde sind alles andere als beruhigend – ich kann nicht fort, in dieser Situation ist meine Anwesenheit im Werk dringender als je.

Doch ich hoffe, daß die Veröffentlichung der Note eine Entspannung bringen wird, daß danach der Blick wieder klarer wird und wir reisen können. Auf Wiedersehen bald, ich muß schließen. Vor der Tür höre ich Stimmen, die Malzahn kann meine Peiniger nicht mehr zurückhalten. Ich höre ihr diskretes Räuspern, mit dem sie sich beim Öffnen der Tür stets bemerkbar macht. Auf Wiedersehen, Liebe Vicky – was sind wir „Großen" doch geplagte, arme Geschöpfe! Wäre ich einer meiner Beamten, ich würde jetzt fröhlich meine Urlaubsgratifikation in die Tasche stecken und meine Koffer packen und mich den Deut um die Note aus der Hofburg in Wien kümmern, aber so...

Auf Wiedersehen. Aufgeschoben ist nicht aufgehoben, sagt hier ein Sprichwort. Ich grüße Dich allerherzlichst

Dein Bob

*

London, 25. 7. 1914

Liebster,

wie erfreut war ich über Deine eiligen Zeilen – und wie enttäuscht! Heute könnte ich an der Pier von Hull stehen, könnte nach der Princess Vanessa ausschauen, wie sie sich aus der Ferne langsam in den Hafen schiebt, könnte die hohe Bordwand mit meinen Augen abtasten, bis ich Euch sehe, Euch beide, die Ihr ganz vorne an der Reling steht und mir zuwinkt. Ich höre den fröhlichen Willkommensgruß unseres Frederic, sehe Dein ernstes Gesicht, überstrahlt von der Freude des Wiedersehens – und nun muß ich wieder warten! Warten, immer wieder warten. Wären nicht meine Tage hier mit gesellschaftlichen Verpflichtungen übervoll ausgefüllt, ich glaube, ich hielte es nicht aus und würde Euch heute noch entgegenfahren, und sei es nur bis Hamburg.

Wann wirst Du nun kommen können? Es ist schrecklich, diese Spannung überall. Auch hier spürt man die Nervosität. Trotzdem war unser Basar ein ganz großer Erfolg. Der Herzog und die Herzogin nahmen an der Eröffnung teil, sie waren sehr huldvoll zu mir und fanden viele lobende Worte über das

Arrangement. Das Fest war auch wirklich sehr nett, und es wird ohne Zweifel eine große Summe für das Kinderheim zusammengekommen sein. „Dad“, der mich begleiten wollte, wurde in letzter Minute abberufen, auch Vetter Percy ist nicht mehr auf Margate-Park. „Dad“ hat mit seiner Partei zu tun, hat dauernd Sitzungen, und Percy ist wieder auf irgendeinem Schiff. Er schreibt sehr vergnügte Karten.

Ach, diese dumme Politik! Was hat sie nur mit dem Geschäft zu tun? Waren und Maschinen brauchen die Menschen doch überall, ob sich nun fern auf dem Balkan einige Paschas streiten oder nicht. Man sollte sie sich einfach austoben lassen, sich nicht um sie kümmern. Freilich, ein Verbrechen, wie der Mord an dem Thronfolger, muß gesühnt werden. Das schreibt auch die Pall Mail Gazette, „daddy“ zeigte sie mir noch am Abend. Sie schreibt, daß Österreich berechtigt wäre, strikte Erfüllung der Versicherung zu verlangen, daß Serbien alle Keime der Verschwörung gegen fremde Staatsoberhäupter austritt. Diese Meinung teilen wir voll und ganz. Wohin soll es führen, wenn die gekrönten Häupter Freiwild für jeden Fanatiker oder Verbrecher würden? „Daddy“ meint auch, daß Gesetz und Ordnung in der Welt erhalten bleiben müssen, sonst gehe sie aus den Fugen. „Recht muß überall Achtung verschafft werden, gegen jeden ...“ Als ich dies in meiner Empörung sagte, nickte er: „Freilich, dear Vicky“, und er strich mir dabei über mein Haar, ganz so, wie er es getan hat, als ich noch als kleines Mädchen zu ihm aufgeblickt habe, „freilich, es müßte ... doch“, mit einem Seufzer setzte er hinzu, „was ist Recht? Recht ist immer subjektiv, immer stets das, was einem in den Kram paßt.“

Ich verstand ihn nicht ganz, mochte jedoch nicht weiter fragen, weil mich die ganze Politik nur langweilt, und mich im Augenblick nur deshalb interessiert, weil sie jetzt Eure Abreise verzögert. Aber „dad“ meinte auch, als ich ihm Deinen Brief vorlas und ihn fragte, was er von der politischen Lage halte, es sei eine Entspannung zu verspüren, obwohl Rußland und Frankreich dem Anschein nach gegen die Forderungen Österreichs an die Serben seien.

Mögen sie tun, was sie wollen. Was geht mich, was geht uns das an? Ich habe heute Mary mit dem Frühzug nach Margate-Park geschickt, um nachzuschauen, ob die Zimmer für Dich und Charles-Frederic auch wirklich bereit sind. Parker wird entrüstet sein, ebenso Miß Anne – ich weiß, ich kann mich auf sie verlassen, aber ich mußte etwas tun für Euch, um meine Unruhe zu betäuben, etwas Liebes tun, für Euch beide.

Ich habe Sehnsucht nach Euch, ich küsse Euch ganz, ganz zärtlich

Deine Vicky

*

Berlin, 27. 7. 1914

Liebste Vicky,

ich weiß fast nicht mehr, wo mir der Kopf steht. Kaum kann ich Zeit finden, Dir für Deinen Brief vom 25. zu danken. Die Ereignisse nach der Veröffentlichung der österreichischen Note überstürzen sich, so daß ich schweren Herzens vom Gedanken, den Jungen selbst hinüberzubringen, Abstand nehmen muß. In absehbarer Zeit kann ich hier nicht fort, sende deshalb sofort Miß Turner, daß sie ihn abholt.

Liebste, mir ist, als sei ich wieder ein Schulbub, ich möchte losheulen vor Wut und Enttäuschung, weil ich nicht zu Dir reisen kann. Aber es geht nicht, das Werk braucht mich. Vielleicht, daß sich die Lage wieder beruhigt, wie 1912, daß ich dann fahren kann. Dann aber – das verspreche ich Dir – nicht nur für ein paar Tage! Diese Wochen jetzt kosten Nerven gleich Jahren und sind eine Erholung wert.

Ich habe kaum Zeit, um mir aus den sich widersprechenden Meldungen der Zeitungen ein richtiges Bild von der allgemeinen politischen Lage zu machen. Rußland scheint jedoch fest entschlossen zu sein, Serbien in der Ablehnung der österreichischen Forderungen zu unterstützen, und aus Paris kabelt unser Vertreter, daß Frankreich Rußland den Rücken stärkt. Man spricht von der Einberufung russischer Reservisten und bringt sie in Verbindung mit den Gesprächen, die der französische Staatspräsident Poincaré bei seinem soeben beendeten Staatsbesuch in Petersburg geführt hat. Der Reichskanzler ist aus seinem Urlaub nach Berlin zurückgekehrt – wir stehen als Bundesgenossen Österreichs vor sehr schweren politischen Entscheidungen. Danach sah auch die heutige Börse aus. Sie zeigte eine fast panikartige Deroute. Auch unsere Aktien wurden in den allgemeinen Kurssturz mitgerissen. Ich möchte Dich nicht beunruhigen (man soll den Teufel nicht an die Wand malen), jedoch deutet die ganze Situation darauf hin, daß sich diesmal die Streitigkeiten nicht mehr nur auf den Balkan lokalisieren lassen.

Ich muß abbrechen. Gebe Gott, daß wenigstens noch einige der Staatsmänner in den Hauptstädten Europas einen klaren Kopf behalten. Schicke die Turner nicht über Calais. Sie könnte bei der allgemeinen Verwirrung an den Grenzen Schwierigkeiten haben, laß sie via Hamburg fahren.

Wie gern hätte ich Dich jetzt bei mir!
Viele, liebe und ganz herzliche Grüße

Dein Bob

*

Telegramm aus London an Herrn v. Hütter, Berlin-Babelsberg vom 28. Juli 1914

Miß Turner heute via Hull abgereist. Eintreffen Hamburg 29. früh 6 Uhr. Drahte rechtzeitig Abreise Frederics.

Es grüßt herzlich

Victoria

*

Telegramm aus Berlin an Miß Victoria v. Hütter, London vom 30. Juli 1914

Abreise Karl-Friedrichs am 2. August auf Dampfer Princess Vanessa gebucht. Frühere Passage unmöglich, alles schon ausgebucht. Sehe schweren Herzens auf allgemeine Lage. Unsere einzige Hoffnung ist England. Grüße dad.

Viele sehr liebe Grüße auch an Dich
Dein Bob

*

Als der Tag der Abfahrt kam, war der Krieg zwischen Rußland–Frankreich und Deutschland schon erklärt. Das Schiff lief nicht mehr aus. Die Familie blieb getrennt – für vier lange Jahre.

3. Buch

Krieg

Müller, unser Held

Als am 28. Juli 1914 Österreich-Ungarn Serbien den Krieg erklärt hatte und die Masse der Berliner Ferienreisenden an Ostsee und im Harz überstürzt die Koffer packte, hatte auch Herr Suchefad nach Trempin telegraphiert und die vorzeitige Rückkehr seiner Kinder aus den Ferien angeordnet. Die Mutter würde sie, so las es Onkel August am Morgen des 30. Juli den Kindern vor, am Freitag, dem 31., mittags auf dem Anhalter Bahnhof in Berlin erwarten.

Telegramme bringen, so jammerte die gute Großmutter, nie etwas Gutes. Sie lief hin und her, suchte die Sachen der Jungen zusammen und verlegte sie wieder, bis die Tante Marte sie begütigend in die kleine Küche schob und Ordnung schaffte. Sie packte ihre Rucksäcke und brachte sie in der Frühe des nächsten Tages zur Bahn.

Die Züge waren überfüllt, und alle Reisenden sprachen nur vom Krieg, ob er nun auch nach Deutschland kommen würde. Die Kinder sahen viele Soldaten auf den Bahnhöfen, besonders in Jüterbog fiel ihnen geschäftiges Treiben auf. Vom nahen Schießplatz kommend, wurden hier viele Geschütze verladen. Aufmerksam verfolgten es beim Halt die in den Waggons zusammengepreßten Menschen. Einer der Reisenden hatte die neueste Ausgabe der Nationalzeitung und las seinen Nachbarn aus dem Leitartikel vor. Ehrhardt konnte die fettgedruckte Überschrift lesen, „Gefahr im Verzug" stand dort. Im Rattern der Räder hörten die Kinder einige Sätze:

> „... und dennoch geht es von Mund zu Mund (der Mann machte eine Pause, um dann mit lauterer Stimme fortzufahren): Lieber ein schreckenvolles Ende der unerhörten Spannung, die seit Jahren auf der Welt lastet, als jener unerträgliche Druck ungewisser und unsicherer Verhältnisse, der seit dem Balkankrieg auf der Welt lastet. Keiner ist erschreckt über die Gerüchte von Mobilisierung... (die folgenden Worte gingen wieder im Geräusch des fahrenden Zuges

unter, dann hörten die Jungen weiter) ... den Deutschen liegt die Kriegslust wahrhaftig fern. Aber dieser Schrecken ohne Ende zehrt an seinem kulturellen, wirtschaftlichen und nationalen Mark. Man will hier endlich seine Ruhe haben ..."

„Stimmt", mischte sich ein anderer Mann ein, „stimmt haargenau, mitten aus den Ferien holen sie einen heraus." Der Lesende nickte ihm zu und fuhr danach fort:

> „Man will nicht täglich bedroht sein durch politische Unterströmungen jenseits der Ost- und Westgrenzen. Wenn Rußland und Frankreich mobilisieren – wir können es auch! Wir Deutsche fürchten Gott und sonst nichts auf der Welt!"

„Bravo", rief der andere Mann, „sehr richtig", stimmten weitere Mitreisende zu. Die offensichtliche allgemeine Zustimmung ließ den Zeitungsbesitzer weiter laut vorlesen: „Hören Sie, hier über Frankreich:

> ... weiß es, was es unternimmt? (er überschlug murmelnd einige Sätze, um dann wieder laut vorzulesen) Unfertig gerüstet – hat es die Belagerung von Paris vergessen ... (das Rattern der Räder verschlang erneut einige Sätze des Mannes) ... 5 Milliarden, die sie den Russen jetzt gegeben haben, sie sind verscherzt ..."

„Hah, das ist herrlich", hörten sie den Mann jetzt sagen, „hören Sie:

> An Frankreich wird sich Deutschland diesmal schadlos halten, diesmal geht's nicht wie 71 mit 30 Milliarden ab, diesmal mißt man mit einem anderen Maß! Die heilige Mutter Gottes von Lourdes wird viel zu tun haben, wenn sie, die Wundertätige, all' die Knochen wird heilen müssen, die jenseits der Vogesen unsere Soldaten den armen Leuten zerschlagen werden. Armes Frankreich!!"

„Bravo, bravo", kommentierten die Mitreisenden, „denen werden wir's schon geben ..."

Die Frauen im Abteil hatten, ohne sich in die Unterhaltung einzumischen, aufmerksam zugehört. Jetzt blickte eine aus dem Fenster: „Ach, wir sind ja gleich da", sagte sie, „schon Groß Lichterfelde, wir können uns fertigmachen. Aber interessant war's zuzuhören. Unterwegs erfährt man immer was Neues." Alle waren plötzlich in Eile.

Als der Zug in die große Halle des Anhalter Bahnhofs einfuhr, standen sie schon mit Gepäckstücken in der Hand zum Aussteigen bereit. Mit gegenseitigen guten Wünschen hatte man sich voneinander verabschiedet. Es war eine angenehme Reisegesellschaft gewesen, eine nette Gemeinschaft, wie sie sich leicht auf einer gemeinsamen Fahrt bildet, und in der mancher ein freieres Wort auch über persönliche Dinge als im vertrauten Kreise spricht. Da sich nun die Waggontüren geöffnet hatten, zerbröckelte die Gemeinsamkeit wieder in Einzelne mit ihren individuellen Freuden und Sorgen, die sie nun eilends ihrem Ziel entgegentrieben.

Auf dem Bahnhof herrschte Aufregung. „Beeilung beim Aussteigen, bitte", riefen Bahnbeamte. Ein Extrazug würde erwartet, konnte man von einem Vorüberhastenden erfahren. Man müsse sehen, wie man die vielen Ferienreisenden nach Berlin zurückbringe, morgen würden vielleicht nur noch Militärzüge fahren. „Die Reisenden werden gebeten, den Perron so schnell wie möglich zu räumen."

Während sich die Masse der soeben angekommenen Menschen vor der Ausgangssperre staute, wurde der Personenzug schon von einer Rangiermaschine aus dem Kopfbahnhof herausgezogen. Die abgekoppelte Maschine dampfte langsam hinterdrein, dem Schuppen zu. Die Jungen waren am Ende des Bahnsteiges stehengeblieben, sie hatten sich auch diesmal nicht diese Endphase ihrer großen Ferienreise entgehen lassen. Sie hatten zugesehen, wie der Lokomotivführer um seine Maschine herumgegangen war und die Hand an die Mitte jedes der fast zwei Meter hohen Räder gelegt hatte, wie sie wußten, um zu prüfen, ob eine der Achsen heißgelaufen sei. Sie hatten den Heizer beobachtet, der mit dem langen Schüreisen die Feuerbuchse entschlackte, und standen nun als fast die letzten Reisenden vor der Sperre.

„Siehst du Mutter?" fragte Karl-Wilhelm, „nein, noch nicht." Erhardt als der größte von ihnen reckte sich, „doch, jetzt – aber Vater ist da!"

„Vater, nicht Mutter?" Karl-Wilhelm und Gero fragten erstaunt zurück. Noch niemals hatte der Vater sie abgeholt, hatte dafür bisher nie Zeit gehabt. „Wo ist Mutter?" Alle drei dachten, während sie sich langsam der Sperre entgegenschoben, bangend an sie.

Jetzt hatte der Vater sie entdeckt, er winkte, rief ihre Namen und drängte sich durch die Menschen bis dicht an das Knipserhäuschen: „Da seid ihr ja, Gott sei Dank!

Kommt hier raus... diese Enge!“

Er faßte Gero an die Hand und zwängte sich, nachdem er sich mühsam in der Menge umgedreht hatte, durch die Ankommenden und die sie Erwartenden. Als sie einen freien Raum erreicht hatten, fragte Karl-Wilhelm zaghaft: „Und Mutter, Mutter wollte uns doch abholen, ist sie... krank?“

„Nein, sie ist gesund, ihr fehlt nichts. Ihr braucht keine Angst zu haben. Ich hatte in Berlin zu tun... deshalb bin ich heute hier.“ Der Vater sprach lebhafter als sonst. Er war gar nicht streng und musterte auch nicht ihr Äußeres, an dem er sonst stets etwas auszusetzen hatte. Erstaunt bemerkten seine Jungen an ihm heute etwas Kameradschaftliches, etwas wie jugendliche Abenteuerlust schien ihn erfaßt zu haben.

„Sind eure Rucksäcke schwer?“ fragte er jetzt und hob prüfend Karl-Wilhelms Rückenlast an. „Nun, das geht“, stellte er fest. „Dann wollen wir erst noch Unter die Linden, vielleicht hört man dort noch was Neues. Wir fahren dann mit der Stadtbahn von Friedrichsstraße nach Hause.“ Er trat mit den Kindern vor die große Eingangsfront des Bahnhofes, winkte eine Pferdedroschke heran und nannte das Fahrziel, den Bahnhof Friedrichstraße.

„Is wat los, heute, in Balin“, sagte der Kutscher beim Aufsteigen auf den Kutschbock, „det jibs nich alle Dage. Wolln'se wat sehn oder direkt fahr'n.“

„Wir haben Zeit“, sagte Herr Suchefad, „Sie können einen kleinen Umweg machen.“

„Jut, Herr“, antwortete der Kutscher und setzte hinzu: „Hätten jestern kommen missen, da war 'n Rummel, als se de Extrablätter mit der Mobilmachung von'n Lokalanzeijer verteilt ham.“

„Die Nachricht wurde noch am Abend widerrufen“, entgegnete Herr Suchefad.

„Jenau“, nickte der Kutscher, sich kurz umdrehend, „am Abend war allens wieder nischt, aba heute, heute is' wat los! Die Annern machen Remmidemmi. Wat die nur von uns woll'n, de Russen und Franzosen – wir ha'mse doch nischt nich jetan! – Na, denn los man, Liese, mal seh'n, ob wa zum Schloß kommen.“

Sie fuhren über die Anhalter- und die Kochstraße, querten die Friedrichstraße und bogen in die Charlottenstraße ein. In ihr war der Verkehr etwas ruhiger. Als die Droschke jedoch bis zur Kreuzung mit den Linden gekommen war, mußte der Kutscher halten. Hier standen die Menschen Kopf an Kopf, Männer in Arbeitskleidung neben Schaulustigen in gepflegten, leichten Sommeranzügen. Auch Frauen in eleganter Garderobe hatten sich unter die Menge gemischt. Aus der erhöhten Sicht des Wagens wogte unter den Suchefads ein Meer von Hüten, in dem wie hellgelbe Blumen die flachen Stohhüte der Herren (Kreissägen nannte sie der Volksmund) und wie einsame vielfarbene Inseln große Federhüte der Damen schwammen. Schutzleute bemühten sich, die Fahrbahnen der Straße Unter den Linden freizuhalten.

Es war gegen drei Uhr nachmittags, als sich vom Brandenburger Tor her brausende Hochrufe in der Menge bis zu den Wartenden fortpflanzten. Jubelnd hatten die Menschen Hüte und Mützen emporgerissen: Der Kaiser war, von Potsdam kommend, in Berlin eingetroffen. Jetzt fuhren die gelben kaiserlichen Automobile langsam die Linden hinauf. Im ersten offenen Wagen saß der Kaiser, in die Uniform der Gardeducorps gekleidet. Unermüdlich hob er dankend die Hand zum Gruß an den Adlerhelm. An seiner Seite saß die Kaiserin. Im zweiten Wagen fuhren der Kronprinz und die Kronprinzessin, zwischen ihnen sah man ihren ältesten Sohn, den künftigen Trhonfolger. Es folgten in weiteren Wagen die Kaisersöhne August-Wilhelm und Adalbert, Angehörige des Hofstaates und Militärs.

Kopfschüttelnd hatte sich der Droschkenkutscher zu seinen Fahrgästen umgedreht: „Ham'se det jeseh'n? Is doch nischt mit den ollen Stinkerkasten, war doch ville scheena, wenn er mit 'n Viererzuch jefahren kam, oder uff's Pferd und hinter sich alle Jeneräle – det sah anners aus!" Er schüttelte wieder mißbilligend den Kopf und sah dann, auf freie Fahrt wartend, wieder geradeaus.

Auf dem Dach des Schlosses stieg jetzt die Kaiserstandarte am Fahnenmast empor. Der Kaiser war dort angekommen. Die Menschen strömten zum Lustgarten, standen bald Kopf an Kopf vor dem Schloß.

„Deutschland, Deutschland über alles . . .", gesungen aus Tausenden von Kehlen tönte es von dort zu den Wartenden hinüber, ein nicht endenwollendes, jubelndes Hurra-Rufen folgte.

„Jetzt steht Willem uff'n Balkon, her'ne Se's – schade, da komm wa nich mehr hin, is zu dicke, zu full. Woll'n Se nu zur Friedrichstraße?"

Suchefad bejahte. Zwar wäre er gern ausgestiegen, um auf dem Lustgarten dabei zu sein. Der Kinder wegen verzichtete er aber darauf, und der Wagen schob sich langsam durch die Menschen zum Bahnhof.

„Also: Jesehn ham Se wat, nich?" meinte der Kutscher, „ick sach's ja, in Balin is' wat los, heute. Willem wird woll noch öfters uff'n Balkon raus missen." Mit einem „Dank auch scheen, ick winsch Se jute Weiterfahrt mit de Herren Seene" hatte er den Fuhrlohn entgegengenommen und mit einem Blick auf das reichliche Trinkgeld zum Abschied mit der Rechten an den Rand seines blanken Zylinderhutes getippt.

Suchefads waren auf den Bahnsteig gegangen und mit dem aus Erkner kommenden Potsdamzug nach Haus gefahren. Aufatmend hatte die Mutter – sie war schon wegen des langen Ausbleibens ihres Mannes in Sorge – die Jungen in ihre Arme genommen. Sie waren recht müde. Trotzdem quälten sie die Eltern, sie noch auf die Straße gehen zu lassen. Soldaten waren da. Sie waren nicht mehr in die vertrauten blauen, sondern in feldgraue Uniformen gekleidet und hatten feldgraue Überzüge über den Pickelhauben. Sie hatten ein Biwak im Wäldchen an der Chaussee nach Wannsee zwischen den beiden beschrankten Übergängen über die Wetzlarer- und die Stadtbahn bezogen. Die Schrankenbäume blieben geschlossen, keiner wurde ohne Kontrolle durchgelassen. Die Soldaten sollten Spione fangen, hatte ihnen Franz, den sie beim Biwak trafen, zugeflüstert, vor allem aber Goldautos, die französischen Automobile, die mit Gold beladen auf der Fahrt nach Rußland wären. Sie besahen alles, die neuen Uniformen der Soldaten, wie sie Zelte aufschlugen, sich über kleinen Feuern in ihren Kochgeschirren Erbswurst zubereiteten, sie blieben so lange, bis es nichts mehr zu sehen gab.

„Wir müssen nach Hause, es wird schon dunkel", drängte Karl-Wilhelm die Brüder, „sonst schimpft Vater."

„Ja", erwiderte Ehrhardt, „aber bleiben wir noch ein bißchen, bloß zehn Minuten, vielleicht kommt doch noch einer." Allzugern hätte er gewußt, wie man einen Spion fängt. „Vielleicht ist das da einer."

„Wo, wer?" fragten die anderen Jungen aufgeregt.

„Der da, auf dem Fahrrad, der eben absteigen muß. Der mit dem langen schwarzen Rock – sieht aus wie ein Russe."

„Wat, der?" hellachend fragte Franz zurück, „der, det is' doch den Pasta sein Jehilfe aus Wannsee, den lassen' se loofen."

Er durfte passieren, auch alle anderen Fußgänger und Wagen. Kein Spion tat ihnen an diesem Abend den Gefallen, in Kohlhasenbrück Geheimnisse auszukundschaften, und auch kein Goldauto fuhr über die Schranken. Es war schade, sie mußten nach Hause.

Als sie daheim die Treppe hinaufhasteten, kam ihnen der Vater ausgehbereit entgegen.

„Wo bleibt ihr denn nur, ich hab' schon zweimal gepfiffen, es ist schon spät", knurrte er sie an, ohne sich jedoch aufhalten zu lassen. Er wollte in das Restaurant gehen, um dort noch Neuigkeiten zu erfahren.

In Greifs Kaffeegarten waren schon viele Kohlhasenbrücker, fast nur die männlichen Bewohner des Ortes, versammelt. In der warmen, anbrechenden Sommernacht hatte Herr Greif für sie Gartentische zu einer langen Tafel zusammengeschoben. An ihr saßen sie, die gefüllten Bierseidel vor sich, und redeten aufgeregt über die Geschehnisse des Tages. Viele von ihnen hatten am Nachmittag in Berlin von der Ankunft des Kaisers gehört, einige ihn sogar gleich Suchefad auf der Fahrt ins Schloß gesehen. Man erging sich in Vermutungen über die kommende Entwicklung, als sich, ein Zeitungsblatt in der erhobenen Hand schwenkend, Druckereibesitzer Feilchen dem Tisch näherte.

„Bin eben mit dem Vorortzug aus Berlin gekommen", rief er noch ganz außer Atem, „jetzt geht's los!"

„Was", alle waren aufgesprungen, „vorlesen!" riefen sie und machten für Feilchen am Kopf des Tisches einen Stuhl frei. Er setzte sich und las:

Zustand drohender Kriegsgefahr

Berlin, 31. Juli. (Meldung des Wolff'schen Telegraphischen Bureaus.) Aus Petersburg ist heute die Nachricht des deutschen Botschafters eingetroffen, daß die allgemeine Mobilmachung der russischen Armee und Flotte befohlen worden ist. Darauf hat der Kaiser den Zustand der drohenden

Kriegsgefahr befohlen. Der Kaiser wird heute nach Berlin übersiedeln.
Der Kaiser hat auf Grund des Artikels 68 der Reichsverfassung das Reichsgebiet ohne Bayern in Kriegszustand erklärt. Für Bayern ergeht die gleiche Anordnung."

„Dann heißt es hier weiter", Feilchen hatte einen Augenblick das Blatt sinken lassen:

„Nachdem Seine Majestät bereits am frühen Nachmittag vom Balkon des Schlosses zum Volk gesprochen hatte, erschien er am Abend nochmals auf demselben und rief unter dem unbeschränkten Jubel der Berliner: ‚Ich danke euch für die Liebe und Treue, die mir erwiesen werden. Wenn es zum Kampfe kommt, hört jede Partei auf, wir sind nur noch deutsche Brüder..."

„Hurra, Hurra", eine kräftige Männerstimme ließ sich vom Gartenzaun her vernehmen. Hinter dem Rufenden hatten sich einige Personen zusammengefunden, Dienstmädchen, Handwerker von der „Eule", um auch etwas von den erregenden Neuigkeiten zu erfahren. Feilchen hatte etwas unwillig über die Unterbrechung aufgeblickt, dann aber blitzschnell die Situation erfaßt: „Das, der Rufer, das war ja der Müller, der ‚Rote Müller' – der hatte Hurra gerufen, der war ja ein Patriot! ‚Ich kenne keine Parteien mehr'", hatten Majestät gesagt...

„He, Müller, Herr Müller", Feilchen ruderte einladend mit seinen Armen zum Zaun, „kommen Sie rein, Müller, und Sie auch, Kobel (er hatte unter den Zuschauenden am Zaun auch den Kutscher von Weinhändler Schulze entdeckt), setzen Sie sich zu uns, wir wollen einen zusammen trinken, sind doch alle nur noch Deutsche."

Ein wenig zögernd waren die beiden der Einladung gefolgt und in den Lichtschein der Gartenleuchten an den Tisch getreten, dort hatte man ihnen bereitwilligst Stühle inmitten der Runde freigemacht. Nun saßen sie, ein wenig befangen noch, zwischen den wohlhabenden Bürgern, die ansonsten für ihren Gruß nicht viel mehr als ein Nicken des Kopfes übriggehabt hatten.

Amüsiert beobachtete vom unteren Tischende Dr. Lyra die Szene. Er war Musikwissenschaftler, ein feiner Kopf. „Alle Menschen werden Brüder...", er summte die Stelle aus Beethovens Neunter vor sich hin, die Finger seiner Rechten spielten die Melodie auf der Tischplatte.

Alle, die hier saßen, waren Männer in den besten Jahren, jedoch nur einer außer Müller war Soldat gewesen, ein gewisser Herr Lau. Lau, ein älterer Mann, war erst kürzlich im Ort ansässig geworden. Er war Kapitulant gewesen, hatte zwölf Jahre gedient und danach eine Anstellung als kleinerer Beamter erhalten. Er paßte nicht recht in den Kreis der gutsituierten Villenbesitzer, auch nicht mit seinem zweistöckigen Mietshaus, das er mit Hilfe einer Erbschaft seiner Frau und vielen Schulden neben die Villa des Kunstmalers Bonhold gesetzt hatte. Alle anderen hatten nicht gedient. Das kaiserliche Deutschland hatte Männer genug für Armee und Flotte, und nur die körperlich kräftigsten wurden gemustert. Müller war Reservist, gehörte zur deutschen „schimmernden Wehr", Müller war jetzt einer „unserer" Helden. Und im Feiern der Helden und in Heldenfeiern verstanden sich die damaligen Kohlhasenbrücker. Von allen Seiten prosteten sie Müller zu. Man war in Stimmung gekommen, und die wenigen Damen, die ihre Männer zu dem abendlichen Umtrunk begleitet hatten, hielten es für geraten, nach Hause zu gehen (nicht ohne dem Ehegatten ein „nicht zu spät" zugeflüstert zu haben).

Nach ihrem Fortgang war man en famille. „Meine Herren, Marscherleichterung", kommandierte Bonhold und zog seinen Überrock aus. Ihm war in der warmen Sommernacht und vom reichlichen Trinken warm geworden. Jetzt erst ließen sich die rechten, kernigen deutschen Worte sagen. Dieser und jener erhob sich zu einem Trinkspruch auf das deutsche Vaterland. Herr Feilchen hatte Champagner kommen lassen (eine deutsche Marke; damals, vor dem Ersten Weltkrieg, durften auch die Deutschen ihren Schaumwein noch Champagner nennen), und er hatte mit Müller angestoßen. (Müller hatte bisher noch niemals Champagner getrunken.)

„Was, das schmeckt?" hatte Feilchen gefragt. „Ja", hatte Müller geantwortet, „schön kühl, wie Selterswasser", und hatte das Glas auf einen Zug geleert. danach hatte er wieder zu seinem Bier gegriffen – es war herrlich heute abend, noch niemals war er in so angenehmer Gesellschaft gewesen. Er war, das wußte er nun auch selbst, er war ein Held. Er würde schon das Vaterland verteidigen. „Siegreich woll'n wir Frankreich schlagen..." begann er zu singen. Aber alle anderen Herren wollten dies auch und prosteten sich wieder zu.

„Das Lied hat aber nicht geklappt“, meldete sich Herr Lau zu Wort; in einen Kasernenhofton verfallend, kommandierte er: „Nochmal, drei, vier, ein Lied.“

„Was, Herr, Sie woll'n hier mitreden“, gereizt fuhr ihn der Kaufmann Haferlund an. „Sie sind doch gar kein Soldat mehr. Hier, unser Freund Müller, er hält die Fahne hoch, verteidigt Weib und Kind, der wird die Franzosen schlagen, nicht wahr, Müller?“

Müller nickte: „Jawoll, immer feste druff.“

„Erlauben Sie, Herr Haferlund, ich war zwölf Jahre Soldat.“

„Ach, was sind Sie schon, Sie . . . Sie Zwölfender“, alle Überheblichkeit des Bürgertums sprach aus den Worten Haferlunds.

„Herr!“

Lau drängte zum Stuhl des Kaufmanns, seine Fäuste waren geballt. Haferlund blickte jedoch nicht einmal auf, gleichgültig sagte er: „Sind Sie denn überhaupt satisfaktionsfähig, Herr? Sie interessieren mich nicht, ärgern mich nur mit ihrem blöden Kasten, mit dem Sie unsere Kolonie verschandelt haben. Lassen Sie mich in Ruhe.“

Damit trank er sein Bier aus und schwieg.

Lau hob die Hände, er war rasend vor Wut, wollte zuschlagen. Nun hatte es ihm einer dieser Satten und Feisten in das Gesicht gesagt, daß man ihn hier nicht angenommen hatte, ihn nicht als seinesgleichen betrachtete, ihn nicht annehmen wollte. Er hatte die Ablehnung vom ersten Tage an gespürt. Zuschlagen wollte er, ein Fluch lag ihm auf der Zunge. Zufällig hob er den Blick, streifte den Gartenzaun, sah in der Nacht in die Augen seiner Frau. Plötzlich überkam ihn Ernüchterung: Er hatte getrunken, die fälligen Zinsen für die Hypothek waren dahin. Es gab Krieg, schon hatten die Sommergäste aus der ersten Etage gekündigt; es gab Krieg, aber die Schulden blieben. – Er nahm seinen Hut und ging ohne Gruß.

Hinter ihm erklang lautes Lachen. Soeben hatte die Runde Müller auf einen Stuhl geholfen, auf ihm stehend hielt er die erste Rede seines Lebens: „Auf den Kaiser, auf das Vaterland“, rief er (seine Stimme war nicht mehr ganz sicher) „Prost Kameraden“, setzte er, sein Glas erhebend, hinzu.

Alle stießen mit ihm an. Müller war aber noch nicht fertig. Mit einer beschwichtigenden Geste bat er um Ruhe. Einige markige Worte, die er früher in einer Versammlung einmal gehört hatte, waren aus einem anderen Schub seines schon vom Alkohol umnebelten Gehirns aufgestiegen. „Jenossen", rief er jetzt, während er die Arme gleich einem Volksredner beschwörend erhob, „Jenossen, nieda mit die Militaristen, die Blutsauger und Knochenschinder, nieda mit die Kapitalisten, die über unsere Leichen jehen und die Völker jejenanda hetzen ... Mehr wußte er nicht, gefährlich schwankend stieg er vom Stuhl.

„Was? Was sagte der Müller da? Das iss' ja nicht zu glauben", Rechtsanwalt Schmitz hatte sich seinem Nachbarn zugewandt. Hatte er richtig zugehört? Der Mann war ja betrunken!

Doch ehe er eingreifen konnte, rief einer: „Hoch, hoch soll'n se alle leben!" Haferlund war's. Aus seinem weinseligen Vor-sich-Hindämmern erwachend, sprach er zu Müller: „Das hast du fein gemacht, Schorsch, nein, Franz, ach, ist auch ganz egal, wie du heißt, dachte gar nicht, daß du so reden kannst. Wirst nochmal ein großer Mann, Schorsch, ein ganz großer General – Aber nun gehe ich nach Hause. Hab' genug für heute, wird Zeit, gute Nacht beisammen."

Auch Dr. Lyra war aufgestanden und ins Haus gegangen. Weit hatte er die Fenster der Gaststube aufgestoßen, und aus dem Haus klangen die Töne eines Klaviers. Lyra spielte die „Wacht am Rhein" und das Deutschlandlied. An der Tafel im Garten waren alle aufgestanden, die Nüchternen hatten den Angeheiterten unter die Arme gegriffen und hielten sie hoch. Müller stand in strammer Haltung, die Linke an die Hosennaht gepreßt, die Rechte zackig an die Stirn gewinkelt. Niemand nahm daran Anstoß, daß es beim Militär verboten war, ohne Kopfbedeckung auf diese Art zu grüßen. Eine kleine Pause war nach dem Gesang eingetreten. In sie klang aus dem Fenster der Gaststube die ruhige Stimme Dr. Lyras: „So, und nun machen wir Schluß. Es wird morgen viel zu tun geben. Es wird nun ganz anders werden – für einen jeden von uns. Gute Nacht, meine Herren." Er ging, und auch die anderen machten sich auf den Heimweg.

Herr Suchefad war schon früher nach Hause gegangen. Er hatte die von Feilchen verlesenen neuesten Nachrichten angehört und sich danach verabschiedet, um sie mit seiner Frau zu besprechen.

Sie hatten überlegt, welche Folgen die bedrohlichen Ereignisse für sie persönlich haben könnten. Da er nicht gedient hatte, rechnete Suchefad nicht damit, zum Wehrdienst eingezogen zu werden. Aber Arbeit im Institut würde es geben, Arbeit in Hülle und Fülle.

Er hatte die Unterhaltung beendet und war in das Kinderzimmer gegangen, um auch dort die Gazefenster einzusetzen, damit nach dem heißen Tag die kühle, erfrischende Nachtluft Zugang habe. Obgleich die Jungen von den vielen Eindrücken des Tages sehr müde waren, waren sie noch nicht eingeschlafen. Sie hatten in der Abendstille den verworrenen, oft lärmenden Stimmen der Männer in Greifs Garten gelauscht. Als diese verstummt waren, hörten sie den Gesang der Soldaten. „Morgenrot" sangen sie am träge flackernden Feuer des Biwaks zwischen den Schranken. „Morgenrot, leuchtest mir zum frühen Tod ..." „Tod, zum Tod", dachte Gero müde, „wie schwermütig es klingt ..." Dann schlief er ein.

Das Räderwerk läuft . . .

Szenenfolge im Welttheater

30/31. Juli,	12 Uhr nachts: der deutsche Botschafter Graf Pourtalès bei russischem Außenminister Sasonow. Übergabe einer Mitteilung über 12-Stunden-Frist für Einstellen der militärischen Maßnahmen gegen Österreich und Deutschland, sonst macht Deutschland mobil.
31. Juli,	7 Uhr nachmittags: Botschafter v. Schoen übergibt im französischen Außenministerium eine Note mit der Bitte um Antwort innerhalb von 18 Stunden, ob Frankreich in einem deutsch/russischen Krieg neutral bleiben würde.
1. August,	1 Uhr nachmittags: ausweichende Antwort Poincarés. 5 Uhr nachmittags: Gesamtmobilmachung in Frankreich, Beginn um Mitternacht. Mobilmachung in Belgien. 5 Uhr nachmittags: Gesamtmobilmachung in Deutschland. nachmittags: Russen überschreiten die deutsche Grenze. abends 7 Uhr: Kriegserklärung Deutschlands an Rußland.
2. August,	Mobilisierung der britischen Flotte und Einberufung der Reserven. 4 Uhr früh: französischer Einmarsch in Deutschland bei Mühlhausen. Erster Mobilmachungstag in Deutschland und Einmarsch in Luxemburg. Italien erklärt gegenüber den Mittelmächten wohlwollende Neutralität.

Das Räderwerk lief. Ares hatte Eirene die Herrschaft aus der Hand gerissen. Sein Räderwerk lief. Knarrend und mit Hemmungen hatte es sich in Rußland und Frankreich in Bewegung gesetzt, und in England lief es bedachtsam an. In Deutschland arbeitete es in unheimlich erscheinender Präzision. Jeder hatte sein versiegeltes Schreiben „Fall Mobilmachung" geöffnet, der Kommandierende General wie der Bahnhofsvorsteher, und während der eine den Marschbefehl gab, hielt der andere den zivilen Reiseverkehr an und stellte Züge bereit.

Personenzüge, um Reservisten und Landwehrleute zu ihren Truppenteilen in die Garnisonen zu bringen.

Güterzüge für die Soldaten, die Pferde, die Geschütze, die Munition und den Train zur Fahrt an die Front nach Ost und West.

An die Grenze Belgiens, das am 2. August um Durchmarscherlaubnis ersucht worden war, und in das Reichsland Elsaß-Lothringen.

Auch Lazarettzüge rüstete man aus.

Soldatenzüge fuhren an Kohlhasenbrück vorüber. Westwärts auf der Stammbahn gegen Belgien und auf der Kanonenbahn, halbstündlich oft, nach Metz.

Soldatenzüge: hinter der Lokomotive der Personenwagen 2. Klasse für die Offiziere, dahinter Güterwagen. 40 Mann oder 6 Pferde, vorsorglich stand es schon bei der Indienststellung an jedem angeschriftet. Dann kamen auch noch die Klammerwagen mit den Geschützen, den Munitionswagen.

Und in den Waggons jubelnde, winkende Soldaten.

Blumen warfen ihnen die Mädchen zu, Blumen zierten die noch stummen Mäuler der Geschütze.

Und wenn ein Zug einmal vor dem Signal halten mußte, dann klang der Gesang der Soldaten über den Ort, als führen sie zum Tanz.

„Zum Schützenfest nach Frankreich", hatten sie mit Kreide an die Waggons geschrieben, oder „Jeder Schuß ein Russ', jeder Stoß ein Franzos'."

Die Züge rollten, Tag und Nacht unaufhörlich, durch Berlin, von Berlin, wo – wie in den anderen Hauptstädten Europas, unbeirrt die Uhr weiterlief – und am 3. August die ablehnende Antwort Belgiens eintraf.

Auch die Antwort der Franzosen: Krieg!

Das Räderwerk lief, und die Züge rollten. Drei Millionen deutsche Soldaten fuhren westwärts, und 860000 Pferde, in 11000 Transporten. Belgiens Grenze war nicht mehr tabu, sie wurde von den Deutschen am 4. August überschritten.

Und England erklärte Deutschland den Krieg, kappte die deutschen Überseekabel.

Deutschland war abgeschnitten von der weiten Welt.

Ein Entrüstungsschrei gellte über das Land: Das perfide Albion! Ist nicht noch vor wenigen Wochen ein englisches Geschwader bei uns auf der Kieler Woche zu Gast gewesen, hatte sich nicht der Admiral am 30. Juni vor der Heimreise mit dem Funkspruch verabschiedet: „Friends today, friends in the future, friends forever?"

Das waren Freunde! Waren unsere Blutsverwandten, die Vettern über dem Kanal – Gott strafe England für den Verrat!

Deutschland wird sich wehren, das ganze Volk einstehen für Kaiser und Reich!

Männer und Jünglinge mit der Waffe in der Hand, Frauen und Mädchen als Helferinnen im Dienste des Roten Kreuzes.

Wer wollte daheim bleiben, da Deutschland rief? Erleben wollten sie das „reinigende Stahlgewitter", die Alten und Jungen, die den Verfall des deutschen Wesens im neuen Jahrhundert beklagt hatten, die Überfremdung und Verwelschung der alten, deutschen Sitten.

Wer wollte daheim bleiben, da die Nation den Weg der „geistigen Läuterung" beschritten hatte?

*

Auf ihm eilte auch Oberlehrer Sneder in diesen Tagen mit fliegendem Militärmantel durch die Straßen von Nowawes. Jetzt brauchte er nicht mehr zu befürchten, daß die Arbeiter der Spinne oder der großen Maschinenfabrik in Drewitz über ihn spotteten: Auch das „Rote Nowawes" hatte die Begeisterung, der Rausch des Krieges erfaßt, und die Geschäfte, die früher ihre Auslagen mit rotem Tuch zu drapieren pflegten, zeigten jetzt die Landesfarben.

Krieg, es war Krieg! Keiner der Jungen sprach auf dem Schulweg, auf dem sie sich zusammenfanden, von den Ferienerlebnissen – sie waren vergessen, alle redeten nur vom Krieg. Jeder wußte etwas Neues, Aufregendes zu berichten. Der Vater von Dechant war schon eingezogen. Dechant hatte ihn mit der Mutter vom Bezirkskommando auf dem Marsch zum Bahnhof begleitet. Er hätte jetzt sicher schon die schöne blaue Uniform an, mit dem großen Goldknopf am Kragen, weil er Gefreiter war.

„Die gibt's ja gar nicht mehr", belehrte ihn Karl-Wilhelm, „die tragen jetzt alle feldgrau, wir haben's doch bei uns gesehen", und er erzählte den anderen vom Biwak an den Schranken.

„Mein Vater hat seine Khaki-Uniform rausgeholt mit den Wickelgamaschen und den Südwester mit der Kokarde an der Seite", sagte der kleine Hein, „er will wieder nach Deutsch-Südwestafrika."

Da is' ja gar kein Krieg", antwortete Ehrhardt etwas herablassend, „vor den Schwarzen machen die Weißen keinen Krieg. Das hat auch der Direx gesagt, der war in Afrika, im vorigen Jahr, hatte doch die vielen bunten Bilder mitgebracht, die wir dann kaufen sollten."

Nun waren die Deutschen schon in Belgien! Sie hatten es auf dem Weg in einem Zeitungsaushang gelesen – was sie wohl heute in der Schule machen würden? „Vielleicht ist überhaupt keine Schule mehr", hatte Gero gemeint, und alle Kameraden hatten zugestimmt: dies wäre fein.

Sie waren in ihre Klassenzimmer und beim Läuten der Pausenklingel wie an jedem ersten Schultag nach den Ferien geschlossen zur Andacht in die Aula gegangen. Sie hatten dort ihre gewohnten Plätze eingenommen, und eiliger als sonst hatte Dr. Stahl ihre Reihen durchschritten und von seinem Platz aus das Zeichen zum Beginn der Andacht dem Gesangslehrer auf der Empore zugenickt. In die feierliche, gespannte Stille hörte man, wie Herr Korn der ersten und zweiten Stimme sowie dem Baß summend die Einsätze gab, dann sangen sie oben. Jubelnd klang es auf, begeistert und trotzig:

> „Nun deutsche Schmiede hämmert, stahlhart das deutsche Herz,
> Der blut'ge Morgen dämmert, rings starrt die Welt in Erz,
> Drum Brüder reicht die Hand, Gott, Kaiser, Vaterland."

Danach waren sie in den Klassen kaum zu halten: Draußen war Krieg, draußen eilten sie in den ersten Augusttagen von Sieg zu Sieg, hatten in Belgien schon Lüttich genommen!

Und die Kohlhasenbrücker hißten die schwarzweißroten Fahnen wie früher nur bei der Geburt eines neuen Erdenbürgers in der Kolonie oder am Sedantag.

*

Am 9. August war Gero morgens mit Helene nach Potsdam gefahren. Sie hatte verweinte Augen gehabt und der Mutter erzählt, daß ihr Erich, den sie heiraten wollte, wenn er wieder vom Militär frei sei, beim 1. Garderegiment zu Fuß stünde und heute in das Feld ziehen würde. Frau Tina hatte ihr bis abends sieben Uhr Ausgang gegeben. Jetzt stand sie mit Gero vor den Havelkolonnaden an der Schwanentreppe und blickte mit vielen anderen Zivilisten auf den für den Verkehr gesperrten Lustgarten. Auf dem Stadtschloß wehte die Kaiserstandarte. „Lene, sieh“ – Gero wies in die Höhe –, „die Fahne, der Kaiser ist im Schloß.“

„Nee, Frollein“, sagte, sich umdrehend, ein vor ihnen stehender, junger Mann, „in't Schloß is' er nich', is' uff'n Lustjarten, is' Feldjottesdienst.“ Ein scharfes Kommando ertönte: „Da hörn'se, Helm ab zum Jebet!“ – Er reckte sich, um besser über die Köpfe der Umstehenden sehen zu können – „nu' knien'se alle“ (das scheppernde Geräusch aneinanderschlagender Seitengewehre, Säbel und Feldflaschen übertönte die undeutlich zu den Wartenden dringenden Worte des Geistlichen) – „und da, in der Mitte, da is' der Kaiser!“

Gero hatte zwischen den Schauenden eine Lücke entdeckt, hatte sich, vom Schutzmann am Durchgang der Kolonnaden unbemerkt, auf die Balustrade der Säulen geschwungen, war flink auf eine dazwischen stehende Flußgott-Statue geklettert und saß nun oben in der Muschel, die der stumme Gott mit seinen steinernen Händen in die Höhe hob, wie in einer Loge. Fast unter ihm lag das Wasser der „Kleinen Fahrt“ (des unmittelbar am Lustgarten vorbeifließenden Havelarmes), aber die Schwäne, die ihn sonst hier belebten, waren vor den vielen Menschen bei den Kolonnaden geflohen. Weit hinten fast vor der Eisenbahnbrücke hatten sie sich gesammelt. Vor Gero dehnte sich das weite Exerzierfeld. Tausende von Soldaten, in Zehner- oder Zwanziger-Reihen hintereinander, knieten auf dem weißen Sand. Die rechte Flanke in Höhe der Südwestecke des Schlosses war offen, aber drüben zur rechten Hand und gegenüber, zur Linken vor dem Lustgartenwäldchen, knieten sie ebenfalls Kopf an Kopf: Die Garde war's. Gero gegenüber, ganz fern, sah er den Feldaltar mit dem Geistlichen und mitten auf dem weiten, weißen Feld einige wenige Menschen. Winzig waren sie angesichts der Masse der geballten Leiber zu den Seiten: zwei Reihen Offiziere und vor ihnen der Kaiser und neben ihm die Kaiserin mit den Prinzessinnen. Ein Junge war auch bei ihnen, vielleicht der älteste Kaiserenkel, und auch sie hatten das Knie gebeugt vor Gott. Nun sangen sie alle eine Strophe aus dem Lied „Ein Feste Burg . . .". Und auch die Männer vor der Kolonnade hatten alle die Mützen abgenommen. Danach sprach der Kaiser – wegen der Entfernung konnten sie nicht verstehen, was er sagte, sie hörten nur das brausende Hurra, nachdem er geendet hatte. Dann sahen sie, wie der Kaiser zu den Regimentern ging.

„Und jetzt gibt er jedem Offizier die Hand" – Gero konnte es von seinem Sitz ganz genau sehen – „und die Kaiserin geht mit ihm und gibt jedem – Lene, kannst du's sehen? – jedem gibt sie eine Blume, eine Rose!"

„Wirst du runter da, du Bengel!" Ein Schutzmann war durch Geros Stimme auf ihn aufmerksam geworden und drohte ihm mit erhobener Hand. Flink war Gero von seinem Logenplatz heruntergerutscht und hatte sich wieder neben Helene gestellt. Als die Regimenter aus dem Lustgarten abmarschierten, hatte Lene ihn nach Hause geschickt. Sie wolle ihren Erich noch einmal sehen und sie käme nach, so berichtete Gero zu Haus. „Dann ist sie über den Lustgarten (die Schutzleute hatten den Durchgang wieder freigegeben) den Soldaten zur Breitenstraße nachgegangen!"

Erst um zehn Uhr abends war sie wieder nach Hause gekommen, aber die Mutter und der Vater hatten sie nicht gescholten (Gero wunderte es sehr, weil sie doch nur bis sieben Ausgang hatte), sondern sie sogleich in ihre Kammer auf den Boden geschickt. Am nächsten Morgen war sie sehr bedrückt. Als die Kinder sie fragten, wo sie so lange gewesen wäre, antwortete sie, daß sie bis Wildpark auf dem Trottoir neben den Soldaten mitmarschiert sei, um ihrem Erich auf dem Bahnhof noch Adieu zu sagen.

„Das heißt nicht mehr Trottoir, Helene, und auch nicht Adieu", altklug sagte es Ehrhardt, „das ist französisch, und die Franzosen sind unsere Erbfeinde. Das heißt jetzt ‚Fußsteig' und ‚Guten Tag', ‚Guten Abend' oder so."

„Auf Wiedersehen kann man aber auch sagen", warf Karl-Wilhelm ein.

„Das hat mein Erich ja gesagt, Auf Wiederseh'n", verteidigte sich Helene. Sie schluckte tapfer aufkommende Tränen hinunter. „Wo wir doch bald heiraten wollten. Und gewinkt habe ich und die anderen, bis der Zug nicht mehr zu sehen war."

*

Leutnant Sneder war, so erzählten es die Kinder am folgenden Tage nach der Schule aufgeregt der Mutter, auf dem Lustgarten auch dabei gewesen. „Der ist noch da", hatte sie erstaunt gefragt, „und ich dachte, der wär' schon halb in Paris, so flott, wie er sich immer gibt."

„Vielleicht mußte er noch hierbleiben, weil schon so viele der jungen Lehrer weg sind", hatte Karl-Wilhelm erwidert. „Oder aber, weil er so schöne lange Reden hält", hatte Ehrhardt hinzugesetzt.

Das war aber nicht das Neuste, das Wichtigste. Gero brannte vor Ungeduld, es zu erzählen: „Er hat uns den braunen Handschuh gezeigt, den er auf dem Lustgarten angehabt hat, und . . ."

Karl-Wilhelm nahm ihm das Wort: „. . . und mit dem ihm der Kaiser die Hand gedrückt hat. Der Herr Hoflieferant Rohrschneider wollte ihm den Handschuh abkaufen, für fünfzig Mark, Muttchen. Für fünfzig Mark." Karl-Wilhelm wiederholte den für ihn unvorstellbar hohen Betrag.

„Aber er hat ihn nicht hergegeben", meinte Ehrhardt trocken, „sonst hätte er den Handschuh doch gar nicht mehr zeigen können."

Das war folgerichtig, dagegen ließ sich nichts sagen, und sie fragten auch nicht, was Sneder wohl mit dem kostbaren Stück machen würde – draußen war Krieg, und Lenes Erich war nun auch dabei. Das war viel wichtiger.

Neun Tage nach Beendigung des deutschen Aufmarsches an der Westfront war Namur gefallen. Sechs Monate mindestens, so hatten Militärexperten vorausgesagt, würde die Feste die Deutschen aufhalten – die österreichischen 30,5 cm Mörser von Skoda und die dicke Bertha von Krupp, das seither berühmte 42-cm-Geschütz, hatten sie innerhalb weniger Tage geknackt. Die deutschen Truppen hatten Belgien erobert, waren in Frankreich einmarschiert, hatten die Somme überquert, waren fast an der Marne. Die Truppenspitze war bei Compiègne nicht viel mehr als 50 Kilometer von Paris entfernt!

Eine kecke Reiterpatrouille, so erzählten sich die Schuljungen aufgeregt, hätte schon den Eifelturm sehen können, und in der Zeitung stand, daß die französische Regierung heimlich Paris verlassen habe und nach Bordeaux geflohen sei. Die Kohlhasenbrücker flaggten.

Ehe das Laub fiel, würde der Sieg unser und Lenes Erich wieder zu Hause sein!

Und die Kriegsfreiwilligen, die Abiturienten, die Dr. Stahl feierlich verabschiedet hatte, sie waren nicht dabei, sie kamen zu spät...

„Es wird Zeit, daß ihr einmal wieder Schularbeiten macht", hatte der Vater gemahnt.

Schularbeiten? Wer konnte jetzt an die dumme Schule denken?

Denn noch immer rollten die Eisenbahnzüge an Kohlhasenbrück vorbei, brachten Soldaten an die Front.

Auf der Stammbahn nach Flandern und auf der Kanonenbahn in die Vogesen.

Nicht mehr so oft, und nicht mehr so viele.

Nicht mehr so übermütig klangen die Lieder der Soldaten aus den Waggons, und schon viele ältere Männer waren jetzt unter ihnen zu sehen.

Und nicht mehr so viele Liebesgaben warfen ihnen die Daheimbleibenden zu, und nur Herbstblumen schmückten ihre feldgrauen Uniformen.

Jetzt kamen auch Züge zurück. Stille Züge, vorsichtiger schienen sie zu fahren. Das große Rote Kreuz leuchtete an den Seitenwänden der Wagen, und, wenn sie an den Gärten der Häuser vorüberfuhren, sahen die Jungen hinter den schmalen Fenstern manchmal ein blasses Gesicht, einen weiß verbundenen Kopf, und auf den Zuruf der Kinder antwortete der Verwundete nur mit einem mühsamen Winken der Hand, oder der Blick des Fiebernden ging auch in die Leere, nahm sie nicht mehr wahr.

Und als der Sommer müde wurde, eilten wieder Soldatenzüge vorüber, hastig schien es, nun aber nach Osten.

Zwei Armeekorps brachten sie nach Ostpreußen, in das der Russe einmarschiert war. In deutsches Land!

Und wieder meldeten die Zeitungen Siege, und in der Villenkolonie flatterten wieder die Fahnen. Ein großer General, Hindenburg, dessen Namen niemand kannte, hatte die Eindringlinge geschlagen. Fast 100000 Russen, eine ganze Armee, war bei Tannenberg unverwundet in Gefangenschaft geraten.

Die russische Dampfwalze war gestoppt. Und während sich im Westen die Fronten im Grabenkampf in der Erde festkrallten, jubelten die Deutschen den Tapferen zu, die nun auch im Osten den Kampf in Feindesland trugen.

Und in der Schule machte es wieder Spaß, auf der großen Karte mit Fähnchen den Frontverlauf abzustecken, diesmal ostwärts. Leutnant Sneder hatte ihnen dazu die Anleitung gegeben. Und die Abiturienten waren nun doch nicht zu spät gekommen, waren schon richtige Soldaten, jetzt schon draußen im Feld, in Flandern. Der schlanke Frank aus Wannsee hatte ihnen Feldpostkarten geschrieben, begeistert zuerst – bis sie ausgeblieben waren und ein Brief der Eltern in der Schule eintraf.

Schwarz umrandet war das Schreiben, wie jetzt auch schon viele Anzeigen in der Potsdamer Tageszeitung. Oben, über dem Text, war das Eiserne Kreuz abgedruckt und darunter der Name. Er kam nicht zurück, der Frank, er war gefallen. Er hatte – wie die Großen sagten – sein Leben für das Vaterland eingesetzt.

„Dulce decorumque est pro patria mori."

Sie gedachten seiner. Wie an hohen Feiertagen war die ganze Schule in der Aula versammelt, und Herr Oberlehrer Sneder hatte wieder eine schöne Rede gehalten. Einleitend hatte der Chor unter Herrn Korn „Wir treten zum Beten . . ." gesungen und zum Schluß alle Anwesenden das Deutschlandlied. Still waren sie aus der Aula gegangen, zurück in die Klassenräume – was, wie war das „mori", das Sterben, das nun einen aus ihrer Mitte ereilt hatte . . .?

Es war Krieg, und der Krieg war Alltag geworden, und zum Alltag gehörte in der Schule das Lernen. Oberlehrer Sneder war nun auch zu den Fahnen geeilt, wie es hieß, sei er auf den Balkan gekommen, wo die Österreicher allein mit den Serben nicht recht fertig wurden. An seiner Stelle hatte Professor Bolz wieder die

Klasse übernommen, und vor Weihnachten erhielt Herr Suchefad von ihm eine Mitteilung:

Sehr geehrter Herr!
Ich teile Ihnen hierdurch pflichtgemäß mit, daß Ihr Sohn Gero, Schüler der Quarta B, im Falle, daß er das Ziel der Klasse zu Ostern 1915 nicht erreicht, unsere Anstalt verlassen muß. Er muß daher alle seine Kräfte zusammennehmen.

Mit vorzüglicher Hochachtung
Bolz, Professor

„Es ist Krieg, wer weiß, was wird", sagte Herr Suchefad zu seiner Frau, nachdem er diesen Brief gelesen hatte. „Am besten wär's, man steckt ihn zu den Soldaten. Wenn wir nur einen hätten, könnte er in die Kadettenanstalt nach Lichterfelde. Aber mit unseren vieren ..., da reicht's mit unseren paar Kröten für den einen nicht einmal fürs Kommißvermögen. Unsere Kolonialpapiere, die können wir wohl auch in den Rauchfang schreiben. Es ist eine schlimme Zeit jetzt an der Börse, da platzen Vermögen wie Seifenblasen, und mancher, der gestern reich war, ist heute ein armer Mann. Ganz so schlimm ist's ja noch nicht bei uns, weil wir auch Rentenwerte haben – trotzdem", er machte eine kurze Pause, um sich wieder den Sorgen um Gero zuzuwenden, „ausgerechnet der Bolz ist auch wieder sein Klassenlehrer. Ich weiß nicht, was die beiden miteinander haben – sieh bitte du zu, daß er wenigstens versetzt wird, daß er auch richtig arbeitet und nicht nur immer den Soldaten nachrennt. Ich hab' den Kopf jetzt voll, im Institut – sieh zu, wie du damit fertig wirst. Übrigens – warum gibst du mir morgens jetzt immer nur Schwarzbrot? Wo sind denn die Brötchen?"

„Der Bäcker kommt nicht mehr, ist eingezogen, und Milchmann Robert auch. Wir müssen nun alles vom Kaufmann hinter dem Bahnhof oder von Bäcker Vieth aus Wannsee selber holen, und wenn Helene zum Kaufmann kommt, sind die Brötchen schon alle weg. Es soll so wenig Weizenmehl geben, jetzt, und alles ist auf einmal so teuer geworden, mein Wirtschaftsgeld ..."

„Ja, ich weiß, es reicht ja nie", sagte Herr Suchefad ablenkend, „ich muß gehn, die Post ist schon da." Er nahm Helene, die in das Zimmer getreten war, einige Karten und Briefe ab, las aber nur die Anschriften der Absender: „Einer aus Trempin ist auch dabei, ich lese ihn heute mittag, hab' keine Zeit jetzt ..." Er gab seiner Frau einen flüchtigen Kuß und wandte sich zur Tür.

Zur gleichen Stunde erhob sich auch Herr Schmer, der Wirt vom Bahnhofsrestaurant in Neubabelsberg, vom großen Stammtisch neben dem Buffet, an dem er seinen Morgenkaffee eingenommen und dabei eingehend die Zeitung studiert hatte (die Morgenstunden ließen ihm dafür reichlich Muße). Er war hinter den Vorhang zu seiner Frau getreten. „Helene", hatte er zu ihr (die Stimme etwas dämpfend) gesagt, „Helene, wenn einer mit einem Kassenschein oder einer Banknote bezahlen will, – nimm lieber Silbergeld, Silbergeld ist besser. Und noch eins: Mach den Keller frei! Wir wollen ein bißchen für Vorrat sorgen, was einlagern, solange es noch was gibt. Es wird knapp werden."

*

Amtliche Schreiben hatte an diesem Morgen der Briefbote in zwei Villen abgegeben, das eine beim Fabrikanten Schwelmer und das andere bei Dr. Lyra. Für beide brachten sie die Einberufung. „Ulla, hurra, ich hab's geschafft", damit war Schwelmer, das Papier schwenkend, zu seiner Frau gestürmt, „ich darf mit hinaus!" „Und die Fabrik, die Kinder?" hatte sie ihn bang gefragt. „In der Fabrik ist jetzt, wo alles stockt, sowieso kaum was zu tun. Das bißchen, was noch geblieben ist, machen der alte Stenzel und der Meister auch ohne mich. Sie wissen Bescheid. Und die Kinder – sie werden brav sein und dir gehorchen, und stolz sein, daß ihr Vater nun auch in den Krieg zieht. Das Land ruft, da dürfen wir nicht nur an uns denken", hatte er geantwortet.

Lyra, der Ältere, hatte den Brief erst am Nachmittag bekommen und ihn lange in der Hand gehalten, bevor er ihn öffnete. Er enthielt den Einberufungsbefehl zum Sanitätsdienst.

Lyra hatte, bevor er sich der Musik verschrieb, auf Verlangen seiner Eltern nach einem „Brotstudium" Medizin studiert und auch in dieser promoviert. Als junger Arzt hatte er am Burenkrieg teilgenommen. Er wußte, wie es in den Lazaretten aussah, wie auf den Feldverbandsplätzen, welches entsetzliche Leiden, welche menschliche Not den Arzt dort alltäglich erwarteten – oft, ohne daß er helfen oder auch nur die Schmerzen der Verwundeten lindern konnte. Damals wäre er fast zusammengebrochen.

Er war zurückgekehrt, hatte sich wieder gefangen. Den ärztlichen Beruf hatte er aber nicht mehr ausgeübt, sondern sich, seiner Neigung folgend, ganz der Musik zugewandt. Nun mußte er wieder in das Feld, in einen Krieg, der noch grausamer, noch härter und dank der Technisierung noch unmenschlicher als alle vor ihm geführt wurde – und er wußte, daß er nicht stark genug war, darin zu bestehen.

Lange stand er in Gedanken in der geöffneten Tür seines Musikzimmers, in das die Dämmerung des Oktoberabends einfiel. Mutlos wandte er sich schließlich ab und hob den Deckel über den Tasten seines Flügels. Ohne auf sie zu schauen, verströmte er seine Trauer in freier Phantasie, bis die Töne allmählich in die schwermütige Melodie des Andantino aus Schuberts A-dur-Sonate hinüberglitten. Sie mischten sich für den Landsturmmann der Wache in das harte Stakkato seiner Schritte auf den Eisenplanken der nahen Stammbahnbrücke, so daß er lauschend stehenblieb. „Der kann spielen“, sprach er halblaut vor sich hin, „verdammt nochmal, ordentlich schwer kann's einem dabei werden ums Herz. Ein flotter Marsch wär mir lieber.“ Als das Spiel verstummte, ging er weiter und zählte nun wieder – um die Langeweile zu vertreiben – seine Schritte über die Brücke. Sechzig waren es hin und sechzig zurück.

Er hatte Lyras letztes Lied gehört. Lyra kam nicht zurück. Freiwillig hatte er sich zum Dienst in einem Seuchenlazarett auf dem Balkan gemeldet und war dort 1916 an einer Infektion gestorben.

Eine Unterhaltung unterwegs

Herr von Hütter hatte das Automobil bestiegen, das ihm sein Lübecker Geschäftspartner an den Bahnhof geschickt hatte, und fuhr nun zu dessen Wohnhaus in der Innenstadt. Es war Ende Mai 1915. Das Aussehen der Stadt hatte sich, wie Herr von Hütter bei der Fahrt feststellte, gegenüber seinem ersten Besuch vor drei Jahren nicht verändert. Das Bild der Straße glich dem in Berlin gewohnten: Feldgraue Soldaten, Verwundete sah man überall, Frauen als Schaffnerinnen bei der Eisenbahn und Straßenbahn. Frauen auch in kleineren Gruppen vor Geschäften. Manches war also auch hier schon knapp. Ernster erschien die Stadt heute dem Besucher. Das fröhlich bewegte, quirlende Leben, dem man in Lübeck begegnete, wenn sommers die Urlauber aus dem Binnenland die Reise in die Ostseebäder hier unterbrachen, es fehlte ebenso wie der langgezogene Ruf „Lübecker Marizipan", (die Betonung lag auf dem ersten „i"), mit dem der Reisende bei der Ankunft von den Bahnsteighändlern empfangen wurde – es war Krieg.

Wie vor drei Jahren saßen sich jetzt die beiden Herren im Gartensalon des Patrizierhauses gegenüber. Sie hatten schnell wieder Kontakt zueinander gefunden.

„Nun ist der Wirtschaftskrieg, von dem Sie damals sprachen, Wirklichkeit geworden", sagte von Hütter. „Ich wollte ihn nicht wahrhaben, hab' mich in der Einschätzung der Lage geirrt. Vielleicht war ich auch befangen – und", er seufzte, „meine Frau ist am 1. August bei ihrem Vater in England vom Krieg überrascht worden."

„Oh, das tut mir sehr leid", entgegnete der Hausherr. Etwas abgeschmackt deuchte ihm seine Antwort, aber: Was sollte er sagen? Er kannte seinen Gast und dessen Familie zu wenig, um nicht befürchten zu müssen, mit weiteren Fragen taktlos zu erscheinen. Deshalb lenkte er das Gespräch wieder auf die Erörterung der allgemeinen Lage. „Aber auch ich habe mich damals in der Beurteilung Rußlands getäuscht", sagte er. „Man denkt wahrscheinlich noch zu sehr in den Kategorien des vergangenen Jahrhunderts. Ich habe den Einfluß der dynastischen Verbindungen überschätzt."

„Die Haltung der Engländer, ihren Wirtschaftskrieg und dessen Folgen haben Sie aber treffend vorausgesagt", lobte von Hütter. „Ich hätte nie gedacht, daß dort die Kriegspartei einen solchen Einfluß gewinnen könnte – übrigens, was ich fragen wollte: Was ist eigentlich aus Ihrer Denkschrift über den wirtschaftlichen Generalstab geworden, über den wir damals sprachen?"

„Ich hatte sie bald nach unserer Unterredung der Reichsregierung zugeleitet", sagte der Hanseat. „Wie ich jetzt erfuhr, wurde die Behandlung im Reichsamt des Inneren verzögert, man hielt die Angelegenheit wohl nicht für dringend. Als dann unter Führung der Exzellenz Delbrück eine Vorlage über die Getreideversorgung Deutschlands im Kriegsfalle ausgearbeitet war und vor den Reichstag gebracht werden sollte, war der Krieg schon ausgebrochen."

„Und er hat uns alle, die ganze deutsche Wirtschaft, ziemlich unvorbereitet getroffen", ergänzte von Hütter. „Als die Nachfrage auf dem zivilen Markt stockte und der Export von einem Tag auf den anderen tot war – Sie haben dies damals richtig vorausgesehen –, wußte man nicht, wie man die Leute beschäftigen sollte."

„Ich hatte bei der Abfassung der Denkschrift für den Kriegsfall mit einer großen Zahl von Arbeitslosen gerechnet", sagte der Lübecker.

„Das betraf nicht nur die Wirtschaft", bestätigte von Hütter, „sondern auch die Haushalte der gehobenen Stände. Alle glaubten sparen zu müssen. Zuerst wurde das Dienstmädchen entlassen, dann die Kinderfrau, fünf, sechs Menschen wurden brotlos als Folge des Sparsamkeitsappells einer einzigen Frau. Und noch eines: die ehrenamtliche Tätigkeit der Damen der Gesellschaft in den Lazaretten und anderen Hilfsorganisationen. Mancher der Ärzte nennt den Zudrang der ungeschulten, ungeübten Helferinnen schon eine Plage und klagt über den Dilettantismus, der sich breit macht. Mit Rücksicht auf die gesellschaftliche Stellung der Damen kann man ihn nicht einmal anprangern! Und dabei haben wir neben den Schwestern vom Roten Kreuz und den Johannitern Tausende von ausgebildeten, freien Pflegerinnen – sie sind arbeitslos, weil die meisten Krankenhäuser zu Larazetten umgewandelt wurden."

„In den Drang zum Helfen mischte sich bei unseren Frauen und Töchtern auch oft Eitelkeit, Sensationsbegierde, Abenteuerlust, auch Neugierde", sagte der Gastgeber. „Vor der Wirklichkeit, den fürchterlichen Wunden, die sie tagtäglich sehen, hat sich dies aber schon bei vielen gegeben. Mancher versagten einfach die Nerven, und man braucht jetzt die Fachkräfte wieder."

„Richtig, wie in den Betrieben", bejahte von Hütter. „Da der Krieg immer mehr technisiert wird, haben wir uns auf die Rüstung umgestellt, und uns fehlen jetzt die Fachleute. Keiner hat vorher überlegt, welche Männer zur Aufrechterhaltung einer lebenswichtigen Produktion man unbedingt hätte reklamieren müssen. Und nun muß man versuchen, ihre Freistellung zu erreichen – wenn sie überhaupt noch leben."

„Die Verluste sollen im November in Flandern sehr hoch gewesen sein", sagte der Lübecker und setzte mit einem Seufzer hinzu: „Mit dem Deutschlandlied auf den Lippen sind sie westlich Langemarck gegen den Feind gestürmt, unsere herrlichen Freiwilligen-Regimenter."

„Daß ihnen der Durchstoß nach Dünkirchen nicht gelang", meinte von Hütter, „an ihnen hat's bestimmt nicht gelegen, eher an unseren Militärs. Die glauben noch immer, mit der Angriffstechnik von 1870 gegen die Maschinenwaffen von 1914 angehen zu können. Seit der strategischen Rücknahme der Truppen an der Marne im vorigen September ist die Front erstarrt. Der Verbrauch an Artilleriemunition ist in Folge des Stellungskrieges in einem Maße gestiegen, den keiner der militärischen Sachverständigen vorhergesehen hatte. Aber auch der Bedarf an anderem Gerät, Nachrichtenmittel, Transporteinrichtungen usw., der Bedarf ist riesengroß."

„Das Material wird immer wichtiger, je länger der Krieg dauert", bestätigte der Hausherr.

„Und, wie Sie vor drei Jahren richtig voraussahen, immer knapper. Die englische Blockade greift, im Januar war die Versorgungslage schon recht kritisch, und wahrscheinlich wären wir heute bereits am Ende, wenn nicht Dr. Rathenau mit der Kriegs-Rohstoffabteilung einen Teilaspekt Ihres Gedankens sofort nach dem Kriegsausbruch verwirklicht hätte."

„Was der Mann in den noch nicht 10 Monaten damit auf die Beine gestellt hat“, sagte der Lübecker, „ist bewundernswert. Man merkt, daß er aus der Wirtschaft kommt. Beamte hätten das nicht fertiggebracht. Da ist Schwung dahinter, in der Erfassung der Rohstoffe im Inland zum Beispiel.“

„Die klappt“, bestätigte von Hütter schmunzelnd. „Durch die Mobilisierung der Schulen kommt aus den privaten Haushalten allerlei zusammen. Einem meiner Bekannten haben seine Jungen die Sammlung alter Zinnkrüge geplündert und selbst die zinnernen Deckel von den Bierhumpen zu den Sammelstellen mitgenommen. Auch Denkmäler wird man einschmelzen müssen.“

„Viele sind ja auch überflüssig“, entgegnete der Hausherr, „müssen wir denn in jedem deutschen Kleinstaat für den längst verblichenen ‚Ferschten‘ (er sprach das Wort betont sächsisch aus) ein Denkmal haben? Für mich stehen bei uns schon viel zu viele auf den Plätzen.“

„Ihr Hanseaten seid doch richtige Republikaner“, antwortete von Hütter lachend. Wieder ernst geworden, setzte er hinzu: „Bei manchem Material wird es aber trotzdem Schwierigkeiten geben.“

„Ach was“, sagte der Lübecker, „Not macht erfinderisch. Mit dem Salpeter wollten sie uns klein kriegen. Zwei Drittel des Bedarfes kamen im Frieden aus Chile – jetzt machen wir Stickstoff synthetisch.“

„Die Großanlage ist aber erst im Bau“, wandte von Hütter ein.

„Sie wird mit aller Energie vorangetrieben, Tag und Nacht wird in Leuna gearbeitet, und bis zur Aufnahme der Großproduktion werden wir mit den vorhandenen Vorräten auskommen. Genauso mit der Schießbaumwolle.“ Der Gastgeber wischte mit einer Handbewegung die Bedenken von Hütters vom Tisch. „Wie ich von Bremer Importeuren weiß, würden amerikanische Baumwollpflanzer liebend gern liefern – aber die Engländer lassen Baumwolle nicht durch –, so muß es eben auch mit Zellstoffen aus den einheimischen Wäldern gehen. Etwas Kummer macht mir allerdings die Versorgung mit Brot. Kartoffelbrot – fast zur Hälfte nur noch aus Roggen, das andere Kartoffelmehl und Quetschkartoffeln – das mag ich nicht. Aber, was hilft's, wir müssen durch. Nach der Beschlagnahme aller Getreidevorräte im Januar soll die Versorgung bis zur nächsten Ernte wohl gesichert sein.“

„Die Festsetzung von Höchstpreisen war jedenfalls dringend

nötig“, meinte von Hütter, „und für Kartoffeln sollte man schleunigst das gleiche tun, um der völlig unberechtigten Preistreiberei zu steuern und die Arbeiterschaft nicht unnötig zu beunruhigen. Wie sagten Sie damals? 20 % des notwendigen Getreides mußten wir einführen, dazu Fette und Futtermittel – hier wirkt die Fernblockade der Engländer am empfindlichsten.“

„Viele hoffen auf die Gegenblockade unserer U-Boote“, sagte der Lübecker. „Der Großadmiral Tirpitz scheint sich jedenfalls viel von ihr zu versprechen. Wie die Engländer uns mit den Überwasserschiffen, so will er die Insel mit den U-Booten aushungern. In einem Interview mit der amerikanischen United Press hat er den Bau von 40 neuen Booten der 900-t-Klasse öffentlich bekanntgegeben.“

„Deshalb war ich jetzt auch in Kiel. Wenn es nach den Herren von der Marine ginge, wäre morgen schon Stapellauf“, etwas Sarkasmus schwang in von Hütters Stimme. „Aufgetaucht sind die Boote doch ziemlich wehrlos. Otto Weddigen, der mit seinem U 9 im vorigen Herbst an einem Tag die drei englischen Kreuzer versenkte, ist mit dem neuen U 29 und der gesamten Besatzung untergegangen.“

„Das Boot wurde von einem gegen alles Kriegsrecht unter schwedischer Flagge fahrenden englischen Tankdampfer versenkt. In der U-Boot-Abwehr sind den Engländern heute alle Mittel recht, sie pfeifen auf alle Konventionen. Der Kreuzerkrieg nach der alten Prisenordnung ist mit den U-Booten unter diesen Umständen nicht mehr durchführbar, also hat die Marineleitung die See um England zum Kriegsgebiet erklärt. Wer dort fährt, fährt auf eigenes Risiko – wie der amerikanische Weizensegler und die Lusitania.“

„Über 1200 Passagiere, unter ihnen 124 Amerikaner, sind mit ihr untergegangen. Das wird Folgen haben“, sagte von Hütter. „Wie es in Berlin verlautete, ist deshalb schon eine Note des amerikanischen Präsidenten Wilson eingegangen.“

„Über 5000 Kisten Munition hatte das ‚harmlose Passagierschiff‘ neben anderer Konterbande an Bord. Das war bekannt, und deshalb hatte der deutsche Botschafter in Washington, Graf Bernstorff, vorher öffentlich vor der Reise mit der Lusitania gewarnt. Das Schiff war auch schwer bewaffnet, galt als englischer Hilfskreuzer. Warum hat man diese Warnung in den Wind geschlagen? Warum verbietet der Herr Präsident nicht die Lieferung von Munition und Kriegsmaterial an die Entente, und warum wehrt er sich nicht gegen die völkerrechtswidrige Sperrung des neutralen Handels mit Deutschland?“ Eifrig gab sich der Lübekker selbst die Antwort: „Weil er es nicht kann! Weil die amerikanische Großfinanz dahintersteckt. Sie macht jetzt das Geschäft des Jahrhunderts und pfeift auf Konventionen und Völkerrecht. ‚Wrong or right my business‘ heißt jetzt die Devise in Amerika. Von dort haben wir kaum Hilfe zu erwarten.“

Von Hütter stimmte zu: „Leider, zumal der Präsident als entente-freundlich gilt. Die Hoffnung mancher Optimisten, daß Amerika auf deutscher Seite zu finden sein werde, können wir wohl in den Rauch schreiben. Aber auch viele andere neutrale Staaten sind uns gegenüber nicht gut gesinnt. Deutschland hat keine Freunde in der Welt, gleicht in diesem Krieg einer belagerten Festung.“

„Den Seeweg nach Schweden über die Ostsee hat unsere Marine aber offen gehalten“, warf der Lübecker ein, „und die Erztransporte sind gesichert.“

„Gut, das lasse ich gelten, aber: Was ist das schon, was uns Schweden, Holländer, die Schweiz und Italien liefern können. Sie sind doch selbst auf Einfuhren aus Übersee angewiesen und fürchten die schwarzen Listen der Engländer. Und wenn sie etwas verkaufen, müssen wir es teuer bezahlen. Apropos Geld: Finanziell wären wir wahrscheinlich heute schon am Ende – unsere Feinde übrigens auch –, wenn nicht alle sofort am 1. August vorigen Jahres ihre Verpflichtung, die Banknoten und Schuldscheine in Gold einzulösen, aufgehoben hätten. Nun druckt man überall, bei uns, in London, Paris, vielleicht auch in Petersburg fleißig Geld und hofft auf den Sieg, damit der andere nachher alles bezahlt. Das wird uns alle einmal teuer zu stehen kommen. Ich habe vor einem Jahr meinen Sohn in einem Internat in der Schweiz untergebracht. Im Frieden bekam man für die Mark dort einen Franken und 25 Rappen, heute liegt der Wechselkurs viel niedriger. Holländische, schweizerische, italienische, sogar französische und belgische Banknoten erreichen Kurse, die sie in Friedenszeiten nie gesehen haben.“

„Nach Pressemeldungen, ich las sie im Dezember, steigt der Goldschatz der Reichsbank in jeder Woche um 30 bis 35 Millionen

Mark“, sagte der Lübecker, „es ist doch enorm, was die Deutschen nicht nur an gemünztem Gold, sondern auch an Schmuck abgeliefert haben, fast wie in den Befreiungskriegen: Gold gab ich für Eisen.“

„Das ist richtig“, von Hütter stimmte zu, „aber es reicht nicht. ‚Der Goldstrom könnte rascher fließen, schrieb die Berliner Woche am 5. Dezember, außerdem klagte der Verfasser des Artikels auch, daß Spekulanten Habgierigen das Gold mit lockenden Prämien aus der Tasche ziehen. Das beste wäre, man fände bald ein Ende – ist doch Wahnsinn, der ganze Krieg.“

„Wir können doch jetzt nicht einfach aufhören, das geht doch gar nicht ohne Sieg, das würde keiner im Volk verstehen, nach so vielen Opfern.“ In der raschen Antwort des Lübeckers klang Vorwurf und ein wenig Entrüstung. Er beherrschte sich aber sofort und sagte ruhiger: „Man müßte den Ring um uns anderswo, vielleicht im Südosten öffnen.“

„Sie denken an die in letzter Zeit viel diskutierte Achse Berlin–Bagdad?“ fragte von Hütter.

Der Gastgeber bejahte: „Mit dem Kriegseintritt der Türkei im Oktober vorigen Jahres an unserer Seite ergeben sich doch einige Möglichkeiten. Die Türken haben sich jetzt im Kampf um die Dardanellen unter Enver-Pascha, unserem Marschall Liman v. Sanders und Generalfeldmarschall v.d. Goltz doch prachtvoll geschlagen, die deutsch-türkische Waffenbrüderschaft hat sich bewährt. Die Engländer sollen enorme Verluste bei ihren Landungsmanövern erlitten haben, man spricht schon von 30000 Toten, und das Bombardement der englischen Kriegsschiffe soll pro Tag runde 30 Millionen Mark gekostet haben. Kommandos der Türken operieren schon am Suezkanal.“

Von Hütter wiegte den Kopf: „Das mag alles stimmen, und als Entlastung für die Westfront lasse ich es gelten; bedenken Sie aber, die Türken sind schlecht ausgerüstet, leiden unter Munitionsmangel, brauchen also auch unsere Hilfe. Um ihnen energisch unter die Arme greifen zu können, müßte der Balkan in unserer Hand, zumindest aber müßten die Balkanstaaten uns gegenüber wohlwollend neutral sein.“

„Seine Majestät hatten im Vorjahr eine Erweiterung unseres Bündnisses mit Österreich und Italien durch den Beitritt Bulgariens, Rumäniens und Griechenlands angestrebt.“

„Die Realisierung des Gedankens ist leider bis heute nicht gelungen. Der Kaiser dachte vielleicht an eine Einflußnahme über die regierenden Fürstenhäuser. – Wie wenig heute aber dynastische Verbindungen bewirken, sieht man doch an England und Rußland“, erwiderte von Hütter.

„An der Deutschfreundlichkeit des rumänischen Königs Karl war als gebürtigem Hohenzollern-Sigmaringer wohl kaum zu zweifeln“, sagte der Lübecker, „und die Königin, eine geborene Prinzessin zu Wied, hat als Schriftstellerin doch sehr viel für die deutsch-rumänischen Kulturbeziehungen getan.“

„Das ist unbestritten, auch ich gehöre zu den Bewunderern der schwermütigen Lyrik Carmen Sylvas. Der Tod König Carls im letzten Oktober ist ein schwerer Verlust für uns – wie die junge Generation denkt, weiß man nicht. Die Gattin des Thronfolgers ist eine englische Prinzessin. Dasselbe gilt für Bulgarien, auch Zar Ferdinand hat deutsche Ahnen, Coburger, wie der englische König. Das hat aber heute nichts mehr zu sagen, vor allem nichts auf dem unruhigen Balkan, wo die gegnerische Propaganda auch recht rege ist. Die Rückschläge der Österreicher an der serbischen Front schlachtet sie weidlich aus. Belgrad ist schon lange wieder in der Hand der Serben.“

„Weil die Österreicher ihre besten Truppen abziehen mußten, um den Einbruch der Russen in Galizien abzuwehren“, verteidigte sie der Lübecker.

„Sehr richtig“, erwiderte von Hütter, „Sie sehen aber daran, daß auch Österreich mit dem Krieg an zwei Fronten überfordert ist – eine Achse Berlin–Bagdad und von dort aus eine Einflußnahme auf Indien scheint mir höchst irreal zu sein. Statt das Heil Deutschlands in dem völkerlosen Kleinasien zu suchen, so meinte kürzlich Albert Ballin, sollte man mit aller Macht die freie See erobern. Ballin sieht die Situation vom Standpunkt des Reeders.“

„Die Schwerindustrie ist mehr an den Gruben von Longwy-Briey interessiert, die Agrarier am Siedlungsland im Osten – wie auch immer: Durchstoßen müssen wir im Westen, territoriale Garantien erreichen. Damit es nicht wieder zu einer Blockade kommen kann, sollte z. B. Belgien künftig unter deutscher Hoheit stehen. Das ganze Mitteleuropa müßte, um als Weltmacht neben dem britischen Imperium, dem russischen Reich und Nordamerika bestehen zu können – eine Einheit bilden. Alle Länder, auch die Skandinavier, müßten zusammengefaßt, und Deutschland müßte als Kern von Europa betrachtet werden. Es kommt darauf an, daß die deutsche Kultur – im weitesten Sinne des Wortes – in Europa die herrschende wird und demgemäß nach allen Seiten hin sich eine Anziehungs- und Ausdehnungskraft sichert."

„Da sind wir mitten in die Erörterung der Kriegsziele hineingerutscht, lassen wir das", sagte von Hütter. „Ich finde es richtig, daß die Regierung Anfang des Jahres die Diskussion darüber untersagt hat, weil sich in dieser Frage die äußersten Gegensätze von romantischen, teilweise auf die mittelalterlichen Westgrenzen des Reiches eingestellten Eroberungsplänen bis zum Status quo ante gegenüberstehen. Damit erleichtern wir das Friedensgeschäft nicht."

„Sehr richtig", pflichtete der Lübecker ihm bei. „Durchstoßen müßten wir im Westen. Der neuerliche Angriff bei Ypern ist vielversprechend."

„Hoffentlich gelingt er", erwiderte der Gast, „damit wir zu einem schnellen Frieden kommen und uns mit aller Kraft gen Osten wenden können. Eine deutsch-englisch-französische Gruppierung wäre die beste Garantie gegen die vom russischen Koloß der europäischen Zivilisation drohende Gefahr. Ein außenpolitischer Kulturblock zwischen den drei Ländern, darin sehe ich die Zukunft. Aber leider wird es nicht leicht sein, dies durchzusetzen. Die Emotionen sind überall zu sehr aufgepeitscht worden, die halbe Welt ist ja heute schon in den Krieg verwickelt. Man verliert schon fast die Übersicht ..."

„Ich hab's notiert", sagte der Lübecker und reichte seinem Besucher ein Blatt Papier, 17 Kriegserklärungen sind es," Hütter las:

1. Österreich-Ungarn an Serbien
2. Deutschland an Rußland
3. Deutschland an Frankreich
4. England an Deutschland
5. Belgien an Deutschland
6. Österreich-Ungarn an Rußland
7. Montenegro an Österreich-Ungarn
8. Serbien an Deutschland
9. Frankreich an Österreich-Ungarn
10. Montenegro an Deutschland

11. England an Österreich-Ungarn
12. Japan an Deutschland
13. Österreich-Ungarn an Japan
14. Österreich-Ungarn an Belgien
15. Türkei an England
16. Türkei an Frankreich
17. Türkei an Rußland

„Was ist?" rief der Gastgeber gegen die Tür, in die ein junger Mann eingetreten war, „ich wollte doch nicht gestört werden."

„Ich bitte um Entschuldigung – aber die Nachricht schien mir wichtig zu sein", der Angestellte übergab seinem Chef ein Telegramm und zog sich danach schnell wieder zurück.

„Das ist doch nicht möglich!" Der Lübecker ließ das Formular sinken und sah seinen Gast ratlos an. „Das hätte ich nicht gedacht." Dann packte ihn die Wut, und er polterte: „Diese Halunken, diese Verräter! Das sind nun unsere Verbündeten! – Die Italiener haben heute den Österreichern den Krieg erklärt, und auch unserem Botschafter v. Bülow sind schon die Pässe zugestellt worden – das hätte ich weiß Gott nicht erwartet!"

„Also Nr. 18", entgegnete von Hütter und setzte – mehr für sich – hinzu: „Die Ratten verlassen das sinkende Schiff."

„Wie belieben, was sagten Sie?" Der Lübecker hatte die letzten Worte seines Gastes nicht verstanden.

„Ach, es war nichts von Bedeutung", von Hütter wischte seine Worte mit einer leichten Handbewegung fort. Er war plötzlich sehr müde, verzagt, dachte an seine Frau – wann würde er sie wiedersehen? Er wollte allein sein, seine Gedanken ordnen, deshalb sagte er: „Der Krieg weitet sich aus, wird nun noch länger dauern – wir müssen uns auf die neue Lage einstellen, ich muß fort." Er lehnte die Einladung des Lübeckers, wenigstens noch zum Essen zu bleiben, ab, verabschiedete sich und fuhr zum Bahnhof.

*

Schufte, Verräter, sagten auch die Suchefads, als sie am folgenden Morgen die Hiobsbotschaft in der Zeitung lasen und nannten fortan den als Delikatesse so beliebten „Italienischen" nur noch „Schurkensalat".

Ein Kindergeburtstag im Kriege

Der ‚Blaue Brief', den Professor Bolz vor Weihnachten 1914 an den Vater von Gero Suchefad geschrieben hatte, war nicht ohne Wirkung geblieben: Der Junge hatte sich – wie man zu sagen pflegt – auf die Hosen gesetzt und hatte Ostern 1915 das Ziel der Klasse erreicht, war in die Untertertia versetzt worden. Einige Wochen später, kurz vor den großen Ferien, hatte er eine Einladung zu einer Geburtstagsfeier erhalten, die erste seit Ausbruch des Krieges vor fast einem Jahr.

Vor dem Krieg war es üblich, die Freunde unter den Klassenkameraden zum Geburtstag einzuladen und am Nachmittag mit ihnen zu feiern. Es wurde gespielt und bei den Kindern, deren Eltern Haus und Garten besaßen, in der guten Jahreszeit draußen herumgetollt. Das machte hungrig, und deshalb war der Geburtstagskaffee (es gab meist Kakao) der Höhepunkt des festlichen Tages. Bei den Eltern aus dem guten Mittelstand wurde selbstgebackener Kuchen aufgetischt, reiche Leute ließen Nußtörtchen, Windbeutel und Torte aus der Konditorei kommen. Beides verschwand wie nichts von den Tellern der Jungen, beides mundete herrlich. Von den Törtchen schwärmten die Jungen noch lange, und diejenigen, die nicht eingeladen worden waren, neideten ihnen den Genuß. Seit Kriegsausbruch war man von diesem Brauch abgekommen. In vielen Familien herrschte schon Trauer, hatte der Krieg bereits Opfer gefordert, oder die Angehörigen bangten um einen der Ihren, der im Felde vor dem Feind stand. Vielfach spürten Familien auch schon die Verknappung der Lebensmittel, und man hatte nach Einführung der Brotrationierung nichts mehr anzubieten. Diejenigen aber, die vielleicht weißes Mehl gehamstert oder noch Kakao und Schokolade besaßen oder auch in der Lage waren, sich diese Leckereien „hintenherum" zu besorgen, hingen es nicht an die große Glocke.

„Zu Ralf Schwelmer sollst du zum Geburtstag kommen, hast du dich auch nicht verhört?" Zweifelnd hatte Frau Tina ihren

Jüngsten gefragt, als Gero in die Küche gestürmt war, um ihr die Neuigkeit mitzuteilen.

„Ja, Mutter, der Ralf hat es auch noch anderen gesagt – nicht allen, nur seinen besten Freunden."

„Jetzt?" Die Mutter hatte nochmals ungläubig gefragt, hatte ihm nicht glauben wollen, weil Ralfs Vater vor wenig mehr als einem halben Jahr in Flandern gefallen war.

„Ja, der Ralf hat sogar Einladungskarten gezeichnet", sagte Gero eifrig, „und seine Mutter hat sie unterschrieben, sieh hier, das ist ihr Namegramm..."

„Monogramm heißt es", verbesserte Frau Tina, während sie dem Jungen die Karte aus der Hand nahm. Eine große Torte, gekrönt von 13 Lichtern, war auf ihr gezeichnet, und darunter stand in künstlich verschnörkelten, noch unbeholfenen Buchstaben „Einladung für meinen Freund Gero Suchefad zum Geburtstagskaffee am 1. Juli 1915". Ganz unten rechts las Frau Suchefad ein zierliches „A. S.".

„Das", Gero wies lebhaft auf die Buchstaben, „heißt Alice Schwelmer, hat uns Ralf gesagt. Auf alle Einladungen hat sie das draufgeschrieben."

Frau Tina sah auf die Karte in ihrer Hand: Mit der Einladung hatte es wohl seine Richtigkeit. „Ob ich dies in ihrer Lage über mich bringen würde", dachte sie und nickte nur auf die Frage ihres Jungen, ob er sein Kommen zusagen dürfe.

*

„Mutter, das willst du auf dich nehmen, Ralfs Freunde soll er zu seinem Geburtstag einladen?" Ungläubig hatte es auch Diana, Ralfs ältere Schwester, gefragt, als ihre Mutter ihr es wenige Tage zuvor gesagt hatte. Der Tod des Vaters hatte sie schwer getroffen, schwerer als ihren Bruder. Wie in vielen Familien war auch bei Schwelmers das Verhältnis der Tochter zum Vater viel inniger als das zwischen Vater und Sohn. Diana hatte ihren Vater fast schwärmerisch verehrt. Immer war sie mit ihm einig im Gegensatz zu Ralf, der des öfteren mit dem Vater Differenzen hatte. Mochte der Junge die Tragweite seines Todes für die Familie noch nicht erfaßt haben, noch nicht reif genug sein – er schien den Verlust schnell verwunden zu haben. Es schien sogar, als ob er ein wenig froh darüber sei, nicht mehr die strenge Hand des Vaters über sich zu spüren. Er begann, weil die Mutter in ihrem Kummer kaum auf ihn achtete, der Schwester gegenüber sich als Mann im Hause zu fühlen, so daß es stete kleine Rangeleien zwischen ihnen gab.

„Ralfs Freunde willst du zu seinem Geburtstag einladen?" Die Tochter wiederholte nochmals die Frage.

„Ja", hatte Frau Schwelmer geantwortet, „es ist vielleicht das letzte Mal, daß wir das können – er hatte sich doch so sehr darauf gefreut."

„Und Vater ...", das Mädchen sprach nicht weiter, als sie sah, daß der Mutter die Tränen kamen.

„Dein Vater, das spüre ich, wäre einverstanden, dein fröhlicher, guter Vater ..." Sie schluchzte. Hinter dem Taschentuch verbarg sie ihr Gesicht und wandte sich einem kleinen Tisch zu, auf dem in einem Silberrahmen die Fotografie ihres Mannes stand.

„Daß er nicht wiederkommen soll, nie wieder ...", Tränen erschütterten ihren Körper, „nie wieder ...! ‚Weihnachten bin ich wieder zu Haus, wieder bei euch', hatte er gesagt, Weihnachten ..., und nun liegt er schon so lange unter der Erde, und ich kenne nicht einmal sein Grab – irgendwo liegt er, irgendwo ..."

Ihr Kopf war auf den Tisch gesunken, fast hätte sie die vor dem Bild des Gatten stehende Vase, die sie stets mit frischen Blumen aus dem Garten füllte, umgestoßen. Das Mädchen fing sie auf und stellte sie zur Seite.

„Mutter", zart strich sie über das Haar der Weinenden. Wie üppig es ist, dachte sie, wie seidig weich – jedoch, erstmals fiel es ihr auf: einige Silberfäden mischten sich jetzt darein: „Liebe Mutter ..."

Beide saßen im Obergeschoß des Schwelmerschen Hauses, das in einer der stillen Nebenstraßen der Kaiserstraße in Neubabelsberg lag. Sein Zuschnitt zeigte Kultur, die Räume waren im Geschmack der Zeit eingerichtet. Ihr Zimmer hatte Frau Schwelmer erst kürzlich im zeitgenössischen Hang zur Romantik, zum Mystisch-Schwebenden mit Wanddekorationen nach dem Rosengarten von Thylmann im ornamentalen Jugendstil ausstatten lassen. Auch die Möbel zeigten dessen Einfluß. Einige Sitzpolster, reich mit orientalischem Dekor geziert, standen im Raum, den schwere, kupferfarbene Vorhänge, obwohl seitlich gerafft, fast im Dämmerlicht hielten.

„Mutter", das Mädchen wiederholte zärtlich-bittend das Wort, „laß uns absagen, Ralf wird es verstehen . . ."

„Nein", Frau Schwelmer raffte sich auf, „nein, er soll seinen Geburtstag noch einmal so feiern, als ob Frieden, als ob nichts geschehen wäre." Sie trocknete die Tränen und stand auf, wandte sich dem Fenster zu und blickte hinaus. „Es wird wohl das letzte Mal sein. Der alte Stenzel war heute morgen hier, die Fabrik geht schlecht, er kommt mit der neuen Zeit nicht mehr zurecht. Wir werden verkaufen müssen – und auch das Haus."

„Verkaufen – und – und wohin gehen wir", Diana war erschrokken, wurde erregt, „wohin gehen wir?"

„Zur Großmutter aufs Land, vielleicht werde ich dort wieder Ruhe finden – hier", Frau Schwelmer kämpfte erneut mit den Tränen – „hier kann ich es nicht. Also geh, Diana, und sage es der Köchin (sie wird uns nun auch verlassen müssen, die treue Seele), sie soll alles nehmen, was noch da ist, Kakao oder Schokolade, es kommt jetzt nicht mehr darauf an. Die Kinder sollen es so haben wie früher . . ."

Diana wollte widersprechen. Alles in ihr wehrte sich gegen den Besuch der Schulkameraden. Sie würden im Garten wie in den vergangenen Jahren toben, würden lachen – es erschien ihr wie ein Sakrileg. Sie sah die Mutter an, sah die tiefen Furchen, die der Schmerz in ihr Gesicht gegraben hatte. „Von Ihrer Frau Mutter", so hatte der Arzt zu Diana nach dem Schock, den Frau Schwelmer bei der Nachricht vom Tode ihres Mannes erlitten hatte, gesagt, „von Ihrer Frau Mutter müssen Sie alle Aufregungen fernhalten, ihre Nerven sind überreizt. Ich befürchte sonst das Schlimmste."

Daran dachte das Mädchen und schwieg. Sie ging hinunter in die Küche, um die Vorbereitungen für den Geburtstag mit der Köchin zu besprechen.

Frau Schwelmer hatte sich wieder auf ihren Stuhl vor dem Bild ihres Mannes niedergelassen. Sie hatte eine Kerze angezündet und neben das Bild gestellt und danach nach einem Büchlein gegriffen, das er ihr noch vor einem Jahr geschenkt hatte. Es war Rilkes „Stunden-Buch". Sie schlug wahllos eine Seite auf und las:

Was wirst Du tun, Gott, wenn
ich sterbe?
Ich bin Dein Krug (wenn ich
zerscherbe?),
Ich bin Dein Trank (wenn ich
verderbe?).
Bin Dein Gewand und Dein Ge-
werbe,
mit mir verlierst Du Deinen Sinn.
Nach mir hast Du kein Haus,
darin
dich Worte nah und warm,
begrüßen,
Es fällt von Deinen müden Füßen
die Samtsandale, die ich bin.
Dein großer Mantel läßt Dich
los.
Dein Blick, den ich mit meiner
Wange
warm, wie mit einem Pfühl,
empfange,
wird kommen, wird mich suchen,
lange –
und legt beim Sonnenuntergange
sich fremden Steinen in den
Schoß.
Was wirst Du tun, Gott? Ich
bin bange.

„Was wirst Du tun, Gott – ich bin bange", ihre Lippen hatten die letzte Zeile unhörbar wiederholt, ihr Kopf sank auf die vor dem Bild gekreuzten Arme, und sie weinte.

*

„Mutter, ich geh' jetzt." Gero stand am frühen Nachmittag des Geburtstages vor Frau Tina, das Geschenk für den Freund, ein Karton mit einem Soldatenspiel, unter den Arm geklemmt.

„Bist du auch ordentlich angezogen, laß mal sehen." Frau Tina drehte den vor ihr stehenden Gero prüfend nach rechts und links. Er hatte den neuen Matrosenanzug angezogen, er sah – so stellte sie befriedigt fest – schmuck aus. Es war im zweiten Kriegsjahr schon nicht mehr leicht, die Kinder adrett zu kleiden. Gute Stoffe waren knapp geworden, das Militär brauchte viel (bereits 1914 machte die Einkleidung der Kriegsfreiwilligen große Schwierigkeiten), und amerikanische Baumwolle kam wegen der englischen Blockade nicht mehr ins Land. So war es ein wahres Glück für Suchefads, daß sie im Vorjahr noch echten blauen Marinestoff bekommen hatten. Eine Schneiderin in Potsdam hatte daraus für alle drei Jungen Matrosenanzüge angefertigt. Sie wurden nur sonntags oder zu besonderen Anlässen angezogen. Die Alltagshosen und Blusen schneiderte Frau Tina für die Kinder selbst – und sie hatte infolge der Wildheit ihrer Jungen stets einen vollen Flickkorb neben ihrem Nähtisch stehen.

„Es ist dein einziger Sonntagsanzug, Gero, sieh dich vor und sei achtsam damit, wir können keinen neuen mehr kaufen“, sagte sie, „und bestelle auch Frau Schwelmer einen schönen Gruß von uns und bedanke dich für die Einladung. Mach auch einen Diener, wenn du ihr die Hand gibst – hörst du?“

Sie sprach eindringlich auf ihn ein und sah dabei zufällig auf seine Hände: „Das ist doch ...“, ihr verschlug's die Sprache, „hast du dir denn überhaupt heute schon die Hände gewaschen?“ Sie zog ihn in die Küche. „Mit solch schmutzigen Fingernägeln kannst du doch nicht gehen – was sollen denn die Leute von uns denken!“

Frau Tina achtete darauf, daß er sich die Hände richtig wusch, auch die Fingernägel sauber waren, gab ihm dann einen leichten Kuß und ließ ihren Jüngsten zur Tür hinaus. Danach machte sie sich selbst zum Ausgehen fertig und fuhr nach Nowawes, um einige Besorgungen zu machen. Als sie nach knapp drei Stunden wieder in den Flur trat, hörte sie aus dem Kinderzimmer auch die Stimme ihres Jüngsten. Noch in Hut und Mantel ging sie hinein: „Du bist schon wieder zurück“, fragte sie erstaunt, „war's nicht schön?“ – „Doch“, antwortete Gero kurz, „ganz schön.“

Irgend etwas stimmte hier nicht, das sah die Mutter ihm an, hatte er ihr doch sonst stets von Ausflügen oder Besuchen breit und ausführlich berichtet. Ein Erschrecken stieg in ihr auf: „Bist du unartig gewesen?“ fragte sie streng.

„Nein, wir sind alle wieder so früh gegangen."

Frau Tina war erleichtert, sie ergriff seine Hand und nahm ihn mit in ihr Schlafzimmer. Während sie Hut und Mantel ablegte, sagte sie: „Und nun erzähle mal – habt ihr Kuchen bekommen?"

„Ja, und sogar Kakao hat uns die Köchin gegeben."

„Hast du Ralfs Mutter auch richtig die Hand gegeben und den Gruß bestellt?"

„Nein, die ist gar nicht aus ihrem Zimmer heruntergekommen, nur Ralfs Schwester war da. Die hat nur dabeigestanden und zugeguckt. Dann sind wir in den Garten gegangen und wollten dort spielen, und sie hat gesagt, wir sollten nicht so laut sein, ihre Mutter könnte es nicht vertragen. Wir sind dann weiter nach hinten gegangen, und als es zu regnen begann, wollten wir im Wintergarten weiterspielen. Da hat sie wieder gestanden und gesagt, wenn der Vater von Ralf noch da wäre, dürften wir das nicht."

„Der ist aber nicht mehr da, hat ihr Ralf geantwortet – und dann hat sie geweint, mächtig geweint – und dann sind wir weggegangen."

Vor der zweiten Kriegsweihnacht

„Herr Suchefad“, Herr Schmar hatte es Suchefad zugerufen, der mit flüchtigem Gruß im Bahnhof Neubabelsberg am Tresen des Bahnhofswirtes zum Fahrkartenschalter vorbeigeeilt war, „einen Augenblick, ich wollte Sie etwas fragen.“

„Ja, bitte, was gibt's?“ Etwas ungeduldig wegen des Aufenthaltes blieb Suchefad stehen.

„War nicht gestern Ihr Herr Bruder bei Ihnen zu Besuch?“

„Ja“, sagte Suchefad, „war er auch hier, ist er noch eingekehrt?“

„Das nicht direkt“, Schmar suchte nach passenden Worten, „im Garten drüben ist er trotz des ungemütlichen Wetters rumgegangen, und dann hat er so merkwürdig geredet.“

„Was, was hat er gesagt?“ Suchefad sprach hastig. „War er betrunken?“

„Ich weiß es nicht“, antwortete Schmar zögernd. „Er sah nicht danach aus, konnte noch ganz gerade gehen, er sprach – bitte, ich möchte Sie nicht verletzen –, er sprach aber fast wie irr, sagte, er wäre Oberst und käme morgen an die Front. Er würde den lächerlichen Stellungskrieg, den wir jetzt haben, beenden. Die da oben könnten alle nichts. Dann ist er mit dem Zug nach Hause gefahren – ist er krank?“

Ein Schrecken durchfuhr Suchefad. Nun war es also auch mit Walter soweit, dachte er. Er ließ sich seine Erregung jedoch nicht anmerken und erwiderte scheinbar gleichgültig: „Wer weiß, was ihm gestern in die Krone gefahren ist – die Zeit macht so viele Menschen wunderlich –, aber, der Zug kommt, ich muß eilen. Schönen Dank und auf Wiedersehen.“ Damit verabschiedete er sich.

Er kam jetzt seltener als früher zu Herrn Schmar. Die fröhliche, unbeschwerte Stammtischrunde hatte sich aufgelöst. Die zweite Kriegsweihnacht, 1915, stand kurz bevor, und noch immer war kein Ende der Kämpfe abzusehen. Die Männer, die einst hier zusammengesessen und manche frohe Stunde miteinander verlebt hatten, waren älter geworden. Mancher trug Trauer um einen im Felde Gebliebenen, mancher hatte auch geschäftliche Sorgen. Für kriegsunwichtige Betriebe wurde es immer schwerer, Material zu bekommen. Auch gingen immer mehr Arbeiter in die besser zahlende Rüstungsindustrie. Dafür sah man jetzt hier des öfteren Fremde im traulichen Gespräch mit Herrn Schmar (von dem es hieß, daß man von ihm alles, was es infolge des Krieges in den Geschäften nicht mehr gab, bekommen konnte – selbstverständlich gegen teures Geld). Es waren Menschen, die sich offensichtlich besser auf die Zeit als viele der Alteingesessenen verstanden.

Suchefad fuhr nach Potsdam, um auf einer der Kriegsrohstoffabteilungen – seit August 14 waren sie zur Bewirtschaftung der knapp gewordenen Rohstoffe wie Metalle, Jute, Chemikalien und anderem wie Pilze aus dem Boden geschossen – geschäftliche Dinge für das Institut zu erledigen. Er würde auch, so dachte er, zu den Eltern gehen und mit dem Vater über den Bruder sprechen müssen. Nun hatte also auch bei ihm, wie bei Bruder Hermann, die Behandlung in der Ruppiner Psychiatrie, aus der Walter vor wenigen Tagen beurlaubt worden war, nicht angeschlagen!

Das Wäldchen zwischen Neubabelsberg und Nowawes, die Weberhäuschen zu beiden Seiten der Bahn glitten an Suchefad vorüber, der Zug donnerte über die Weichen des Potsdamer Rangierbahnhofes – Suchefad sah und hörte es nicht, dachte nur daran, wie er seinen Vater darauf vorbereiten konnte, daß auch der zweite seiner Söhne unheilbar an der Paralyse erkrankt sei. Unheilbar, dies war Suchefad klar: Walter mußte in die Heilanstalt zurück. Als der Vorortzug hielt, seufzte er: Ein schwerer Gang stand ihm bevor, wie sollte er es den Eltern sagen? Beide waren nicht mehr ganz auf dem Posten, und die Mutter lag jetzt schon des öfteren krank im Bett. Peinlich, dachte Suchefad, daß man in Neubabelsberg durch Walter jetzt wieder ins Gerede kommen würde, nachdem soeben erst die Affäre mit Hermann in Vergessenheit geraten war. Suchefad sah den Tag – es war im Mai des vergangenen Jahres – deutlich vor sich, das Wäldchen dicht am Bahndamm. Bahnarbeiter hatten ihn geholt, sie hatten Hermann gefunden: erschossen. Er war im Frack, den Zylinder neben sich, auf ihm hatte der Abschiedsbrief an den Bruder gelegen. Nicht an seine Frau hatte Hermann geschrieben, die ihn verlassen, den Todkranken zu den Eltern nach Haus geschickt hatte – und der Flieder duftete damals betörend über ihm.

Durch einen Unglücksfall sei er gestorben, so verbreitete man von der Familie und sprach in Gegenwart der Kinder nicht von dem Geschehen – und der Krieg, in dem Tag für Tag tausendfältig gestorben wurde, sorgte dafür, daß man den Vorfall schnell vergaß.

Es war Nachmittag geworden, als Georg Suchefad die elterliche Wohnung betrat. Wie zu dieser Stunde gewohnt, hatte er die Eltern im Eßzimmer am runden Tisch, den Vater in das Studium der Zeitung vertieft, der Mutter gegenüber sitzend, angetroffen. Seine Schwester Aline hatte ihm einen Stuhl herangerückt und war danach in ihr Zimmer gegangen, das sie mit der abwesenden Elise teilte. Die ihm angebotene Tasse Kaffee hatte der Bruder dankend abgelehnt. Er habe schon in der Stadt etwas getrunken, hatte er gesagt, weil er wußte, daß die Eltern wie Tina daheim nur noch Ersatz für echten Kaffee, wahrscheinlich geröstete Eicheln, hatten. Er ärgerte sich und knabberte unlustig an einem Gebäck, das ihm die Schwester vorgesetzt hatte.

„Ohne Fett und Zucker, nur mit Süßstoff haben es die Mädels gebacken“, sagte seine Mutter nicht ohne Stolz.

Danach schmeckt es auch, wollte Georg Suchefad sagen (er hielt nicht viel von den Küchenkünsten seiner Schwestern), seiner Mutter zuliebe sprach er es jedoch nicht aus. Sie schien ihm leidend zu sein, war in letzter Zeit sichtlich gealtert. Sie fragte jetzt den Sohn nach dem Ergehen seiner Lieben in Kohlhasenbrück. Es ginge allen gut, hatte er geantwortet. In der Schule sei es mit allen drei Jungen zwar nicht berühmt, aber man müsse zufrieden sein. Sogar Gero scheine sich einigermaßen herauszumachen. Seitdem er den Professor Bolz nicht mehr als Klassenlehrer habe, bringe er jetzt sogar Genügend-Noten in Latein mit nach Haus. „Nur fressen sie einem fast die Haare vom Kopf“, hatte Georg Suchefad dann mit einem Seufzer zugefügt, „die 225 g Brot, die es jetzt auf die Brotkarte pro Tag gibt – das sind vier richtige Scheiben, mehr nicht –, reichen für einen Heranwachsenden nicht hin und nicht her. Die Bengels haben immer Hunger.“

„Ihr habt doch aber einen Garten, da könnt ihr doch Verschiedenes selber pflanzen“, meinte der alte Herr.

„Hinten an der Bahn, das ist doch der reine Sand“, erwiderte Georg wegwerfend, „wer soll auch das Wasser von der Pumpe nach hinten schleppen, für die Jungs ist es viel zu schwer.“

„Aber auf dem Institutsgelände liegt doch so viel Land brach, dort würde ich wenigstens Kartoffeln setzen“, sagte der Vater. „Das wäre zu überlegen“, entgegnete Georg (begeistert war er von dem Vorschlag nicht, er selbst hatte sich noch niemals für die Landwirtschaft interessiert).

„Können die Trempiner nicht was schicken?“ fragte die alte Dame.

„Ist doch alles beschlagnahmt worden“, antwortete Georg, „jeder Lagerbestand muß angegeben werden. Ab und an schicken sie schon etwas Mehl oder Graupen – ich will aber auch nicht, daß Schwager August unseretwegen Unannehmlichkeiten hat!“

„Tinchen ist eine Ewigkeit schon nicht mehr bei uns vorbeigekommen“, klagte die Mutter.

„Seitdem wir das Mädchen nicht mehr haben, hat sie viel zu tun“, erwiderte ihr Sohn.

„Ihr habt aber doch eine Aufwartfrau – oder kommt sie auch nicht mehr?“

„Doch, aber das Heranschaffen der Lebensmittel kann sie Tina nicht abnehmen.“

„Sie hat doch aber ihre Jungen“, entgegnete die alte Dame, „die laufen doch schnell mal zum Kaufmann.“

„Gewiß“, antwortete ihr Sohn, „aber wenn es wirklich einmal etwas Besonderes gibt, Wurst oder Käse, dann werden sie von den Erwachsenen zurückgedrängt. Nein, da muß man schon selbst dabeisein, um nicht leer auszugehen. Außerdem sollen sie auch Schularbeiten machen, und alle Augenblicke ist eine Sammlung. Jetzt sind’s alte Wollsachen, aus denen Fußlappen für die Soldaten gemacht werden. Bei dem miesen Wetter in den Gräben draußen“ – er seufzte –, „die müssen schon was aushalten an der Front.“

„Wilhelm“, die alte Dame wandte sich an ihren Mann, „deine Pfeife stinkt heute entsetzlich! Was ist das nur für ein Tabak, den du jetzt immer rauchst?“ Klagend setzte sie hinzu: „Meine Migräne . . .“

„Ist ja auch ein Mistkraut, das sie einem heute verkaufen“, knurrte der alte Herr. „Komm“, er wandte sich an seinen Sohn, „komm, wir gehen ins Atelier. Ist zwar kalt dort, Kohlen zum

Heizen gibt's auch nur noch selten oder wenn du gut Freund mit dem Händler bist. Aber wir lassen die Tür zum Schlafzimmer auf, dann kann man's aushalten."

Er stand auf und ging über den dunklen Flur und die Küche in einen verglasten Anbau, eine Art Balkon, der sich damals an der Rückfront vieler Stadthäuser vorfand. Meist diente er der Hausfrau als Vorhalteraum für die Lebensmittel des täglichen Bedarfs. Diesen hier an die Nordseite des Hauses angebauten Raum hatte sich der alte Herr Suchefad nach seiner Pensionierung als Atelier eingerichtet. Gleich seinem Vater war er musisch veranlagt. Er malte für einen Laien nicht schlecht. Freilich fehlte es ihm an der Schulung (die er, sich seines Mangels bewußt, seiner Tochter Elsie auf der Akademie in Berlin ermöglicht hatte), so daß seine Kopien nach den Werken großer Meister zwar gut waren, er mit Darstellungen frei nach der Natur oft aber kein Glück hatte. Wolken und stimmungsvolle Sonnenuntergänge gelangen ihm ebenso wie Landschaften – die Proportionen hineinkomponierter Menschen oder Tiere stimmten aber selten mit dem Gesamtbild überein. Er mochte sich trösten, über einen düsteren Himmel, gewaltige Wolkengebirge und ein Felsstück in der Mitte des Bildes war der Kunstmaler Bonhold in Kohlhasenbrück auch nicht hinausgekommen (und hatte damit trotzdem ein gutes Stück Geld gemacht). Es konnte eben nicht jeder ein gleich guter Genre- wie Landschaftsmaler wie der alte Menzel sein.

„Da, das hab' ich einmal wieder vorgeholt", der alte Herr wies auf ein Bild in düsteren Farben, das er auf die Staffelei gestellt hatte. Es zeigte eine Felsenhöhe, in der Fackeln die Wände dunkelrot aufleuchten ließen. „Die Katakomben sind's in Paris. So hat's damals dort ausgesehen, als wir 71 da waren. Hat sich allerlei Volk darin verstecken können – daß sie jetzt im Westen nicht vorankommen", er schüttelte den Kopf, setzte sich vor die Staffelei und sog kräftig an seiner langen Pfeife.

„Damals war auch nur Frankreich unser Gegner", erwiderte sein Sohn, „damals hatten wir den Rücken frei – aber heute: im Westen den Franzmann, im Norden die Engländer, im Osten die Russen, im Süden die Italiener . . . wir sind eingekreist, sitzen wie in einer umzingelten Festung, Papa."

„Hätten uns mit den Österreichern nicht verbünden sollen", warf der alte Herr ein, „haben zu viele Fremdvölker in ihrem

Reich. Hab' sie 66 kennengelernt, die Böhmen, kein Verlaß drauf, auch nicht für den alten Kaiser Franz Josef in Wien. Er kann mir leid tun."

„Aber sonst wären wir ganz allein", erwiderte Georg, „daß die Bulgaren seit dem Herbst unsere Bundesgenossen sind, das ist doch ein Erfolg unserer Diplomatie, Papa."

„Geh mir mit unseren Diplomaten", der alte Herr hatte seine Pfeife aus dem Mund genommen und sie wie in Abwehr gegen den Sohn geschwenkt. Eine kleine Rauchwolke war aus dem Pfeifenkopf aufgestiegen, hatte einen Augenblick zwischen den beiden gestanden. „Haben wir seit Bismarck überhaupt noch Diplomaten – was geht uns der Balkan an? Sollen doch die Österreicher sehen, wie sie dort zurechtkommen. Frankreich, das ist unser Erbfeind! Geh mir mit unseren Diplomaten" – wiederholte er –, „ich verlasse mich auf unser Heer."

Er nahm die lange Pfeife wieder in den Mund und sog an ihr, um die verglimmende Glut im porzellanenen Pfeifenkopf erneut anzufachen.

„Zumindest haben die Bulgaren geholfen, die Serben endgültig zu schlagen", entgegnete der Sohn.

„Daß sie besiegt wurden", warf der Vater ein, „ist wohl mehr ein Verdienst des Generalfeldmarschalls von Mackensen – wie er den Übergang über die Donau, die Eroberung von Belgrad angelegt hat –, ein fabelhafter Soldat."

„Noch von Schlieffen* geschult", setzte Georg hinzu.

„Ja", bestätigte sein Vater, „Mackensen war noch nicht geadelt, als Seine Majestät ihn zum Flügeladjutanten machten, als ersten Bürgerlichen in dieser Charge."

„Auch im Osten steht's für uns gut, Papa – was will man mehr: Von Riga über die Rokitnosümpfe bis Czernowitz an der rumänischen Grenze verläuft jetzt unsere Frontlinie."

„Aber in Frankreich liegen wir fest", beharrte der alte Herr auf seiner Kritik. „Wie Maulwürfe wühlen sie sich dort in die Erde, graben sich ein – das ist doch kein richtiger Krieg mehr! Auch die Fahnen haben sie in die Garnisonen zurückgeschickt."

---

* Alfred Graf v. Schlieffen, preußischer Generalfeldmarschall, seit 1891 Chef d. Großen Generalstabes der Armee (bis 1905). Er schuf den nach ihm benannten „Schlieffen-Plan", das strategische Konzept für die Verteidigung Deutschlands in einem Zweifrontenkrieg.

„Das ist im Stellungskrieg auch nur richtig, Papa“, erwiderte Georg, „der Kampf um ihre Fahne hat bei allen Regimentern Hunderten von Offizieren und Soldaten das Leben gekostet. Ich empfinde es als widersinnig, daß Menschen einem Symbol zuliebe nutzlos geopfert werden. Franzosen und Engländer nehmen sie, wie ich hörte, schon lange nicht mehr mit in den offenen Kampf.“

„Magst recht haben“, knurrte der alte Herr, „und trotzdem kann ich mich an den Gedanken nicht gewöhnen (in schneller Folge aus dem Pfeifenkopf aufsteigende Tabakwölkchen verrieten seine Erregung), ebensowenig an den sogenannten Stellungskampf. Ich hab' mir die Buddelei im Sommer auf dem Bornstedter Feld angesehen.“

„Auch in Berlin haben sie Schützengräben angelegt“, fiel der Sohn ein, „um den Daheimgebliebenen zu zeigen, wie es draußen zugeht.“

„Dazu hätten sie aber auch noch ein bißchen von der Begleitmusik machen, ein paar Granaten und Schrapnells platzen lassen müssen“, erwiderte der alte Herr, „damit wäre man der Wirklichkeit nähergekommen. So, wie sie es im Sommer hier gemacht haben, sahen die Führungen durch die Gräben mehr wie ein Schützenfest aus. Es war der reine Zirkus. Mit Kind und Kegel sind sie hinausgewandert, Vater feingemacht im Sonntagsanzug und mit Kreissäge oder Panama auf dem Kopf, Mutter mit langem Straßenfeger, Pleureusenhut und Sonnenschirm. Und oben auf der Brustwehr stand so ein ewiger Heimkrieger in schmucker Uniform, ließ sich wie ein General bewundern und gab die Erklärungen – so gemütlich war hier der Krieg! Ich war im Winter 70/71 in der Champagne – Regen und Lehm –, und in dem Dreck sitzen die nun draußen!“ Er paffte wütend seinen Tabak.

„Jetzt muß es in den Erdhöhlen und in den Gräben im Westen furchtbar sein“, gab Georg zu, „ich würde auch lieber als Soldat an der Ostfront oder auf dem Balkan stehen, wo es vorwärts geht. Vor einem Jahr wurde durch den Russenangriff an Bug und Weichsel Paris gerettet, und heute ist unser Siegeslauf im Osten nur möglich, weil die im Westen die Offensive der Engländer und Franzosen aufhielten. Sie müssen dort kämpfen, dulden, bluten, ohne sichtbar den Sieg zu sehen, den Preis so vieler Leiden und Entbehrungen – ein Leitartikel hat dies treffend beschrieben."

„Majestät hatten deshalb mitten im Siegeszug durch Rußland auch der Kämpfer an der Westfront gedacht und zum Jahrestag der dort errungenen großen Siege den Heerführern den Pour le mérite verliehen", setzte der Vater hinzu. „Hoffen wir, daß es nun auch in Frankreich wieder vorwärts geht."

„Amerika macht mir Sorge", sagte sein Sohn, „wegen der Munitionslieferungen an die Alliierten."

„Was Amerika", wegwerfend entgegnete der alte Herr, „in der großen Politik zählt Amerika doch überhaupt nicht mit."

„Das war einmal, Papa, vielleicht vor der Jahrhundertwende. Heute ist's anders, bestimmen nicht nur die Europäer in der Welt", sagte Georg Suchefad.

Der alte Herr beharrte jedoch auf seiner Meinung: „Dahin gehen doch nur Abenteurer, schickt man doch nur verkrachte Existenzen, Taugenichtse, die hier nichts werden konnten" (bei diesen Worten dachte er an seinen ältesten Bruder, den Liebling seiner Mutter, der als einziger der sieben Geschwister hatte studieren können, aber nach der Promotion niemals einen Beruf ausgeübt hatte und nach dem Tode seiner Eltern von der Familie nach Amerika abgeschoben worden war).

Georg hatte den Gedanken des Vaters erraten. „Es ist nicht mehr so wie damals, Papa. Die Vereinigten Staaten sind heute eine Wirtschaftsmacht. Ich wünschte nur, auch wir hätten sie als Kriegslieferanten – doch (er lenkte von dem Thema ab), was ich sagen wollte: Wie denkst du über die Mädels, Elise und Aline? Mit dem Heiraten wird es bei ihnen ja nun nichts mehr werden."

„Elise hat ihre Malerei", dem alten Herrn kam die Frage sichtlich ungelegen.

„Davon kann sie aber doch nicht leben", antwortete der Sohn, „und Aline hat gar nichts gelernt. Was soll einmal aus ihnen werden?"

„Die Mutter braucht Aline", sagte der alte Herr, „im übrigen: Es ist für sie gesorgt."

„Aber wie, Papa, wie?"

„Das laß meine Sorge sein." Der Vater wurde unwirsch, so daß sein Sohn nicht weiter in ihn drang und vorsichtig die Unterhaltung auf den Gesundheitszustand des Bruders lenkte. „Walter war vor einigen Tagen bei uns“, sagte er. „So“ – der alte Herr wurde aufmerksam – „wie geht es ihm, ist er wieder gesund?“

„Nun (Georg Suchefad zögerte mit der Antwort), noch nicht. Im Gegenteil schien er mir noch veränderter gegenüber früher.“

„Das kommt nur von dem modischen Kram mit den Sanatorien. Wenn die Menschen noch nicht krank sind, da werden sie’s erst. Hätten ihn gar nicht dorthin gehen lassen sollen. Auf das Land hätten wir ihn schicken sollen, in der frischen Luft hätte er sich schon längst wieder auskuriert, glaub mir’s, Georg“, ärgerlich paffte der Vater große Wolken aus seiner Pfeife.

Georg Suchefad sah den alten Herrn an: Ob er selbst daran glaube, fragte er sich, ob er nicht wisse, wie gefährlich der Zustand des Bruders war?

Er wagte nicht, ihm die grausame Wahrheit zu sagen. Er schwieg und ging bald nach Haus.

1916. Der Vetter vom Lande

Es war Mai 1916. Bei Suchefads waren die beiden Ältesten am Palmsonntag in der Kirche zu Stolpe konfirmiert worden. Des Krieges wegen hatten die Eltern nur die nächsten Angehörigen und die Paten eingeladen und sie auch noch trotz der Knappheit dank der Hilfe der Großmutter und der Tante Marte aus Trempin (und einiger Hintenherum-Besorgungen Frau Ernestines, von denen ihr Mann allerdings nicht zu wissen brauchte) noch reichlich bewirten können. Das Familienfest war also zu aller Zufriedenheit abgelaufen, und nun war Herr Suchefad an einem Sonntag damit beschäftigt, die eingegangenen Gratulationen und Briefe nochmals in Ruhe durchzusehen.

„Bis auf den Paten Justus aus Forla waren sie ja nun doch noch alle hier“, nahm Suchefad das Gespräch mit seiner Frau auf. Sie saßen beide allein zum ersten Male in diesem Jahr auf dem Balkon in der schon kräftigen Morgensonne. Noch in die Zeilen des Justus vertieft, fuhr er fort: „Hat sich Ehrhardt eigentlich schon bei ihm für das Geschenk bedankt?“

„Ja“, antwortete Frau Ernestine, „er hat einen Brief geschrieben. Es war nicht einfach für ihn, weil er deinen Vetter Justus Fabius noch niemals gesehen hat. Ich habe ein bißchen geholfen.“

Ohne recht auf die Antwort seiner Frau zu achten, hatte Suchefad weitergelesen, er sagte nun: „Hier schreibt er, daß sie sich in Forla freuen würden, die Jungen einmal bei sich zu sehen – was meinst du –, ob wir sie in den Großen Ferien nach Thüringen schicken?“

„Ob er das wirklich ernst gemeint hat, ich weiß nicht recht“, sagte Frau Tina, „in der heutigen Zeit . . .“, sie ließ den Satz fallen, „man schreibt vieles aus Höflichkeit.“

„In Forla beim Gevatter Justus kann ich mir das nicht denken. Ich hab' mich früher bei Papas Verwandtschaft immer wohl gefühlt. Ich meine, wir sollten zusagen. Die Jungen sind jetzt groß genug, sollten auch einmal etwas anderes kennenlernen, außerdem hätten die Trempiner einmal keine Last mit ihnen.“

„Aber mit der Verpflegung ist's jetzt überall schwer", gab Frau Ernestine zu bedenken.

„Die haben doch auch alle selbst Landwirtschaft", ihr Mann wischte ihre Bedenken fort. „Pro forma geben wir ihnen ihre Lebensmittelkarten mit, sie werden sie zwar kaum brauchen, aber sie sehen unseren guten Willen. Ich werde also zusagen."

„Ob wir die Jungen nicht vorher fragen, ob sie nicht wieder lieber nach Trempin wollen?" Frau Ernestine gab es zu bedenken.

„Gut, mach das, aber heute noch, weil ich gerade Zeit hab' zum Schreiben, wer weiß, wann ich einmal wieder dazu komme."

Frau Tina traf die Jungen beim Schlagballspielen im Kleinen Wald. Franz war dabei. „Wat, verreisen, nich nach Trempin, aber zu'n Bauern – Mänschenskinner: nischt wie hin, und dann... (seine Hände schaufelten Essen in den Mund) und dann: nischt wie futtern, immer rin, immer feste rin!"

Ehrhardt und Gero entschieden sich für Forla. Trempin kannten sie bis in den letzten Winkel. Forla war neu, es war auch viel weiter von Berlin entfernt als Trempin, und man konnte viel länger Bahn fahren, viel mehr sehen. Karl-Wilhelm wollte trotzdem nicht mitkommen; ihn zog es zur Großmutter und Tante Marte nach Trempin.

„Gut, wie sie wollen", hatte der Vater gesagt und die beiden Jungen für die großen Ferien in Forla angemeldet.

Gevatter Justus hatte erwidert, daß man sein Patenkind und den „Kleinen" (damit war Gero gemeint) gern aufnehmen würde. In einem weiteren kurzen Schriftwechsel waren Reisetag und Ankunftszeit der beiden in Forla mitgeteilt worden. Da der Patenonkel die Suchefadkinder noch niemals gesehen hatte, gab der Vater als Erkennungszeichen noch an: Ehrhardt für sein Alter recht groß, beide in Matrosenanzüge gekleidet. Außerdem trügen sie bunte Schülermützen, Ehrhardt als Untersekundaner eine blaue und Gero als Untertertianer eine rote. Im übrigen hatte er noch der Hoffnung Ausdruck gegeben, daß die von ihm sehr geschätzten lieben Verwandten keinen Grund zum Klagen über seine Kinder haben würden. Falls etwas passiere, bitte er sofort um Benachrichtigung, er würde dann schon für Ordnung sorgen.

Somit war für die Großen Ferien der beiden alles geregelt – abgesehen von den Sorgen der Mutter, die nun tagelang wusch, stopfte, bügelte und nähte, um vor den fernen Verwandten ihres

Mannes mit ihren Jungen als gute Hausfrau Ehre einlegen zu können. Als Gastgeschenk gab der Vater den Söhnen für den Vetter einen Satz schöner Messer und ein Fasanenbesteck für Justus' Schwiegervater Kühn (er war passionierter Jäger) mit. Für die Base Clementine (in der Verwandtschaft nannte man sie der Einfachheit halber meist Frau Justine) hatte die Mutter eine ihrer schönsten Blusen herausgesucht. Vor dem Kriege hatte sie das schöne Stück bei festlichen Gelegenheiten gern und oft getragen, deshalb war es ihr auch zunächst schwergefallen, sich von ihm zu trennen. Dann jedoch hatte sie es mit einer energischen Bewegung in den Karton gelegt: Es waren nun schon fast drei Jahre Krieg, und es gab keinen Grund zum Feiern mehr. Es wechselten jetzt auch in anderen Familien viele solcher kleinen und auch größere Kostbarkeiten aus den Schränken der Städter gegen ein bißchen Mehl, Fett oder Brot zu den Bauern auf das Land. Hoffentlich, so dachte sie beim Einschlagen des Kartons, kommt's den Kindern zugute, sie sind im Wachsen und können eine kräftige Landkost wirklich gebrauchen.

Somit war alles geregelt und gerichtet, und Ehrhardt und Gero fuhren an einem frühen Julimorgen in einem Personenzug auf der Wetzlarer Bahn hinter dem Lindenhaus ihrem Ferienziel entgegen. Die Mutter und Frau Sorgen waren aus dem Garten an den Bahndamm getreten und hatten ihnen zum Abschied nachgewinkt.

„Hast du sie noch gesehen?" fragte der Vater, als Frau Ernestine wieder an den Frühstückstisch auf den Balkon zurückgekehrt war. Die Mutter bejahte mit einem Seufzer und sagte: „Wenn ihnen nur nichts unterwegs passiert." – „Wenn sie uns nur keinen Ärger machen", hielt der Vater dagegen – und beide Eltern hatten damit einmal wieder in der Paarung nachgiebiger Güte und väterlicher Strenge den Konsensus ihrer Erziehung gefunden.

Bis Beelitz war den Jungen die an ihren Augen vorüberfliegende Landschaft von Schulausflügen bekannt. Als sie durch den Hohen Fläming fuhren, entdeckten sie beim Blick aus dem Abteilfenster viel Neues, und die Fahrt über die Elbbrücke bei Barby wurde zu einem Erlebnis.

„Die Elbe ist hier aber viel breiter als in Trempin", sagte Gero erstaunt.

„Muß sie auch sein", entgegnete Ehrhardt, „Barby liegt doch

viel weiter unten als Wittenberg. Unten werden die Flüsse immer breiter."

„Alle?" fragte Gero zweifelnd. Er verfolgte den Gedanken aber nicht weiter, weil ihn die unbekannte, am Zug rasch vorbeifliegende, wechselnde Landschaft fesselte. Sie fuhren jetzt durch Thüringen und bewunderten die Täler und Hügel, die den Augen viel mehr Abwechslung boten als die Mark und das flache, fruchtbare Land an der Elbe um Trempin. Nach vielen Stunden kamen sie nach Mühlhausen und stiegen aus.

„Hier haben sie den Thomas Münzer nach dem Bauernkrieg hingerichtet", sagte Gero (sie hatten vor kurzem in Geschichte die Reformationszeit durchgenommen), „der war Führer im Bauernkrieg."

„Das interessiert mich jetzt nicht", erwiderte Ehrhardt. „Sieh dich lieber um, auf welchem Bahnsteig der Zug nach Forla abfährt."

Sie fanden den Zug und waren bald in Forla, standen auf dem kleinen Landbahnhof und schauten sich um. Niemand ging auf sie zu, um sie abzuholen, wie sie es von ihren Reisen nach Trempin gewohnt waren.

„Ob sie Vaters Brief nicht bekommen haben?" fragte Gero etwas ängstlich den größeren Bruder.

„Wer weiß", antwortete Ehrhardt, „dann müssen wir uns eben durchfragen."

Er sah sich suchend um. Hinter dem Zaun, der den schmalen Bahnsteig vom Vorplatz trennte, standen Jungen; sie mochten im gleichen Alter wie die Suchefads sein. Sie standen gebückt, hatten ihre Ellenbogen auf die Gitterbrüstung gestützt und schauten, die Köpfe in der Muschel der Hände geborgen, stumm auf die beiden Ankömmlinge. Fünfzehn Köpfe zählte Gero.

„Die starren einen ja an wie Affen oder Tiger im Zoo", wunderte sich Ehrhardt. „Sag mal", entschlossen wandte er sich an den ersten besten, „wo wohnt denn hier der Bürgermeister Fabius." – „Dor hinne", der Angesprochene hatte sich aufgerichtet und mit der Hand in die Dorfstraße gezeigt.

„Hast du was verstanden?" fragte Gero.

„Ja, er meint dort hinten in der Straße", erwiderte Ehrhardt. „Los, gehen wir, wir werden schon hinfinden." Damit schulterte er seinen Rucksack und schritt, gefolgt von Gero, in die angegebene Richtung.

„Du, die kommen ja alle mit“, verwunderte sich Gero, er hatte, sich umschauend, bemerkt, daß ihnen alle Jungen in einigem Abstand folgten.

„Ach, laß sie doch“, antwortete Ehrhardt, „frag lieber die Frau da drüben, die so neugierig guckt, wo der Onkel Justus wohnt.“

Gero ging hinüber, während der Bruder wartete.

„Dor hinne“, sagte auch sie und wies mit einer Kopfbewegung zur Dorfmitte, ohne die unter einer geblümten Schürze verschränkten Arme zu heben. Eine hohe Haube aus gesteiften Bändern unterstrich gleich einer sanft nachschwingenden Welle unmißverständlich winkend die Kopfbewegung.

Mit einem „Dankeschön“ war Gero wieder zu Ehrhardt auf die andere Straßenseite gegangen. Dabei hatte er gesehen, daß auch die Schar der Dorfjungen haltgemacht hatte und seinem Gespräch mit der Frau interessiert gefolgt war.

„Die scheinen hier alle nicht mehr als ‚Dor hinne‘ sagen zu können“, schimpfte Gero. Während sie weiter in der gewiesenen Richtung gingen, fragte er: „Hast du gesehen, was die Frau anhatte, oben so ’nen komisch breiten Rock unter der Schürze, und die Haube?“

„Das ist ihre Tracht“, belehrte ihn Ehrhardt, „sieht fast so aus wie die der Spreewälderinnen.“

„Ob wir nun bald da sind“, maulte Gero, „mir wird der Rucksack schwer, und der olle Karton mit Mutters Bluse.“

„Drück ihn bloß nicht“ – Ehrhardt mahnte –, „Mutter hat’s mir extra gesagt, daß wir die Seidenbluse nicht verknautschen. – Aber, wir müssen gleich dasein, da vorn ist ja schon die Kirche. In ihrer Nähe muß Onkel Justus wohnen, und ‚Bürgermeisterei‘ steht draußen dran, ich hab’s mal auf einer Fotografie in Vaters Album gesehen.“

„Da, da, sieh, da steht’s!“ Gero hatte das Haus entdeckt. Es war ein etwas größerer, im Gegensatz zu den benachbarten Fachwerkhäusern gänzlich in Stein ausgeführter Bau.

„Schön, das wird’s sein“, sagte Ehrhardt, „zieh deinen Schlips fest und setz die Mütze gerade auf. Vater hat gesagt, ich soll drauf achten.“

Während sie einen Augenblick vor dem Tor des Gehöftes

verharrten, lösten sich aus der Gruppe ihrer Begleiter zwei Jungen, wetzten wieselflink in Justus Fabius' Hoftür und schlugen sie wieder hinter sich zu.

„Wer sind denn die?“ fragte Gero verblüfft seinen Bruder.

„Weiß ich auch nicht“, antwortete Ehrhardt, „is' egal. Wir gehen rein, ich hab' Hunger.“

Wenn Ehrhardt Hunger hatte (und es hungerte ihn in dieser schlimmen Zeit des öfteren), dann handelte er auch. Er drückte die Klinke der Tür herunter und betrat mit Gero den Hof. Es war ein nicht sehr großer, umbauter Hof. Auf der rechten Seite wurde er von einer Scheune, auf der linken hinter dem Wohnhaus von Ställen begrenzt. Aus einer Stalltür trat jetzt eine Frau heraus, hinter ihr starrten die beiden Jungen, die soeben vor ihnen in den Hof gelaufen waren, neugierig auf Gero und Ehrhardt.

„Das muß die Tante Justine – nein, die Tante Clementine sein“, fuhr es Ehrhardt durch den Kopf. Bevor er jedoch etwas sagen konnte, begrüßte sie die Brüder: „Da seid ihr ja, kommt herein. Haben euch Johannes und Liborius gut hergebracht? Der Onkel Justus mußte nach Treffurt auf das Amt, ist ja jetzt so viel zu tun, deshalb konnte er nicht selbst zum Bahnhof kommen.“ Sie hatte hochdeutsch gesprochen, fuhr jetzt aber, zu ihren Söhnen gewandt, fort: „Nehmt de Vedder Schtudentle (Student hatte sie gesagt!) die Säckle ab und trag' sie nuff in de Speicherstub, dor is' for sie gericht.“

Während Johannes und Liborius das Gepäck der Brüder in das Dachgeschoß trugen, kam der Onkel Justus von seinem Amtsgang zurück und nahm sie mit in die Wohnstube. Er trug schwarzglänzende, mit einer Messingschnalle verzierte Halbschuhe, weiße, wollene Strümpfe und über der dunklen Bundhose einen langen kittelartigen Überrock aus Leinen, unter dem eine hochgeschlossene, reichbestickte rote Weste hervorlugte. Den Kopf bedeckte ein Hut mit runder, ganz niedriger Kopfform und breiter Krempe. Er sah wie eine zusammengequetschte Glocke aus, die Vaters Freund Rot – er war Börsenmakler – ständig trug.

Die Suchefads hatten ihre Geschenke abgegeben (die Tante hatte die schöne Bluse sogleich anprobiert und auch anbehalten; auch die Lebensmittelkarten hatte sie angenommen) und von zu Haus erzählt und waren bald, von der Reise ermüdet, in die Betten gegangen. Johannes und Liborius hatten während des

Essens – es gab schönes, derbes Brot und harte Wurst, aber keine Butter – und der Unterhaltung der Eltern mit den Suchefads kaum ein Wort gesprochen.

Es war Ehrhardt und Gero nicht schwergefallen, sich bei Onkel Justus einzuleben. Sie waren jedoch viele Stunden am Tage auf sich angewiesen, weil in der Dorfschule die Großen Ferien noch nicht begonnen hatten und Johannes und Liborius in den Nachmittagsstunden auch der Mutter zur Hand gehen mußten. Manches Mal schien es Ehrhardt sogar, als ob die Tante Justine es nicht gern sah, wenn sie mit ihren Jungen zusammen waren.

Das Anwesen des Onkels war gleich allen anderen im Dorf verhältnismäßig klein. Es gab hier keine Höfe mit so großen Scheunen wie im Trempin, in denen man gleichzeitig auf zwei Tennen dreschen konnte. Einer, der zwei Pferde besaß, war hier schon ein großer Bauer, und es gab viele, die zum Erstaunen der Suchefads ihre Milchkühe auch vor Wagen und Pflug spannten. Weil die nicht so schnell laufen können wie Pferde – so hatte Ehrhardt herausgefunden –, haben die Leute hier auch viel mehr Zeit, geht alles viel langsamer als in Trempin. Onkel Justus konnte noch Pferd und Kuh anspannen (das zweite Pferd hatte er an das Militär abgeben müssen), das bedeutete schon viel in Forla.

Es gab hier, so hatte Ehrhardt bereits nach wenigen Tagen festgestellt, für ihn nicht viel zu sehen. Längst kannte er die Ankunftszeiten der wenigen Züge, die auf dem Bahnhof hielten. Als ständigen Zuschauer grüßten ihn bereits Lokführer und Heizer der kleinen Lokomotiven als guten Bekannten. Es gab hier keinen Fluß gleich der Elbe bei Trempin, auf der man stattliche Raddampfer mit vielen Kähnen und sogar auch noch gelegentlich einen Kettendampfer sehen konnte. Es gab auch keine größere Maschinenanlage, die sein Interesse hätte erwecken können. Er begann sich zu langweilen und faßte deshalb eines Tages den Plan, über den Hainich ins Werratal nach Amseln zu laufen, wo noch zwei alte Tanten, Schwestern des Großvaters Suchefad, wohnten.

„Das ist aber ziemlich weit", hatte Onkel Justus, den Kopf bedenklich wiegend, gesagt, als ihm Ehrhardt von seiner Absicht erzählte. Ehrhardt kenne den Weg auch nicht, und die Wegweiser seien nicht immer verläßlich.

„Und mitten durch den Wald", hatte Tante Justine hinzugesetzt (sie war bisher nur einmal vor vielen, vielen Jahren in Amseln gewesen, damals, als Justus sie der dortigen Verwandtschaft als Braut vorgestellt hatte). „Da kannst du dich leicht verlaufen“, hatte der Onkel noch gemeint, „und bist statt vor der Werra auf einmal auf dem Weg nach Mühlhausen.“

„Ich hab’ ja die Karte und den Kompaß“, Ehrhardt hatte aus dem Ausschnitt seiner Matrosenbluse eine Landkarte und aus der Hosentasche (welche Schätze bargen früher die Taschen einer Jungenhose!) einen kleinen Marschkompaß hervorgeholt.

„Kannst du dich danach zurechtfinden?“ Staunend hatte Liborius sich in das Gespräch eingemischt, war aber schnell wieder verstummt (die Jugend pflegte zu damaligen Zeiten bei Unterhaltungen Erwachsener respektvoll zu schweigen).

„Wir haben’s auf der Schule gelernt“, etwas lässig und überlegen hatte Ehrhardt ihm geantwortet, „und auf Exkursionen (er sagte bewußt nicht ‚Ausflügen‘) alles ausprobiert.“

Ehrhardt wird bald 16 Jahre alt, hatte der Onkel überlegt, er ist auch viel verständiger und gereifter als der sprunghafte Gero, deshalb hatte er ihm schließlich erlaubt, nach Amseln zu wandern. Gero hatte ihn nicht begleiten wollen, weil er dem Onkel Kühn versprochen hatte, ihm zu helfen. Er war gern beim Onkel Kühn, dem er zusammen mit Ehrhardt kurz nach ihrer Ankunft das schöne Fasanenbesteck vom Vater übergeben hatte, weil er hoffte, einmal von ihm mit auf die Jagd genommen zu werden. Bisher, so hatte Onkel Kühn ihm auf sein Drängen bedeutet, sei leider immer noch nicht der richtige Mond für den Ansitz gewesen (daß es für Gero bei ihm niemals „richtiger Mond“ sein würde, weil ihm der quirlige Bengel jedes Wild verjagen würde, das hatte er allerdings für sich behalten).

Dorfkrämer und Amtsschreiber redeten den Onkel mit „Herr Privatier Kühn“ an. Im Amtsregister hatte man für ihn nach der Übergabe seines Hofes an seinen Schwiegersohn Justus Fabius in das Protokoll über die an ihn zu entrichtenden Geld- und Naturalleistungen die Bezeichnung „Altenteiler“ eingesetzt. Er hatte sich viel ausbedungen, bevor er vom Hof gewichen und in ein kleines Haus gezogen war. In diesem lebte er nun seit dem Tode seiner Frau mit einer Haushälterin als der „reiche Kühn“ vom Nichtstun, von vielen Dörflern beneidet. Mit der Lebensmittelverknappung seit Beginn des Krieges hatte er sich wieder teilweise der Selbstversorgung zugewendet, er hielt sich neben einigem Borsten- und Federvieh auch noch eine Kuh, die „Schöne Anna“.

Kühn hatte, als Gero an diesem Tage auf seinen Hof stürmte, die Kuh bereits vor einen leichten Stellwagen gespannt und legte soeben Sense und Rechen auf den Wagen.

„Na, dann woll’n mer mal, mach’s Dor uff“, sagte er nach kurzer Begrüßung zu Gero (er schien an diesem Morgen etwas grämlicher Stimmung zu sein) und kletterte schwerfällig auf den Wagen. Er ließ die Beine über die Deichsel hängen, nahm eine als sanfte Peitsche dienende Gerte auf, schnalzte mit der Zunge und sagte: „Los, Anna!“

Aber auch die Schöne Anna (sie trug die Bezeichnung ihres glänzenden schwarz-weißgefleckten Fells wegen zu Recht) schien an diesem Morgen in keiner guten Stimmung zu sein. Sie rührte sich nicht vom Fleck, wedelte mit der Quaste ihres Schwanzes Herrn Kühn vor der Nase herum und antwortete nur mit einem mürrischen „Muh“.

„Nu los, Anna, lauf schon“, munterte Onkel Kühn das Tier auf und klatschte ungeduldig die Hotteleine gegen die Flanke des Tieres.

Anna jedoch wollte noch immer nicht vom Hof. „Nimm sie an das Halfter“, befahl er Gero, „und führ sie hinaus.“ Dabei ließ er die Gerte leicht auf ihrem Rücken spielen.

„Nun komm schon, wir wollen doch für dich Gras holen, schönes saftiges Gras“, sprach Gero zu dem Tier. Er fürchtete sich nicht vor Pferden und Kühen, seit er einst auf Milchmanns Lise gesessen und gehört hatte, wie Robert mit ihr gesprochen hatte. Wenn man mit den Tieren redet, werden sie folgsam und handfromm, das wußte er auch vom Onkel Richter, der in Trempin eine schöne große Landwirtschaft besaß. In den Osterferien war er zusammen mit ihm einmal von einem plötzlichen Gewitter und Hagel überrascht worden.

„Halt mal die Pferde, ich hol’ schnell meine Jacke“, hatte der Onkel zu ihm gesagt und war über das weite, frühlingskahle Feld zu einem von einigen Pappeln umsäumten Kolk gelaufen. Gero war damals 12 Jahre alt, hatte vor der Deichsel des Wagens gestanden und die Trensen der beiden schweren Belgier in der Hand gehalten. Es war ihm unheimlich auf dem weiten kahlen Feld, über dem der Himmel in schwärzestem Dunkel lastete.

Blitze zuckten aus den Wolken, und der Donner grollte. Die großen, schweren Pferde vor ihm zitterten vor Furcht, und ihre Nüstern blähten sich vor Erregung, sie schnaubten aufgeregt – und der Onkel war noch weit. Auch der Junge hatte Angst – aber er durfte sie nicht zeigen, durfte nicht ängstlich sein, sonst würden die Pferde durchgehen, ihn überrennen. So sprach er mit ihnen, sagte ihnen, daß das Gewitter bald vorüber sein würde, er hätte auch die Sekunden zwischen Blitz und Donner gezählt (wie es ihn der Vater gelehrt hatte), das Gewitter sei noch ziemlich weit und würde nicht über die Elbe kommen. Trotzdem war er heilfroh, als der Onkel Richter zurückgekommen war und wieder die Leine in die Hand genommen hatte.

So also mußte man mit Tieren umgehen, auch niemals, ohne ein Wort zu sagen, von hinten an sie herantreten, um sie nicht zu erschrecken.

„Komm, Anna", wiederholte Gero seine Aufforderung. Mit einem ärgerlichen Unterton in ihrem „Muh" zog Anna jetzt langsam den leichten Wagen aus dem Tor. Flink hatte es der Junge hinter ihm geschlossen, war hinten auf den Wagen gesprungen und über die Unterplanken nach vorn zum Onkel gekrochen. Noch keine hundert Meter waren sie gefahren, als die Schöne Anna ihren stattlichen, bequasteten Schwanz zur Seite bog und ein dünnes Rinnsal dessen, was auch der zweite Magen eines Rindviehs nicht verdauen konnte, über die gemächlich dahinschreitenden weißen Hinterbeine zur Erde gleiten ließ.

„So'n Schiet", schimpfte Onkel Kühn, „erst heute morgen hab' ich sie sauber geputzt, und nu . . . so kann ich doch nicht durchs Dorf fahren. Brr!" Er zog die Leine an, stieg schwerfällig vom Wagen und ging zum Hof zurück. Mit einem Strohwisch kam er wieder und wiederholte, immer noch fluchend, am Hinterteil der Schönen Anna die Morgentoilette, während sie – jetzt offensichtlich erleichtert – vorn genüßlich mit ihren weichen Lippen an den zwischen dem Kopfsteinpflaster hervorsprießenden Gräsern knabbernd, für Nachfüllung ihrer zwei Mägen sorgte. Sie war jetzt besserer Laune und trabte, nachdem der Onkel wieder auf den Wagen gestiegen war, fröhlicher als zuvor auf das Feld.

Gero war auch über die Mittagszeit bei Onkel Kühn geblieben. Nach dem Grasholen hatten sie sich an das Holzhacken gemacht. Bei dieser Arbeit saß der Onkel auf einem Hocker vor dem

Hauklotz, ließ sich von dem Jungen die Kloben zureichen und warf die gespaltenen Scheite auf einen Haufen zu seiner Linken. Auf diese Weise ließ sich die Arbeit ohne allzu große Mühe erledigen. War ein Scheit beim Spalten weggesprungen, so holte ihn der Junge flink zurück. Er apportiert gut, dachte der Jäger Kühn bei sich. Ab und an waren auch die Bengel aus der Stadt zu etwas nutze.

Als Gero zum Abendbrot auf dem Justushof in die große Küche trat, traf er dort nur die Tante und den Onkel Justus an. Sprudelnd vor Freude und Aufregung begann er – kaum daß er ein „guten Abend" gesagt hatte: „Onkel Kühn will mich nächste Woche mit auf den Anstand nehmen, dann, so hat er gesagt, ist der richtige Mond" – aber (erst jetzt fiel ihm auf, daß Johann und Liborius nicht in der Küche waren und nicht zum Abendessen gedeckt war) „wo sind die Vettern, und ist Ehrhardt noch nicht zurück?"

„Die Jungs sind wech, nach Mehl zum Brotbacken. Wir haben selbst nichts mehr zu essen", sagte die Tante, „und das beste is', wenn ihr wieder nach Hause fahrt." Damit schob sie Gero eine Brotschnitte mit einem ganz kleinen Stückchen Wurst zu und goß ihm ein Glas Milch ein.

„Wir müssen in den Stall", sagte der Onkel, dem die Worte der Tante offensichtlich peinlich waren, entschuldigend setzte er seufzend hinzu: „Ist Krieg, sind schwere Zeiten . . ."

Gero saß allein vor dem großen, blankgescheuerten Küchentisch, vor sich das Brot und die Milch. Wie Keulenschläge hatten ihn die Worte der Tante getroffen. Fröhlich und unbeschwert war er noch vor wenigen Minuten in die Küche gestürmt – und nun: „Sie hätten selbst nicht mehr genug zu essen", die Worte hämmerten in seinem Kopf, „müßten", so setzte er für sich hinzu, „nun ihretwegen hungern!" Er sah auf die Brotschnitte und die Milch: „Das nahm er Liborius und Johannes weg." Er verspürte keinen Hunger mehr, saß reglos vor dem Tisch.

Wo nur Ehrhardt blieb, dachte er, er war klüger, wüßte sicher Rat. Er wartete lange auf den Bruder und schlich sich schließlich, ohne noch jemanden von der Familie des Onkels gesehen zu haben, in die Bodenkammer. Lange lag er wach, lauschte auf jedes Geräusch im Haus, wünschte sich das Knarren der Stiege herbei, das jeden ankündigte, der auf den Speicher stieg. Doch es blieb alles still, und so schlief er endlich übermüdet ein.

Am folgenden Morgen fielen ihm sofort nach dem Erwachen die Worte der Tante wieder ein, und er wagte nicht, in die Küche hinunterzugehen. Er wußte sich keinen Rat – Ehrhardt war nicht da –, sollte er allein nach Hause fahren? Aber, überlegte er: Der Bruder hatte die Fahrkarten und auch das Geld, was sollte er tun?

„Wo de bleibst, läßt de Frau Mudder frag'n", Liborius war in die Tür getreten, ohne daß es Gero bemerkt hatte. „Du sollst runter kumme, frühstücken ..."

Gero hatte genickt und war dem Vetter in die Küche gefolgt. Zaghaft hatte er sich zu den anderen gesetzt. Ganz fremd waren sie ihm alle plötzlich erschienen. Nur eine Schnitte hatte er sich vom Onkel aufnötigen lassen. Er habe keinen Hunger, hatte er ihm dankend gesagt, und er brauche auch vom Pflaumenmus nichts drauf (obwohl es verlockend vor ihm duftete). Er war bald aufgestanden, um nach Ehrhardt zu sehen, der doch bald kommen müsse.

Sie hatten ihn gehen lassen, und nun saß er vor dem Dorf an der Landstraße, die zum Hainich hinaufführte, und wartete auf den Bruder. Wenn er doch bald kommen würde, wünschte er sich immer wieder, wenn er doch käme – sie haben selbst nichts mehr zu essen, und wir müssen fort! Er war sehr unglücklich.

Es war fast Mittag, als er Ehrhardt den Weg hinabkommen sah. Er schritt frisch aus und begrüßte fröhlich den Bruder. „Hast gestern schon auf mich gewartet, was? Aber ist doch ganz schön weit, und die Tanten wollten mich abends nicht mehr weglassen. Du, in Amseln, da ist's interessanter als hier, die Werra und die Berge, ist dort nicht so flach wie hier – aber, was hast du" – erst jetzt fiel ihm die Niedergeschlagenheit des Bruders auf.

„Wir müssen weg", sagte Gero, „sie haben selbst nicht mehr genug zu essen."

„Was", erstaunt fragte Ehrhardt, „die nichts mehr zu essen, wer hat dir denn das gesagt, erzähl mal." Damit setzte er sich an den Straßenrand in den Schatten einer der großen Buchen, pflückte einen Strohhalm und forderte den „Kleinen" (wie er Gero gelegentlich etwas herablassend nannte) mit einer Handbewegung auf, sich neben ihm niederzulassen.

Gero berichtete von den Geschehnissen des gestrigen Tages; als er geendet hatte, saßen beide überlegend stumm nebeneinander. Die Glocken der Dorfkirche begannen, den Mittag einzuläuten.

„Wir müssen zum Essen“, sagte Gero, „sonst schimpft die Tante Justine.“

„Nein“, erwiderte Ehrhardt, „wenn sie selbst nichts mehr zu essen haben, gehen wir nicht. Ich hab’ noch meine Brote von den Tanten in Amseln.“ Er holte ein dickes Paket mit gutbelegten Schnitten hervor, „hier, iß, die alten Tanten waren sehr nett.“

Beide ließen sich die Brote schmecken. „Wann geht der Zug nach Hause?“ fragte Gero.

„Darum habe ich mich noch nicht gekümmert“, entgegnete Ehrhardt, „aber ich hab’ eine Idee.“ Er unterbrach sein Kauen: „Wenn wir nicht gleich nach Hause, sondern erst noch nach Trempin fahren.“ Er sah den Bruder erwartungsvoll an. „Was meinst du dazu?“

„Das geht doch gar nicht, wir haben doch Rückfahrkarten“, sagte Gero.

„Doch geht’s, mit einer Umwegkarte, los, das machen wir.“ Ehrhardt war aufgestanden. „Komm zum Bahnhof! Morgen früh fahr’n wir nach Trempin, ich werde die Anschlüsse und das Umsteigen heraussuchen.“

„Das geht nicht, mit dem Umweg“, hatte der Beamte auf dem Bahnhof in Forla (er war Stellwerker, Schrankendreher, Schalterbeamter und Vorsteher in einer Person) zunächst kopfschüttelnd die Jungen beschieden. „Man muß immer wieder dahin zurückfahren, woher man gekommen ist.“ Ehrhardt ließ sich jedoch nicht von ihm abweisen und sagte, daß der Vater auch schon einmal von Forla über Trempin nach Berlin gefahren sei, er konnte ihm sogar noch das Datum sagen, so daß sich der Mann schließlich gezwungen sah, dem Wunsch der Jungen nachzugeben (in Wahrheit hatte er bei seiner Ablehnung nur die Mühe der Fahrpreisberechnung gescheut). Er hatte Ehrhardt sogar das Kursbuch gegeben, aus dem dieser sich ohne viel Mühe die Verbindungen herausgesucht hatte. Wie mit allem Technischen der Eisenbahn, wußte er auch mit Fahrplänen Bescheid.

Als die Jungen aus dem kleinen Bahnhofsgebäude heraustraten, trafen sie den Vetter Liborius, den der Onkel nach dem Mittagessen ausgeschickt hatte, sie zu suchen.

„Wo bleibt ihr denn“, hatte er die beiden Brüder gefragt, „Vater ist schon böse, um Punkt zwölf wird gegessen, wir können doch nicht warten.“

Ehrhardt beachtete den Vorwurf des Vetters nicht, in seiner Vorstellung war er schon ganz auf der Reise, freute sich auf die Fahrt: „Morgen ganz früh fahren wir ab. Ich hab' schon die Karten." Er zeigte sie Liborius, ehe er sie in sein Portemonnaie steckte. „Wir gehen nur noch zum Onkel Kühn zum Wiedersehen-Sagen und kommen dann zum Packen nach Haus", damit schickte er Liborius fort.

Sie blieben eine ganze Weile beim Onkel (der nun bedauerte, daß er Gero nicht mehr mit auf den Anstand nehmen konnte) und drückten sich danach noch im Dorf herum, um möglichst wenig mit dem Onkel und der Tante Fabius zusammensein zu müssen. Zaghaft hatte Gero am Abend noch gefragt, ob sie ihnen für unterwegs noch ein Brot mitgeben könne. Die Tante hatte mit einem Lachen gesagt: „Abe joh, so warsch doch nit gemoint", und hatte ihnen am nächsten Morgen ein schönes Zehrbrot in ihre Rucksäcke gesteckt. Sie hatten sich darauf sehr artig bei Onkel und Tante für alles Gute bedankt (daß sie dies ja nicht bei der Abfahrt vergäßen, war ihnen zu Hause eingeschärft worden) und waren diesmal ohne die Begleitung der Vettern und der Dorfjugend – die der beginnenden Ernte wegen auf dem Felde gebraucht wurden – zum Bahnhof gegangen.

Mehrfach mußten sie umsteigen, waren viele Stunden unterwegs, ehe sie im Nachmittagszug der Trempiner Kleinbahn saßen. „Sieh da, Sanders Jungs sind wieder da", sagte der Zugführer, als er ihre Fahrkarten im rumpelnden Wagen kontrollierte. Es war derselbe Beamte, der sie mit diesen Worten schon vor vielen Jahren als erster in der Heimat der Mutter begrüßt hatte. Aber er war alt geworden und versah jetzt nur noch diesen Dienst, weil sein Nachfolger zum Militär eingezogen worden war. Nicht mehr ganz so adrett saßen ihm Uniform und Mütze wie in früheren Jahren, nicht mehr ganz so spitz und hoch zwirbelte er den Kaiser-Wilhelm-Bart, wenn er bei der Kontrolle einer hübschen Frau tief in die Augen blickte – seinen Charme besaß er aber immer noch.

„Sanders Jungs sind wieder da", hatte der nach Haus radelnde Lokomotivheizer auch dem Onkel August zugerufen. Wie gewohnt war er beim schrillen Pfiff des Lokomotivchens (mit dem es stets die Ankunft eines Zuges ankündigte) vor die Ladentür getreten, um zu sehen, wer „mitgekommen war".

„Mutter, Marte, Karl-Wilhelm, die Jungs kommen", hatte er aufgeregt ins Haus gerufen.

Karl-Wilhelm hatte das Buch, in dem er in der Wohnstube der Großmutter gelesen hatte, weggeworfen und war hinausgestürmt, war den Brüdern auf der Bahnhofstraße entgegengelaufen, hatte sie freudig begrüßt. Er überschüttete sie mit Fragen, wie es ihnen in Forla ergangen sei. Nun standen sie wie in all den Jahren zuvor vor der Tür des großväterlichen Hauses, und die Großmutter nahm sie in ihre Arme und drückte sie an sich, als kämen sie von einer weiten, weiten Reise zurück. Die Tante Marte nahm ihnen fürsorglich die Rucksäcke ab, und der Onkel August sagte wie gewohnt: „Nun, da seid ihr ja wieder."

Es war wie früher, es war wie zu Hause.

Aus dem Tagebuch des vierzehnjährigen Gero Suchefad

12. 8. 1916

Schon wieder eine Woche zu Hause. Es war schön in Trempin. Vater wollte nicht glauben, daß Onkel Justus in Forla nichts mehr zu essen hat. Er glaubt immer noch, daß Ehrhardt und ich Dummheiten gemacht haben und sie uns deswegen weggeschickt haben, soll er doch hinschreiben! In Trempin waren wir auch bei dem Gärtner Florens, der aß die roten Dinger aus seinem Garten roh. Wir sollten auch mal probieren, aber ich habe mich nicht getraut. Tomaten heißen die roten Früchte. Manche sehen fast wie Äpfel aus. Wir haben ihm dann die „Flugschriften zur Volksernährung" gebracht, die wir in der Schule gekriegt haben. Möglichst viele sollten sie lesen, hatte Oberlehrer Urbahn gesagt, und in jedes Heft sollten sie ihren Namen hinten reinschreiben, wenn sie es gelesen haben. Wer das Heft mit den meisten Unterschriften abliefert, kriegt nach den Ferien ein Lob. Ehrhardt hat im Heft „Reiche Kartoffelernten" schon viele Unterschriften. Vater hat alle Hefte nur angesehen und hat gesagt, er habe keine Zeit, das gehe auch nur Mutter etwas an. Im übrigen sollten sie ihm mit den „Seemuscheln als Nahrungsmittel" und mit der „Fettarmen Küche" der Hedwig Heyl gestohlen bleiben. Der Gärtner Florens hat im Heft „Die Wintergemüse als Volksnahrung" ganz dick unterschrieben und Großmuttchen-Trempin und Tante Marte gesagt, sie lebten ganz falsch, sie und alle in der Stadt sollten die Flugschrift „Unsere Wildpflanzen in der Küche" wirklich lesen, dann brauchten sie keinen auf den Rieselfeldern gewachsenen Kohl, der wie Jauche aus dem Kochtopf stinkt. Tante Marte hat nachher gesagt, der Florens ist ein Spinner, ist nicht von hier und ein Vegetarier. Als ich Vater jetzt gefragt habe, was das heißt, hat er gesagt, „das sind Leute, die essen kein Fleisch, aber bei mir fängt das Gemüse beim Ochsen an", hat er noch gemeint.

15. 8. 1916

Onkel Walter ist nun auch gestorben. Großmutter-Potsdam ist davon ganz krank geworden. Sie lag im Bett, als wir vorgestern zum Guten-Tag-Sagen da waren. Sie fragte nach Großmuttchen-Trempin und und Tante Marte und hatte ihren Schirm über den Augen. Wir konnten sie kaum verstehen, als wir vor ihrem Bett standen, so leise sprach sie. Die Tante Aline hat dann auch bald gesagt, wir sollten wieder gehen, weil sie das Sprechen zu sehr anstrengt. Großvater saß im Atelier vor der Staffelei, als wir ihm Wiedersehen sagen wollten. Er hat aber nicht gemalt, nur auf die Staffelei gestarrt und geschimpft wegen Onkel Walter und Onkel Hermann, der sich doch erschossen hatte. „Wenn sie wenigstens beide auf dem Felde der Ehre gefallen wären, fürs Vaterland – aber so . . .“, hat er gesagt, „solche Schande“, und dann hat er uns angeschnauzt. „Seht euch vor den Weibern vor, den verfluchten Weibern.“

Wir waren ganz erschrocken, haben nur „ja“ gesagt, dann hat er nur gewinkt, daß wir rausgehen sollten. Wir waren froh, als wir draußen waren. Es war fast so, als ob er nicht mehr sprechen konnte – er hatte die Brille abgenommen und die Augen gewischt – ob er geweint hat? Aber Großvater ist doch alter Soldat, der weint nicht, bestimmt nicht.

Und was er wohl mit den „Weibern“ gemeint hat? Woran ist Onkel Walter gestorben, daß es eine Schande ist? Die Großen sagen's uns nicht, und wenn sie davon sprechen und einer von uns kommt hinzu, hören sie sofort mit der Unterhaltung auf und sprechen von was anderem. Ich habe Karl-Wilhelm gefragt, ob er weiß, was der Großvater gemeint hat, aber der sagte nur: „Dazu bist du noch viel zu dumm.“ Ich glaube aber, er gibt nur an und weiß es auch nicht.

16. 8. 1916

Allmählich gewöhnt man sich wieder an den Schulbetrieb. Nur sieben Wochen, dann wieder Ferien. Und dann Zensuren! Feste los! Es war zu schön in den Ferien, die Sehnsucht nach Trempin ist sehr groß. Wir haben heute einen Salamander aus der Schule bekommen von Herrn Oberlehrer Urbahn. Wir arbeiten gut los. Immer so weiter.

17. 8. 1916

Heute den ersten Aufsatz nach den Ferien. Er kam ziemlich früh. Thema: Die Schlacht am Skagerak.

20. 8. 1916

Gestern war die erste Konfirmationsstunde nach den Ferien. Sie verlief sehr schön. Heute war ich nicht in der Kirche. Wir hatten heute ein paar Kriegsspiele. Eine kleine Keilerei. Es war sehr schön. Alle waren damit zufrieden.

23. 8. 1916

Heute ist U-Deutschland angekommen. Diese Ankunft, so unwichtig sie war, hatte einen Erfolg wie selten. Wie am Mobilmachungstage wogte in Berlin die Begeisterung. Nach zwei Kriegsjahren solch Erfolg!

Wir halten durch!

28. 8. 1916

Wir halten durch! So müssen wir auch in schlimmen Zeiten rufen. Italien hat uns, und Rumänien Österreich-Ungarn den Krieg erklärt. Fürwahr ein harter Schlag. Möge es ihnen ergehen, wie es den anderen bis jetzt ging. Durchhalten bis zuletzt mit Vertrauen auf Gott. Mit Recht sangen wir in der Andacht „Ein feste Burg ist unser Gott“. In der Geschichtsstunde haben wir nachher eine „Chronik der Kriegserklärungen“ gemacht, ich habe sie mitgeschrieben:

1.	Österreich-Ungarn-Serbien	28. Juli	1914
2.	Deutschland-Rußland	1. August	1914
3.	Deutschland-Frankreich	3. August	1914
4.	Belgien-Deutschland	3. August	1914
5.	England-Deutschland	4. August	1914
6.	Serbien-Deutschland	6. August	1914
7.	Österreich-Ungarn-Rußland	6. August	1914
8.	Montenegro-Österreich-Ungarn	7. August	1914
9.	Montenegro-Deutschland	11. August	1914
10.	Frankreich-Österreich-Ungarn	13. August	1914
11.	England-Österreich-Ungarn	13. August	1914
12.	Japan-Deutschland	23. August	1914
13.	Österreich-Ungarn-Japan	25. August	1914

14.	Österreich-Ungarn-Belgien	27. August	1914
15.	Rußland-Türkei	2. November	1914
16.	Frankreich-Türkei	5. November	1914
17.	England-Türkei	5. November	1914
18.	Belgien-Türkei	7. November	1914
19.	Italien-Österreich-Ungarn	23. Mai	1915
20.	Italien-Türkei	22. August	1915
21.	Bulgarien-Serbien	14. Oktober	1915
22.	Frankreich-Bulgarien	16. Oktober	1915
23.	England-Bulgarien	16. Oktober	1915
24.	Italien-Bulgarien	19. Oktober	1915
25.	Rußland-Bulgarien	22. Oktober	1915
26.	Deutschland-Portugal	9. März	1916
27.	Italien-Deutschland	27. August	1916
28.	Rumänien-Österreich-Ungarn	27. August	1916
29.	Deutschland-Rumänien	28. August	1916
30.	Türkei-Rumänien	31. August	1916
31.	Bulgarien-Rumänien*	1. September	1916

* nachgetragen am 1. 9. 1916

4. 9. 1916

Vorgestern war Sedan. (Der Tag der Kapitulation einer französischen Armee und der Gefangennahme des Kaisers Napoleon III. in Sedan im deutsch-französischen Krieg von 1870 war im kaiserlichen Deutschland ein Feiertag.) Auf unserem Ausflug nach Glindow war es schön. Kuhweide mit Kühen, wie ohrenbetäubend das Gebimmel, aber schön. Vater wurde zur Großmutter-Potsdam gerufen, da sie sehr krank geworden war. Jetzt ist sie tot. Gestern morgen um 3 verschied sie. Sie wurde erlöst von ihren Leiden. Vor einigen Tagen kam Opel die Uhr weg, nicht zu finden. Herr Oberlehrer Dorm hat S. in Verdacht und will heute abend hingehen und nachforschen. Wer weiß, was das noch wird.

5. 9. 1916

Es ist nichts vorgekommen.

9. 9. 1916

Heute brauchte ich nicht zur Schule, Urbahn ist krank und kein Vertreter da. Da bin ich ganz früh mit Frau Sorgen in die Pilze gegangen, bevor die Nowaweser mit den Handwagen zum Holzsammeln kommen. Frau Sorgen kennt aus ihrer Heimat an der russischen Grenze alle Pilze. Am meisten gibt's im Großen Wald Maronen, die kenne ich schon ganz genau, auch Pfifferlinge sind da, und heute habe ich auch einen Steinpilz gefunden. Mutter hat immer Angst vor Vergiftung. In Trempin gibt's keine Pilze, weil kein Wald da ist, nur Feld. Sie legt immer einen silbernen Löffel beim Kochen mit rein, wenn der nicht anläuft, sind sie nicht giftig, sagt sie. Vater war ärgerlich, als er das sah, nahm den Löffel raus und sagte, das ist Aberglaube. Er ißt keine Pilze, ohne Speck schmecken sie ihm nicht.

19. 9. 1916

Alle waren wir krank, heute endlich wieder gesund, wenigstens so halb. Ob Ehrhardt das Einjährige kriegt? Die Arbeiten hat er nicht mitgeschrieben. Na, hoffentlich.

21. 9. 1916

Wieder voller Betrieb. Ich bin wieder mitten drin. Zwei Arbeiten heute geschrieben und zu Haus einen Aufsatz. Herr Oberlehrer Urbahn will zu uns kommen wegen Ehrhardt.

29. 9. 1916

Nun hat es Ehrhardt! Zeit wird's. Die Zensuren am Sonnabend. Ehrhardt kommt am Montag weg, in die Lehre. Dann sind die Jugendjahre vorbei. Alle haben das Einjährige gekriegt. Die arme Frau Sorgen fressen ihre Kinder ganz arm. Vorgestern hat sie ein ganz großes Geschäft hintenrum machen wollen. Da waren zwei Männer mit einem Sack gekommen und haben mit ihr polnisch gesprochen. Als ob sie miteinander schimpften, wäre es gewesen, sagt Mutter, die es oben gehört hat. Dann hat der eine sein Messer herausgeholt und in den Sack gestochen. Da kam Zucker raus, und Frau Sorgen hat den beiden für den Sack Zucker viel Geld gegeben. Als sie aber den Sack richtig aufgemacht hat, war nur Sand drin, und nur an der einen Stelle, wo der Mann reingestochen hat, war Zucker. So eine Gemeinheit. Drüben im kleinen Haus sind neue Leute eingezogen, Kuder heißen sie und wollen das ganze Jahr da wohnen bleiben. Der Vater ist Fabrikdirektor. „Die haben alles", sagte Frau Sorgen, als ich sie heute morgen auf der Hoftreppe traf (sie weiß immer alles). „Die sind Kriegsgewinnler wie der reiche Lederloh, der Vater von der Schulzen, die im Sommer immer im Waldhaus sind. Der hat gleich bei Anfang des Krieges 50 % auf das Zaumzeug fürs Militär draufgeschlagen. Jetzt gibt's kein Leder mehr, nun macht er's Geschirr aus Brennesseln, die ihr gesammelt habt, for nischt", hat sie gesagt, und er macht das Geschäft. Dann hat sie nach Gendarmenrudi gefragt, der vorgestern wegen des neuen Laboranten auf der Eule da war. Der ist aus Bayern, und der Förster meint, er wildert. „Na ja", hat sie gesagt, „hinter die Schwäne sind sie auch schon her. Erst ham'se se jefüttert (so sagte sie) und nu wolln'se se selber fressen. An die Schwanentreppe traun sie sich schon jar nich mehr ran." Das stimmt. Ich habe sie jetzt auch nur noch ganz hinten an der Eisenbahnbrücke gesehen. Mir fiel ein, was uns Kathrin als kleinen Kindern erzählt hatte: „Wenn die Havelschwäne sterben, sterben auch die Hohenzollern."

Aber das ist doch Quatsch! Der Kaiser ist auf dem westlichen Kriegsschauplatz. Ich habe ihn auf einem Bild in der Zeitung gesehen. Er war mit Offizieren beim Studieren einer Karte, und hinter ihm stand ein Gardedukorps mit der Kaiserstandarte. Frau Sorgen wollte ins Haus gehen, hat aber plötzlich aufgehorcht. „Hörst du", hat sie gesagt, „die Glocken von der Potsdamer Garnisonkirche. Ist Westwind, es wird Regen geben, da wachsen die Pilze. Kommst du morgen früh mit in den Wald?" Ich wäre gern mitsuchen gegangen, ich mußte doch aber in die Schule.

Kuders haben einen Jungen und zwei doofe Mädels, die so vornehm tun. Den Jungen haben wir schon verhauen. Er will's seinem Vater sagen. Oberlehrer Sneder ist wieder da, Kutti Sauerbach hat ihn gesehen, ganz in Feldgrau wie alle Soldaten jetzt. Er hat Fronturlaub. Wie der erzählen wird, wenn er nach den Kartoffelferien zu uns in die Schule kommt. Wir freuen uns schon alle drauf.

*

Mit dieser Eintragung endete der Versuch Geros, ein Tagebuch zu führen. Das systematische Arbeiten war nicht seine Stärke. Über die Begegnung Dr. Sneders mit seiner ehemaligen Klasse hat er nichts geschrieben, vielleicht auch nicht schreiben können.

So ist der Krieg wirklich!

Mit diesen Worten hatte Sneder seinen Vortrag vor der Klasse beendet. „Denkt daran“, hatte er noch gesagt, „denkt immer daran!“

Danach hatte er der Klasse zugenickt, dem schmalbrüstigen, kriegsuntauglichen Lehramtskandidaten, der die Obertertia jetzt Geschichte lehrte, hastig die Hand gedrückt und war gegangen. Wie gelähmt waren die Jungen in ihren Bänken sitzengeblieben – das war also Krieg? Das war Sneder, der elegante Sneder, der sie einst mit seiner Eloge auf den Kaiser, seinem Hinweis auf die Tugenden der Spartaner in der Schlacht bei Marathon begeistert hatte – der gleiche Oberlehrer Sneder?

Sie konnten es nur langsam fassen und rekapitulierten auf dem Nachhauseweg den Verlauf des Schultages. Schon auf dem Weg zur Schule hatte Kutti Sauerbach gesagt: „Der Sneder sieht aber jetzt ganz anders aus als früher“, und dies fanden auch die jungen Damen aus der Gesellschaft, die ihn einst angeschwärmt hatten. Er hatte nicht mehr den eleganten Schwung der Kleidung, sogar – so hatte eine bemerkt: Es fehlten ihm Zähne im Munde. Darauf von einem älteren Herrn angesprochen, soll er gesagt haben: „Tun Sie mal was auf dem tiefsten Balkan, wenn Sie Zahnschmerzen haben und kein Dentist weit und breit. Da macht's eben der Fahnenschmied mit einer abgebrochenen Schere, und Sie sind froh, daß Sie das Luder los sind.“

Aber jetzt war er von der Westfront gekommen, direkt aus der Sommeschlacht – und er hatte noch etwas in den Augen, daß mancher, der darin zu lesen wußte, es vermied, ihn nach seinen Erlebnissen zu fragen.

So war er vor die Klasse getreten, die ihn, ihren Helden, um ihn zu erfreuen, mit einem schneidigen „guten Morgen, Herr Oberleutnant!“ (Sneder war inzwischen befördert worden) begrüßt hatte. Aber Sneder war es nicht aufgefallen, daß die Klasse ihn nicht mit „Herr Oberlehrer“, sondern mit seinem militärischen Titel angeredet hatte. Er stand vor ihnen zu seiten des Katheders, und manchem schien es, als sähe er die vor ihm sitzende Klasse gar nicht, blicke über sie hinweg in die Weite. Ein lähmendes Schweigen war eingetreten. Ja, der Sneder war anders geworden. Kutti Sauerbach hatte recht, das fühlten jetzt alle, die ihn schon kannten, bevor er vor zwei Jahren ins Feld gezogen war.

„Dürfen die Schüler Fragen stellen?" Der Referendar unterbrach die Stille.

Sneder wandte sich wie erwachend dem Lehrer zu und blickte danach über die Klasse. Sein Gesichtsausdruck hatte sich entspannt, ein kleines Lächeln glaubten manche sogar auf ihm zu bemerken. Er sagte: „Also fragt!"

Der Bann war gebrochen, die Fragen überschlugen sich, so daß Sneder begütigend die Hand erhob. „Einer nach dem anderen", sagte er.

Was er von dem fabelhaften Erfolg von U-Deutschland halte, wollte der Primus wissen, die Untersee-Frachtschiffe seien doch ein schwerer Schlag gegen die englische Blockade. „Nun ja," zögernd hatte Sneder geantwortet, „ich halte es gleich einem Journalisten mehr oder weniger für einen herrlichen und kostbaren Notbehelf – den Kampf um die Freiheit der Meere ersparen sie uns nicht. Was bedeuten schon die paar hundert Tonnen Fracht, die das U-Boot mitgebracht hat, gegenüber dem ungeheuren Bedarf an Rohstoffen, die wir bis vor dem Krieg aus Amerika bezogen haben. Kautschuk zum Beispiel . . ."

„Wir haben unsere Fahrradreifen abgeben müssen", warf ein Schüler ein, „ich fahre jetzt auf Holzfelgen, das stuckert ganz schön."

„Kannst ja Reifen mit Eisenfedern drum rum nehmen", belehrte ihn ein anderer.

„Nun", sagte Sneder, „die Fahrt der U-Deutschland ist auf jeden Fall eine nette sportliche Leistung, aber ohne jede praktische Bedeutung. Den Überwasser-Verkehr können diese Boote kaum ersetzen – und den haben uns die Feinde abgeschnitten."

„Und die Skagerrak-Schlacht, da haben wir doch gesiegt. Der Kaiser hat sich bei der Flotte bedankt."

„Aber unsere Handelsschiffe können trotzdem noch nicht wieder fahren und uns Lebensmittel heranholen wie früher", sagte ein anderer, „was meinen Sie, Herr Oberlehrer?"

„Da müßt ihr den Kollegen Dr. Umfig fragen, der ist ja im

Flottenverein. Der weiß das besser als ich", ein kleiner Spott war in seiner Antwort nicht zu überhören.

„Herr Oberlehrer, wie ist Trommelfeuer", hatte ein Schüler darauf wissen wollen, und ob er auch schon einen von den neuen Stahlhelmen draußen aufhabe.

„Trommelfeuer sei", so hatte Sneder halb spöttisch-abwehrend geantwortet, „schon ein bißchen anders, als wenn euch einer dauernd Tennisbälle an den Kopf schmeißt, und gegen sie würde wohl der Stahlhelm schützen, aber ..." Er verstummte.

Ob sie nicht bald an der Somme siegen würden, hatte ein anderer weiter gefragt, damit sie wieder einmal schulfrei bekämen, und ein Mitschüler hatte hinzugesetzt, ob er selbst auch schon einmal einen Franzosen oder Engländer kaltgemacht hätte.

„Wie denkt ihr euch den Krieg!" Plötzlich war es aus Sneder hervorgebrochen, und er hatte wieder den starren Ausdruck im Gesicht, die fernen Augen, wie zuvor, als er in den Klassenraum getreten war.

„Frisch, fröhlich, nicht wahr? Immer nur feste druff (ein ironisch-bitterer Ton lag auf dem ‚druff'), und die Gefallenen, die Toten, die gibt's nur beim Feind! Ich will euch sagen, was er ist, der Krieg: Ein Morden ist's, sinnloses Morden auf Befehl von Paris, aus London, Berlin, Petersburg, von denen, die hinten ruhig sitzen! Morden ist es mit Tausenden und Abertausenden von Granaten aus Feldgeschützen, zentnerschwer aus Mörsern und Langrohren auf ein ganz kleines Stückchen Erde, gerade 15 Kilometer lang, in dem du, ihr, euch festgekrallt habt. Sie pflügen es um, reißen Dreck, Schlamm, Bäume und den zerfetzten Leib des Kameraden neben dir in die Luft und lassen ihn verächtlich wieder fallen – und das stunden-, tage- und wochenlang, ununterbrochen!

Und wenn es dich nicht erwischt hat, dann duckst du dich in den zerschossenen Graben, springst aus ihm in den neben dir eben aufgeworfenen Granattrichter, preßt dich an seinen Rand – nichts sehen willst du – und zählst die Sekunden bis zum nächsten Einschlag, und sie werden zur Ewigkeit. Und wenn die Geschütze schweigen und du hebst den Kopf, dann kommen sie, die Feinde, und dann, ja, dann hab' auch ich, wie du so schön sagst, einen – nicht nur einen – „kalt"gemacht. Und jeder von ihnen, der nun vor dem Graben als stinkender Kadaver liegt, achtlos, vielleicht viele

Tage lang, weil keiner ihn holen kann, es wäre sein eigener Tod, hat daheim eine Mutter wie ihr, vielleicht Kinder – und ich hab' ihn kaltgemacht! Dankt Gott, daß ihr sie noch nicht liegen gesehen habt, schlammüberkrustet, halb von der aufgewühlten Erde vergraben, die Toten, den Bauch aufgerissen mit quellendwuchernden Eingeweiden, die in den Unterständen verschütteten Erstickten, oder die, die sich beim Gasangriff die halbe Lunge herausgekotzt haben.

Nichts mehr ist mit dem Lorbeerkranz um die edle weiße Stirn gefallener Helden! Ja, ich habe mich geirrt, als ich euch von den Heroen aus der Antike erzählte, ich und alle Lehrer in Frankreich, in England, in der ganzen zivilisierten Welt. Ein elendes, jammervolles Sterben war's schon damals wie in der Schlacht von Lützen, als der Gustav-Adolf fiel, und der Völkerschlacht bei Leipzig, nach der viele Zehntausende an ihren Verwundungen elend verreckten. Genau wie damals – nur heute noch perfekter durch Dynamit, die Maschine, die Kampfwagen, das Gas, die Flieger – Wahnsinn ist's, Wahnsinn das alles!" Er hatte es fast herausgeschrien. „Denkt daran!" – Dann war er gegangen.

*

Einige Tage später saßen sich Dr. Stahl und Sneder im Zimmer des Direktors gegenüber. Stahl hatte Sneder zu sich gebeten. „Herr Kollege", hatte Stahl nach der Begrüßung die Unterhaltung begonnen, „Herr Kollege, mir ist da etwas zu Ohren gekommen (Sneder kannte diesen Satz aus früheren Tagen: Wenn dem Herrn Direktor ‚etwas zu Ohren gekommen war', hatte er an seinen Untergebenen etwas auszusetzen), ja, mir ist da etwas zu Ohren gekommen, mit dem ich nicht einverstanden sein kann. Ihre Rede vor der O II konnte leider mißverstanden werden. Sie sollen da merkwürdige Ansichten vertreten haben. Wir begrüßen es immer, wenn die an der Front stehenden Herren den Schülern berichten. Es ist sogar vom Provinzial-Schulkollegium gewünscht worden, solche Vorträge in den Unterricht einzubauen, aber: Der Krieg ein Morden, das von denen ‚da oben' in Paris und London, und – Sie sollen gesagt haben, auch in Berlin – befohlen worden ist (Stahl schüttelte mißbilligend den Kopf), da ist doch wohl noch ein Unterschied, Herr Kollege. Deutschland verteidigt seine höchsten irdischen Güter, Heimat, Weib und Kind. Unsere Krieger opfern ihr Leben für ein hehres Ziel, für das Vaterland, für Gott, Freiheit und Sittlichkeit."

„Das hat man denen auf der anderen Seite auch gesagt", erwiderte Sneder trocken.

Dr. Stahl überhörte den Einwurf, er sagte: „Es liegt doch so viel Ideales in der Kampfbereitschaft der Jugend, das man ihr nicht nehmen sollte. Im übrigen sind die Opfer nicht vergebens. Gegen eine Übermacht von Feinden haben wir uns bis jetzt behauptet. Wir müssen durchhalten, außerdem zeigen, wie mir ein Vetter schrieb (er ist in einem höheren Stabe bei der Heeresgruppe Deutscher Kronprinz), die Franzosen nach der Abnutzungsschlacht von Verdun Zeichen erheblicher Demoralisierung."

„Die Stäbe müssen es ja wissen, die sitzen hinten warm und trocken", sagte Sneder.

„Wie meinen Sie das", entgegnete Stahl etwas pikiert.

„In der Etappe läßt sich's ganz gut leben, vielleicht besser als daheim, sonst könnte nicht mancher Stabsoffizier von seinem Burschen regelmäßig Pakete mit Lebensmitteln nach Hause schikken lassen. Aber wir vorn in den Gräben, wir Frontschweine, wir haben nichts zu fressen (Sneder sagte tatsächlich ‚Frontschwein' und ‚fressen' – wie ließ doch der Krieg, so dachte Stahl, selbst die Sprache der Gebildeten verrohen!), und jeder Essenholer, der unter Feuer nach hinten muß, hat eine Freifahrkarte ins Himmelreich. Was hat uns Verdun gebracht? Den Durchbruch durch die feindliche Front – ich sehe ihn nicht. Verdun hat – wie ein Leitartikler meinte (zynischer kann man's kaum sagen), gleich einem Moloch die Kinder Frankreichs von den jüngsten bis zu den ältesten Jahrgängen gefressen. Es war für die Franzosen der ungeheure Feuerofen, in dem ihre beste Kraft zu Asche verbrannte (auch das hat einer geschrieben). Nur für die Franzosen? Auch bei uns hat man ganze Divisionen sinnlos verheizt."

„Aber, Herr Kollege, ich bitte Sie, so etwas darf man doch nicht sagen, nicht einmal denken! Das ist ja reiner Defätismus", beschwörend hatte Dr. Stahl die Hände erhoben, „ich bin entsetzt!"

„Ja, ich sage sinnlos", Sneder ließ sich nicht halten, „oder sehen Sie, verehrter Herr Direktor, etwa einen Sinn darin, die Offensive vor der stärksten Festung des Gegners zu beginnen, wie es unsere

Oberste Heeresleitung im Februar getan hat? Jetzt haben wir keine Reserven mehr, und die abgekämpfte Truppe mußte von Verdun ohne Ruhe an die Somme, um den Vormarsch der Engländer und Franzosen aufzuhalten – vom Fegefeuer in die Hölle!

Redde mihi legiones*, so könnte heute wie weiland Augustus Seine Majestät ausrufen."

Er denkt wenigstens noch in Latein, stellte Dr. Stahl befriedigt fest. Er sagte: „Der Kaiser hat den Generalstabschef von Falkenhayn wahrscheinlich deshalb auch seines Postens enthoben, mit dem Generalfeldmarschall von Hindenburg und General Ludendorff sind wohl die richtigen Männer an die richtige Stelle berufen worden."

„Sie haben im Osten viel geleistet", gab Sneder zu, „ob sie das Blatt im Westen wenden, die Erstarrung der Fronten beenden können?" Skepsis lag in seiner Stimme. „Das ist dort kein Krieg mehr zwischen den Männern. Er hat heute andere Dimensionen als noch 1914, als wir alle glaubten, ihn in ein paar Wochen hinter uns zu haben. Nicht mehr die persönliche Tapferkeit entscheidet, sondern das Material."

„Und die Moral draußen wie drinnen", setzte Dr. Stahl hinzu."

„Draußen im Graben ist sie gut", antwortete Sneder. Zögernd, als verdichte sich in diesem Augenblick erst das hundertfach im Kampf Erlebte zur Erkenntnis, sagte er: „Dort wächst etwas Neues – eine Kameradschaft über Rang und Stand, wenn wir dies der Heimat bringen könnten." Er sann dem Gedanken nach.

Stahl hatte seine Worte nicht beachtet. „Ein wichtiger Faktor im Kampf ist auch die Propaganda", sagte er.

Sneder nickte: „Damit wird viel Haß gesät, werden viele Lügen in die Welt gesetzt. Das Ziel des Krieges ist der Friede – einmal wird er kommen, so oder so, als Sieg oder Niederlage. Danach wird viel zwischen den Völkern aufzuräumen sein."

„Es ist eine Schande" – Stahl wurde lebhaft –, „ein entwürdigendes Schauspiel vor der unzivilisierten Welt, was die Europäer ihr jetzt bieten. Bisher war der beste Schutzwall der weißen Rasse

* Quinctili Vare, legiones redde – Quinctilius Varus, gib mir meine Legionen wieder – soll der Kaiser Augustus nach der Niederlage des Varus in der Schlacht im Teutoburger Wald im Jahr 9 n. Chr. ausgerufen haben.

deren sittliche Überlegenheit; die Verleumdung zerstört diesen Nimbus, und rascher als durch kriegerische Selbstzerfleischung sinkt Europa von seiner Höhe herab, wenn die übrige Welt hört und glaubt, welcher Schandtaten Europäer fähig sind."

„Mit dem Nimbus der weißen Rasse ist's sowieso nicht mehr weit her", sagte Sneder. „Seit unsere Gegner unter Verletzung der internationalen Abkommen den Krieg auch in die Kolonien hineingetragen haben und die Franzosen Neger als Kanonenfutter vor Verdun ins Feuer jagten – wer soll da noch an eine sittliche Überlegenheit glauben. An der Somme lag uns indische Kavallerie gegenüber – und für alle diese Völker sind wir die Bestien, die armen Kindern die Hände abhacken. Das Gift wird noch lange nachwirken."

„Das haben intelligente Menschen schon 1914 gesehen", bestätigte Dr. Stahl. „In einem Aufruf an die Kulturnationen zur Gründung der ‚Internationalen Rundschau' hatte Annette Kolb – Vater bayerischer Adeliger, Mutter eine Französin – zusammen mit anderen Männern und Frauen der geistigen Elite aufgefordert, diesem selbstmörderischen Treiben ein Ende zu machen und ehrlich zu prüfen, was Lüge, was Wahrheit ist. Sie meinte damals, daß unter den neutralen wie unter den kämpfenden Völkern sich noch genug Männer finden ließen, die so hoch über den Sumpf hinausragen, daß sie den Verleumdern, gleichgültig, ob Freund oder Feind, die Wahrheit entgegenzuhalten wagten. Es wäre betrübend, wenn sie nicht vorhanden wären oder sich feige verkröchen."*

„Hat der Aufruf Erfolg gehabt?" Sneder fragte interessiert. „Wurde die Zeitschrift gegründet?"

„Ich weiß es nicht", antwortete Stahl.

„Sie sagten, die Frau Kolb hat einen Deutschen als Vater und eine französische Mutter?"

„Ja, es heißt von ihr, sie sei Deutsche und Französin in einem Atem, ohne Widerspruch, voller Gemüt und Esprit."

„Deutsch und Französisch", Sneder sagte es nachdenklich, „das wäre wohl eine gute Symbiose. Die Franzosen sind zäh, tapfer, ehrlich wie wir. Ich denke dabei an den Major Raynal, den Verteidiger von Fort Vaux. Er hielt im Inneren des Forts noch aus,

---

* nach Kolb, Anette, Briefe einer Deutsch-Französin, Berlin, 1917

als wir schon den oberirdischen Teil des Festungswerkes erobert hatten und die Pioniere Flammenwerfer – die fürchterlichste Waffe neben Gas – gegen die eingeschlossenen Franzosen eingesetzt hatten. Nach fünf Tagen erst zeigte er die weiße Flagge. Als er auf dem deutschen Divisionsgefechtsstand vor den General v. Engelbrechten geführt wurde und dieser meinte, nach einer so tapferen Gegenwehr sei es keine Schande, besiegt zu sein, hat er geantwortet: ‚Nicht Sie haben mich besiegt, der Durst war's, wir hatten seit Tagen kein Wasser mehr.' Stolze charaktervolle Menschen sind es.

Wenn einmal Deutsche und Franzosen zusammengehen könnten, das würde eine solche Macht darstellen, an der keine andere Gruppe von Völkern rütteln könnte."

„Das ist Illusion, ist wohl nur ein Traum", meinte Dr. Stahl ablehnend.

„Ja", bestätigte Sneder. „Aber draußen im Graben, wenn's da einmal ruhig ist, hat man manchmal solche Träume. Vielleicht wird auch dieser einmal Wirklichkeit."

Er stand auf. „Mein Urlaub ist abgelaufen, morgen geht's zurück an die Front. Wenn ich durchkommen sollte – es lohnte sich schon, sich einzusetzen für diesen Traum!" Er gab seinem Direktor die Hand und ging.

Wie der Krieg die Menschen doch verändern kann, dachte Stahl. Er saß nachdenklich hinter seinem Schreibtisch, bis ein Pausenläuten ihn in den Schulalltag zurückrief.

Granaten für den Sieg

Es war Adventszeit, Adventszeit vor der dritten Kriegsweihnacht 1916. In der großen Maschinenhalle surrten die Transmissionen über den Drehbänken. Ein Gewirr von Riemen zog sich zu ihnen herunter. An den meisten Maschinen standen Frauen, sie drehten Granaten.

Granaten für den Krieg, große Kaliber, über zehn Zentimeter, kleinere an Automaten. Unter den Frauen war auch Lina Müller. Es war eine eintönige Arbeit, die sie hier verrichtete – obwohl man dabei auch aufpassen mußte, damit der Durchmesser des Geschoßkörpers nicht zu klein wurde. Ausschuß wurde nicht bezahlt. Jetzt nahm sie den Taster, den Greifzirkel, den der „Schieber" (so wurde der Vorarbeiter in den Fabriken genannt) zuvor eingestellt hatte, und versuchte, ihn über den vor ihren Augen auf der Drehbank rotierenden Rohling zu schieben. Es gelang noch nicht, deshalb zog sie am Support die Kurbel noch ein wenig an. Der scharfe Drehstahl trennte vom Geschoßzylinder einen feinen Span ab. Wie gelocktes Haar löste er sich vom Werkstück, sprang raschelnd in das Maschinenbett, darüber hinaus auf den Erdboden, wo schon viele Späne sich zu einem Haufen türmten.

Lina machte diese Arbeit schon seit einigen Monaten, sie war ihr schon geläufig. Fast schon mechanisch ging sie ihr von der Hand, und die Gedanken konnten dabei wandern. Sie gingen zu ihrem Mann, der irgendwo an der russischen Front stand, gingen auch nach Hause: Ob der Franz alle Besorgungen richtig ausgeführt haben würde? Man mußte jetzt überall anstehen, um die Lebensmittel – wenn es sie auf Karten gab – zu bekommen. Besser wäre es gewesen, wenn sie hätte zu Hause bleiben können, um sich selbst um die Besorgungen zu kümmern, der Junge wurde ihr jetzt überhaupt nicht mehr satt. Aber das, was man ihr von der Gemeinde als Unterstützung gegeben hatte, reichte nicht hin und her – und die Fabrik zahlte gut. Es war schwere Arbeit – soeben hatte sie die Maschine abgestellt und den Geschoßkörper nachgemessen, der Durchmesser war erreicht, das Teil fertig – eines von vielen, die sie in einer Schicht drehte, in Akkord, das brachte mehr als im Stundenlohn.

„Nun, alles in Ordnung?“ Der Vorarbeiter fragte es im Vorübergehen. „Stahl noch scharf?“ Er neigte sich über die Bank Lina zu. Sie war noch immer ansehnlich, begehrenswert für Mannspersonen. Sie nickte ihm im Arbeitslärm zu und arbeitete weiter. Er trat hinter die Drehbank zu ihr und legte, wie zufällig, seine Hand auf ihre Taille.

„Laß das, ich hab' meinen Willem und meinen Jungen“, hatte sie nur kurz gesagt und seine Zutraulichkeit abgewehrt. Mochte er, der hier Hahn im Korbe war, sein Vergnügen bei einer anderen suchen – es gab ja jetzt so viele Frauen, die alleine waren.

Die Sirene heulte auf und kündigte die Kaffeepause der zweiten Schicht an. Der „Aufleger“, ein Arbeiter, warf gekonnt mit einer Hakenstange den Riemen von der Antriebsscheibe der Haupttransmission und schaltete den Motor ab. Er lief summend aus. Fast unwirklich schien die plötzliche Stille in der Halle. Lina nahm einen Putzlappen und wischte sich das Schmierwasser, mit dem der Drehstahl gekühlt wurde, und den Schmutz von den Händen. Von allen Seiten zogen die Frauen Schemel neben den Drehbänken hervor und setzten sich zu kleinen Gruppen neben die Maschinen, griffen nach ihrem Brot oder auch einem Topf, in dem sie sich ihr Essen mitgebracht hatten.

„Hat mal wieder nischt jejeb'n uff de Karten, keene Kartoffeln, immer nur Steckrüben“, sagte eine resolute Arbeiterin neben Lina.

„Vorjestern ha'ick dreiviertel Stunde nach Mehl anjestanden. Abends, wenn de Feierabend hast, jibt's nischt mehr.“

„Und du kannst nich wech von'n Koofmann“, nickte eine andere, „wenn'ste in de Kundenliste festsitzen tust, ooch noch hochnäsig is det verdammte Pack von Verkäuferinnen“, schimpfte sie. „Da kann man noch betteln, daß du deine 200 Jramm Brot pro Tach ooch wirklich krichst. Und um det bißken Fett – wieville isset jezz (sie beantwortete sich selbst die Frage), sieben Jramm uff'n Tach, da mußte det jnädige Frollein ooch noch scheene Oojen machen.“

„Und von die 155 Jramm Fleesch, die du de Woche kriejen sollst, is det meeste ooch noch Knochen“, setzte eine andere hinzu. „Manjokamehl und Muscheln soll'ste fressen, und Stockfisch ha'm se uns jetz zujeteilt."

„Was is'n det?" fragte die Resolute.

„Manjoka, is'n Mehl aus 'ne Wurzelknolle, schmeckt janz bitter, ick ha's mal jekostet, und Stockfisch..." Sie begann zu lachen.

„Warum lach'ste denn?" fragte ihre Kameradin.

„Nu, der is wie en Brett, ha'm se oben bei die Eskimos jetrocknet, und den soll'ste wieder ufftau'n. Wir ha'm erstmal uff'en Boden uffjehängt, und denn war in de Nacht een Theater", sie lachte wieder, „det hat imma so jebummst da oben, und du hast unten in't Bette jelegen und hast nich jewußt, wat da oben los ist, hast dir nur jejrault."

„Hab'ter denn nicht nachjesehen?"

„Jewiß doch, aberst, wenn de oben warst, war't stille, haste dir wieder hinjelejt, jings wieder los."

„Und wat war's nu?" Eine Kollegin fragte neugierig.

„Ratten warn's, die ran wollten, sind immer nach den Fisch hochjesprungen."

„Ijitt, ijitt", sagte eine Frau angewidert.

„Habt ihr'n jejessen?" fragte die Resolute interessiert.

„Jewiß doch, wat denn sonst", erwiderte die andere, „von ins-Wasser-lejen is'er uffjejangen wie'n Hefekloß, aberst jeschmeckt", sie schüttelte mißbilligend den Kopf, „mit keen bisken Fett, is' nischt."

„Det mußte eben hintenrum koofen", warf eine Nachbarin ein, „von'nen Schieber krichste allents."

„Und det Jeld davor?" Die Resolute fragte es provozierend, „haste det Jeld davor? Ick nich, wir alle nich. Sieh, die Kleene dahinten, die immer so stille is' (is'eijentlich wat Besseret, sagte sie gedämpft zu Lina), die hat mir mal erzählt: Alle Möbel hat se in de Leihe jebracht, allet, bis uff de Betten, nur damit se for de Kinder, als se krank waren, een bisken Fett hat zukoofen können."

„Und trotzdem haben wir's hier immer noch gut, besser als die im Schützengraben", gab Lina zu bedenken.

„Haste recht", stimmte ihr die Resolute zu, „nich' eenmal det bisken wie wir kriejen se oft jenuch draußen. Bin neujierich, wat se diesmal Weihnachten extra ham. Annerthalb Löffel Abfallmarmelade und vierzehn Sticke Zucka war'nt vorjetmal, det hat mir meen Oller erzählt. Jetzt is'er Jott-sei-Dank in die Etappe. Da lebt er nich schlecht."

„Wenn er in een Offizierskasino ankommt, is'et noch besser", sagte die dritte Frau, „aba" – sie setzte es hinzu – „wenn'ste von's Land bist, dann jeht det ooch noch."

„Oder dir Kanickel hältst", warf ihre Nachbarin ein. „Muß'te bloß imma vor Futter sorjen – und von Gras alleene wer'n se ooch nich fett. Jetzt in'nen Winter is'et schlecht mit die Viecher."

„In Balin ha'm se die Kanickel sojar schon uff'n Balkon, ick ha's selbst jeseh'n", warf eine der Frauen ein.

„Ooch, die Baliner, die machen allens", die Resolute lachte, „die ha'm 'nen janzen Zoo in de Stube – 'nen Hahn ha' ick da ooch schon krähen hör'n."

„Hühner möcht'ick nich in de Wohnung ha'm", mäkelte die Nachbarin, „die brauchen Körner, und die mahl' ick mir – wenn ick se habe – lieber alleene durch de Kaffeemühle – wat trink'ste denn jezz?" Sie wandte sich an ihre Nachbarin. „Zichorje, hm", sie zog den Duft des heißen Trankes in die Nase. „Immer noch besser als Eichelkaffee", sie schüttelte sich. „Ich nehm' lieber Hagebutten- oder Lindenblütentee", sagte Lina.

„Wenn'ste arbeetest, kannst'en nich suchen", stellte die Resolute fest. Sie wandte sich an ihre Nachbarin: „Wat hast'e uff de Stulle?" Die Angesprochene klappte ihr Vesperbrot wortlos auf.

„Naja, dacht' ick mir, jenau wie icke: Hindenburg-Creme und Kaiser-Wilhelm-Jedächtnis-Butta", sie schüttelte den Kopf: „Wat die heute allens aus die preußische Ananas machen, da staun'ste: Steckrübenmus, Steckrübenuffstrich, Steckrübenufflauf, Kohlrolle mit Steckrübenfüllung, Steckrübensalat – aberst blos keen Fleesch – da sollst'e satt von werden bei die Arbeet hier", sie nickte den anderen zu.

„In de Zeitung ha'ick jeles'n", sagte die dritte Frau, „es jibt über 800 Sorten Wurschtersatz, hunderte Präparate für Suppenersatz, for Kaffee – und allens is wissenschaftlich jeprüft."

„Ob die det allens ooch selber fressen tun", knurrte die Resolute. „Wenn'de Zeit hättest, in'n Wald zu jehen, Himbeeren pflücken oder Brombeeren oder Preißelbeeren – det jibt Marmelade. Wenn'de ooch noch Zucker oder Süßstoff hast – aber unsereener kann det nich, der muß ja schuften!"

„Der Schieber von de zweete Schicht, der is' in'ne Jewerkschaft", meinte die dritte Frau, „der sacht, det sich die Arbeeter det nich mehr lange jefallen lassen."

„Wat woll'n se denn machen", mischte sich eine andere Arbeiterin in das Gespräch ein.

„Entweder mehr Lohn und bessere Zuteilungen, oder wir streiken, hat er jesacht."

„Streiken – und die an der Front!" fragte Lina.

„Naja", erwiderte die Frau, „is vielleicht ooch nich det Richtje, aberst een bisken mehr könnten se uns schon jeben – habt'a denn noch wat zu heizen?"

„Is ooch schlecht", sagte die Resolute, „und dann soll'ste ooch noch fröhliche Briefe an de Front schreiben." Seufzend setzte sie hinzu: „Is' ville Kummer heute in's Volk. Die kleene Frieda hinten an die Stanze, die hat der Schieber heute nach Hause jeschickt, damit se sich nischt nich antut. Ihr Otto, wat ihr Verlobta war, is jefallen. – Wenn nur der Meinijte wieder jesund zu Hause wär'. – Is' zwar keen Prachtstück, wie alle Männer, aba besser wär't doch, er wäre wieder hier."

Sie saßen einen Augenblick schweigend bei ihrem Vesperbrot, dann fragte die Resolute Lina: „Krich'ste denn wat ansuzieh'n for deinen Bengel? Det mit die Papieranzüje is' doch nich det Richt'je. Meener is' mit seinen Hosen mal in'n Rejen jejangen, da sind se nachher zusammenjeschrumpelt bis hoch an de Waden – is' schon een Kreuz heute mit allens."

„Aba durchhalten soll'ste – die ham jut reden, die da oben . . .", setzte die dritte Frau bitter hinzu.

„Ick jeh mal rüber zu uns're Patriotische", sagte die Resolute und erhob sich.

„Wer is' denn det?" fragte die dritte Frau.

„Na, die Kleene da drüben, die Jung'sche. Diana heeßt'se. Die arbeet' for's Vaterland, nich for Jeld, wie unsereens, hat's jar nich nötij!„

„Laß' det Meechen", mischte sich eine vierte Frau ein. „Is' allahand, daß'se hier die Dreckarbeet macht wie wir, wo'se doch in irjend so'n Kommitee sein könnte, wo se alle drinne sind, die feinen Damens, und bloß rumquatschen tun. Die hat ooch ihren Kumma, ihr Vata is' jefall'n, und nu' is' keener mehr for's Jeschäft. Sie will lernen, von de Pieke uff, hat'se mir jesacht."

„Na, wenn't so is'", sagte die Resolute, „ich dacht', die wollte hier det Vaterland retten, aberst vielleicht brauchen'se ooch schon's Jeld – drinnen is' et heute bei villen anners, als wie's draußen aussehen tut. Ick' werd' mal lauschen jehn." Sie nahm ihren Hocker und ging zur Maschine von Diana Schwelmer.

Nach dem Tode ihres Vaters hatten die Schwelmers zwar alle Hausangestellten entlassen und sich erheblich einschränken müssen, das Haus jedoch entgegen der trüben Vorahnungen der Mutter halten können. Mehr als der Beistand guter Freunde war dies der Energie Dianas zu danken. Sie hatte sich anstelle der Mutter, die völlig in ihrem Schmerz versunken war, ihn auch fast kultivierte, bald einen Überblick über das Vermögen der Familie verschafft und mit Hartnäckigkeit vermocht, die Mutter vom Verkauf ihres Vaterhauses abzubringen. Der Betrieb war – weil für die Kriegswirtschaft nicht wichtig – geschlossen worden, jedoch war das Mädchen fest entschlossen, das Lebenswerk des Vaters entweder mit dem Bruder oder auch allein nach dem Kriege fortzusetzen. Deshalb war sie hier, für diese Aufgabe wollte sie lernen.

Die Resolute hatte sich neben Diana gesetzt. „Wat lies'te da?" fragte sie, „wat schreibt denn die ‚Potsdamer Tante'?"

„Es ist nicht die Potsdamer Tageszeitung, es ist eine Wochen-Chronik", sagte Diana. „Der Kaiser hat zusammen mit dem Kaiser Karl von Österreich, dem bulgarischen Zaren und dem türkischen Sultan den Feinden den Frieden angeboten."

„Österreich, Karl – is' da nich' der olle Kaiser Franz, der imma so jutmütij aussehen tut" – die Frau war erstaunt.

„Der ist doch Ende November gestorben", antwortete Diana.

„Richtich, det hat'ick janz vajessen, Karl heeßt'er nu – aba, 'ne schicke Frau hat'er. Een Bild ha'ick von sie jeseh'n, in'ne Illustrierte, mit 'ne Krone uff. Is' aba woll nich von hier, is' woll 'ne Span'sche, wa?"

„Nein, aus Italien, ihre Vorfahren waren Franzosen, früher einmal Herzöge von Parma."

„Ach, so, darum ooch – aberst, wat is'sen nu mit'n Frieden?"

„Die anderen haben abgelehnt", sagte Diana traurig, „die Franzosen wollen Elsaß-Lothringen wiederhaben, und den Engländern sollen wir unsre Flotte ausliefern. Außerdem sollen wir alles bezahlen, und der Kaiser soll abdanken."

„Wat, unser Willem soll jeh'n – det bestimm'n die da drieben – nu mach ma' halblang, det is..."

Der schrille Ton der Sirene hatte sie unterbrochen. Die Vesperpause war zu Ende. Die Resolute nahm ihren Schemel: „Frieden, et' wär ja ooch zu scheen jewes'n. Na, denn woll'n wa mal wieder, bis dann." Sie nickte Diana zu und ging zu ihrer Maschine zurück. Der Aufleger ließ den Motor anlaufen, warf den Antriebsriemen auf die Transmissionsscheibe, und die Frauen schalteten nach und nach ihre Drehbänke wieder an. Zehn Stunden arbeiteten sie täglich in jeder Schicht, drehten Granaten für den Sieg.

Als Lina spät am Abend heimkehrte, empfing sie Franz mit einer Neuigkeit: „Vadder is' vawundet, kommt nach Hause."

„Um Gotteswillen, schwer?" Angstvoll hatte es Lina ausgerufen.

„Nee", Franz schüttelte den Kopf, „'nen Heimatschuß hat'er. Er is' noch in't Feldlazarett, aba kommt bald zurück. Du sollst aba jetz schon zu den Suchefad jeh'n, schreibt'er, der soll'n reklamieren."

„Ob er das kann", meinte Lina zweifelnd, „aber, Hauptsache, er ist wieder hier", setzte sie aufatmend hinzu.

Palmsonntag 1917

Frau Tina hatte einige Wochen vor Ostern ausnahmsweise den Koksofen im Balkonzimmer geheizt (mit Brennmaterial galt es jetzt sparsam umzugehen), weil ihr Mann am Abend einige Familienbriefe schreiben wollte. Geros Konfirmation stand vor der Tür.

Die Anschaffung des dunklen Einsegnungsanzuges mit langen Hosen aus gutem Tuch hatte viel Mühe gekostet. Erst nach mehrmaligen Besuchen hatte sich Herr Schneidermeister Hebel aus Charlottenburg unter Berücksichtigung der langjährigen geschäftlichen Beziehungen (er hatte Suchefad schon den Hochzeitsfrack angemessen) schweren Herzens von den für Geros Anzug nötigen zwei Meter und zehn des guten englischen Stoffes getrennt. Für Hebel bedeutete diese Arbeit ein Verlustgeschäft. Für ihn war Suchefad nicht mehr wie in früheren Jahren der heimlich beneidete und hofierte gut situierte Herr in leitender Stellung mit einem sicheren Einkommen, heute war er nur ein „kleiner Prokurist". Hebel hatte jetzt andere, zahlungskräftigere Kunden mit „Geld wie Heu". Wo und wie es diese „machten", dies war ihre Sache – sie hatten es eben. Schließlich mußte bei diesen schweren Zeiten ein jeder zusehen, wie er zurechtkam. Was konnte man dem Suchefad schon für die Ware abnehmen, die ihm die anderen, ohne nach dem Preis zu fragen, aus den Händen rissen? Aus alter Freundschaft (es würde aber bestimmt das letzte Mal sein, das schwor sich Hebel, und zum Glück hatten Suchefads nicht noch mehr Jungen, die konfirmiert werden mußten) beschloß er, für den Stoff nur das Vierfache des Preises zu nehmen, den er 1914 dafür bezahlt hatte.

Gero hätte auch dringend neue Schuhe haben müssen, weil ihm die alten zu klein geworden waren. Schuhe mit Ledersohlen gab es in den Läden jedoch schon lange nicht mehr, und die Mutter hatte auch trotz vieler Bemühungen keine heimliche Bezugsquelle gefunden. Deshalb mußten die alten blankgeputzt, mit neuen Ristern versehen und weiter getragen werden.

Man hatte also den Jungen, so gut wie unter der schwierigen Versorgungslage möglich, für die feierliche Handlung ausgestattet. Beide Eltern hatten auch überlegt, wie sich der Tag für Gero trotz der Schwere der Zeit etwas festlich gestalten ließe, und sie hatten beschlossen, wenigstens seine Paten zur Teilnahme an der Einsegnung in der Kirche zu bitten.

Deshalb hatte der Vater an diesem Tage nach dem Abendbrot die schwenkbare Gaslampe über dem Schreibtisch in der Ecke am Fenster angezündet, die dunklen Vorhänge zugezogen (sie schützten auch vor der märzlichen Kühle), sich an den Tisch gesetzt und die Liste der Einzuladenden hervorgeholt. Jetzt schrieb er an die Tante Metzger.

„Liebwerte Frau Gevatterin,
hiermit möchte ich es nicht unterlassen, Sie pflichtgemäß einzuladen, am Palmsonntag der Einsegnung unseres Sohnes Gero beizuwohnen. Obwohl ich weiß, daß es Ihnen schwer sein wird, sich jetzt aus dem Geschäft zu lösen, könnte es doch sein, daß Sie Mittel und Wege finden, Ihre Aufgaben anderen, bewährten Händen anzuvertrauen. Ihren Herrn und Gebieter dürften Sie schon einige Tage sich selbst überlassen können, und Sie kämen damit in dieser schweren Zeit einmal heraus aus dem täglichen Getriebe und könnten an einer seltenen, wenngleich auch ernsten und stillen Feier als Patin teilnehmen. Für Unterkunft würden wir sorgen, mit der Verpflegung würden wir auf etwas Nachsicht von Ihrer Seite wohl rechnen dürfen, obwohl bis dahin noch nicht alles aufgezehrt sein wird (trotz der kolossalen Anstrengungen, die unser junges Volk sich täglich in der Vertilgung von Lebensmitteln gibt). Wenn Sie es also ermöglichen könnten, zu kommen, würden Sie uns und Gero eine in diesen Zeiten doppelt zu schätzende Freude bereiten. Man könnte sich auch wieder einmal etwas von der Leber reden. Es ist doch inzwischen alles Mögliche vorgefallen, die Sippe muß zusammenhalten ..."

Suchefad hatte danach noch geschrieben, daß ihr Gesundheitszustand, besonders derjenige von Tina und sein eigener, nicht besonders gut sei und herzlich grüßend als Vetter und Gevatter unterzeichnet.

Die Antworten von Tante Metzger und den anderen angeschriebenen Paten kamen prompt. Bis auf die gute Tante Marte hatten alle, die einst den Täufling in der Derwitzer Kirche über das Taufbecken gehalten hatten, abgesagt. Sie hatten Gaben geschickt, von der Trempiner Verwandtschaft waren auch einige eßbare Köstlichkeiten beigegeben worden, so daß man bei Suchefads den Tag festlich, wenn auch nur im engsten Familienkreis, begehen konnte.

Am Vormittag des Palmsonntags waren alle mit Gero zur Einsegnung in die alte Kirche nach Wannsee gegangen, und die Mutter hatte mit dem Jungen an der anschließenden Abendmahlfeier teilgenommen. Der Vater war mit der Tante Marte und den Brüdern sogleich nach dem Gottesdienst heimgekehrt. Wie vor 15 Jahren war auch an diesem besonderen Tage Lina Müller den Suchefads zu Hilfe gekommen und daheim schon mit der Zubereitung des Festmahls beschäftigt.

„Ja, ja“, sagte sie zu Marte, als diese, um ihr zu helfen, in die Küche trat, „ist doch anders als damals im Waldhaus.“ „Aber, ist doch noch ein ordentliches Stück Kassler geworden und prima geräuchert“, erwiderte Marte. „Was meinen Sie, was es für Mühe gemacht hat, es vom Bauern zu kriegen und dann auch heil herzuschaffen. Die Gendarmen sind jetzt mächtig hinterher, und wenn sie was finden, wird's beschlagnahmt.“

„Und tun's dann in den eignen Kochtopf“, meinte Frau Lina trocken.

„Bei uns aber nicht, da passen wir schon auf. Wenn mer' nichts krieje tun (sie war in den heimischen Ton verfallen), dann solln se auch nichts habbe. – Aber: Was macht Ihr Mann, wie geht es Ihrem Franz?“

„Seit Herr Suchefad ihn reklamiert hat, geht's meinem Willem gut. Sein rechtes Knie ist von der Verwundung zwar steif geblieben, aber Gott sei Dank ist er nicht mehr an der Front. Wenn man einen draußen hat, ist's doch eine ewige Angst. Na, und der Franz geht in die Lehre beim Klempner in Potsdam. Wenn's nach ihm gegangen wäre, hätte er Bäcker oder Schlächter gelernt, aber da waren alle Stellen besetzt.“

Marte nickte. „Die Jungens wollen alle jetzt dahin, weil's da genug zu essen gibt. Gero will partout Landwirt werden, wenn er mit der Schule fertig ist, auch nur deshalb, wie ich glaube. Aber, das gibt sich alles wieder, wenn der Krieg vorbei ist.“

„Wenn's nur erst so weit wäre", erwiderte Lina, „sonst holen sie den Franz auch noch zum Militär. – Ist schon ein Kreuz heutzutage."

Marte pflichtete ihr etwas zerstreut bei, weil sich ihre Aufmerksamkeit auf die Zubereitung der Salate und der Nachspeise – irgendwoher hatte sie eine Büchse Ananas und sogar Schlagsahne besorgt – konzentrierte. An diesem Tage sollte es doch einmal wieder wenigstens halbwegs so festlich wie im Frieden sein.

Es wurde in der Tat ein richtiges Festmahl, und alle ließen es sich schmecken. Von Rohrschneider & Söhne – Suchefad kam jetzt nur noch selten ins Geschäft – war des besonderen Anlasses wegen ein guter Tafelwein geliefert worden, und für die Damen hatte es als Krönung der Genüsse sogar noch ein Täßchen echten Kaffees gegeben. Man konnte also zufrieden sein, und als Herr Suchefad nach dem Mahl trotz des Festtages seine gewohnte sonntägliche Mittagsruhe halten konnte, gestand er sich ein, daß Familienfeiern im engsten Kreise auch ihre Vorzüge haben.

Am Nachmittag besuchte ihn Freund Rot, und kurz darauf sah „auf einen Sprung" auch noch der gute Onkel Kerner herein. Seit Beginn des Krieges traf man sich nicht mehr so oft wie früher, so daß es den drei Herren, als sie es sich mit einer Zigarre im Salon bequem gemacht hatten, nicht an Gesprächsstoff mangelte.

„Tschja, wenn man zurückdenkt", hatte Suchefad die Unterhaltung begonnen, „wenn man zurückdenkt, wie es damals war, als wir den Jungen tauften, und wie es heute ist..." Er verstummte sinnend.

„Ein Unterschied, gewiß, aber nicht zum Besten", entgegnete Rot. „Amerikaner müßte man heute sein", fuhr er fort, „die kämpfen für die höchsten Güter der Menschheit (ein ironischer Unterton war nicht zu überhören) und verdienen sich dabei mit ihren Material- und Munitionslieferungen an unsere Feinde eine goldene Nase. Die machen doch jetzt ihr Geschäft des Jahrhunderts."

„Mit der erneuten Verhängung des unbeschränkten U-Boot-Krieges vor einem Monat wird das ja nun vorbei sein", warf Kerner ein. „Wir hätten ihn 1915 gar nicht zurücknehmen dürfen. Jetzt wird er uns endlich den Sieg bringen, die Versenkungsziffern steigen."

„Das geht ihnen an den Nerv", Suchefad stimmte zu, „sonst

hätte Präsident Wilson nicht mit dem Abbruch der diplomatischen Beziehungen zu uns geantwortet."

„Danach kommt in der Regel die Kriegserklärung"*, gab Rot zu bedenken.

„Das ist wohl so", seufzte Suchefad. „Vielleicht ist es diesmal aber auch nur eine Drohung. Man weiß ja so wenig von dem, was drüben in Amerika wirklich los ist, was das Volk denkt. Seit die Engländer 1914 unsere Überseekabel gekappt haben, bekommen wir über den Umweg durch die Feindstaaten doch nur lückenhafte und absichtlich irreführende Nachrichten. Ich hoffe immer noch, daß wenigstens einige von den Millionen Deutscher, die in die Staaten ausgewandert sind, für die Heimat ihrer Väter eintreten."

„Gegen die Interessen der amerikanischen Millionäre setzen sie sich nicht durch", sagte Rot. „Mich deucht, der Kampf aufs letzte hat jetzt begonnen: Gelingt es uns, England zur See mit den U-Booten abzuschneiden, werden wir den Krieg gewinnen – sonst nicht."

„Was sagen Sie zu Rußland, zum Thronverzicht des Zaren? Mit der Revolution zeichnet sich dort schon ein Ende der Kämpfe ab", warf Kerner ein.

Suchefad wiegte skeptisch den Kopf: „Man wird sehen. Vielleicht ist die verhältnismäßige Ruhe an der Ostfront auch nur eine der dort üblichen Frühjahrs-Kampfpausen. Eine Entlastung im Osten wäre ein Geschenk des Himmels. 2000 Kilometer Front um uns Mittelmächte, das ist auf die Dauer zu viel. Es war schon schwer genug, die Stellungen an der Somme im vorigen Winter zu halten. Jetzt geht's da wieder los, die Front scheint sich aus der Winterstarre zu lösen."

„Sie wollen alle auf einmal gegen uns losschlagen, im Westen, in Italien, auf dem Balkan und im Osten. Der englische Schatzkanzler Bonar Law soll vor dem Unterhaus am 15. März bei der Mitteilung vom Rücktritt des Zaren gesagt haben, daß das russische Volk nicht den Frieden wolle", sagte Kerner.

„Der muß es ja wissen. Wer's glaubt, wird selig", antwortete Rot trocken. „Die Gefangenenzahlen sprechen doch Bände – der Muschik hat die Nase voll vom Krieg – übrigens: die meisten Deutschen wohl auch!"

* Sie erfolgte am 5. April 1917

Kerner überhörte den Nachsatz und fuhr eifrig fort:

„Sehen Sie, im Osten wird's zu Ende gehen, und wir können alle unsere Truppen an die Westfront werfen. Dann ist uns der militärische Sieg sicher. Hoffentlich haben wir dann auch den Staatsmann an der Spitze, der ihn in einen politischen ummünzen kann. Unser Volk hat genug Opfer gebracht, um uns zu einem Frieden mit allen unseren Gegnern zu verhelfen, der die Interessen der Deutschen auf dem Kontinent und in Übersee garantiert."

„Darf ich hereinkommen?" Gero hatte noch die letzten Worte Onkel Kerners gehört, er stand fragend an der Tür.

Der Vater nickte bejahend (ihm war die Unterbrechung dieser Unterhaltung, die jetzt auf die Erörterung der Kriegszielfrage hinauslief, nicht unlieb). Gero trat zu Onkel Kerner, der ihm zuvor bei seiner Ankunft einen Briefumschlag in die Hand gedrückt hatte. „Ich möchte mich bei der Patentante und bei dir für das große Geschenk zur Konfirmation bedanken", sagte er.

„Was wirst du mit dem Geld machen?" fragte der Onkel.

„Ich weiß es schon, ich zeichne Kriegsanleihe, da ist es gut angelegt", erwiderte Gero eifrig.

„Gott geb's", brummte Rot vor sich hin. Er erhob sich und sagte sich verabschiedend: „Es war nett, daß man sich einmal wieder aussprechen konnte. Man müßte das eigentlich viel öfter tun, aber die Zeiten, die Zeiten . . ." Er ließ den Satz unvollendet und ging. Nach ihm verabschiedete sich auch Onkel Kerner bald.

*

Am Abend saß Suchefad noch an seinem Schreibtisch. Er hatte nach langer Zeit einmal wieder das Familienbuch hervorgeholt. Sinnend sah er auf eine Photographie, die er vor mehr als zehn Jahren bei einer Weihnachtsfeier in der elterlichen Wohnung gemacht hatte. Die ganze Familie war damals dort versammelt. Auf dem Bild sah man im Vordergrund seine drei Jungen auf einer niedrigen Bank, sie hatten die soeben vom Großvater erhaltenen Pickelhauben mit Federbusch auf dem Kopf, Trommel und Gewehr in der Hand. Hinter ihnen hatten sich seine Eltern mit den Schwestern Elise und Aline sowie Frau Tina um einen Tisch gruppiert, und dahinter stand Suchefad selbst mit seinen beiden Brüdern und deren Verlobte vor dem kerzenflimmernden Christbaum.

Die Brüder waren tot, die Verbindung zu den Frauen infolge von Erbstreitigkeiten abgerissen, die Mutter war gestorben, und vor einigen Wochen war ihr der Vater gefolgt. Er hatte ohne sie auch nicht mehr leben wollen. Suchefad sah lange auf das Bild: Wie unbekümmert sie alle damals waren, die Brüder so hoffnungsfroh – und jetzt? Er seufzte, legte die Photographie zur Seite und trug das Datum des Todestages seines Vaters in das Büchlein ein. Danach verschloß er es wieder in das Schreibtischfach. Er erhob sich und zog den Vorhang auf.

Drüben im kleinen Haus von Kuders war noch helles Licht. Auch dort hatte man heute gefeiert, eine der Töchter war eingesegnet worden. Im Laufe des Tages hatten viele Gratulanten vorgesprochen, und man war dort allem Anschein nach noch in festlicher Stimmung zusammen. Jetzt wurden – vielleicht um den Zigarrenrauch abziehen zu lassen – die Fenster eines Zimmers geöffnet, und das Lachen von unbekümmerten, jungen Stimmen klang über die Straße. Suchefad konnte von oben in den Raum sehen; eine der Töchter saß am Flügel (wie es die nähere Nachbarschaft beobachtet hatte, und wie es Frau Sorgen der weiteren eiligst zur Kenntnis gegeben hatte, war er erst vor wenigen Tagen geliefert worden) und spielte, noch ungeübt, einen Walzer. Die Jugend begann zu tanzen.

„Man guckt nicht anderen Leuten in den Kochtopf“, ärgerlich über sich selbst, murmelte es Suchefad vor sich hin und wandte sich vom Fenster ab. Er setzte sich wieder an seinen Schreibtisch und drehte den Gashahn an der Lampe etwas zurück. Dämmerlicht umfing ihn.

Wie macht das nur der Kuder, daß er alles hat, sann Suchefad, daß er so aus dem Vollen leben kann. Er bekommt Steine, Mörtel, kann drüben anbauen, erweitern und hat auch die Leute dazu. Jetzt will er sich noch Schweine im Garten von Frau Sorgen halten, das Bauholz für den Stall ist schon geliefert. Die Sorgen soll sie füttern und pflegen. „Der besorgt auch das nötige Futter“, hat sie zu Tina gesagt, „der schafft alles.“

Wie macht das der Kuder nur, er, der Lederloh und andere? Während sie immer reicher wurden – man sah es am Lebensstil –, wurde die Lebensführung bei anderen, früher als sehr wohlhabend bekanten Familien, immer bescheidener. Bei den Haferlunds sah man es zum Beispiel. Ihn hatte man noch als Armierungssoldat eingezogen, sein Geschäft war geschlossen worden. Nun bekam er gleich jedem anderen Frontsoldat 33 Pfennige Sold pro Tag, und um eine Unterstützung für die Familie bei der Gemeinde nachzusuchen, dies verbot ihm der Stolz. Man lebte zu Hause von der immer schmaler werdenden Substanz.

Wie machte es Kuder? Er war – soviel hatte Suchefad erfahren – auch nur kaufmännischer Angestellter gewesen, wie man sagte, Textilkaufmann.

Dies war richtig, aber Kuder hatte eine Witterung für die Bedürfnisse des Tages. Zunächst hatte ihn die Tätigkeit in der Textil-Rohstoffgesellschaft, deren einzige Aufgabe in der Sammlung von Lumpen bestand, vor der Einberufung zum Militär bewahrt. Als es im Verlauf des Krieges immer weniger Lumpen gab, hatte er sich für Papier interessiert und zusammen mit einigen anderen Geschäftsleuten in aller Stille Sackfabriken aufgekauft. Nun fertigte er aus Papierfäden Sandsäcke fast für das gesamte Heer. Der Bedarf der Truppe war kaum zu decken, Kuder diktierte die Preise. Er scheffelte Geld, für ihn war der Krieg eine Goldgrube.

Suchefad konnte dies nur ahnen, weil Kuder klug genug war, seinen neuen Reichtum nicht allzu offen zu zeigen. Suchefad hatte als Angestellter einen langjährigen Vertrag, und sein Gehalt stieg nicht automatisch mit den Gewinnen des Konzerns. Es stieg auch nicht so, wie vielfach die Löhne der Fabrikarbeiter. Er wußte von flotten Akkordarbeitern, die bei Siemens mehr als ihre vorgesetzten Meister verdienten. – Es waren kuriose Zeiten, sie veränderten vieles.

Suchefad stand auf und löschte die Schreibtischlampe. Als er aus dem dunklen Raum in das erleuchtete Eßzimmer trat, standen dort seine Schwestern schon in Hut und Mantel. Er möge, so baten sie sich verabschiedend, ihnen doch Gero in den nächsten Tagen einmal in die Stadt schicken. Sie seien mit der Einrichtung der neuen Wohnung noch nicht ganz fertig, und Gero könne ihnen dabei noch ein bißchen helfen. „Vielleicht kann er uns auch noch ein paar Kartoffeln mitbringen, immer nur die Steckrüben, die kann man schon gar nicht mehr sehen. Ihr habt doch eine so reiche Ernte gehabt (nach der Knappheit im Winter 1915/16 hatten die

Jungen im Sommer 1916 zur Selbstversorgung ein Stück Land umgegraben und Kartoffeln gesetzt). Von unseren zwei Pfund, die wir zusammen pro Tag haben, ist die Hälfte faul und stinkend oder Dreck“, hatten die Tanten gesagt.

„Na, so gefährlich war’s mit der Ernte auch wieder nicht“, wiegelte Suchefad ab. „Da haben die Jungs wohl ein bißchen aufgeschnitten.“ Er begleitete die beiden bis vor das Haus. Als er die Wohnung betrat, sah er in der Küche noch Licht.

Er öffnete die Tür. „Was machst du denn noch hier?“ fragte er erstaunt. Gero hockte auf der Eimerbank und ließ verlegen die Hände sinken. „Ich hab’ mir noch den Knochen von meinem Stück Kassler von heute mittag geholt. Er riecht so gut, und da ist auch noch Haut dran, die kann man noch abknabbern.“

„Unsinn, bist doch kein Hund, weg damit, und marsch ins Bett“, erwiderte der Vater. Gero verschwand flugs im Kinderzimmer.

„Wann wird man die Bengels nur einmal wieder satt kriegen“, murmelte Suchefad, löschte das Licht und ging in das elterliche Schlafzimmer.

Tante Elise hat eine Idee, und Gero bekommt den ersten Kognak vom Vater

„Das laß meine Sorge sein, für Aline und Elise ist gesorgt“, dies hatte Großvater Suchefad vor zwei Jahren zum Vater auf die Frage, wie er sich die Zukunft der Schwestern vorstelle, gesagt. Der alte Herr war nun tot, und es erwies sich, daß das, was er ihnen an Bargeld und Papieren hinterlassen hatte, zwar um die Jahrhundertwende für ein bescheidenes Leben (wie es damals in Potsdam viele Beamtenwitwen und ledige Beamtentöchter führten) genügt hätte, jedoch bei der kriegsbedingten Verteuerung kaum für das Lebensnotwendigste ausreichte. Deshalb hatte auch Elise als die energischere der beiden schon vor dem Tod der Eltern ihre Malerei aufgegeben und war nach Teilnahme an einem Kursus als Schreibmaschinistin (so lautete damals die Berufsbezeichnung für diese Bürokräfte) von einer Behörde angestellt worden. Sie verfügte jetzt über ein regelmäßiges Einkommen.

Die Schwestern hatten die große Wohnung der Eltern aufgegeben und waren in die Hohewegstraße gezogen. Die neue Wohnung lag im ersten Stock eines älteren Hauses. Sie bestand aus zwei nebeneinanderliegenden Vorderzimmern und der Küche mit Aussicht auf den Hof. Die „Bequemlichkeit“, die Toilette, war – wie in vielen älteren Potsdamer Häusern – als Ersatz für den einst üblichen Nachtstuhl (der des morgens zur Entleerung auf die Straße oder in ein auf dem Hof befindliches „Häuschen“ getragen wurde) nachträglich auf der halben Treppe eingebaut worden. Ein Badezimmer hatte weder die alte noch die neue Wohnung. Zu Zeiten, als diese Potsdamer Häuser gebaut worden waren, kannte man selbst in den Schlössern noch keine Badezimmer, und vor 1914 waren sie auch in modernen Stadtwohnungen durchaus noch keine Selbstverständlichkeit. Die Treppe des Hauses in der Hohewegstraße hatte infolge der nachträglichen Umbauten kaum Tageslicht, so daß sich fremde Besucher nur vorsichtig die Stufen hinauftasten konnten.

Gero, schon mit der Örtlichkeit vertraut, nahm sie schnell, als er gemäß der väterlichen Zusage einige Tage nach Ostern (es waren noch Ferien) zu den Tanten kam, um ihnen bei der Einrichtung der Wohnung zu helfen. Auf sein Klingeln an der Küchentür – die Wohnung war Teil einer ehemals größeren und hatte nur diesen Zugang – öffnete und begrüßte ihn die Tante Aline. Sie trug einen langen Rock und eine Bluse, beide von bräunlich-undefinierbarer Farbe, darüber eine gewaltige Schürze und auf dem schon spärlich werdenden Haar eines von den Häubchen, die für Gero mit dem Bild der „Großmutter Potsdam" verbunden waren.

Tante Elise, die aus dem anschließenden Zimmer zu ihnen trat, umflatterte ein ehemals weißer, mit den Spuren der künstlerischen Betätigung bunt befleckter Malerkittel. Gero wären diese Äußerlichkeiten kaum aufgefallen, wenn sich nicht die Eltern des öfteren über die Kleidung der Tanten unterhalten hätten. Elise hatte die von Eltern, Bruder und Schwägerin gerügte, saloppe und gelegentlich auch extravagante Kleidung von ihren Kommilitonen an der Berliner Kunsthochschule übernommen und als junges Mädchen das dadurch im steifen Potsdam erregte Aufsehen vergnüglich genossen. Ihre Schwester Aline war nicht eitel, auch ein wenig bequem, und legte wenig Wert auf elegante Garderobe, so daß man auch mit ihr nach Meinung ihres Bruders nicht viel Staat machen konnte.

„Da kommen die Tanten", hatte er kürzlich zu seinen Jungen gesagt, als sie gemeinsam in Potsdam waren, „unmöglich, wie sie sich wieder angezogen haben! Kommt, rasch um die Ecke, damit wir nicht mit ihnen gesehen werden." Damit war er mit seinen Söhnen in eine Seitengasse geeilt und hatte den Weg erst fortgesetzt, nachdem die Schwestern vorübergegangen waren. Er besuchte sie auch selten, er hatte sich mit ihnen auseinandergelebt.

Seine Kinder gingen dagegen gern zu den Tanten. Sie waren nicht so streng wie die Eltern, und Gero, der gleich der Tante Elise Neigung und Begabung zum Zeichnen zeigte, konnte sich gut mit ihr unterhalten. Er war jetzt mit ihr in das an die Küche anschließende Zimmer getreten, das sie sich als Wohnraum einrichten wollten. In der Mitte stand der große Eßtisch der Großeltern, an einer Wand das große Buffet, ihm gegenüber gähnten dem Eintretenden die staubigen Glasscheiben der noch nicht wieder eingeräumten, zierlichen Vitrine entgegen. Obwohl die Räume hoch waren, hatten die Möbelträger nur den unteren Teil des

Buffets aufstellen können. Er diente jetzt als Anrichte. Auf ihm stand das „gräßliche Dings" (wie der Vater dieses Geschenk zum vierzigsten Dienstjubiläum des Großvaters bezeichnet hatte). Es war ein gut und gerne einen halben Meter großes Trinkhorn (für das nirgendwo Platz war) mit einem adlergeschmückten Deckel und einem Sockel aus Metall, dessen dünne Versilberung bereits Spuren der Vergänglichkeit zeigte. Ungeordnet standen neben dem Monstrum einige Porzellane und verschiedene Terrakottahumpen. Wie mit offenen Mäulern schienen sie den Jungen anzustieren, weil auch der Großvater in Erfüllung der patriotischen Pflicht Zinngeschirr und Zinndeckel an die Metallsammelstellen abgegeben hatte. Das Zimmer war zwar noch nicht wohnlich, jedoch schon so eingerichtet, daß man seine künftige Zweckbestimmung ahnen konnte.

„Hier sieht's noch wüst aus", sagte die Tante, die Verbindungstür zum zweiten Zimmer öffnend, „als ob wir erst gestern und nicht schon vor zwei Monaten eingezogen wären. Aber Aline schafft es nicht allein, so machen wir's eben nach und nach. Man weiß auch nicht, wohin mit all dem Krempel."

Gero übersah den Raum. Vor ihm stand eine alte Truhe, sie mochte noch vom Großvater aus Amseln mitgebracht worden sein, aus ihr quollen Stoffe, vielleicht Stores oder andere Vorhänge, daneben harrten die Sessel aus dem einstigen Salon der Großeltern einem ungewissen Schicksal entgegen. Zylinderhüte – wer mochte sie einst getragen haben? – lagen darauf. Dahinter standen die Staffeleien des Großvaters und der Tante, auf einer Marmorkonsole lagen Farbkästen, Tuben und Pinsel durcheinander, und ein großer, schmaler, goldgerahmter Spiegel (er gehörte zur Marmorkonsole) lehnte an einer Trittleiter.

„Am besten ist's wohl", schlug Gero vor, „wir machen erst den Spiegel an, der paßt gerade an den Pfeiler zwischen die beiden Fenster – oder wollt ihr erst tapezieren lassen?"

„Nein, das ist jetzt zu teuer – außerdem gibt's keinen Mehlkleister, und wenn ich ihn hätte, würde ich mir das Mehl lieber in die Suppe rühren, als es an die Wand zu schmieren."

„Und die Stelle da drüben, wo die ganze Tapete los ist?" Gero wies auf die Wand.

„Da hängen wir einfach das Seestück von Ruysdael oder einen anderen großen Schinken drüber", antwortete vergnügt die Tante, „hab' ja auf der Hochschule genug Kopien machen müssen. Dann erfüllen sie wenigstens noch einen guten Zweck." Sie trat zu einem an ein Ziertischchen angelehnten Stapel von Ölbildern und zog das größte – es war über einen Meter breit – näher zum Licht. Gero betrachtete es. Über einer aufgewühlten, hochgehenden See spannte sich ein düsterer Himmel; ganz winzig, verloren zwischen den dräuenden Gewalten von Himmel und See kämpfte ein Schiff mit leuchtenden, ockerfarbenen Segeln.

„Nicht wahr, der Blickpunkt ist gut gesetzt", sagte die Tante. „Da bangen nun die armen Schiffer um ihr Leben, raffen die Segel – sie konnten etwas, die Holländer zur Zeit Rubens und Ruydaels."

„Wie heißt es?" fragte Gero.

„Bewegte See bei aufsteigendem Wetter", antwortete die Tante.

„Ich kenne das Bild gar nicht", sagte Gero, „warum hatten es die Großeltern nicht aufgehängt?"

„Erstens war es deiner Großmutter zu düster, und zweitens: für die Leinwand und die Farben war noch Geld da, für die nötigen Goldrahmen hat's aber nie gelangt", antwortete die Tante. „Auch bei diesem nicht", sie war wieder an den Stapel getreten und hatte ein großes Blumenstück hervorgeholt. „Das ist aber keine Kopie", betonte sie, „das habe ich nach der Natur gemalt. Das hängen wir auch noch auf, auch ohne Rahmen. Ist immer noch besser als die kaputte Tapete!"

„Auch den lila Flieder hast du so dunkel gemalt, Tante, und dazu noch vor einem dunkelroten Hintergrund – warum? Der Flieder bei uns am Bahndamm ist hellblau, fröhlich . . ."

„Es kommt stets auf die Stimmung an, wie du die Gegenstände siehst", meinte die Tante, „nimm mal die Leiter, wir wollen das Bild von Ruydael aufhängen."

Gero folgte der Weisung, und beide befestigten das große Bild an der Wand. Es verdeckte fast die Stelle, an der die Tapete abgerissen war. Beide traten zurück, um die Wirkung zu begutachten.

„Da unten", Gero zeigte auf eine Stelle neben dem Bild, „könnte noch ein kleineres hin – der ‚Mann mit dem Goldhelm' würde da hinpassen – wo hast du den eigentlich?"

„Hier", die Tante bleckte die Zähne.

„Wo?“ Gero verstand sie nicht.

„Dem Steinert habe ich das Bild gegeben, damit er mir die Zähne wieder in Ordnung bringt“, sagte die Tante.

„Dem zittern ja schon die Hände beim Bohren“, erinnerte sich Gero, „hat's sehr weh getan?“

„Na, es ging. Er ist eben schon alt – aber, was willst du machen, wenn du kein Geld hast. Find' mal heute einen anderen. Er kennt uns, hat schon Mama und Papa behandelt.“

Schade, dachte Gero, um das Bild. Er hatte die Kopie gern gemocht, hatte sie oft im guten Zimmer der Großeltern betrachtet. Wenn an den Weihnachtsabenden die flackernden Kerzen für Augenblicke das Porträt aus der Dämmerung des Zimmers hatten aufleuchten lassen, war es ihm, als sei der Krieger zum Leben erwacht, als wolle er erzählen, und das Gold des Helmes hatte geheimnisvoll geglänzt. „Es war ein schönes Bild“, sagte er.

„Und hatte sogar einen Rahmen“, betonte die Tante. „Aber, was hilft's.“ Sie hatte sich vor der Truhe niedergelassen, den Deckel geöffnet und die Stores achtlos neben sich auf den Fußboden geworfen. Sie kramte im Inhalt, hatte eine Wachsmaske gefunden. Sie hielt sie mit gestrecktem Arm prüfend vor ihre Augen, ließ – sie hin und her wendend – Licht und Schatten auf ihren starren Zügen spielen.

Danach hatte sie einmal gezeichnet, danach geübt. Wegen einer gewissen Ähnlichkeit mit dem Gesicht eines ihrer Lehrer hatte sie in der Schule die Maske „Max“ genannt. Sie holte auch eine wächserne Faust hervor. – Wie lange hatte sie beides nicht mehr in der Hand gehabt, wie weit lag das zurück, damals war sie noch jung ...

Sie ließ die Hände sinken, wollte Maske und Faust schon wieder in die Truhe zurücklegen – plötzlich sprang sie auf. „Junge“ rief sie fröhlich, „ich hab' eine Idee. Komm mit!“

Sie lief in die Küche, Gero folgte ihr. „Aline, gib Wasser und Bürste“, sagte sie zu ihrer Schwester, „schrupp den Max ab!“

„Was soll ich tun?“ Aline verstand die Schwester nicht.

„Hier, die Farbe runter von der Maske, rasch“, Elise griff selbst zu einer Bürste, „heute gibt's Bratkartoffeln zu Mittag“, setzte sie triumphierend hinzu. „Wachs ist auch Fett.“

„Aber ...“ Aline versuchte zu widersprechen.

„Nichts aber“, die Schwester wischte den Einwand, noch ehe er ausgesprochen worden war, hinweg. „Setz die Kartoffeln auf, Gero hat doch welche mitgebracht, ich hab' Hunger."

Aline tat, wie ihr geheißen. Sie kochte, pellte die Kartoffeln, schnitt sie zu Scheiben. Im heißen Tiegel zerging die Maske mit schmerzlich verzogenem Mund. Einen Augenblick schwamm noch ein kläglich blickendes Auge (von ihm hatte sich die Farbe nicht völlig entfernen lassen) auf der zähflüssigen Masse, ehe es auch zerfloß – und es stank fürchterlich in Küche und Treppenhaus.

„Das schmeckt aber nicht sehr gut", meinte Aline etwas kläglich beim festlichen Mahl.

„Iß, so was kriegst du nicht alle Tage", befahl Elise streng und bediente sich tapfer zum zweiten Mal aus dem Tiegel, „und was meinst du, Gero?"

„Na ja, ein bißchen komisch find' ich's auch", antwortete er, aß aber weiter, um die Tante nicht zu beleidigen.

„Kunst ist eben nichts für Banausen, das sieht man mal wieder, Wachskartoffeln sind etwas besonderes. Die hat nicht jeder. Vielleicht krieg' ich noch einen Orden für das Rezept und komme in Hedwig Heyls „Fettarme Küche"*, meinte Elise und nahm sich den Rest.

*

„Was habt ihr gegessen", fragte der Vater ungläubig, als ihm Gero nach der Heimkehr mit einem Gruß von den Tanten von seiner Arbeit in der Hohewegstraße berichtete – „Wachskartoffeln?"

„Ja, Wachskartoffeln, so hat die Tante sie getauft", hatte Gero geantwortet.

„Tatsächlich, jetzt frißt nicht nur der Deibel Fliegen", hatte der Vater gebrummt. Danach hatte er das Türchen an der Seite des Schreibtisches aufspringen lassen und dem Gefach eine Flasche entnommen (leider stand nur noch eine darin), ein Gläschen hervorgeholt, es gefüllt und Gero zugeschoben. „Trink, mein

---

* Hedwig Heyl, Begründerin der Haushaltsschule im Pestalozzi-Fröbel-Haus und Mitverfasserin einer unter diesem Titel während des Krieges erscheinenden „Flugschrift für Volksernährung".

Sohn“, seine Stimme klang kameradschaftlich teilnehmend, „wohl bekomm’s.“

Es war der erste Kognak, der ihm von seinem Vater angeboten wurde.

Genosse Müller

Im Frühjahr 1917 hatte Wilhelm Müller auf der Eule die Stelle des alten Habedank – der nun wirklich alt geworden war und nicht mehr arbeiten konnte – übernommen. Suchefad hatte ihn trotz anfänglicher Bedenken (er hielt ihn nicht für sehr zuverlässig) reklamiert. Man mußte jetzt froh sein, überhaupt noch Arbeitskräfte zu bekommen. Müller war zwar leider kein Mechaniker, Dreher oder Laborant, die sich die Firmen in diesen Tagen mit immer höheren Lohnangeboten gegenseitig abwarben, aber er war pfiffig und wußte auch mit landwirtschaftlichen Dingen etwas Bescheid. Einen solchen Mann konnte man jetzt auf der Eule gebrauchen, weil das Institut einen großen Teil des bisher brach liegenden Landes in Bewirtschaftung genommen und mit Kartoffeln und Gemüse bepflanzt hatte. Nach den Arbeitsniederlegungen der Berliner Arbeiterschaft wegen der Verkürzung der Brotration im Frühjahr des Jahres war auch auf der Eule eine Kantine eingerichtet worden. Für deren Belieferung sowie für die Feldarbeit hatte man ein Gespann von zwei kleinen Ponys angeschafft. Müller war Kutscher und Pfleger, sein steifes Bein hinderte ihn bei dieser Tätigkeit kaum.

Es war Dezember geworden, Dezember 1917. Kurz vor der vierten Kriegsweihnacht waren dem Institut im Rahmen der „Hindenburgspende“, einer freiwilligen Sammlung von Lebensmitteln in den Landkreisen für die Rüstungsarbeiter, mehrere Zentner Äpfel zugeteilt worden. Müller hatte sie in Potsdam in Empfang genommen und fuhr nun zurück. Die Pferde kannten den Weg und trabten munter dem heimischen Stall zu. Man konnte sie sich selbst überlassen. Als sie das kleine Wäldchen zwischen Nowawes und dem Bahnhof Neubabelsberg passierten, verknotete Müller die Leine am Schutzbügel vor dem Kutscherbock, kramte unter ihm den Futterbeutel hervor und stieg schwerfällig über den Sitz auf die Ladefläche des Wagens zwischen die Säcke. Er nestelte ihre Verschnürung auf und entnahm ihnen – immer bestrebt, das Gleichmaß der Füllung nicht zu stören – hier weniger, dort mehr Äpfel und steckte sie in den Futtersack. Er tat damit etwas, was in der Verteilungskette der knappen Lebensmittel vielleicht schon andere vor ihm getan hatten und nach ihm noch andere tun würden: Er zweigte etwas von dem Segen für den eigenen Herd ab. War die Kette lang, so ergab sich für ihr letztes Glied, nämlich die „Männer und Frauen, die unserem siegreichen Heere die Waffen schmieden“ und die „kräftig ernährt werden müssen“ nach dem Motto „den letzten beißen die Hunde“, nicht mehr viel. Dies erfuhren auch Suchefads, als Ehrhardt, der jetzt praktisch in einer Eisenbahnwerkstatt arbeitete, eines Tages stolz als Hindenburgspende einen Scheibe Wurst mit nach Hause brachte. Sie wog 27,5 Gramm. Der Vater hatte sie auf der Briefwaage nachgewogen.

„Hallo, Genosse Müller.“

Müller fuhr erschrocken herum (seit August 1914 hatte ihn niemand mehr mit „Genosse“ angeredet). Die Ponys waren flott weitergetrabt und hatten den Rufenden – ein kleines dürres Männchen, an dem nur die übergroße Brille auffiel – hinter sich gelassen. Müller hatte den Futterbeutel fallen lassen, wandte sich um und brachte mit einem „Brrr“ die Pferdchen zum Stehen.

„Wer war das?“ Irgendwo, so entsann er sich, hatte er ihn schon einmal gesehen. Er stieg auf den Kutscherbock zurück und wartete auf den Mann. Als er neben ihm stand, wußte er: Das war der Redakteur von der Parteizeitung aus Berlin. An seinen Namen konnte er sich nicht mehr erinnern.

„Nimmst du mich bis zum Bahnhof mit, Genosse?“ fragte er.

„Selbstverständlich, steij'n se uff.“ Müller rückte zur Seite. „Lange nich jeseh'n – wat mach'n se denn hier?“

„Ach, nur so mal unterwegs, eine kleine Reportage“, sagte der Mann wie beiläufig. Interessiert fragte er dann: „Habt Ihr im Frühjahr auch gestreikt?“

„Na ja, so'n bißken. War nich so ville los hier wie in Berlin.“ Müller wiegelte ab. Es war besser, nicht mit jedem von diesen Dingen zu sprechen. Jetzt behielt man am besten seine Meinung bei sich.

„Das wird ja nun bald anders werden“, sagte der Redakteur, „auf unseren großen Kriegsschiffen haben sie schon im Mai gemeutert.“

„Weil se in 'n Häfen uff die faule Haut liejen tun“, bei Müller brach sich der Ärger des Landsers über die Untätigkeit der Marine bahn, „weil se nischt recht's zu fressen ha'm."

„Nein, sie wollen Frieden", widersprach der Kleine, „wie die Genossen in England und Frankreich auch."

„Die schießen aba immer noch uff uns, die lieben Jenossen", wandte Müller ein.

„Die können eben auch nicht so, wie sie wollen", gab der Redakteur zu. „Aber Genosse – was ist mit Rußland, He?" Triumph lag in seiner Stimme, und erst nach einer kleinen Pause fuhr er fort: „Hast du noch nichts von Rußland gehört? Da haben sie den Zaren fortgejagt..."

„Det war schon in't Frühjahr, und an de Front hat sich for uns dadurch nischt nich jeändert", erwiderte Müller.

„Aber jetzt, Genosse, haben sie dort die richtige Revolution. Da herrscht jetzt die Arbeiterklasse, der Arbeiter- und Soldatenrat, die Partei der Maximalisten."

„Wat for 'ne Partei?" fragte Müller.

„Auf russisch heißt das ‚die Partei der Bolschewiki'", erklärte der Redakteur, „sie kämpfen gegen die gemäßigten Sozialisten, diese Verräter am internationalen Sozialismus. Der Rat der Volkskommissare hat die sofortige Einstellung der Kämpfe an allen Fronten verlangt."

„Verlangen kann man ville", sagte Müller trocken. Er hob grüßend den Peitschenstiel und nickte Gero Suchefad zu, an dem sie soeben vorüberfuhren.

Der kleine Mann hatte den Jungen in seinem Eifer nicht bemerkt: „Wart's ab, Genosse Müller", erwiderte er siegesgewiß. „An der russischen Front ruhen die Waffen, und Verhandlungen sind im Gange. Außerdem: Es tut sich jetzt viel in der Weltgeschichte, von der du nichts weißt und nichts hörst. – Aber, wir sind am Bahnhof. Brauchst mich nicht vorzufahren wie einen Prinzen, Genosse. Ist vielleicht besser für dich, wenn man uns nicht zusammen sieht."

Müller hielt kurz vor der Post den Wagen an. Der Redakteur stieg ab, bedankte sich dafür, daß Müller ihn mitgenommen hatte, und verschwand mit einem „Auf Wiederseh'n, Genosse", in der Bahnhofsanlage.

„Hüh, los", die Pferdchen trabten wieder an. Vor der „Grünen Tanne" ließ Müller anhalten und schaffte den Futtersack mit seiner Sonderration in seine Wohnung. Danach fuhr das Gespann weiter zur Eule.

Müller sann über das Gespräch nach. Was der Mann alles wußte!

Wenn alles wahr wäre, was er gesagt hatte!

Wo hatte er, Müller, eigentlich nach der Maifeier 1914 die rote Papiernelke hingesteckt? Vielleicht hatte sie Lina – sie konnte das Ding ja nicht leiden – auch weggeworfen.

Man sollte mal nachsehen, vielleicht könnte sie einem wieder nützlich sein, dachte Müller.

Eine Zeichenstunde beim „Maler Wruck“ und ihre Folgen für Gero Suchefad

Am gleichen Tag beschäftigte sich Direktor Dr. Stahl mit den aufregenden Nachrichten aus Rußland. Er saß zusammen mit seinem Vertreter, Professor Bolz, in seinem Dienstzimmer und besprach die allgemeine Lage. Er tat dies dienstlich, weil in den deutschen Bildungsanstalten die Kriegsgeschehnisse in angemessener Weise im Unterricht behandelt werden sollten. Die Tage, an denen der Klassenprimus auf der Frankreichkarte mit Markierungsfähnchen dem ungestümen Lauf des „rollenden Rades der Weltgeschichte“ immer weiter westwärts folgen konnte, waren leider längst vorbei. Jetzt hieß es den Durchhalte-Willen zu stärken. Diesem Ziel konnten die Vorgänge in Rußland durchaus dienlich sein. Der Frieden im Osten stand in greifbarer Nähe, und ohne russische Hilfe würde – so stand zu erwarten – Rumänien auch bald um Frieden bitten müssen. Was dann noch auf dem Balkan zu tun blieb – der Kampf gegen das englisch-französische Heer in Griechenland bei Saloniki –, das müßte man den Bulgaren und Österreichern überlassen können.

„Und nun hat die Oberste Heeresleitung trotz der unaufhörlichen Angriffe der Engländer in Flandern und der Franzosen am Chemin des Dames im November noch Truppen zur Abrechnung mit Italien bereitgestellt – eine geradezu märchenhafte Leistung“, sagte Dr. Stahl.

„Nach den letzten Berichten sind in der zwölften Isonzoschlacht über 250000 Italiener gefangengenommen worden“, ergänzte Bolz.

„Wahrscheinlich hätte man auch bis Venedig vorstoßen können“, meinte Dr. Stahl, „welche Gründe dagegen sprachen, weiß ich nicht. Jedenfalls soll man in ‚Geschichte‘ diese Schlachten hervorheben – und vor allem die Taten der Kämpfer an der Westfront würdigen, die in der Abwehr Frankreichs und des ganzen britischen Imperiums schier Übermenschliches geleistet haben. Trotz rücksichtslosen Einsatzes von Menschen und vieler Tanks haben die Engländer in Flandern fast vier Monate unter

Verlust einer halben Million Mann nur Gelände in der Größe des Stadtgebietes von Köln gewonnen. Seit fünf Wochen ruhen dort nun die Waffen. Die Engländer haben ihr Ziel, die Eroberung der deutschen U-Boot-Basen, nicht erreicht."

„In ‚Deutsch' habe ich in der Untersekunda die Kämpfe an der Westfront als Aufsatzthema gegeben. Die Schüler sind stark daran interessiert, in den Übungen zur freien Rede wählen sie sich selbst aktuelle Stoffe aus, leider meist technischer Art. So hat jetzt ein Schüler über die modernen Kampfwagen gesprochen, ein anderer kam mit einem Vortrag über unsere Fliegerhelden Boelke, Immelmann und v. Richthofen."

„Von denen die beiden ersten schon gefallen sind", warf Stahl ein.

Bolz nickte: „Leider. Zu solchen Themen kann man wenig sagen. Ich hätte es lieber, wenn sie von sich aus den Krieg oder das Wesen des Kampfes, seinen Wert und seine Gefahren an Texten unserer Klassiker, beispielsweise aus dem ‚Wallenstein' oder der ‚Jungfrau von Orleans', behandeln würden."

Dr. Stahl lachte auf: „Das tun sie nicht, davon wissen wir Lehrer zu viel." Wieder ernster setzte er hinzu: „In ‚Erdkunde' müßten in den Oberklassen auch die wirtschaftlichen Gründe für den Kriegsausbruch behandelt werden, und man müßte auf die Bedeutung des unbeschränkten U-Boot-Krieges hinweisen."

„Dr. Umfig macht das meiner Beobachtung nach recht gut. Er verarbeitet die amtlichen Versenkungsziffern graphisch und beschäftigt sich nach dem Kriegseintritt der Amerikaner auch eingehend mit ihrem Staat. – Übrigens: Ende Juni sollen die ersten amerikanischen Truppen in Europa gelandet sein", sagte Bolz.

Stahl winkte ab: „Hab ich auch gelesen, aber die amerikanische Hilfe kann keine Änderung der Lage für unsere Feinde herbeiführen. Zwar rüsten sie in Amerika in größtem Maßstab – dies schrieb jetzt das ‚Kriegs-Echo' –, aber diese Rüstungen erfordern viel Zeit und dienen lediglich dazu, den ungeheuren Weltmachtsansprüchen der USA die bisher fehlende militärische Grundlage zu geben. Bevor die Amerikaner eine maßgebende Anzahl Streitkräfte nach Europa werfen können, hat es noch gute Wege. Militärisch steht es also gut für uns, man sollte gebührend darauf hinweisen. Die politische Führung müßte diesen Trumpf meiner Ansicht nach in der Friedensdiskussion mehr ausspielen."

„Seit dem Friedensvorschlag des Kaisers und unserer Verbündeten ist viel darüber geredet und geschrieben worden“, warf Bolz ein.

„Viel zu viel, Herr Kollege“, Dr. Stahl stimmte zu, „auch von unberufenen Reichstagsabgeordneten wie zum Beispiel dem Herrn Erzberger, das ist jedenfalls mein Eindruck. Ein Verständigungsfriede nach der Reichstagsresolution vom 19. Juli meinetwegen ja, ein Verzichtfriede nie.“ Das „nie“ hatte Stahl scharf betont, er fuhr fort: „Die Abtretung Elsaß-Lothringens, wie sie neben den Franzosen nun auch von den Engländern als eine ‚conditio sine qua non‘ angesehen wird, ist unmöglich. Sogar ein Liebknecht könnte – so schrieb der ‚Vorwärts‘ kürzlich –, wenn er Reichskanzler wäre, in diesem Punkt nicht anderer Meinung sein als unser Herr Michaelis. Aber der ist ja jetzt gar nicht mehr Reichskanzler. Hertling heißt der ‚Neue‘.“ Er schüttelte den Kopf: „Gefällt mir nicht. Bethmann-Hollweg war's acht Jahre lang, Michaelis nur dreieinhalb Monate – und nun der Zentrumsmann Graf Hertling – wollte Gott, wir hätten auch in der Politik Führer wie Hindenburg und Ludendorff. Sie sind jetzt sehr populär.“ Er dachte einen Augenblick nach und fuhr dann fort: „Mich deucht, man sollte darüber aber nicht versäumen, die Stellung Seiner Majestät als obersten Kriegsherrn hervorzuheben. Gegenüber den beiden Heerführern ist er in letzter Zeit ein wenig in den Hintergrund getreten.“

„Sehr wohl, Herr Direktor“, sagte Bolz. Die Pausenklingel schrillte auf. Fast gleichzeitig mit ihr hörte man im Zimmer das Stimmengewirr der aus den Klassen auf den Korridor strömenden Schüler. Bolz erhob sich: „Ich muß gehen.“

„Nach dem Plan haben Sie doch jetzt zwei Freistunden.“ Mit einem Blick auf die ihm gegenüber an der Wand angeschlagenen Stundenpläne der Lehrkräfte hatte Stahl es festgestellt.

„Jawohl, aber in der Quinta ist, wie mir der Schuldiener vorhin sagte, der Assessor für Latein ausgefallen. Er liegt mit fiebriger Influenza im Bett und ließ sich entschuldigen, da muß ich einspringen.“

„Schlimm jetzt, mit den Krankmeldungen“, sagte Stahl, „aber immer noch besser, er bleibt zu Haus, als daß er uns alle ansteckt.“

Er nickte Bolz verabschiedend zu und vermerkte die Änderung auf seinem Plan. Es war jetzt schwer, beim Ausfall auch nur einer Lehrkraft einen Vertreter zu bekommen. Überall fehlten Lehrer.

Das Läuten zeigte das Ende der Pause an. Wieder belebten die durcheinander schwirrenden Kinderstimmen die Flure. Das Geräusch hart zugeschlagener Türen folgte als Finale, danach war es wieder still im Hause. Direktor Dr. Stahl war von seinem Schreibtischstuhl aufgestanden und hatte gleich einem ganz gewöhnlichen Kutscher (es sah ja niemand) die Arme übereinander geschlagen. Er fror. Die Schule hatte wenig Kohlen, man mußte sparsam mit ihnen umgehen und hatte deshalb die Temperatur in den Räumen auf 18° C reduziert. Er müsse sich Bewegung schaffen, dachte er. Deshalb verließ er das Zimmer zu einem Rundgang durch die Anstalt.

In dem breiten Korridor hallten seine Schritte von den Wänden und der gewölbten Decke wider. Aus den Klassenzimmern, an denen er vorüberschritt, hörte er die Stimmen der Lehrer. Vor der Tür der Quarta verhielt er lauschend den Schritt: Es war ihm zu unruhig da drinnen, zu lebendig. Wer unterrichtete hier? Er rekapitulierte im Gedächtnis den Stundenplan, unschlüssig, ob er hineingehen solle. Jetzt hörte er auch die Stimme des Lehrers: Es war einer der alten Herren, die man aus der Pension zurückgeholt und ihm die Vertretung für die zum Militär eingezogenen jüngeren Lehrer zugewiesen hatte. Die Senioren wurden mit der Jugend nicht mehr fertig, konnten sich leider keinen Respekt mehr verschaffen. – Aber, was wollte man heutzutage machen? Der alte Herr da drinnen war wenigstens noch ein guter Lateiner und immer noch besser als die jungen Referendare, die man ihm heute schickte. „Sie taugen alle nicht viel", dachte Stahl grämlich. Die einen sind so krank und elend, daß sie nicht einmal garnisonsverwendungsfähig waren, und den anderen waren im Kriege die Nerven durchgegangen oder sie waren als Invaliden wieder von ihm ausgespuckt worden.

Stahl ging weiter, schritt an den Mänteln und Mützen der Schüler vorbei, die an den Wandhaken hingen. Fast begierig atmete er den ihnen anhaftenden Geruch von Staub, Feuchte und Schweiß ein – in den langen Jahren seiner Tätigkeit als Lehrer war er ihm vertraut geworden. Er stieg die breite Treppe in das erste Stockwerk hinauf, um in den Chemie- und Physikraum hineinzuschauen. Der Chemielehrer wünschte unter Hinweis auf die Verwendung von Kampfgasen im Felde jetzt alle Augenblicke neue Chemikalien und Apparaturen.

Während der „Kleine Napoleon" mit ihm seine Wünsche und Sorgen besprach und einem (eigens für seinen Besuch seit längerem vorbereiteten) höchst wirkungsvollen Experiment zuschaute, bereitete sich im Stockwerk darüber Geros Klasse, die Untersekunda, im Zeichensaal eine unbeschwerte Stunde. Den Zeichenunterricht gab seit kurzem anstelle des zum Militär eingezogenen Lehrers ein kriegsgeschädigter „Maler" (so hatte ihn Dr. Stahl nach seiner Vorstellung gegenüber Bolz etwas geringschätzig genannt). Er hatte vor dem Kriege als freier Künstler gelebt und war der Anstalt vom Provinzial-Schulkollegium als Aushilfe geschickt worden. Im Gegensatz zu vielen seiner Kameraden, die „Zeichnen" öde und langweilig fanden, ging Gero Suchefad gern in seine Zeichenstunde und hatte schon Vertrauen zu dem „Neuen" gefaßt. Er hatte nicht, wie die meisten anderen Lehrer, immer Recht, man konnte ihn fragen, sich mit ihm über Kunst wie mit der Tante Elise oder dem Vater unterhalten – und man konnte, sofern man wollte, viel von ihm lernen. Er zwang keinen zur Mitarbeit (Kunst ist Gnade, sie kann man nicht erzwingen, so meinte er) und ließ den Schülern viel Freiheit. Sie wurde von vielen weidlich ausgenutzt, weil die Note im Fach „Zeichnen" gleich „Gesang" und „Turnen" für die Gesamtbeurteilung der Leistungen eines Schülers auf den höheren Schulen wenig zählte.

So vertrieben sich in dieser Stunde die Untersekundaner die Zeit nach eines jeden Geschmack. Einige wenige, unter ihnen Gero, zeichneten nach Vorlagen oder einem ausgestopften Tier, auch Wachsmasken standen zur Verfügung (hier war noch niemand auf den Einfall gekommen, sie für die Zubereitung von Bratkartoffeln zu entfremden). Andere Schüler bereiteten sich für die kommende Lateinstunde vor oder lasen in einem der erregenden Kriegsbücher, wieder andere hatten ihren Karl May (der nach Professor Bolz in einem unmöglichen Deutsch schrieb und deshalb von ihm als Lektüre verboten war) aus der Mappe hervorgeholt und über der spannenden Handlung alles um sich vergessen. Die wenig mehr als zwanzig Schüler der Klasse verloren sich in dem großen Saal, er bot jedem einen individuellen Freiraum.

Auch der Maler Herr Wruck nahm ihn für sich in Anspruch. Er

war an die Tafel getreten und hatte zuerst spielerisch, danach eifriger mit Kreide zu zeichnen begonnen. Aufmerksam geworden, hatten sich einige der Schüler um ihn geschart, verfolgten staunend die flinken Striche des Künstlers.

„Was wird das“, fragten einige neugierig.

„Werden Sie schon sehen“, antwortete Wruck, ohne sich im Zeichnen stören zu lassen.

„Erde ist's“, meinte einer der Zuschauenden. „Einen Graben sehe ich“, setzte ein Mitschüler hinzu.

„Ein Schützengraben“, trumpfte ein Dritter auf. Wruck nickte und holte mit kräftigen Strichen der Kreide auf dem schwarzen Tafelgrund Einzelheiten des Sujets hervor.

„Und da, da ist auch der Eingang zum Unterstand“, der Primus wies auf eine Stelle des Bildes.

„Aber, der ist doch viel zu klein, viel zu niedrig“, warf ein Mitschüler ein.

Wruck wandte sich um: „Ihr werdet staunen, durch welche engen Löcher man kriechen kann, wenn das feindliche Trommelfeuer auf dem Graben liegt“, sagte er.

„Auch dadurch?“ Ein Schüler wies auf ein niedriges Türchen, das in eine Abseite führte.

„Auch dadurch“, sagte der Maler.

„Das glauben wir nicht“, erwiderte Kutti Sauerbach scheinheilig und knuffte dabei seinen Nachbarn in die Seite.

„Dann werd' ich's euch beweisen.“ Wruck öffnete das Türchen und schlüpfte in das Dunkel hinein.

„Gefangen, wir haben ihn gefangen“, einer hatte die Tür hinter dem Mann zugeschlagen. In jubelnder Freude über den so unerwartet gelungenen Streich tanzten die Jungen um das Podium und die Tür. „Und nun Trommelfeuer“, kommandierte einer. Wild schlugen sie mit Linealen, Fäusten, ihren Mappen auf die Tische.

Gero, der bisher hinten im Saal an einer Zeichnung gearbeitet und sich bislang nicht um das Treiben der Mitschüler gekümmert hatte, war durch den Tumult aufmerksam geworden und neugierig nach vorn zur Tafel gegangen.

„Was macht ihr! Laßt ihn heraus“, rief er erschrocken in den Tumult. „Das ist gemein, was ihr tut, er ist immer anständig zu uns gewesen.“ Er stieß einige Kameraden zur Seite, wollte das

Türchen öffnen, als ihn das jähe Verstummen der Mitschüler aufschauen ließ.

Alle hatten sich zur Seite gedrückt: In der Tür stand der Direktor. „Sieh an, natürlich wieder der Suchefad“, sagte er und setzte, sich umschauend, hinzu: „Wo ist euer Lehrer, Herr Wruck?“

„Da drin“, erwiderte Gero, „ich wollte gerade ...“

„Was?“ Stahl war rasch zum Türchen getreten, hatte Gero beiseite geschoben, öffnete die Tür.

Wruck kroch heraus und stand nun vor dem „Kleinen Napoleon“. Seine langen Haare (als Künstler verweigerte er sich dem kurzen, „preußischen“ Haarschnitt) hingen wirr über sein Gesicht, und sein Anzug war staubbedeckt. Er sah erbärmlich aus. Dr. Stahl musterte ihn von oben bis unten.

„Das ist ja ungeheuerlich“, ihm verschlug es die Sprache. Er brauchte Sekunden, um weitere Worte zu finden, um seiner Empörung Luft machen zu können.

„Suchefad, das sollst du mir büßen, das wirst du dir für dein Leben merken. Das Maß ist nun voll“, preßte er schließlich hervor. Seine Worte waren fast wie von Haß getragen.

„Ich war's nicht, Herr Direktor“, sagte Gero.

„Schweig, du warst es. Ich habe doch gesehen, wie du vor der Tür standest“, herrschte Stahl den Jungen an.

„Ich war es nicht“, wiederholte Gero erregter.

„Wer denn sonst, he?“

Gero schwieg. Verraten wurde nicht, das verbot der Ehrenkodex.

„Nun, rede, wer war's“, Stahl fragte nochmals. Er wartete für Sekunden auf eine Antwort und genoß dabei fast körperlich die schier zum Zerspringen anschwellende Spannung des Augenblicks. Die Klasse vor ihm war mucksmäuschenstill, man hätte – wie man zu sagen pflegt – das Fallen einer Nadel auf den Fußboden hören können. Dann jedoch überwältigte Stahl die Wut: „Du Lügner“, schrie er, seine Stimme überschlug sich, war fast schrill, grell unbeherrscht: „Das consilium abeundi ist dir sicher.“

Danach, etwas ruhiger geworden, wandte er sich an die Klasse: „Alles setzen – und wenn ich noch einen Laut höre, bekommen Sie alle (er sprach die Schüler, wie von der Untersekunda an üblich, wieder mit „Sie“ an) zwei Stunden Arrest – verstanden?“ Damit verließ er mit einem kurzen, verabschiedenden Neigen des Kopfes gegen Wruck (der Esel hätte sich auch wirklich ein bißchen klüger verhalten können, so dachte er dabei) den Zeichensaal.

Gero war an seinen Platz gegangen, saß allein. Keiner von seinen Kameraden hatte sich getraut, zu ihm zu kommen. Jeder von ihnen war froh, nicht vom „Dicken Willi“ bei dem Scherz erwischt worden zu sein. Man wollte auch Wruck (er war doch sonst ganz nett zu ihnen) gar nicht ärgern, wußte nicht einmal, wie das alles gekommen war. Es hatte sich eben so ergeben. Der Suchefad hatte Pech gehabt.

Gero saß allein. Ob auch Wruck glaubte, daß er ihm den üblen Streich gespielt habe? Ob er ihm nach der Stunde sagen sollte, daß er nicht dabeigewesen sei, als die Kameraden ihn einsperrten. Aber, würde er ihm glauben, würde nicht auch er ihn einen Lügner nennen?

Gero war verzweifelt. Nach dem Pausenläuten, als die Kameraden eiligst den Zeichensaal verließen, stand er noch allein in dem großen Raum. Endlich war ihm in Wruck ein Lehrer begegnet, für den zu arbeiten es ihm Freude bereitete – und dieser eine glaubte nun, mußte glauben, daß er ihm den Tort angetan hatte.

Und was würde der Vater zu Hause sagen, wenn er den ‚Blauen Brief‘ bekam? Was hatte der „Dicke Willi“ gemeint, daß er sein Leben lang an diese Stunde denken würde?

Gero trat auf die weite Dachterrasse, die vor dem Zeichensaal für den Unterricht unter freiem Himmel angebaut worden war. Er ging an die Brüstung, sah an der glatten Wand hinunter – wenn er hinunterspringen würde – wäre dann alles vorüber?

Der kalte Dezemberwind fuhr durch seine Matrosenjacke, ihn fröstelte, und er trat zurück. Im Zeichensaal packte er seine Bleistifte und Farben und den Zeichenblock zusammen und ging langsam die Treppe hinunter. Vor der Untersekunda – in ihr hatte der Unterricht schon wieder begonnen, und niemand hatte nach ihm gefragt – nahm er Mantel und Mütze vom Haken und verließ die Schule, als ob er nicht mehr zu ihr gehöre.

Die Grippe, und wie der Schuldiener, Herr Jeremias, Geros Zeugnis beurteilte

Der „Blaue Brief“ war zu Hause eingetroffen. In ihm hatte Geros Ordinarius auf Beschluß der Klassenkonferenz und nach Rücksprache mit dem Herrn Direktor Dr. Stahl Herrn Suchefad unter Hinweis auf § 5 der geltenden „Schulordnung für die höheren Lehranstalten zu Nowawes“ darauf aufmerksam gemacht, daß

> „die Schule einen Schüler von der Anstalt verweisen kann, wenn die gewöhnlichen Mittel der Zucht ohne Erfolg bleiben und dadurch der Zweck des Unterrichts an ihm verfehlt wird, oder – wie bei seinem Sohne Gero – die Schulzucht durch das von ihm gegebene Beispiel gefährdet erscheint“.

Nach eingehender Verhandlung und Überlegung habe man bei Gero auf dieses letzte Mittel zur Aufrechterhaltung der Schuldisziplin verzichtet, um ihn nicht so kurz vor dem „Einjährigen“ mit der Verweisung von der Schule alle Zukunftsaussichten zu versperren. Man erwarte jedoch, daß Herr Suchefad auf seinen Sohn auf das Energischste einwirke, damit er sich künftig weiterer Störungen des Unterrichts enthalte. Für den Vorfall in der Zeichenstunde werde er mit zwei Stunden Arrest bestraft, die er am (es folgte die Angabe eines Datums) nachmittags ab 3^h abzusitzen habe.

Herr Suchefad hatte das Schreiben nur überflogen und zur Seite gelegt. Es schien ihm im Augenblick unwichtig zu sein. Ihn bedrückten in diesen Tagen andere Sorgen: Seine beiden Ältesten und die kleine Bärbel waren an der jetzt grassierenden Grippe erkrankt. Um Gero nicht auch noch anzustecken, hatte ihm die Mutter ein Bett in der leerstehenden Mädchenkammer hergerichtet.

Der Junge schlief gern oben unter dem Dach mit dem weiten Blick über das Bäketal. Man war hier für sich, fast wie in einer Fremde. Wer „oben“ übernachtete, bekam am Abend vor dem Zubettgehen mit dem Gutenachtkuß der Mutter, dem Licht und der Mahnung, sich ja damit vorzusehen, in der kalten Jahreszeit eine Wärmekruke in die Hand gedrückt, die man an das Fußende zwischen Strohsack und Deckbett schob, ehe man selbst in beidem verschwand.

Am Morgen nach dem Ärgernis in der Schule war Gero trotz des schrillen Läutens des elektrischen Weckers – er wurde aus der Wohnung bedient – nicht aufgestanden. Ihm war kalt, er hatte Schüttelfrost und scheute sich vor dem Waschen mit dem kalten Wasser. Er dämmerte im Halbschlaf weiter, hatte das Deckbett bis über den Kopf gezogen.

So fand ihn der Vater. Bei seinem Eintritt schreckte Gero hoch: „Ich stehe gleich auf, komme gleich, friere heute nur so", sagte er. Zaghaft setzte er, halb aufgerichtet, hinzu: „Mir tut auch alles weh." Er hustete hohl.

Suchefad legte die Hand auf Geros Stirn, sie war heiß. Der Junge hatte Fieber, ihn hatte es also nun auch erwischt. „Wo tut's weh?" fragte er.

„Hier drinnen, in der Brust, wenn ich huste."

„Du bleibst liegen, ganz still, hörst du. Gehst heute nicht zur Schule", sagte der Vater. „Ich bringe dir gleich Tropfen zum Einnehmen, die helfen."

„Kommt nicht Mutter?" fragte Gero schüchtern.

Suchefad schüttelte den Kopf: „Sie kann heute nicht aufstehen, ist auch krank, hat hohes Fieber. Ich will gleich nach Trempin telegraphieren, damit Tante Marte kommt und uns hilft."

Er stieg die Treppe hinunter und berichtete kurz seiner Frau, daß nun auch Gero die Grippe habe. So gut er konnte, versorgte er alle seine Kranken und ging danach für einige Stunden in das Büro. Von dort aus gab er das Telegramm an Tante Marte nach Trempin auf.

Am Nachmittag des folgenden Tages war sie im Lindenhaus. „Gott sei Dank, daß du da bist", hatte Herr Suchefad erleichtert gesagt, als sie an der Wohnungstür schellte. „Bei uns sieht es toll aus, und die Aufwartefrau kommt auch nicht, hat auch die Grippe. Ich wußte schon nicht, wie ich mit all dem hier fertig werden soll. – Gott sei Dank, daß du da bist", wiederholte er und setzte hinzu: „Koch' uns mal' wieder was Ordentliches. Richtiges Mittagessen haben wir, seit Tina krank liegt, nicht mehr gehabt."

Das tat Marte, sie holte aus ihren Taschen ländliche Köstlichkeiten (richtige Fleischbrühe bekamen alle, sogar mit Eierstich), sie räumte auf, wusch, pflegte und besorgte den Einkauf so lange, bis auch sie sich angesteckt hatte und eines Morgens nicht aufstehen konnte.

„Nun haben wir auch noch die Verantwortung für Marte“, sagte Frau Tina entsetzt zu ihrem Mann, der vor ihrem Bett stand und ihr die Hiobsbotschaft überbracht hatte.

„Ja, auch das noch“, bestätigte Georg Suchefad fast grimmig. „Auch das noch, jetzt ist’s bei uns bald wie in einem richtigen Lazarett.“

„Ich steh’ auf, so geht das mit uns nicht weiter“, die Mutter setzte sich im Bett auf.

„Nein“, er hinderte sie, die Decke wegzuschlagen, „mit diesem Fieber nicht. Vielleicht morgen. Hier nimm“ – er goß ihr Rotwein in ein Glas. „Ist der letzte Burgunder, den wir unten im Keller haben. Wir sollen damit gurgeln, hat der Doktor gesagt, das wäre die beste Medizin.“ (Damit gurgeln! – Suchefad empfand dies als Sakrileg, als stillos – er trank den edlen Tropfen jedenfalls lieber.) Er ging mit seiner Flasche durch die Wohnung, von Zimmer zu Zimmer, von Bett zu Bett, schenkte jedem Kranken (und jedesmal auch sich selbst zum Trost) ein und vergaß zu sagen, daß sie gurgeln sollten.

Alle schliefen danach gut, und Frau Tina fühlte sich am folgenden Morgen kräftig genug, um aufzustehen, das Dringendste in der Wohnung zu erledigen – und vor allem für die Familie wieder kochen zu können. Auch die Aufwartefrau war wieder gekommen (rechtzeitig vor Heiligabend, um nicht ihr Weihnachtsgeschenk zu verpassen, wie Herr Suchefad meinte), und Tina hatte ihre Schwester Marte soweit gesund gepflegt, daß sie zum Fest bei der Mutter in Trempin sein konnte. Mit ihr fuhr Karl-Wilhelm. Ein entfernterer Verwandter, der dicke Theodor, wie man ihn seiner behäbigen Statur wegen allgemein nannte, hatte an Suchefad geschrieben, ob nicht einer seiner Jungen wenigstens für einige Zeit zu ihm kommen könne. Seine Söhne wären ja alle, wie sie wüßten, beim Militär, der Jüngste vor Monaten schon gefallen, und die Tante hätte es nicht verwinden können. Da sie nun auch gestorben sei, habe er nur noch fremde Leute um sich, denen man heutzutage kaum noch trauen könne. Er müsse jemanden haben, der im Laden sei (auch Theodor hatte ein Lebensmittelgeschäft), wenn er außerhalb geschäftlich zu tun habe. Dem Jungen solle es an nichts fehlen, und – sie wüßten ja, in Trempin sei auch im vierten Kriegsjahr noch niemand verhungert.

„Weiß Gott nicht", hatte Suchefad zu seiner Frau beim Vorlesen des Briefes an dieser Stelle gesagt, „ich bin überzeugt, daß der dicke Theodor auch heute noch seine Martinsgans im Ofen gehabt hat. Schicken wir ihm den Karl-Wilhelm, der hat eine kräftige Ernährung am nötigsten."

So hatten die Suchefads ohne ihn ihr Weihnachten gefeiert. Einen Weihnachtsbaum hatte der Vater vor allem der kleinen Bärbel wegen trotz der schweren Zeit beschafft, ihn schmückten diesmal aber nur drei Kerzen. Sie waren jetzt kostbar, wurden draußen an der Front von den Soldaten gebraucht. Unter den Baum hatte die Mutter für jedes der Kinder eine praktische Kleinigkeit gelegt – für die Jungen ein paar Pulswärmer und selbstgestrickte Handschuhe (die Wolle hatte sie aus alten, aufgezwirbelten Strümpfen gewonnen), für Bärbel hatte der Vater ein Spielzeug gebastelt und die Mutter ein Blüschen geschneidert (für Mädchen ließ sich aus alten Sachen viel eher etwas machen als für die nun herangewachsenen Jungen). Als Sonderzuteilung hatte es für die Bevölkerung sogar ein Ei gegeben, und Frau Tina hatte aus einem mit Bohnenmehl gestreckten Teig Ersatz-Pfefferkuchen gebacken. Hochbeglückt hatte sie auf ihrem Gabenteller ein Stück echter, dezent nach Kölnisch Wasser duftender Seife gefunden, die ihr Mann nach langen Mühen hatte beschaffen können (wußte er doch, wie ungern sie den Ersatz aus blauem Ton benutzte). Das kostbarste und von allen bewunderte Geschenk hatte Ehrhardt erhalten: ein Paar ihm passende Stiefel (er brauchte eine Übergröße) aus echtem Leder und mit richtigen, derben Ledersohlen schwedischen Fabrikates.

Es waren sehr stille Weihnachtsfeiertage bei den Suchefads, und auch Silvester wollte der Vater nicht feiern: Die Zeiten wären zu ernst, hatte er gesagt. Nach den strapaziösen letzten vierzehn Tagen sehnte er sich nach Ruhe, der gewohnten Bequemlichkeit, und wäre am liebsten auch Silvester wie sonst gegen zehn Uhr zu Bett gegangen, hätte den Anfang des neuen Jahres gern verschlafen. Erst auf die Bitten der Mutter war er länger aufgeblieben und hatte sich kurz vor Mitternacht wie in all den Jahren zuvor an das Klavier gesetzt. Ehrhardt, Gero und die kleine Bärbel waren zu ihm getreten, und sie hatten das Silvesterlied von Johann Heinrich Voß angestimmt, jenes schwermütige Lied, das mit der Zeile „Des Jahres letzte Stunde ertönt mit ernstem Schlag" beginnt. Stets hatte es Suchefad in dieser besonderen Stunde gespielt und gesungen und mit ihm früher auch in die ausgelassene Silvesterstimmung eine besinnliche Zäsur gelegt. Beim Zwölfuhrschlag hatte er jetzt das Punschglas ergriffen (für die Jugend gab es einen Ersatz aus heimischen Kräutern, jedoch mit echtem Zucker) und auf das neue Jahr angestoßen.

„Möge es uns alle gesund erhalten", hatte dabei die Mutter gesagt.

„Und möge es uns endlich einen siegreichen Frieden bringen", hatte der Vater hinzugesetzt. Danach waren sie noch auf den Balkon getreten, um in den Himmel zu sehen und zu lauschen, ob man in diesem Jahr das Neujahresläuten der fernen Glocken aus Potsdam hören könne.

Einige Raketen – Leuchtspurmunition – waren irgendwo in den Himmel geschossen worden. Die Suchefads verfolgten ihren schnellen Aufstieg und das langsame Niedersinken, sie antworteten auf das „Prost Neujahr, Kohlhasen", das Kinder auch an diesem Silvestertag von der Straße hinaufriefen – und gingen danach bald hinein, gingen zur Ruhe.

*

„Der Junge kann heute nicht zur Schule gehen, er hat wieder Fieber, du mußt anrufen, ihn entschuldigen", sagte einige Tage später Frau Tina zu ihrem Mann, als sie am Morgen an den Frühstückstisch trat.

„Ausgerechnet am ersten Schultag – ist es nicht nur eine Ausrede, weil er nicht hin will?" fragte der Vater mißtrauisch.

„Nein, das glaube ich nicht. Er hat's jetzt im Hals. Ich hab' reingeguckt, sieht ganz pelzig aus", erwiderte die Mutter.

„Im letzten Vierteljahr vor der Versetzung, wo's drauf ankommt!" Suchefad war ärgerlich. „Mach ihm einen Umschlag und laß ihn tüchtig gurgeln. Wir haben ja noch das Zeug da, das Dr. Tousseau zusammengebraut hat. Nelkenöl ist wohl drinnen, ihm soll es tadellos geholfen haben, wie er sagte."

Frau Tina tat's, wie vorgeschlagen, aber bei Gero half das Mittel nicht. Der Vater konsultierte telefonisch Dr. Heiß aus Wannsee, der als einziger Arzt in der näheren Umgebung im Ort selbst infolge der vielen Grippefälle völlig überlastet war und mit seinem

Fahrrad des starken Schneefalles wegen nicht auch noch „über Land“ nach Kohlhasenbrück fahren konnte. Er gab Rat und Anweisungen. Trotzdem verschlimmerte sich der Zustand des Jungen. Das Fieber stieg beängstigend, und das Sprechen fiel ihm schwer.

„Dr. Heiß muß kommen“, sagte einige Tage später Frau Tina ganz energisch zum Vater, als er zum Mittagessen nach Hause gekommen war, „ich weiß mir keinen Rat mehr, sieh ihn dir doch an! Und wenn der Doktor sich einen Schlitten nimmt – ich hab' Angst um den Jungen.“

Suchefad schaute kurz in das Kinderzimmer (in ihm hatte die Mutter für Gero wieder ein Bett gerichtet), bevor er wieder zum Nachmittagsdienst auf die „Eule“ ging. Der Junge war jetzt richtig krank, konstatierte er. Es war schlimmer geworden und es schien etwas anderes zu sein als die soeben überstandene Grippe oder eine der Erkältungskrankheiten, an die man mit vier Kindern sattsam gewöhnt war und die seine Frau mit ihren Hausmitteln bisher immer selbst geheilt hatte. Er rief den Arzt wieder an, schilderte nochmals den Verlauf der Krankheit und sagte, daß alles, was man bisher getan habe, keine Besserung bewirkt habe.

„Ich glaube, Herr Doktor“, setzte er schließlich hinzu, „es ist etwas Ernstes, wir wissen uns keinen Rat mehr – Sie müssen kommen. Vielleicht nehmen Sie einen Schlitten, einige fahren doch noch. Ich bitte Sie sehr, meine Frau ängstigt sich.“

Am folgenden Tage war Dr. Heiß gekommen, hatte Gero nur ganz kurz in den Hals gesehen und auf seinen stoßenden Atem gehört und war dann schnell vom Bett aufgestanden. „Warum haben Sie mir das nicht gleich gesagt?“ Er war offenbar erschrokken. „Das ist keine Grippe oder Halsentzündung – er muß sofort ins Krankenhaus, er hat Diphterie. Das Zimmer darf niemand mehr betreten, bevor es desinfiziert worden ist. Hoffentlich stecken Sie sich selbst nicht noch an“, hatte er zur Mutter gesagt, ehe er sich verabschiedete.

Als er aus der Haustür trat, nahm der Kutscher dem Pferd Decke und Futtersack ab und verstaute den Beutel unter dem Schlittensitz. Es gab ein raschelndes Geräusch.

„Was haben Sie denn da drin“, fragte Dr. Heiß erstaunt.

„Olle Blätter, trocknes Laub“, murrte der Kutscher, „davon soll'n se nu' Kraft kriegen, die Viecher. Seh'n Se sich das Fell an, ganz stumpf, und überall steh'n die Rippen raus. Hafer gibt's nicht mehr."

„Dem Vieh geht's wie den Menschen", bejahte der Doktor: „Nichts zu fressen!" (Er sagte tatsächlich „fressen".) „Am schlimmsten ist es für die Kinder und die Heranwachsenden. Milch müßten sie haben, auch ordentliches Fett, nicht nur die lächerlichen sieben Gramm auf den Tag, und richtiges, kräftiges Brot. Aber so, wie es ist ..." Er seufzte: „Da kann auch die beste Medizin nicht helfen. Hier draußen geht's noch. Ihr könnt euch wenigstens Kartoffeln und Rüben anbauen und Karnickel halten. Aber drinnen in der Stadt, da sterben die Kinder jetzt wie die Fliegen an der Schwindsucht. Kein Mumm mehr in den Knochen. – Los, fahren wir! Da oben" – mit einer Kopfbewegung wies er zur Wohnung der Suchefads hinauf – „ist auch so ein Fall. Hoffentlich kommt er durch."

Im Krankenhaus hatte Gero sofort eine Serumspritze bekommen, aber das Fieber stieg. Und mit ihm kamen die gräßlichen Träume. Vor seinen geschlossenen Augen formte sich zuckend ein Viereck, groß, wie das Türchen im Zeichensaal. Es flackerte, schien in die Ferne zu gleiten, wurde winzig – und wuchs aus der Unendlichkeit, bis es wieder dicht vor ihm war ...

Groß, aber nicht faßbar, verschwimmend, zitternd.

Mitten drinnen, aber ganz deutlich, aus der Tiefe der Erinnerung schreckhaft emporgestiegen, drohend, ein furchterregendes, verzerrtes Gesicht – Dr. Stahls Gesicht mit den gierig bleckenden, fletschenden Raffzähnen, die er sonst vor seinem Bauch an der goldenen Kette trug. Es kam näher, immer näher ... stand vor ihm, riesengroß!

„Nein!" – Gero muß es wohl gerufen haben – „Nein!"

Gesicht und Rahmen entflohen seinen entsetzten Blicken, flackernd, vibrierend, zerfließend zu Winzigkeit, und wuchsen erneut, kamen zurück, standen wieder furchterregend vor seinen Augen im Rhythmus der fieberjagenden Pulse.

Viele Nächte quälte ihn dieser Traum, mit ihm schwebte er zwischen Leben und Tod, bis er die Krise überwunden hatte. Aber auch noch Wochen danach lag er zu Hause, war zu schwach, um aufzustehen und träumte jetzt von den Soldaten an der Front.

Stellte sich vor, wie die englischen Tanks angriffen, wie das Gewehrfeuer der Deutschen an ihnen abprallte, die Handgranaten an ihrem Panzer zerschellten, ohne sie aufzuhalten. Wie sie über die Brustwehr des Schützengrabens rollten, über ihn selbst hinweg, bis sie endlich die deutsche Artillerie bezwang. 3000 Meter hatten die Engländer bei ihrem Angriff heute gewonnen, so las er im Kriegsbericht, waren dann aber wieder von unserer Infanterie zurückgeworfen worden. Bis auf 50 Meter hatten sich die Deutschen in der Nacht an die feindliche Hauptverteidigungslinie herangearbeitet, hatten im Morgengrauen Schutz in verfallenen, zerschossenen Gräben, verschlammten Granattrichtern gefunden – und warteten nun auf die Nacht, um wieder vorzustürmen – sofern sie noch leben würden.

Denn am Tag kam das Gas, mähte das Maschinengewehrfeuer des Feindes über die geschändete flandrische Erde, trommelten die Granaten auf das bißchen Leben, das sich an ihrem Leib verkrampfte, mähte der Tod.

Ihn hatte Wruck an die Tafel zeichnen wollen, wie er über die Schützengräben schritt, er allein aufrecht. Gero hatte einmal in seinem Skizzenbuch blättern dürfen, dort sah er den Vorwurf, und viele andere – aber alle nur mit dem Tod.

Fünfzig Meter gewonnen. Fünfzig Meter – vielleicht morgen schon wieder verloren.

Wenn er nur helfen könnte, wenn ein Wunder geschähe, das unseren Soldaten den Sieg gäbe!

Aber, Wunder gab es nicht mehr – oder doch?

Für Gero war es wie ein Wunder, daß er – wie ihm der Vater eines Tages beiläufig sagte – Ostern in die Obersekunda versetzt würde. Er wußte noch nicht, daß nicht nur die Göttlichen, sondern auch Menschen Wunder geschehen lassen können. Wie weiland die klugen Priester in antiken Tempeln dank Herons genialer Pneumatika das Altarfeuer von selbst aufflammen und verlöschen lassen konnten, sofern es ihnen zum Ruhme ihres Gottes und zum eigenen Wohl opportun erschienen war, so hatte auch die gymnasiale Priesterschaft die Versetzung des pp. Suchefad nicht ohne Eigennutz beschlossen. Man wurde damit dieses etwas schwierigen Zöglings ledig: Es hatte nämlich sich Herr Suchefad in einer längeren Unterredung mit Herrn Direktor Dr. Stahl bereiterklärt, seinen Sohn unter dieser Bedingung von der Anstalt zu nehmen. Das mit der Reife für Obersekunda verbundene „Einjährige“ (die Berechtigung zur Ableistung der nur ein Jahr dauernden Dienstzeit beim Militär) würde genügen, weil der Junge partout Landwirt werden wollte. Dazu reichte nach damaliger Auffassung die Reife für Obersekunda allemal. Dafür brauchte er sich nicht mehr drei Jahre bis zum Abitur auf der Schulbank herumdrücken und dem Vater länger als unbedingt nötig auf der Tasche liegen.

Kurz nach Ostern 1918 ging Gero eines Vormittags nochmals zur Schule, um sich sein Abgangszeugnis abzuholen. Er sollte sich – so war dem Vater mitgeteilt worden – beim Direktor melden. Er fand die Schule verschlossen und läutete deshalb am Nebeneingang, an der Tür des Schuldieners Jeremias. Der Mann ließ ihn eintreten, ging mit ihm zum Zimmer des Direktors und meldete ihn bei Dr. Stahl.

„Wir soll'n warten", sagte Jeremias, der nach wenigen Augenblicken wieder zu ihm getreten war.

Beide standen auf dem Korridor vor der Tür des Hochgestrengen. Sie öffnete sich nach geraumer Zeit, und der Direktor kam auf den Flur. Gero begrüßte ihn mit einer tiefen Verbeugung. Dr. Stahl nickte ihm kurz zu.

„Ihr Zeugnis, Suchefad" (er hatte Sie gesagt!) „Ich wünsche Ihnen alles Gute für Ihr weiteres Leben."

„Danke, Herr Direktor", Gero verbeugte sich erneut und streckte Stahl seine Hand zum Abschied entgegen.

Aber Dr. Stahl hatte sie nicht ergriffen, aufschauend sah Gero ihn hastigen Schrittes schon wieder in seinem Zimmer verschwinden. Der Junge war verblüfft, sah verwirrt auf seine Hand – hatte er sie nicht gewaschen?

„Na, da sind wir noch janz jnädij jewes'n, der Schuldiener Jeremias hielt Geros Zeugnis dicht vor seine Augen (er war etwas kurzsichtig) und sagte, es überfliegend, gönnerhaft: „Allens jenüjent, bis uff Latein – mußt'e dir aba nischt nich' draus machen. Bei den ollen Bolz (Suchefad ging ab, da konnte sich Jeremias schon die respektlose Bemerkung erlauben) sitzt de Galle zu dicht an'nen Hintern, der kann nich' anners." – Er gab Gero das Zeugnis: „Na, dann woll'n wa' mal." Er klapperte mit seinem Schlüsselbund und wendete sich der Treppe zu, „ick muß wieder abschließen, wird ja jetzt so ville von die Sachen uff'n Flur jeklaut". Er stieg die Stufen hinunter. Gero folgte ihm und ging aus der Tür.

Auf der Straße blieb er noch einmal stehen und streifte mit

seinem Blick die Reihen der Fenster des stattlichen Gebäudes. Zehn Jahre war die Schule auch für ihn ein Stück Heimat gewesen.

Aus der Quarta im ersten Stock hörte er das bellende Schelten des Professor Bolz – auch das hatte dazu gehört.

Er wandte sich ab, ging zum Bahnhof und fuhr nach Haus.

Die Schule hat er nie wieder betreten.

Man kann sich auch zu Tode siegen, Herr Konsul!

Herr von Hütter war am 1. August 1918 zu einer Rücksprache über die Ausrüstung der U-Boote nach Kiel gerufen worden. Auf der Rückfahrt hatte er die Reise in Lübeck unterbrochen, um wieder einmal mit dem hanseatischen Kaufmann über die beide interessierenden wirtschaftlichen Probleme zu reden. Die Welt war voller Gerüchte über die militärische Lage, und man konnte deshalb nicht genug Informationen sammeln. Ungeschminkte Meinungen ließen sich aber nur im persönlichen Gespräch austauschen.

Hütter wurde am Portal des Hauses diesmal nicht vom Hausherrn selbst, sondern von einem jüngeren, sehr korrekt gekleideten Mann empfangen, der sich dem Gast als von Scheuch vorstellte. Nicht nur das schwarzweiße Ordensbändchen im Revers seines Zweireihers, sondern auch der fehlende linke Arm und der lose in der Jackentasche steckende Ärmel verrieten den Kriegsteilnehmer. Auffällig war insbesondere eine Verwundung über dem linken Auge, die sich den Blicken eines Gegenüberstehenden förmlich aufzwang. Hier war von einem Geschoß oder Granatsplitter ein Stückchen Stirnbein zertrümmert worden. In einer flachen Mulde des Schädels klopfte in der darüber gespannten dünnen Haut sichtbar das pulsierende Blut. Die kurzen, präzisen Sätze des Mannes verrieten den ehemaligen Offizier.

Der Herr Konsul (also Konsul ist er inzwischen geworden, vermerkte von Hütter bei sich) hätte unerwartet Besuch von einem Beauftragten einer Reichsstelle bekommen und bitte deshalb zu entschuldigen, daß er Herrn von Hütter nicht selbst empfangen könne. Er würde jedoch in wenigen Augenblicken zur Verfügung stehen, sagte Herr von Scheuch und geleitete den Gast in das Arbeitszimmer des Kaufherren. Er rückte ihm dort in einer Sitzgruppe gegenüber der Fensterfront einen Sessel zurecht und verließ den Raum.

Hütter war allein. Von ihm wich die geistige Anspannung, die ihn noch vor dem Portal in Erwartung des Gespräches mit dem Konsul beherrscht hatte. Er lehnte sich im Sessel zurück und überflog mit seinen Blicken den Raum, dessen Ausstattung ihm schon bei seinem ersten Besuch vor sechs Jahren gefallen hatte. Er erinnerte sich: Auch damals war es August, und wie damals flutete auch heute das helle Sonnenlicht durch die tief heruntergezogenen Fenster des Gartenzimmers. Eine wundervolle Stille umfing ihn – wollte sie vergessen machen, daß an den Fronten die Schlachten brüllend tobten? – Der Gedanke quälte ihn. Er erhob sich, trat an das Fenster. Er sah über den gepflegten Rasen des Innenhofes, erfaßte mit seinen Blicken das Wunder der leuchtenden Rosen, die an den Mauern lichtwärts rankten. Nichts erinnerte hier an Krieg, Tod, Zerstörung und menschliches Leid. Der Garten atmete Frieden, und es hätte den Sinnenden nicht verwundert, wäre aus dem gegenüberliegenden Mauerpförtchen in diesem Augenblick ein Mönch herausgetreten und schritte nun, in Andacht versunken, um das sonnenüberflutete Stückchen Erde. Fast schmerzhaft empfand er den Gegensatz dieses Bildes zum grausamen Alltag, und er war fast dankbar, als seine Hand – am weißfarbenen glatten Rahmen des Fensterflügels herabgleitend – einen geschmiedeten eisernen Riegel berührte. Ungeniert-frech hob sich unter ihm rohes Rahmenholz vom gepflegten Weiß des Lackes ab. Einst waren hier die breit geschwungenen Griffschilder aus blankem Messing angeschlagen gewesen. Der Hausherr hatte sie eigens zum Stil des Raumes passend vom Architekten entwerfen lassen. Auch sie waren eingeschmolzen, und der eiserne Ersatz mahnte an den Ernst der Zeit.

Hütter wurde in seinem Sinnen unterbrochen. Der Hausherr war eingetreten und entschuldigte sich, den Gast begrüßend, dafür, daß er ihn nicht persönlich hätte empfangen können.

„Da hat man mir doch", fuhr er in ungewohnter Lebhaftigkeit entrüstet fort, „einen subalternen Mann von der Reichsbekleidungsstelle mit der Frage ins Haus geschickt, aus welchem Grunde ich noch nicht meinen Bestand an Anzügen angegeben habe. Wer's nicht tut oder unvollständig macht, dem ist eine Geldstrafe bis zu 10000 Mark angedroht. Einen Anzug soll man bis zum 15. August freiwillig abgeben – sollen sie doch den ganzen Plunder abholen, aber mich mit solchen dummen Fragen in Ruhe lassen. Ich habe wirklich Wichtigeres zu tun. Als ob wir damit den Krieg gewinnen können!"

„Gewinnen", von Hütter hatte schweigend zugehört, „den Krieg gewinnen – ob sein Gastgeber wirklich davon überzeugt war, daß wir noch siegen könnten", dachte er. „Alle wissen doch, daß wir den Krieg verloren haben, und doch kommt keiner mit der Sprache heraus."

„Mit solch unnützem Kram schlagen hier die Bürokraten ihre Zeit tot, und draußen fehlen die Soldaten", grollte der Lübecker. Etwas ruhiger fuhr er fort: „Verzeihen Sie, daß ich Sie mit solcher Lappalie belästige, aber manchmal läuft einem die Galle über. Machen wir es uns bequem." Mit einer einladenden Handbewegung wies er auf die Sessel und fragte dabei wie beiläufig: „Sie waren wieder in Kiel?"

Hütter bejahte: „Wir sollen liefern, liefern – und man weiß nicht, woher nehmen. Kein Material, keine Arbeitskräfte! Im Mai haben wir zwei Millionen Granaten zur Verfügung gestellt – und in viereinhalb Stunden war alles an dem Chemin des Dames verschossen. Für jeden Frontsoldaten arbeiten heute sechs bis acht Zivilisten. Der Krieg ist ein gewaltiges wirtschaftliches Unternehmen geworden. Sie haben das 1912 in Ihrer Denkschrift vorausgesehen."

„Daß der Kampf diese Dimensionen annehmen würde, das habe ich, das hat wohl vor vier Jahren niemand gedacht", antwortete der Lübecker. „Hätte sich Amerika herausgehalten, wäre sicher schon alles vorbei."

„Ja, Amerika", von Hütter nickte zustimmend, „seine wirtschaftliche und militärische Macht ist von unserer Führung wohl stark unterschätzt worden."

„Überall treten die Yankees als Weltverbesserer und Weltbeglücker auf, voran ihr ‚Friedenspräsident Wilson' (Sarkasmus schwang in den Worten des Hausherrn). Seine salbungsvollen, von Menschlichkeit triefenden Tiraden, mit denen er vor einem halben Jahr vor seinen Parlamenten die Kriegserklärung an Österreich empfahl, klingen doch wie Hohn. Man merkt, daß er Sohn eines Presbyters ist – und außerdem ein Professor, der die Welt nur vom Katheder aus sieht."

„Den guten Willen möchte ich ihm nicht absprechen", sagte von Hütter vorsichtig. „Gewiß wird sein Denken stark von theoretischen Erwägungen und einer theologischen Anschauung bestimmt, es ist etwas Missionarisches in ihm."

„Richtig", bestätigte der Lübecker, „und er merkt dabei gar

nicht, daß er sich vor den Karren der großen amerikanischen Trusts spannen läßt. Wenn er sich – wie in seinen berühmt gewordenen 14 Punkten – als ein Anhänger einer Weltfriedensidee darstellt, hätte er als erstes die Kriegslieferungen seiner Landsleute stoppen müssen. Machen wir uns doch nichts vor: Er war von Anfang an Partei, antideutsch."

„In dieser Schärfe möchte ich dies nicht behaupten", warf von Hütter ein, „wenngleich auch er von dem politischen Hochmut des Durchschnittsamerikaners gegenüber dem ‚rückständigen Europa', insbesondere Deutschland mit seinen Monarchen, nicht ganz frei sein mag."

„Er war niemals ein Freund Deutschlands", erwiderte der Konsul. „Aus seinen Reden spricht außerdem ein solcher Mangel an Kenntnissen der historischen und politischen Verhältnisse über uns, daß man zweifeln muß, ob hier nun Unwissenheit oder bewußte Irreführung des eigenen Volkes vorliegen. Er spricht von der autokratischen Herrschaft unseres Kaisers, will das deutsche Volk von der Tyrannei der preußischen Könige befreien – dabei hat er als Präsident selbst im Frieden mehr Entscheidungsbefugnisse als Seine Majestät."

„Trotzdem hätte man bei uns vor eineinhalb Jahren seinem Vermittlungsvorschlag für einen Frieden ohne Sieg mehr Beachtung schenken sollen. Es ist wahrscheinlich die folgenschwerste Entscheidung in diesem Ringen gewesen, daß Seine Majestät damals nicht dem Rat Bethmann-Hollwegs und des Auswärtigen Amtes, sondern dem unserer Militärs gefolgt ist und der Wiederaufnahme des uneingeschränkten U-Boot-Krieges zustimmte – wider eigene, bessere Überzeugung, wie ich aus zuverlässiger Quelle gehört habe. Er hatte die Reaktion der Vereinigten Staaten und der Neutralen richtig eingeschätzt. Anfang 1916 hatten wir zehn Staaten als Gegner, heute sind es über zwanzig, dabei sind Indien, Australien, Kanada, Neuseeland und Südafrika als zur englischen Krone gehörend gar nicht mitgerechnet, auch nicht Rußland, mit dem wir nun Frieden haben – dem ich zwar nicht ganz traue", setzte er hinzu.

„Unter den neuen Gegnern sind aber auch viele Mitläufer, die militärisch kaum zählen, Haiti oder Panama zum Beispiel", warf der Lübecker ein.

„Zugegeben", erwiderte von Hütter, „aber jeder stellt unseren

Feinden Schiffe zur Verfügung. Wenn man bedenkt: Unsere herrliche ‚Vaterland' mit fast 55000 Tonnen eines der größten Passagierschiffe der Welt, fährt heute als Truppentransporter unter amerikanischer Flagge – und jedes, auch das kleinste Land, beschlagnahmt nach der Kriegserklärung deutsches Eigentum – eine bequeme Art, sich zu bereichern. Auch ich bin in Übersee davon betroffen. Rechnen wir die Hilfsquellen des französischen Kolonialreiches und des britischen Imperiums hinzu, so verfügen unsere Feinde jetzt über die Wirtschaft der ganzen Welt. Unsere Militärs haben mit der großen Frühjahrsoffensive im Westen noch einmal eine Entscheidung herbeiführen wollen – der Versuch ist mißglückt."

„Aber Herr von Hütter", der Konsul protestierte, „so hoch und stolz wie in diesem Frühjahr hatte die schwarz-weiß-rote Fahne während des ganzen Krieges noch nie geweht. Über 500000 Gefangene und über 7000 Geschütze wurden in der Zeit vom 15. Oktober des vergangenen Jahres bis zum 15. April eingebracht, mehr als 300 Tanks fielen in unsere Hände – die Feinde waren nahe dran, die Nerven zu verlieren!"

„Aber der wirkliche Durchbruch ist nicht geglückt!"

„Weil unsere Soldaten die geschlagenen Engländer nicht energisch genug verfolgt haben. Statt dessen haben sie sich auf die eroberten Magazine gestürzt, ganze Divisionen sind an den alliierten Verpflegungslagern hängengeblieben", verteidigte der Konsul seine Meinung.

„Können Sie es ihnen verdenken?" fragte von Hütter zurück, „auch draußen haben sie seit Jahr und Tag nichts Rechtes mehr im Magen. Das war und ist aber nicht das Entscheidende. Wir haben keine Reserven mehr, um Anfangserfolge auszuweiten, weder an Menschen, noch an Material. So war es im März in Flandern, im Mai an dem Chemin des Dames und jetzt im Juli an der Marne vor Reims: Unsere tapferen Soldaten reißen die feindliche Front 40, 80 Kilomter auf, sie brechen vier, acht, sogar wie im März 50 Kilometer tief in das Feindgebiet ein – dann aber stockt der Angriff, ist unsere Kraft am Ende."

„Wir hätten sogleich nach dem Frieden mit den Russen im März alle unsere Truppen von dort abziehen müssen, anstatt noch den neuen Polenstaat vor den Bolschewiki zu schützen", warf der Lübecker ein.

Hütter winkte ab: „Und selbst wenn uns der Durchbruch gelungen wäre oder noch gelingen sollte, selbst wenn unsere Truppen Calais besetzt hätten und vor Paris stehen würden – mit den Amerikanern im Rücken und der Wirtschaftsmacht der ganzen Welt hinter sich – Herr Clemenceau gibt nicht auf. Er hat es erst unlängst selber gesagt. Machen wir uns doch nichts vor: Der U-Boot-Krieg ist verloren. Die Engländer haben das Geleitzugsystem so weit entwickelt, daß die Amerikaner trotz höchster Tapferkeit unserer U-Boot-Besatzungen immer mehr Menschen und Material nach Europa bringen. Wie hieß es kürzlich in einer Pressemeldung: Jetzt soll die amerikanische Periode des Krieges erst beginnen."

„Das hieße, daß Herr Wilson die Sache in die Hand nimmt, die letzte Entscheidung bei ihm liegen würde – das wäre unseren englischen Vettern aber ganz und gar nicht recht", sagte der Lübecker.

„Auf keinen Fall", stimmte von Hütter zu. „Ich war kürzlich bei meinem Sohn im Internat in der Schweiz. Dort fiel mir zufällig die englische ‚The Nation' in die Hand. In einem Artikel las ich eine Warnung vor den amerikanischen Chauvinisten. Der Verfasser unterstellt ihnen, den Krieg nur deshalb maßlos in die Länge ziehen zu wollen, um alle kriegführenden Länder Europas verkümmern zu lassen und um dem alten Kontinent einen amerikanischen Frieden diktieren zu können. Es klingt ein bißchen hilflos, wenn der Artikler noch schreibt, daß ‚Amerika doch erst einmal die europäischen Verhältnisse kennenlernen sollte'."

„Das haben die Amerikaner gar nicht nötig, ihre Demokratie und ihr way of life sind die besten auf Erden", spottete der Lübecker, „und im übrigen geht's um das Geschäft. Aus Holland hörte man kürzlich von Privatäußerungen des Präsidenten, nach denen Amerika in den Krieg eingetreten sei, um den wirtschaftlichen und politischen Einfluß, den Deutschland vor dem Kriege in Südamerika und Mexiko errungen hatte, zu blockieren. Glauben Sie mir, Wilson ist kein ehrlicher Makler, er hat ausgesprochen machtpolitische Ziele, und die angeführten Äußerungen des Engländers passen durchaus in das Konzept. Nach Ansicht vieler Amerikaner haben die Briten bereits die Mittagshöhe ihrer historischen Sendung überschritten und haben nun ihre weltbeherrschende Stellung an Amerika, die führende Nation der Zukunft, abzutreten. Wie schrieb ein Dr. K. S. im ‚Kriegs-Echo'" – der Konsul beantwortete sich die Frage wieder selbst – „hinter der Maske des Weltfriedensapostels schimmern die Umrisse eines Weltdiktators hervor."

„Das ist vielleicht ein bißchen übertrieben ausgedrückt, schließlich beherrscht Großbritannien mit seinem ‚empire' immer noch ein Viertel der Erde", meinte von Hütter, „immerhin: Wenn zwei sich streiten, freut sich der Dritte. Das ist ein altes Sprichwort, und von dem selbstmörderischen Kampf der Europäer gegeneinander können die Vereinigten Staaten nur profitieren. Das weiß man auch in England. In Abständen bekomme ich über die Schweiz noch Post von meiner Frau – Sie erinnern sich vielleicht, sie wurde in England vom Kriegsausbruch überrascht..."

„Vor vier Jahren", sagte der Konsul mitfühlend.

„Ja, vor vier langen, langen Jahren", wiederholte von Hütter ernst. Sachlich fuhr er fort: „Wegen der Zensur kann man nicht offen schreiben, zwischen den Zeilen ist's aber herauszulesen: Auch auf den Inseln gibt es viele Menschen, die den Krieg für einen Wahnsinn halten."

„Dann sollte man doch in Gottes Namen wie im Osten auch im Westen zum Frieden kommen."

„Wie im Osten sagen Sie", antwortete Hütter bedächtig, „dort haben wir den Russen nach der Revolution – übrigens was daraus wird, weiß man noch nicht – den Frieden diktieren können. Im Westen ist aber, wie der Staatssekretär des Auswärtigen Amtes von Kühlmann am 25. Juni vor dem Reichstag sagte, bei der ungeheuren Größe dieses Koalitionskrieges und bei der Zahl der an ihm beteiligten Mächte ein Ende durch rein militärische Entscheidungen nicht zu erwarten."

„Mit seiner Rede hat er aber auch was Schönes angerichtet", der Konsul sagte es mit Ingrimm. „Nicht nur das Volk hat er damit vor den Kopf gestoßen – wie diese Rede an der Front gewirkt haben muß, kann man sich ausmalen. Da haben die deutschen Heere seit März Sieg auf Sieg erfochten und furchtbare Opfer gebracht, und dann wird ihnen von einem verantwortlichen Politiker gesagt, daß dies alles nichts nütze! Aber der Abgeordnete Stresemann hat ihm ja auch am gleichen Tage die gebührende Antwort erteilt. Ich habe mir die Zeitungsnotiz aufgehoben (er suchte auf seinem Schreibtisch in einer Ablage), hier steht es:

‚Nie hatten wir weniger Anlaß, an dem deutschen Sieg zu zweifeln als jetzt. Wenn ein Sieg errungen ist, müssen wir ihn so benutzen, um die nötigen realen Sicherungen zu erreichen'. Das ist nur allzu wahr. Kühlmann ist ja auch nun von Seiner Majestät entlassen worden", setzte er befriedigt hinzu.

Hütter nickte bestätigend: „Die Militärs, unsere Oberste Heeresleitung, haben sich einmal wieder gegen die Politik (und, wie Hütter in Gedanken hinzufügte: gegen alle Vernunft) durchgesetzt."

„Im Felde sind wir unbesiegt. Die gewonnenen Feldschlachten der letzten Monate zählen zu den höchsten Ruhmestaten deutscher Geschichte, wie es jetzt der Kaiser in seinem Tagesbefehl zum Beginn des fünften Kriegsjahres an Heer und Marine gesagt hat."

„Er spricht darin aber auch von der uns gegenüberstehenden zahlenmäßigen Übermacht. Man kann sich auch zu Tode siegen, Herr Konsul!" Hütter hatte den letzten Satz stark betont. Beiläufiger fuhr er fort: „A propos: Was sagen Sie zur Entwicklung in Rußland – dort herrscht offensichtlich das Chaos, die Bolschewiki haben nun den Zaren erschossen – Königsmord, wie 1793 Ludwig XVI. in Paris."

„Ich habe es auch gelesen", erwiderte der Lübecker, „es ist furchtbar. Vielleicht war es ein Fehler, daß unsere Regierung ihrem Führer Lenin im Dezember 1917 die Rückkehr aus der schweizerischen Emigration in sein Land ermöglichte."

„Er war der Gegner des Herrn Kerenski, der den Zaren abgesetzt hatte, aber den Krieg gegen uns fortsetzen wollte. Insofern war sein Sturz für uns von Vorteil. Andererseits sind auch bei uns bolschewistische Agenten am Werk. Es könnte die bekannte sozialistische Parole ‚Proletarier aller Länder vereinigt euch' auch bei unserer Arbeiterschaft wieder Gehör finden. Der große Streik im Frühjahr in Berlin forderte schon die Bildung von Arbeiterräten, und in der Schlachtflotte in Kiel gärt es seit langem. Verhehlen wir uns nicht, Herr Konsul, auch unser Volk ist des Krieges müde, und bei unseren Bundesgenossen, den Österreichern, sieht es doch ganz schlimm aus. Da kämpfen schon seit langem aus Überläufern gebildete tschechische Brigaden auf Seite der Feinde gegen die habsburgische Monarchie."

„Und jetzt gegen die Roten Garden selbst", trumpfte der Lübecker auf.

„Das sind Randerscheinungen“, winkte von Hütter ab, „wie heißt’s in Punkt X von Wilson: ‚Den Völkern der österreichisch-ungarischen Monarchie, deren Platz unter den Völkern wir gesichert sehen möchten, soll möglichst bald Gelegenheit zur selbständigen Entwicklung gegeben werden‘ – glauben Sie mir, das wirkt! Mit Österreich ist nicht mehr lange zu rechnen. Uns fehlen Reserven an Menschen und Material – ich sage es noch einmal – das Kämpfen kann nicht bis ins Unendliche weitergehen, wir müssen einen Weg suchen, um zum Ende zu kommen. Diese Erkenntnis hat man auch an höchster Stelle gewonnen. Wir müssen verhandeln.“ Hütter hatte das Wort müssen betont, er setzte nach einer kleinen Pause hinzu: „Schließlich können wir um der Zukunft Elsaß-Lothringens willen Europa nicht in einen Trümmerhaufen verwandeln.“

„Elsaß-Lothringen aufgeben – nein, nein“ – der Konsul hatte abwehrend die Hände erhoben, er war erregt: „Wir sollen zugeben, wie es Wilson verlangt, daß wir 1871 Frankreich in der elsässischen Frage Unrecht getan haben? Niemals! Wer hat hier Recht? Wer ist der Räuber?“

Er schwieg einen Augenblick und redete, als von Hütter nicht antwortete, im Eifer fort: „Metz, Toul, Verdun und Cambrai, der Sundgau, ganz Elsaß-Lothringen gehörten zum Heiligen Römischen Reich Deutscher Nation, bevor der unselige Konfessionsstreit und der Dreißigjährige Krieg unser herrliches Land verwüsteten und die Franzosen sich ein Stück nach dem anderen aus ihm herausbrechen konnten. 1915 ist in Paris ein Buch erschienen,* geschrieben von Jacques Bainville, einem führenden Mitglied der action francaise. Er preist darin den Westfälischen Frieden – das größte Unglück des deutschen Volkes, das unser Reich ohnmächtig gegenüber seinen äußeren Feinden als einen Flickenteppich von Tausenden von Ländchen und Herrschaften zurückließ – als Vorbild jedes ernsthaften und dauernden Friedens mit den Deutschen. Denken wir an die Raubkriege Ludwigs XIV. in der Pfalz, an den Überfall 1681 auf das rein deutsche Straßburg mit dem herrlichen Münster des Erwin von Steinbach – mitten im Frieden! Straßburg war im 15. und 16. Jahrhundert ein Mittelpunkt des deutschen Humanismus. Ich denke an Sebastian Brants Narren-

---

* „Histoire de deux peuples“

schiff und an Jakob Wimpfeling, der als erster versuchte, eine deutsche Geschichte zu schreiben."

„Vergessen wir nicht die Universität", warf Hütter ein, „als sie Goethe 1770 besuchte, gehörte sie zu den glanzvollsten Stätten deutschen Geisteslebens."

„Das ist sie heute wieder und wird es auch bleiben", bekräftigte der Konsul seine Meinung, „ich bleibe dabei: Elsaß-Lothringen ist deutsches Land!"

„Es hat aber auch besonders nach der französischen Revolution viel französische Lebensart und Gesittung aufgenommen, denken Sie nur an die unliebsamen Vorgänge in Zabern vor dem Kriege."

„Welche Propaganda", der Lübecker wehrte ärgerlich ab. „Frankreich will an den Rhein. Selbst die Republik von 1792 hat trotz ihrer Parolen von Freiheit, Gleichheit und Brüderlichkeit die Ziele des größeren Frankreich, den Traum vom römischen Gallien, nie aufgegeben. Danton sah die Grenzen Frankreichs von der Natur abgesteckt. Er sagte, ‚daß wir sie erreichen werden: am Ozean, an den Ufern des Rheins, an den Alpen und an den Pyrenäen'. Was die Napoleone wollten, das ist noch in aller Erinnerung. Aber ‚der Rhein ist Deutschlands Strom, nicht Deutschlands Grenze' – so hat es schon Ernst-Moritz Arndt den Freiheitskämpfern zugerufen. Sie kennen doch auch das Lied ‚Sie sollen ihn nicht haben, den freien deutschen Rhein'. Mein Großvater hat es als Burschenschaftler voller Trotz und Sehnsucht gesungen. Ich sagte Ihnen wohl schon gelegentlich, daß ich den Krieg 1870/71 im Rheinischen Korps vom ersten bis zum letzten Tage mitgemacht habe. Ich hatte die Ehre, in Versailles in einer Abordnung unseres Truppenteiles die Kaiserproklamation mitzuerleben – dies, Herr von Hütter, ein solches Erlebnis, vergißt man nie! Welche Begeisterung hatte uns damals erfaßt" – das Gesicht des Konsuls war wie von einem Leuchten überflutet – „endlich wieder ein einiges großes deutsches Vaterland! Endlich die Sehnsucht der Freiheitskämpfer von 1812, der Traum der Männer in der Paulskirche von 1848 erfüllt: ein einiges Deutschland, ein Vaterland! Es zu bewahren wurde für uns heilige Verpflichtung, Deutschland zu dienen, das habe ich damals mir geschworen."

„Wenn man bedenkt, welchen Aufschwung unser Land nach 1871 genommen hat", sagte v. Hütter überlegend, „1911 standen wir im Welthandel hinter Großbritannien an zweiter Stelle vor den

Vereinigten Staaten, und in Hamburg wurden die drei größten Schiffe der Welt, die Bismarck, die Imperator und die Vaterland gebaut. Alle über 50000 Tonnen groß! Wir waren unseren Vettern über dem Kanal zu groß geworden, das ist es."

„Herr Gott nochmal!" Der Lübecker war aufgesprungen und um seinen Schreibtisch an die Rückwand des großen Raumes geeilt (wie jugendlich frisch er sich noch bewegt, dachte von Hütter). Ihre Täfelung verbarg sich hinter einer großen Landkarte von Europa.

„Herr Gott nochmal" – er wiederholte sich – „soll denn das alles umsonst sein? Sehen Sie, Herr von Hütter (seine Rechte schlug einen weiten Bogen über die rechte Kartenseite von Nord nach Süd): Hier halten wir die Front von Narwa bis an das Schwarze Meer. Das Baltikum, Riga mit seinem wundervollen Schwarzhäupterhaus, Dorpat und Reval – das nordische Heidelberg und das nordische Nürnberg – das ganze Ordensland ist wieder in unserer Hand. Deutsche Truppen stehen in Finnland und unterstützen die Georgier in Tiflis in ihrem Befreiungskampf. Im Westen (er wandte sich der linken Seite der Landkarte zu) haben wir jetzt mehr feindlichen Boden besetzt als 1917, gehen jetzt wieder über die Marne vor, und unsere neuen Ferngeschütze bieten wie anno 14 den Parisern ihren Morgengruß – und das alles sollen wir aufgeben, für nichts und wieder nichts?"

„Gewiß haben wir Trümpfe in der Hand", sagte von Hütter, „aber man sollte sie auch ausspielen, bevor sie nicht mehr stechen."

Mit einer Handbewegung verwarf der Lübecker den Einwand: „Durchhalten heißt's jetzt, zehn Minuten länger als der Gegner aushalten, darauf kommt's jetzt an."

Hütter mochte dem Hausherrn nicht mehr widersprechen. Der Konsul glaubte wohl wirklich noch ehrlichen Herzens an einen deutschen Sieg – oder wehrte er sich gleich vielen anderen seiner Generation gegen die bessere Einsicht? Siegte das Gefühl des deutschen Patrioten über den Verstand? Er ließ die Frage offen und verabschiedete sich bald.

Politiker, Kaufleute und Industrieführer, so dachte er auf der Heimfahrt, können sich keine Gefühle leisten. In jeder Lage müssen sie kühlen Kopf bewahren und alle möglichen Entwicklungen durchspielen. Er selbst hatte schon früh den Kriegseintritt

Amerikas einkalkuliert und dortige Vermögenswerte und Anlagen vorsorglich auf den Namen seiner Frau übertragen. Damit waren sie vor der Beschlagnahme als Feindvermögen sicher. Was aber geschah in Deutschland, wenn...? Wie würden die Dinge bei uns ablaufen?

Hütter fand keine Antwort auf die Fragen, aber er beschloß, sofort nach seiner Rückkehr in Berlin Gespräche zu suchen – auch mit Zentrumsleuten und Sozialdemokraten, die im Reich immer wichtiger wurden.

Oktobertage 1918

Es war Herbst geworden. Herr Suchefad hatte sich in diesen Tagen nicht ganz wohl gefühlt, wahrscheinlich hatte ihn auch die wieder grassierende Grippe erfaßt. Um den zum Glück nur leichten Anfall auszukurieren, war er am Sonnabend, den 5. Oktober, nicht in den Dienst gegangen und ihm auch noch am Montag ferngeblieben. Am Abend saß er mit Frau Tina, Gero und Bärbel im hinteren Zimmer ihrer Wohnung zusammen. Es diente jetzt der Familie als Eß- und Wohnraum, weil es kleiner als die vorderen Zimmer war und sich deshalb besser als diese beheizen ließ. Gegen die herbstliche Kühle hatte Frau Tina den Koksofen angezündet; er verbreitete eine angenehme Wärme. Die über dem Tisch hängende Gasleuchte ließ den Raum im Dämmerlicht und warf nur auf die Tischdecke einen helleren Lichtschein.

„Der Gasdruck ist heute aber wieder einmal zu schlecht", seufzte Tina und rückte mit ihrer Stopfarbeit näher an den Lichtkreis heran.

„Sie werden wahrscheinlich keinen Koks mehr haben", erwiderte Suchefad, ohne von der Zeitung aufzublicken. „Es fehlt an allen Ecken und Kanten – und was das überhaupt noch werden soll . . ." Er verstummte kopfschüttelnd.

„Steht's nicht gut um uns?" Frau Tina fragte fast gleichgültig. Sie verfolgte kaum die Ereignisse an den Fronten und interessierte sich nicht für Politik. Sie hatte andere Sorgen. Wie mache ich meine Familie satt und wie schaffe ich es, daß sie noch halbwegs anständig angezogen geht. Für einen Anzug verlangt der Schneider jetzt 500 bis 600 Mark! Das waren ihre Probleme.

„Ein Prinz ist jetzt Reichskanzler, Prinz Max von Baden", mischte sich Gero in die Unterhaltung der Eltern ein – „und sogar Sozialdemokraten sind Staatssekretäre."

„Prinz und Sozialdemokraten in einer kaiserlichen Regierung", sagte Frau Tina, „das wäre was für Mama gewesen, wie hätte sie sich darüber aufgeregt."

„Es ist wohl Fügung gewesen, daß sie und Papa dies nicht mehr erlebt haben“, sagte Herr Suchefad. „Einen Spitznamen hat er schon, den ‚Roten Prinzen‘ nennen sie ihn in Berlin – und Frieden will er nun auch machen, so schnell wie möglich.“

„Das ist doch nichts Schlechtes“, meinte Frau Tina.

„Ja, richtig, aber wie!“ (Suchefad betonte das wie). „Hier steht’s: Er hat den amerikanischen Präsidenten im Namen der deutschen Regierung ersucht, die Herstellung des Friedens in die Hand zu nehmen. Er akzeptiert dessen berühmte 14 Punkte und will sofort einen allgemeinen Waffenstillstand abschließen.“

„Waffenstillstand – aber wir haben doch immer gesiegt“, warf Gero erstaunt ein. „Der Admiral Scheer hat erst vor kurzem gesagt – so stand’s in der Zeitung –, er zweifle keinen Augenblick daran, daß wir mit den Unterseebooten England zum Verhandeln zwingen werden, und im ‚Kriegsecho‘ habe ich gelesen, daß Hindenburg gesagt hat, wir wären stark genug, auch im Westen den Frieden zu erzwingen, trotz der Amerikaner. ‚Ersuchen‘ heißt doch ‚bitten‘, Vater – und nun bitten wir um einen Waffenstillstand?“

„Es ist doch ganz gleich, wer das erste Wort spricht, Hauptsache ist doch, der gräßliche Krieg hat endlich ein Ende“, meinte Frau Tina.

„Nicht ganz“, entgegnete der Vater. „Wenn sich im Ringkampf zwei gegenüberstehen, und einer sich dem anderen ganz überlegen fühlt, wird er kaum sagen: ‚So, nun hören wir auf.‘ Ich weiß nicht recht, was man von diesem Schritt halten soll. Bei uns scheint es doch nicht so gut zu stehen, wie immer gesagt wird. Merkwürdig war es schon, daß die Österreicher Mitte September in Bern eine Friedensnote an die Feindmächte veröffentlichen ließen – wie die Zeitungen schrieben, war dies das erste Mal eines Sondervorgehens eines unserer Bundesgenossen. Seit in Österreich nicht mehr der alte Kaiser regiert, ist dort vieles anders geworden. Die Kaiserin Zita ist eine Tochter des letzten Herzogs von Bourbon-Parma, und ihre Brüder sollen als Offiziere in der belgischen Armee Dienst tun – da kann man nicht viel Sympathie für uns Deutsche erwarten. Und die Bulgaren haben schon ganz aufgegeben, haben am 29. September einen Waffenstillstand abgeschlossen. Es sieht im Augenblick wohl für uns nicht gut aus.“

„Der Kriegsbericht meldet im Westen aber siegreiche Abwehr“, sagte Gero.

„Wenn sie von siegreichem Vormarsch schreiben würden, wär's mir lieber, mein Sohn", antwortete der Vater. „Ich möchte jetzt nicht Reichskanzler sein, die Regierung steht vor sehr schweren Entschlüssen."

„Und der Kaiser?" fragte Frau Tina.

„Er deckt sie selbstverständlich, er hat die letzte Entscheidung. Wie ich hörte, soll er krank sein, er ist im Neuen Palais in Potsdam."

„Übrigens, was ich dir noch sagen wollte", Frau Tina warf es wie beiläufig ein, „am Donnerstag kommt Frau Dada."

Ihr Mann ließ die Zeitung sinken: „Was – gibt sie uns auch wieder einmal die Ehre? Sie hat doch schon lange keine Zeit mehr für uns kleine Leute." Er sprach die beiden letzten Worte mit einem ironischen Unterton.

„Ja, ich habe sie zufällig heute beim Einkaufen getroffen, und da haben wir von früher gesprochen, wie es so nett bei uns war, als Bärbel sie zuerst mit ‚Tante Dada' begrüßt hat – sie will mal wieder zum Waschen kommen. Da hab' ich gleich für Donnerstag verabredet."

„Dann brauche ich also am Donnerstag mittag nicht nach Hause zu kommen", stellte Suchefad etwas verstimmt fest.

„Es wird wohl das beste sein", antwortete Frau Tina. „Du kannst doch einmal auch in der Kantine essen. Es ist doch gar nicht so schlecht, was eure Kochfrau euch vorsetzt. Die Kinder essen es sehr gerne."

„Immer das süße Zeug, Nudeln, ohne Fleisch und Fett", mäkelte er grämlich. „Aber: Hast du denn überhaupt etwas zu essen für die Dada? Sie ist doch bestimmt von ihren neuen Herrschaften verwöhnt."

„Nun ja", Frau Tina antwortete ausweichend, „ich hab' etwas aufgespart." Sie war froh, als ihr Mann sich mit dieser Antwort begnügte, sich wieder in seine Zeitung vertiefte und sie nicht weiter fragte, wie und woran sie bei ihren kargen Zuteilungen gespart hatte.

*

Am Donnerstag hatte Herr Suchefad, um dem Trubel des Waschtages zu entgehen, früher als an sonstigen Tagen die Wohnung verlassen. Kurz nach acht Uhr war Frau Dada – ihr richtiger Name war Smolke, Frieda Smolke aus der Plantagenstraße in Nowawes – bei Suchefads erschienen. Sie hatte Hut und Mantel abgelegt und in der Puddelkammer auch Bluse und Rock gewechselt. Danach schürzte sie das Arbeitskleid und krempelte die Ärmel hoch. Jetzt saß sie am Küchentisch und wartete auf das Frühstück. Ohne ein ordentliches Frühstück fing eine richtige Waschfrau nicht an – und Frau Dada war eine echte Nowaweser Waschfrau: sie stand auf stämmigen Beinen und hatte kräftige Armmuskeln, ein rechtes Weibsbild war sie, die zupacken konnte.

„Ich habe gestern schon alles eingeweicht“, sagte Frau Tina und griff nach einem Topf, der auf der Wärmplatte des Herdes stand.

„H. . .m“, Dada zog den ihm entströmenden Duft genießerisch in die Nase, „echten Bohnenkaffe (sie sagte nicht Kaff*ee*, sondern einfach Kaffe) – wo ham'se denn den her. So wat, alle Achtung, Frau Suchefad, wie bei die Frau Kuder drüben. Ick sach Ihnen, die ham' allens.“ Genüßlich schlürfte sie den heißen Trank. „Und echte Butter uff de Stullen ooch!“ Sie biß kräftig in die erste Schnitte. „Is' schon jeheizt und die jroße Holzwanne uff'n Bock?“

Frau Tina bejahte. Frau Sorgen hätte heute am Morgen schon den Kessel in der Waschküche angeheizt und alles zurechtgestellt.

„Und wat macht der Herr Jemahl und die Kinners?“ fragte Dada beim Kauen.

„Meinem Mann geht's gut“, erwiderte Frau Tina.

„Bloß mit's Essen meckert'er – wa?“ Als Frau Tina einen Moment mit der Antwort zögerte, fuhr sie fort: „Kenn'wa', is' überall detselbe. Wenn'se nischt Richt'jes in de Wampe haben, wern'n se unjemietlich, die Herren der Schöpfung.“ Sie sprach die beiden letzten Worte betont hochdeutsch aus. „Und ihr Karl-Willem, ihr Sorjenkind, der is' doch nich' bei't Militär?“

„Nein, der ist seit fast einem Jahr in Trempin, in meiner Heimat, und den zweiten, den Ehrhardt, haben sie nun auch schon eingezogen“, Frau Tina seufzte. „Er dient beim 2. Garde-Feldartillerie-Regiment in Potsdam.“

„Ja, der verdammte Kriech“ – Frau Dada griff zum dritten Butterbrot. Tina sah es mit Sorge, hatte sie doch gehofft, daß es zur Vesper bleiben würde. „Nu' woll'n se woll Frieden machen.“

„Gott geb's“, erwiderte Frau Tina.

„Vasteh'n Se det?“ Frau Dada fragte es provozierend. „Bis jetzt ha'm wa imma jesiejt und jesiejt, ha'm aushalten soll'n und missen – und nu uff eenmal Schluß um jeden Preis. Det vasteh' ick nich', det is' zu hoch for mir. Unser Justav, wat mein Vetter is' in Balin, der sacht, fors Volk wär't det beste. Der hat ein Fluchblatt jeseh'n, wat die Franzosen über't Rheinland abjeschmissen ham'. Da steht drinne, von't Volk woll'n se nicht, die Engländer und Franzosen, nur die Militaristen soll'n wech, die janz Jroßen oben, und unsa Willem ooch, der wär' an allet schuld. Wat se bloß jejen den hab'n? Na ja, red' nen bisken ville, und jejen seine Aujuste – is' doch 'ne jute Frau. Und 'ne bessere Staatsform wollen sie uns geben (sie sprach die letzten Worte wieder betont hochdeutsch) – mir wär't schon jenuch, wenn se uns wat Richt'jes zu fressen gäb'n."

„Aber, das sind doch alles Gerüchte, Frau Smolke", erwiderte Frau Tina, „von Spionen ausgestreut, sie sind jetzt überall."

„Na ja, ick meen' ja bloß so. Aba Fried'n wer'n se nu bald machen, wo die von de Partei mit bei de' Rejierunk sind, jlob'n se mir." Sie übersah den Küchentisch, Teller und Kännchen waren leer. „Et hat scheen jeschmeckt", sagte sie und erhob sich. – „Dann mal ran an die Buletten. Ha'm Se ordentliche Seefe, richt'je scheene Kernseife, wo man so feste uff det Reibebrett rubbeln kann", fragte sie Frau Tina beim Hinuntersteigen in den Keller. Als diese verneinte, setzte sie hinzu: „Det is' schade, die Kudern drieben, die hat allens noch."

„Immer die Frau Kuder", dachte Tina ärgerlich. „Es muß auch mit der Tonseife gehen", sagte sie, „außerdem haben die Chemiker auf der ‚Eule' etwas zusammengestellt, einen Ersatz, mit dem habe ich eingeweicht, und das Wasser ist ganz grau geworden, es hat also schon gewirkt."

Beide Frauen standen jetzt in der Waschküche. „Na, det woll'n wa' ma seh'n", sagte Dada und trat an den großen, noch leeren Waschbottich. Sie schob die Blusenärmel noch höher und sah sich um, sie ging zum Waschkessel und öffnete die Feuerungstür. „Det Holz hat Ihr Kleener woll wieda zurechtejemacht", fragte sie Frau Tina und setzte, ohne auf die Antwort zu warten, hinzu: „Wat macht iba'haupt der Jero?" Sie legte einige kräftige Holzscheite nach.

„Er ist noch zu Hause, ist im Hilfsdienst – schon die Sechzehnjährigen müssen jetzt ran, die reinen Kinder noch – ist beim

Fuhramt in Potsdam. Er will doch unbedingt Landwirt werden“, antwortete Frau Tina.

„Baua is’ nich’ schlecht heute, aba alle woll’n se jetzt Baua wer’n, von wejen det Essen“, meinte Frau Dada.

„Es war auch schwer, für ihn eine Elevenstelle zu bekommen, erst im nächsten Jahr kann Gero in Thüringen anfangen.“ Frau Tina sah sich um. „Dann kann ich wohl gehen“, sagte sie.

Frau Dada nickte nur. Sie hatte den Deckel vom Waschkessel abgehoben, der hochsteigende, beißende Wrasen ließ sie verstummen. Sie nahm die Wäschekelle, hob mit ihr einige Wäschestücke aus dem Kessel, trug sie auf dem Deckel des Waschkessels zum Bottich und begann ihre Arbeit am Reibebrett.

Oben in der Wohnung bereitete Frau Tina das Mittagessen. Schweren Herzens hatte sie dafür tief in ihre geheimen Vorräte gegriffen. Sie entnahm ihnen mehr als zunächst beabsichtigt und dachte dabei an die Kuders, die immer „alles hatten“. An ihnen wurde man von der Dada gemessen – und Hilfen wie sie waren in diesen schweren Zeiten rar.

In der Waschküche werkte die Smolke. Bald war sie hinter dem Schleier der quellenden Wrasen verschwunden. Sie füllte den Kessel mit eingeweichter Wäsche, holte sie nach dem Kochen heraus – und wenn sie laut über den Dreck von Kriegsseife schimpfte, klang es dem Eintretenden aus dem wabernden Dampf wie die Stimme einer der Erinnyen aus dem Hades entgegen. Die Dada war eine couragierte Frau, sie konnte arbeiten, sie legte aber auch Wert auf eine gute Verpflegung. Sie lebte in dieser kargen Zeit besser als die Familien, für die sie wusch. Sie wurde verwöhnt. Als sie am Abend ihr Werk getan hatte, war sie zufrieden. Die Frau Suchefad hatte sich, so stellte sie auf dem Heimweg fest, allerhand Mühe gegeben. Alles hatte gestimmt, der Lohn und auch das Essen.

Ein Rest der kulinarischen Genüsse des Tages fand sich noch am späten Nachmittag auf dem Tisch der Suchefads. Herr Suchefad war in Anbetracht des Waschtages mit Absicht etwas länger als üblich im Büro geblieben, nun sah er mit Behagen neben dem Kaffee (es roch, als hätte seine Frau sogar echten Kaffee gekocht) schöne Brötchen, ein richtiges Stück Butter und auch zwei Wurstsorten. Er setzte sich und ließ es sich schmecken. Danach griff er zur Zeitung.

„Die Amerikaner haben auf das Waffenstillstandsangebot geantwortet“, sagte er (er hatte die Gewohnheit, Artikel beim Zeitungslesen vor seiner Familie laut zu kommentieren). „Der Präsident hat noch Rückfragen“, Suchefad überflog die Zeilen. „Natürlich wieder so ein Kauderwelsch im Text, wie üblich bei den Diplomaten“, sagte er ärgerlich und setzte nach einer kleinen Pause empört hinzu: „Aber das geht doch gar nicht – vor den Verhandlungen sollen wir erst alle unsere Truppen aus den besetzten Gebieten abziehen – was denken die sich eigentlich!“ Er ließ das Blatt sinken und blickte fragend in die Runde. „Wir können doch nicht einfach Frankreich und Belgien räumen, ohne eine Garantie für den Frieden zu haben. Das wäre doch Kapitulation! Und dann steht hier noch (er las weiter): Der Präsident glaubt auch zu der Frage berechtigt zu sein, ob der Kanzler nur für diejenigen Gewalten des Reiches spricht, die bisher den Krieg geführt haben. Versteht ihr, was das heißt?“ Frau Tina und Gero schüttelten den Kopf. „Ich auch nicht“, sagte Herr Suchefad.

„Möchte wissen, was wir denen über dem Großen Teich getan haben, daß sie so giftig auf uns sind. Die Bestrafung aller am Kriege Schuldigen sollen sie verlangen – das sind natürlich nur wir – und einer aus Washington hat geschrieben, daß ein blühendes Deutschland innerhalb der nächsten 25 Jahre ein Schandfleck für dic Zivilisation wäre. Da könnt ihr euch ausmalen, was wir von diesem Wilson, diesem scheinheiligen Friedensapostel, zu erwarten haben. Es sind schon harte Zeiten, aber jetzt müssen wir die Nerven behalten, jeder muß jetzt seine Pflicht tun.“

Er blickte über den Zeitungsrand: „Übrigens, du hattest doch noch ein goldenes Zehn-Mark-Stück von deiner Konfirmation. Es war jetzt ein letzter Aufruf zur Goldabgabe, wenn wir schon die goldenen Uhren behalten, das sollten wir abgeben.“

Frau Tina erschrak, zögerte ein wenig mit der Antwort, sagte dann aber tapfer: „Das habe ich nicht mehr.“

„Das hast du nicht mehr“, ihr Mann war erstaunt, „wo ist es denn geblieben?“

„Da“, Frau Tina wies auf den Tisch. „Wie sollte ich euch denn sattkriegen mit dem, was es auf Marken gibt, und die Dada . . . Ich hab's verkauft.“

„Du hast es verkauft?“ Fast ungläubig wiederholte Suchefad die Worte, während der Zorn in ihm aufstieg: „Wie konntest du nur ..." Seine Stimme schwoll an, vor Erregung zitterte die Zeitung in seinen Händen.

Nun würde er gleich schimpfen, schreien, ungezügelt seinem Ärger den Lauf lassen – Frau Tina, Gero und die kleine Bärbel, sie duckten sich alle bange zusammen ...

Ein Läuten der Türglocke unterbrach den lähmenden Augenblick.

„Es hat geklingelt", wie befreit rief es Gero und sprang auf, um zu öffnen.

„Der Lange", hörten die Eltern ihn vom Flur her rufen. „Vater, Mutter, der Lange ist da!"

Alle waren aufgesprungen und durch das Kinderzimmer gehastet: In der Küche stand Ehrhardt, das blaue Krätzchen, die schirmlose Soldatenmütze, auf dem Kopf. Aus dem blauen Uniformrock mit den blanken Messingknöpfen, dem man ansah, daß ihn vor Ehrhardt schon viele Rekruten getragen hatten, streckte der Junge aus den viel zu kurzen Ärmeln den Eltern die blaugefrorenen Hände entgegen.

„Junge, mein Junge", die Mutter schloß ihn in ihre Arme. „Ist schon Frieden, haben sie euch nach Hause gehen lassen?"

„Aber Tinchen" – Herr Suchefad sagte tatsächlich Tinchen, und keiner seiner Lieben wunderte sich darüber – sie kannten ihn: So schnell er in Zorn geriet, so rasch verflog der Ärger wieder – „die wollen doch erst verhandeln! Du hast schon Urlaub bekommen?" fragte er verwundert den Jungen, der die Mütze abgenommen und das Koppel abgeschnallt hatte und sich wie erschöpft auf den Küchenstuhl sinken ließ.

„Meine Füße, ich konnte nicht marschieren", klagte er, „hilf mir die langen Stiefel ausziehen", sagte er zu Gero und streckte ihm das rechte Bein entgegen. „Sie haben keine Schuhe oder Stiefel für mich in der Kaserne, sind alle zu klein ..."

„Der Fuß blutet ja", entsetzte sich die Mutter.

„Der linke auch", erwiderte Ehrhardt. „Ich lebe auf zu großem Fuß, hat der Kammerunteroffizier gesagt, für so einen hätten Preußen's keine Stiefel mehr, und der Wachtmeister hat mir Urlaub bis zehn Uhr gegeben, damit ich mir meine eigenen Stiefel von zu Hause hole. Dann bin ich mit der Straßenbahn bis zur Glienicker Brücke gefahren und von da gelaufen."

„Oh Gott, mit diesen Füßen", sagte die Mutter, die inzwischen eine Schüssel mit Wasser geholt und sich vor dem Jungen niedergekniet hatte. „Hol' Salbe und frische Strümpfe!" wies sie Gero an.

„Warum bist du denn nicht mit dem Zug gekommen", wollte der Vater wissen.

„Es gibt nur Stadturlaub, und wenn ich mit der Bahn fahre, schnappen mich die Feldjäger. Sie stehen jetzt überall an den Bahnsteigsperren. Ich muß gleich wieder weg."

„Bis zehn hast du noch lange Zeit", sagte der Vater. „Zieh erst einmal die Strümpfe an und nimm bis nachher die Pantoffeln. Wir waren gerade beim Abendbrot, deine Mutter hat auch noch was für dich."

„Und mit diesen wunden Füßen soll er wieder nach Glienicke laufen, das geht doch gar nicht", sagte Frau Tina, sich erhebend.

„Er kann das Rad nehmen, Gero läuft nebenher und fährt dann wieder damit zurück", schlug der Vater vor. „Ist's in Ordnung?" fragte er seinen Jüngsten.

Gero bejahte: „Ich bin zwar lange nicht damit gefahren, die Holzreifen mit den Eisenfedern klappern so."

„Ach was, besser schlecht gefahren als gelaufen", entschied der Vater. „Geh runter und mach' das Rad fertig, damit der Lange nachher richtig wegkommt." Er setzte sich neben Ehrhardt an den Abendbrottisch.

Wie schmal er aussieht, der arme Junge, dachte Frau Tina und legte ihm noch eine Brotschnitte von der eigenen Ration auf seinen Teller. Rechtzeitig verließ Ehrhardt wieder die elterliche Wohnung. Er fuhr langsam auf dem Rad, und Gero lief nebenher.

„Was machst du jetzt, wenn ein Offizier vorbeikommen würde, und du mußt grüßen", rief Gero ihm zu. „Dann nehme ich stramme Haltung an, so . . ." Ehrhardt richtete sich im Sattel steil auf, nahm den Kopf ruckartig nach rechts und zog eine Grimasse.

„Was habt ihr denn für Leutnants, schneidige, sind sie sehr streng?" wollte Gero weiter wissen. „Nöh", antwortete der Bruder, „alles ziemlich alte Männer, meist Reserveoffiziere wie der Sneder. Aber ein paar junge sind auch dabei, nicht viel älter als ich. Sie sind besonders scharf mit dem vorschriftsmäßigen Grüßen und dem Strammstehen. Die alten Soldaten, die schon draußen waren, was meinst du, wie die schimpfen! Die jungen Schnösel sollten erst einmal soviel Tobak auf dem Buckel haben wie wir, hat einer gesagt, dann würden sie uns mit diesen Mätzchen zufriedenlassen."

Wie es dem Bruder bei der Artillerie gefalle und wie es bei der Vereidigung gewesen wäre, wollte Gero weiter wissen. Bei der Artillerie wäre es ganz schön, hatte Ehrhardt gemeint, „aber ein bißchen anders als zu Hause ist's schon", hatte er hinzugesetzt, und bei der Vereidigung hätte er nicht die Hand beim Schwur auf die Kanone gelegt. Das hätten nur ein paar Kameraden für alle Rekruten getan, es sei eine hohe Ehre.

„Ihr habt doch den Fahneneid auf den Kaiser geschworen", fragte Gero weiter, und als es Ehrhardt bejahte, fügte er hinzu: „Und ihr würdet alle für den Kaiser kämpfen?"

„Solche alberne Frage, ist doch klar. Wie kommst du überhaupt darauf?"

„Weil der Franz gesagt hat, der Kaiser wäre ein Hindernis für den Frieden."

„Franz", etwas geringschätzig hatte Ehrhardt den Namen wiederholt, „woher will der denn das wissen – ist er überhaupt noch hier, noch nicht im Feldrekrutendepot?"

„Er ist noch in Eiche, beim Lehrinfanterie-Bataillon. Er hat auch erzählt, daß die von der Front nach einem schrecklichen Tankangriff zurückweichenden Soldaten den vorgehenden Reservetruppen ‚Streikbrecher' und ‚Kriegsverlängerer' zugerufen hätten – glaubst du, daß wir noch siegen werden?" Geros Stimme klang bang.

„Was sagst du?" Ehrhardt war auf der abschüssigen Straße nach Klein-Glienicke hinein etwas schneller gefahren, er bremste im Ort das Rad ab und wartete.

„Ob du daran glaubst, daß wir noch siegen werden", wiederholte Gero die Frage.

„Aber klar", in der Antwort Ehrhardts schwang Überzeugung. „Wenn alle ihre Pflicht tun und wir auch alle die Drückeberger in der Etappe und in der Heimat an die Front holen, dann könn'se uns alle mal, hat unser Hauptmann gesagt."

Sie waren an der Glienicker Brücke angelangt. Ehrhardt stieg vom Rad: „So, da sind wir, brauchst nicht mit rüber zu kommen, war doch gut, daß ich nicht zu laufen brauchte. Und noch etwas", sagte er zu Gero, „beim nächsten Mal gibst du mir ein paar von deinen Kolonialmarken mit. Der Küchenbulle sammelt ‚Deutsche

Kolonien', und wer ihm solche Briefmarken bringt, kriegt beim Essenfassen 'nen Schlag mehr – auf Wiedersehn."

„Was heißt Küchenbulle, und was ist ‚nen Schlag'", fragte Gero.

„Das erzähl' ich dir das nächste Mal. Ich muß mich sputen, drüben rangiert schon die Elektrische, ich muß sie kriegen, sonst komm' ich zu spät – mach's gut, Kleiner."

Ehrhardt gab Gero einen freundschaftlichen Stüber und eilte, die langen Kanonenstiefel unter dem Arm, über die Brücke.

Levée en masse?

Der Konsul stand am Morgen des 31. Oktober in seinem Arbeitszimmer vor der großen Landkarte Europas. Er hatte die Zeitung in die Hand genommen und versuchte sich anhand des Heeresberichtes ein Bild vom derzeitigen Frontverlauf im Westen zu machen. Es ließ sich nicht leugnen, die Feinde hatten in den letzten Wochen starke Geländegewinne gemacht. Er dachte an seine Unterhaltung mit Herrn von Hütter in den ersten Augusttagen. Damals hatten die schweren Angriffe der Feinde eben erst begonnen. Alles, was die deutschen Soldaten in dem wunderbaren Angriffsschwung der Frühjahrsoffensive an Somme, Aisne und Marne erobert hatten, war jetzt wieder verloren. Ja, noch mehr: Am 17. Oktober hatte Ostende, am 19. Brügge aufgegeben werden müssen, große Teile Belgiens – seit vier Jahren in unserer Hand – waren geräumt worden, und auch jetzt war die Absetzbewegung der deutschen Heere noch nicht zum Stillstand gekommen. Hatte von Hütter recht, als er hier vor der Karte sagte, daß der Krieg verloren sei? War der Rückzug eine Folge der demoralisierenden Wirkung des Waffenstillstandsangebotes oder dieses ein Eingeständnis der Niederlage?

Unruhig schritt der Konsul hin und her, trat dann an seinen Schreibtisch, nahm das Sprachrohr in die Hand – er benutzte noch eine Anlage, wie sie Herr Suchefad vor Jahren auf der ‚Eule' verwendet hatte – und rief seinem Sekretär (auch an eine Dame im Vorzimmer hatte er sich noch nicht gewöhnen können) zu, er ließe Herrn von Scheuch zu sich bitten.

„Er ist nicht im Hause, noch nicht von seiner Reise zurück", klang die blechern-verfremdete Stimme aus dem Sprechtrichter zurück. Die Züge aus Berlin hätten jetzt des öfteren Verspätung, setzte der Sekretär noch hinzu.

„Ich weiß", rief der Konsul, „sagen Sie Herrn von Scheuch, sobald er im Hause ist, daß ich ihn sprechen möchte."

„Verstanden", tönte es aus dem Rohr gequetscht zurück.

Der Konsul verschloß den Sprechtrichter mit dem angeketteten

Stöpsel und blieb für einige Augenblicke unschlüssig vor seinem Schreibtisch stehen, bevor er, von Unrast getrieben, seine Wanderung im Zimmer wieder aufnahm. Jetzt haben wir nun eine neue Verfassung, eine Volksregierung, wie die Zeitungen schreiben, dachte er ergrimmt. Was das schon heißt! Hatte uns die alte Reichsverfassung von 1871 nicht wirtschaftliche Blüte, militärische Macht und Ansehen in der Welt gebracht? Aber seit der „Rote Prinz“ Reichskanzler ist, muß alles anders werden, moderner, parlamentarischer. Schon der kaiserliche Erlaß vom 30. September ließ nichts Gutes ahnen. Das deutsche Volk solle nunmehr „wirksamer als bisher an der Bestimmung der Geschicke des Vaterlandes“ beteiligt sein, und deshalb sollten künftig „Männer, die vom Vertrauen des Volkes getragen sind, an den Rechten und Pflichten der Regierung“ teilhaben.

Vom Vertrauen des Volkes getragen, höhnte er halblaut. Meines haben sie nicht, die Herren von den Mehrheitsparteien, die Scheidemänner, die Fortschrittlichen und die Zentrumsleute mit dem ach so agilen und wendigen Herrn Erzberger, die heute im Reichstag den Ton angeben. Und den Herrn Dr. Liebknecht halte ich sogar für einen ganz gefährlichen Burschen. Diese Leute werden nach der neuen Verfassung anstelle Seiner Majestät im Namen des Reiches Krieg erklären und Frieden schließen und den Reichskanzler berufen. Er schüttelte den Kopf und sagte lauter: „Mein Vertrauen haben sie nicht!“

Ein Klopfen an der Tür unterbrach sein Grübeln. Auf sein „Herein“ trat Herr von Scheuch in den Raum. Der Konsul ging ihm lebhaft entgegen, gab ihm die Hand: „Gott sei Dank, daß Sie wieder hier sind – aber (der Konsul stutzte, trat etwas zurück) in Uniform?“

„Fühl mich wohler darin“, sagte von Scheuch und entschuldigte seine verspätete Rückkehr damit, daß er sich eine Unterhaltung mit einem in die Auslandsstelle des Generalstabes abkommandierten Kameraden nicht habe entgehen lassen wollen. Dann sagte er abrupt: „Seine Majestät haben General Ludendorff entlassen!“

„Was ...“, erschreckt fuhr der Konsul auf: „Ludendorff entlassen – und der Generalfeldmarschall?“ Die Worte sprach er zögernd, fast schwang Angst in ihnen.

„Hindenburg bleibt, so hat es Seine Majestät befohlen.“

„Gott sei Dank“, der Konsul ließ sich in die Sitzecke fallen und lud von Scheuch mit einer Handbewegung ein, gleichfalls Platz zu nehmen, „so bleibt wenigstens einer noch." Empört fuhr er dann fort: „Da haben sich die Herren Parlamentarier also bei unserem hohen Herrn doch noch durchgesetzt."

„Sie wollten damit wohl auch den Feinden gegenüber ihre Friedensbereitschaft beweisen – so sagte man mir jedenfalls in Berlin."

„Bereitschaft zum Frieden", die Stimme des Konsuls klang verächtlich, „hier, lesen Sie (er reichte von Scheuch einen Brief), wie unser schwedischer Partner schreibt, hat man dort schon das erste deutsche Waffenstillstandsangebot als Kapitulation aufgefaßt, der Wechselkurs der Mark ist seither katastrophal. Und jetzt diktiert uns der hohe Herr in Washington, was wir in unserem Land zu tun und zu lassen haben! Oder wie soll man es nennen, wenn Wilson in seiner Antwort schreibt" – der Konsul war wieder an den Schreibtisch getreten und suchte nervös in den dort liegenden Zeitungsausschnitten und Briefen, griff schließlich zum Sprechrohr, pfiff hinein und fragte sogleich: „Herholz, wo hab' ich den Text der letzten Wilson-Note?" Er lauschte einen Augenblick der Antwort, sagte „Ach so, danke" und entnahm dem Aktenständer eine Mappe (auf seinen Sekretär kann er sich verlasssen, dachte von Scheuch): „Ist viel Text, kann man gar nicht alles lesen, braucht viel zuviel Zeit. Einige Sätze sind mir aber aufgefallen (er hatte sich wieder gesetzt und überflog die Zeilen), hier, das habe ich mir angestrichen, hören Sie, was er schreibt":

> „. . . So bedeutungsvoll und wichtig auch die deutschen Verfassungsänderungen zu sein scheinen, von denen der deutsche Staatssekretär des Auswärtigen Amtes in seiner Note vom 20. Oktober spricht, so geht doch nicht daraus hervor, daß der Grundsatz einer dem deutschen Volk verantwortlichen Regierung bereits völlig durchgeführt ist oder daß irgendwelche Bürgschaften dafür vorhanden sind oder erwogen werden, daß die jetzt teilweise vereinbarte grundsätzliche und praktische Reform von Dauer sein wird. Auch hat es nicht den Anschein, als ob der Kernpunkt der gegenwärtigen Schwierigkeit erreicht ist. Künftige Kriege sind jetzt vielleicht der Entscheidung des deutschen Volkes unterworfen, nicht aber der gegenwärtige, und mit dem gegenwärtigen haben wir es gerade zu tun. Es liegt auf der Hand, daß das

deutsche Volk keine Mittel hat (das Folgende ist gesperrt gedruckt, hob der Lesende hervor), die Unterwerfung der Militärbehörden des Reiches unter den Volkswillen zu erzwingen; daß der beherrschende Einfluß des Königs von Preußen auf die Reichspolitik ungeschwächt ist..."

Der Konsul überlas eilig murmelnd einige Sätze, sagte dann nach kurzem Aufblicken: „Hören Sie sich das an":

„...daß die Völker der Welt (also spricht er schon für die ganze Welt!) kein Vertrauen in die Worte derjenigen setzen und setzen können, die bisher die Herren der deutschen Politik gewesen sind... (er überschlug wieder einige Zeilen, laut las er weiter)... und daß die Vereinigten Staaten einzig und allein mit den echten Vertretern des deutschen Volkes verhandeln können, die als wirkliche Beherrscher Deutschlands eine wahre verfassungsmäßige Stellung zugesichert erhalten haben!"

„Und nun kommt das Stärkste" (er las betont langsam):

„Wenn die Vereinigten Staaten jetzt mit den militärischen Beherrschern und monarchistischen Autokraten verhandeln sollen, oder wenn es wahrscheinlich ist, daß sie später mit ihnen über die völkerrechtlichen Verpflichtungen des Deutschen Reiches zu verhandeln haben würden, müssen sie nicht Friedensverhandlungen, sondern Übergabe verlangen..."

„Das ist starker Tobak, was?" sagte der Konsul.

„Das ist unerhört, das richtet sich gegen Seine Majestät. Die soldatische Ehre verlangt den Abbruch der Verhandlungen", Scheuch war erregt, in der flachen Mulde seines zertrümmerten Stirnbeines pulste das Blut in heftigen Schlägen unter der dünngelben Haut.

„Autonomie für Elsaß-Lothringen, Westpreußen, Oberschlesien und Danzig verlangen die Polen, das haben wir nun von den verdammten Wilsonschen 14 Punkten. Hätte man sich bloß nicht darauf eingelassen", schimpfte der Konsul. „Bei den Österreichern gibt ‚Karl der Plötzliche' – so nennt man den jungen Kaiser spottend – allen seinen Völkern die nationale Selbstbestimmung und läßt jetzt von seinem Außenminister Graf Andrassy über die schwedische Regierung die Vereinigten Staaten um Waffenstillstand und Frieden bitten. Und bei uns im Land wird geredet und geredet, Verzagtheit und Kleinmut gewinnen die Oberhand. Die

Spartakusleute wühlen, sprechen offen von einer Regierung der Arbeiter- und Soldatenräte wie in Rußland – wer nicht mitschuldig werden will am inneren Jena* und am Zusammenbruch des Vaterlandes, der muß sich jetzt – jeder an seiner Stelle – dem Verderben entgegenwerfen, muß die Wankenden stärken, die Schwächlinge aufrichten. Männer sind not, so schrieb in diesen Tagen eine Zeitung – die Front hält? Fragend wandte er sich an von Scheuch.

„Der Rückzug geht geordnet vor sich", antwortete der Offizier, nur sind die Verluste ungeheuerlich. Mein Kamerad erzählte mir von einem General: Früher kommandierte er zwei Divisionen mit 20000 Mann – heute hat die eine noch eine Stärke von knapp 450 Mann und die andere noch einhundert weniger. Einzeln liegen sie – ob Stabsoffizier oder Mann, an der Front ist das alles jetzt gleich – mit ihrem Maschinengewehr in Granattrichtern und warten auf Ersatz aus der Heimat!"

„Warum ruft man nicht auf zu einem Levée en masse?" Der Konsul war aufgesprungen, ging lebhaft im Zimmer hin und her. „Alle aus der Etappe müssen an die Front, alle, die sich in der Heimat in den Schreibstuben und Kanzleien herumdrücken – wir dürfen keinen Tag mehr verlieren. Jeder Deutsche, der noch irgendeine Waffe tragen kann, sollte sich melden, um den kämpfenden Brüdern an der Front zu helfen!"

„Levé en masse, Herr Konsul", von Scheuch nahm die Worte auf, „nach dem Muster Carnot's, das war zu Beginn der Französischen Revolution – wir aber stehen im fünften Kriegsjahr." Er sprach mit ruhiger Stimme und setzte hinzu: „Es wäre für die deutsche Sache von gewaltigem Gewinn gewesen, wenn Seine Majestät einmal vor die Welt getreten wäre, um grundsätzlich zum eigenen Volk und den Neutralen wie auch zur feindlichen Welt zu sagen, wie es ihm wirklich ums Herz ist. Das hätte viel geholfen. Die Großstadtpresse der freisinnig-fortschrittlichen Blätter, wie die Frankfurter Zeitung und das Berliner Tageblatt, propagieren ganz ungeniert die Abdankung des Kaisers."

„Wie jetzt praktisch in Österreich", erwiderte der Konsul. „Da spekulieren unsere Feinde, daß sich dasselbe auch bei uns ereignen müsse – wie wenig kennen doch diese Leute die Geschichte

* Bei Jena wurde die preußische Armee am 14. X. 1806 von Napoleon vernichtend geschlagen.

und die Soziologie des deutschen Volkes! Wer heute die Möglichkeit einer Republik Deutschland auch nur theoretisch erörtert, stellt sich außerhalb der Kräfte, die das Reich und die Bundesstaaten tragen. Man soll die Stärke der Monarchie in Deutschland nicht unterschätzen, das hat selbst der Vorwärts noch vor einem Jahr geschrieben. Hier im Inneren sollte man nicht soviel reden, sondern arbeiten und schweigen."

Ein Pfeifen drang aus dem Sprechrohr, der Konsul entfernte den Stöpsel: „Was ist?" fragte er etwas ungehalten, hörte in das Rohr und sagte nach wenigen Augenblicken „Danke." Schweigend verschloß er, fast bedächtig – vielleicht um sich zu sammeln –, das Sprechrohr und wandte sich dann erst an von Scheuch: „Der Kaiser ist soeben an die Front abgereist."

Von Scheuch schien von der Nachricht nicht überrascht zu sein. Er nickte nur. „Sie fragten vorhin, weshalb ich wieder Uniform trüge – ich habe mich wieder zur Front gemeldet, Handgranaten kann ich auch noch mit einer Hand werfen. Ich wollte mich von Ihnen verabschieden, draußen kann ich jetzt mehr tun als hier."

„Ich kann Sie verstehen, Herr Hauptmann (der Konsul redete von Scheuch mit seinem militärischen Rang an). Wäre ich jünger, so würde ich mit Ihnen gehen. Möge Gott Sie beschützen – und unseren Kaiser. Ich habe seinem hochseligen Großvater gedient und würde auch für den Enkel mein Leben geben – für Kaiser und Reich."

Beide hatten sich erhoben, standen sich gegenüber, von Scheuch straffte die Gestalt, gab dem Konsul die Hand und ging.

Die rote Nelke

Wilhelm Müller war am 5. November später als sonst nach Hause gekommen. Kurz vor der Kaffeepause hatte ihn an diesem Dienstag Herr Suchefad noch mit dem Gespann nach Nowawes zur Gasanstalt geschickt, um dort einige Säcke mit Koks abzuholen. Zwar bezog die „Eule“ sonst größere Mengen aus westdeutschen Kokereien, diese Lieferungen waren jetzt aber wegen des allgemeinen Kohlenmangels und wegen der Schwierigkeiten im Transportwesen ausgeblieben, so daß man vom Institut auch gern das Angebot kleinerer Mengen annahm. Müller hatte den Auftrag ausgeführt, die Kohlensäcke im Institut abgeladen (und unauffällig auch ein kleines Säckchen Koks für sich daheim abgezweigt), hatte die Pferdchen versorgt und war heimgegangen. Er hatte sich in der Küche seiner Souterrainwohnung in der „Grünen Tanne“ Feuer angezündet, jedoch wollte der Koks im Herd nicht recht brennen. Er hätte wahrscheinlich zuerst ein richtiges Holzfeuer entzünden müssen, so stellte er mißmutig fest. Zum Holzhacken hatte er jedoch in den vorhergehenden Tagen keine rechte Lust verspürt.

Müller fror, und außerdem hungerte ihn. Er hatte schon alle Schübe und Kästen in der Küche aufgezogen, aber darin nichts Eßbares gefunden – und der Küchenschrank, in dem Lina die Vorräte aufbewahrte, war verschlossen. Der Schlüssel war abgezogen.

„Den hat die Alte wieder eingesteckt“, knurrte er wütend vor sich hin und blieb unschlüssig, die Hände über der sich langsam erwärmenden Platte reibend, vor dem Herd stehen.

Seit ihr Mann und Franz eines Tages während ihrer Abwesenheit über ihre Vorräte hergefallen waren, ohne sich zu fragen, wovon die Familie bis zur nächsten Lebensmittelzuteilung leben sollte, ließ sie den Schlüssel nicht mehr aus der Hand. Damals hatte sie auf dem Schwarzmarkt Lebensmittel hinzukaufen müssen, das Pfund Butter für 30 Mark, das Brot für das Vierzehnfache des normalen Preises und ein bißchen Wurst für 20 Mark.

Und Lina war nicht zu Hause. Wilhelm Müller stocherte ärgerlich im Feuer, „daß der verdammte Koks nich brennen will“, brummte er vor sich hin, „Briketts müßte man haben, aber die jibt’s jetzt nur for die Reichen.“ Er ging zum Eßtisch unter dem Küchenfenster und ließ sich an ihm nieder. Das Gaslicht hatte er nicht angezündet, es brannte nur trüb und flackernd, weil auch die Gasanstalt jetzt mit den Kohlen sparte und der Gasdruck in der Leitung meist stark schwankte. Verdrießlich blickte Müller hinaus in das Grau des Novemberabends und kramte aus einer seiner Taschen den Tabaksbeutel hervor. Er schüttete den Inhalt auf den Tisch und begann, die Blätter sorgfältig zu zerreiben. „Schmeckt ooch nich besser, das selbstjebaute Zeujs, wie die Buchenblätter von’t vorje Jahr“, murmelte er vor sich hin. Umständlich stopfte er sich danach die Pfeife, ging an das Feuerloch des Herdes, nahm einen Fidibus – Lina pflegte eine Handvoll sorgfältig gekniffter Papierstreifen zur Einsparung der kostbaren Streichhölzer in einem Köcher am Herd vorrätig zu halten – und zündete die Pfeife an. Dabei stellte er befriedigt fest, daß nun der Koks richtig Feuer gefangen hatte und es in der Küche warm zu werden begann.

Den Pfeifenrauch in langen Zügen ausstoßend, stand er untätig am Herd, als ein Klopfen ihn aufhorchen ließ. Er ging zum Fenster und schaute hinaus. Im Halbdunkel erkannte er auf dem Hof eine schmale Gestalt, die gestenreich Einlaß heischte. Müller öffnete die Tür. „Ach, Jenosse Redakteur“, sagte er überrascht, „wieder mal unterwejens? Aber komm’se rin, ick mach’ Licht.“

Er ging vor dem Gast in die Küche zurück und ließ die Gasflamme aufleuchten.

„Bist du allein?“ fragte der Gast.

„Ja, meine Lina is’ noch uff die zweite Schicht, und ihr Franz (er sprach von Franz niemals von seinem Sohn) is’ nu’ ooch schon bei’s Militär in Potsdam – jibt’s wat Neuet?“

„Und wie“, sagte der Redakteur mit bedeutsamem Unterton, „du hättest dabei sein sollen, als der Genosse Liebknecht aus dem Zuchthaus in Luckau zurückkam.“

„Wat, den hatt’n se injespunnt“, unterbrach ihn Müller erstaunt.

„Aber, Genosse Müller, das weißt du nicht? Zu vier Jahren

hatte ihn das Kriegsgericht verurteilt, weil er auf einer Kundgebung am 1. Mai 1916 auf dem Potsdamer Platz ‚Nieder mit der Regierung, nieder mit dem Krieg' gerufen hatte."

„Er war vor't Kriegsjericht, warum denn?"

„Weil er als Armierungssoldat eingezogen war", erwiderte der Redakteur.

„Ach, eener von die war er", in Müllers Antwort schwang die Geringschätzung des Frontsoldaten gegenüber diesen Männern, die nur bei Bauten hinter der Kampflinie eingesetzt wurden. „Det ha'ik nich jewußt, war ja de janze Zeit vorne mitten mang."

Der Redakteur hatte in seinem Eifer kaum auf den Einwurf Müllers geachtet, lebhaft erzählte er weiter: „Tausende von Genossen haben ihn auf dem Bahnhof begrüßt, ihn auf den Schultern zum Auto getragen, haben ihn hochleben lassen – er ist aber gleich zu dem Genossen Joffe in die russische Botschaft gefahren ..."

„Wat denn", unterbrach ihn Müller, „zu de Russen?"

„Ja, zu den Russen. Ich hab' dir doch schon vor ein paar Wochen gesagt: Sie sind die Vorkämpfer der Weltrevolution, sie sind jetzt unsere Freunde, an der Front haben Deutsche und Russen fraternisiert ..."

„Wat is'en det", unterbrach ihn Müller erneut.

„Sie haben sich verbrüdert", sagte der Redakteur. – „Du mußt noch viel lernen, Genosse Müller", setzte er oberlehrerhaft hinzu und fuhr danach fort: „Das sind jetzt unsere Brüder, wie die Arbeiter in England und Frankreich. Der Hauptfeind des deutschen Volkes steht in Deutschland selbst. Es ist der deutsche Imperialismus (wieder ein Wort, dessen Bedeutung Müller nicht kannte, aber er fragte nicht – er fand es schön und merkte es sich), die deutsche Kriegspartei, die deutsche Geheimdiplomatie – diesen Feind gilt es zu bekämpfen! Es muß Schluß gemacht werden, daß sich die Bevölkerung für kapitalistische und absolutistische Interessen verblutet."

„Den Frieden woll'n se doch nu' machen, wo die Jenossen Scheidemann und Bauer in de Rejierung mit drinne sind", erwiderte Müller grämlich.

„Was Bauer, Scheidemann – die soll'n doch zu den Großagrariern gehen, diese Verräter an der Solidarität des internationalen Proletariats! Liebknecht, Haase und die Genossin Rosa Luxemburg, das sind unsere wahren Führer. Du hättest den Karl reden hören sollen, nachdem wir mit ihm auf einem blumenbekränzten Wagen zum Reichstag gezogen waren (der Redakteur hatte glänzende Augen bekommen), einfach wunderbar! ‚Nieder mit Scheidemann, nieder mit dem Reichstag, es lebe die Weltrevolution‘, haben die Genossen gerufen.“

„Und die Polente?“ Müller stellte nüchtern interessiert die Frage.

„Die hat die Menge in den Tiergarten abgedrängt.“

„Mit'en Sebel mang, wa?“ bohrte Müller weiter, „mit de flache Plempe, vasteht sich.“

Der Besucher überhörte den Einwurf und sagte, wie einen Trumpf ausspielend, jedes Wort genießerisch auskostend: „In Kiel haben die Matrosen gemeutert, haben die rote Fahne auf den Schiffen gehißt. Da ist Aufruhr, Revolution ...“

„Und die Offiziere?“ fragte Müller scheinbar gleichgültig.

„Die haben Seesoldaten geholt, die sollten auf die Matrosen schießen.“ Er sprach mit Pathos: „Legt an, gebt Feuer! Ihr müßt auf sie schießen, auf eure Brüder, das ist Befehl! Und es sind Arbeiter, Arbeitersöhne im Peloton! Aber sie haben den Gehorsam verweigert! Sie haben nicht geschossen, sondern sich den demonstrierenden Matrosen und Arbeitern angeschlossen, und der Gouverneur hat einen Erlaß veröffentlicht, in dem die aufständischen Matrosen aufgefordert wurden, ihre Wünsche zu äußern. Und dann hat eine Versammlung im Gewerkschaftshaus stattgefunden ...“

„Und wat ham'se jewollt?“ fragte Müller interessiert.

„Anerkennung des Soldatenrates, keine Grußpflicht mehr gegenüber den Offizieren, bessere Behandlung der Mannschaften, gleiche Verpflegung und Gleichheit zwischen Offizier und Mann ...“

„Also gleichet Recht for alle“, konstatierte Müller sachlich, „aba nur bei't Militär?“

„Nein, Genosse Müller, die Werftarbeiter haben sich ihnen angeschlossen, in einem riesigen Zug sind sie in die Stadt marschiert, haben die im Arrestlokal einsitzenden Genossen befreit, überall haben sie rote Fahnen geschwenkt.“ Er hob die Stimme: „Genosse Müller – in Kiel herrscht jetzt der Arbeiter- und Soldatenrat!“ Er schwieg einen Augenblick, ließ die Neuigkeit auf sein Gegenüber wirken, dann fuhr er fort: „Auf der Versammlung haben sie die sofortige Einführung der deutschen Sowjetrepublik gefordert."

„Ne Republik, also ohne Willem?" Als der Redakteur bejahte, fuhr Müller fort: „Mit'n Presidenten wie den ollen Poankarree oder den Amerikaner mit den Kneifer uff de Neese, den Wilson?" Er wartete die Entgegnung des Redakteurs nicht ab, sondern sagte fast mißmutig: „Det is' doch fast detselbe wie jehabt, bei die hat der Arbeiter ooch nischt nich zu sajen."

„Nein, mit einem Obersten Sowjet, mit einem Kollektiv an der Spitze", antwortete der Besucher, „da wird alles anders."

„Wat is'n . . .„ Müller unterbrach sich, verbiß sich die Frage nach dem Kollektiv, um sich nicht nochmals seiner Unwissenheit wegen eine Rüge des gelehrten Mannes einzuhandeln. Deshalb sagte er nur bedeutungsvoll: „Ach, wenn't so is', ein Kollektiv" (auch dieses Wort gefiel ihm, und er wollte es sich merken).

„Auch hier ist's bald so weit", fuhr der Redakteur fort. „In vielen Berliner Fabriken haben sich schon beim Streik im Frühjahr Arbeiterräte gebildet, die übernehmen den Betrieb, wenn's so weit ist. Hast du welche bei euch, auf die man sich verlassen kann? Überleg' mal . . ."

Er stockte, die Tür war geöffnet worden, Lina stand auf der Schwelle. „Guten Abend", sagte sie und schaute etwas befremdet auf den Besucher.

Der Redakteur hatte sich mit einer leichten Verbeugung gegen Lina erhoben. „Also, Herr Müller", sagte er, sich verabschiedend, „es ist nett, daß ich Ihnen die Schuhe bringen darf. Es ist ja so schwer heutzutage, jemanden zu finden, der sie einem reparieren kann. Sie hören noch von mir in den nächsten Tagen, auf Wiedersehen." Damit ging er rasch aus der Küche.

„Wer war denn das", fragte Lina erstaunt, „seit wann machst du denn wieder Schuhe, hat er denn überhaupt Material für das Flicken? Irgendwo habe ich den doch schon einmal gesehen" – sie grübelte, und plötzlich, ehe ihr Mann antworten konnte, setzte sie hinzu: „Ach, ich erinnere mich: Das war der Redakteur!"

Sie hatte Hut und Umhang im Zimmer abgelegt, hatte einen Schlüssel hervorgeholt und war an den Küchenschrank getreten. (Endlich gibt's was zu essen, dachte Müller.) „Willem", beim Aufschließen wandte sie sich ihrem Mann zu, „Willem, das ist kein

Umgang für dich. Laß die Hände von den Politischen, da bist du nicht der Mann für."

Dann strich sie ihm zwei schöne Butterbrote, legte auf das eine ein großes Stück Käse und auf das andere fette Schlackwurst (woher sie die nur wieder hat, dachte Wilhelm, sie insgeheim bewundernd – is' doch 'ne tücht'je Frau, die Lina) und stellte den Teller mit den Broten vor ihren Mann auf den Tisch. Danach holte sie aus dem Verschlag auf dem Flur für ihn eine Flasche Bier, setzte sich ihm gegenüber und sah zu, wie es ihm mundete.

Müller aber erinnerte sich beim genüßlichen Kauen an die rote Papiernelke von der Maifeier 1914. Er hatte sie wiedergefunden und war vergnügt. Versöhnlich gestimmt sagte er zu Lina: „Es wird ville jeredet jezz, ob man allens jlooben kann?"

„Man soll besser nicht auf alles hören", entgegnete Lina erleichtert.

Es gab keine Schwäne mehr vor dem Königsschloß – Zerbrochen ist der strahlende Kristall

Ja, es wurde in der Heimat in diesen Tagen viel geredet, Gerüchte schwirrten umher und machten die Menschen um die Zukunft bangen. Klar waren nur die Berichte von den Fronten. Am 3. 11. hatte die Wehrmacht der einstigen österreichisch-ungarischen Monarchie, deren Völker jetzt eigene Staaten bildeten, einen Waffenstillstand mit der Entente abgeschlossen. Auf dem italienischen Kriegsschauplatz ruhten die Waffen, und auf dem Balkan stand die Räumung des gesamten serbischen Gebietes unmittelbar bevor. Nur von der Westfront hatte der Heeresbericht für die Zeit vom 1. bis 7. November noch schwere Kämpfe gemeldet, obwohl man sich erzählte, daß schon eine deutsche Delegation von Berlin zum Abschluß eines Waffenstillstandes in den Westen unterwegs sei.

„Alles nur Gerüchte, nur Gerüchte“, sagte ein Herr neben Gero in der Menge, die sich am Abend des 8. November vor den Aushängen der Potsdamer Tageszeitung in der Kaiserstraße drängte.

„Es wird schon was Wahres dran sein“, nahm ein anderer das Gespräch auf, „alle unsere Bundesgenossen, die Bulgaren, die Türken und nun auch Österreich-Ungarn haben die Waffen gestreckt – wir stehen jetzt ganz allein der gewaltigen Übermacht unserer Feinde gegenüber – fast ein Wunder, daß ihnen bis heute der Durchbruch nicht geglückt ist. Die Front ist schon in Ordnung, aber die Heimat! Die Vorgänge in Kiel . . . das hier (er wies auf eine Meldung mit der Überschrift ‚Neue Unruhen in Kiel‘) gefällt mir nicht.“

„Wenn es ‚Neue Unruhen‘ gewesen sind“, hörte Gero den ersten Herrn sagen, „müssen doch schon vorher Krawalle gewesen sein. Davon hat man aber gar nichts gelesen.“

„Da haben vielleicht nur ein paar Betrunkene randaliert. Das kommt in allen Garnisonen mal vor. Die wird man schnell zur Raison bringen. Das wär’ ja noch schöner: Draußen hält die Front in den schwersten Abwehrkämpfen, die wir je gehabt haben, und hier zu Hause machen sie Krakeel. Und wenn nicht anders – wozu gibt's den verschärften Belagerungszustand und Kriegsgerichte!"

„Nach allem, was man gehört hat, scheint es bei der Marine diesmal aber eine richtige Meuterei gewesen zu sein – ausgerechnet bei der Marine, dem Lieblingskind des Kaisers."

Eine Dame neben dem ersten Herrn, offenbar seine Frau, die bisher durch ihr Lorgnon die Nachrichten gelesen hatte, nahm es plötzlich von den Augen und, mit dem Stielglas auf eine Notiz in den „Neuesten Depeschen" weisend, sagte sie empört: „Was heißt denn das?"

Die Blicke der Umstehenden folgten dem weisenden Augenglas, und Gero, der sich inzwischen bis dicht an die Fensterscheibe herangedrängt hatte, las:

> „In der Kaiserfrage haben in den letzten Tagen Beratungen aller bürgerlichen Parteien stattgefunden. Die allgemeine Auffassung geht dahin, auf den Kaiser einen Zwang zur Niederlegung seiner Würde nicht auszuüben. Die Haltung der Sozialisten ist noch ungeklärt."

„Was heißt denn das", wiederholte die Dame ihrem Mann zugewendet. „Das ist doch empörend, wer wagt das überhaupt zu denken! Der Kaiser soll nicht mehr Kaiser sein? Wer soll denn das Volk führen, wenn die Fürsten nicht mehr da sind?"

„Das weiß ich auch nicht, meine Liebe", antwortete der Herr. „Aber, echauffier' dich nicht: Es sind noch genügend Offiziere und Soldaten da, die ihrem angestammten Fürstenhaus die Treue halten. Besonders hier in Potsdam. Komm, gehen wir!"

Aufmerksam hatte Gero der Unterhaltung der Erwachsenen gelauscht und war nach den beiden auch gegangen. Die Matrosen sollen auf einigen Schiffen, so hatte er von einem anderen Herrn gehört, die Reichskriegsflagge heruntergerissen und an ihrer Stelle eine rote Fahne gehißt haben. Ein Mann hatte auch erzählt, daß die zur Niederschlagung der Meuterer herbeigerufenen Infanteristen gemeinsame Sache mit den Aufrührern gemacht und sich geweigert hätten, auf sie zu schießen.

Und dann: Was bedeutete das, „die Kaiserfrage"?

Er verstand nichts von dem, was sich die Leute vor dem Zeitungsaushang erzählt hatten. Er war verwirrt, erschrocken über das, was er soeben gelesen hatte: Der Kaiser war der oberste

Kriegsherr – ihm mußte man die Treue halten. Das hatte man ihn gelehrt!

Innerlich aufgewühlt war Gero am Kanal entlanggelaufen. Er wollte in die Priesterstraße, wollte an der Kaserne des 1. Garderegiments zu Fuß vorübergehen. Vielleicht konnte man dort etwas sehen. Als er an die Puppenbrücke kam und in die Breitestraße einbiegen wollte, bemerkte er eine Gruppe von Offizieren, die in eifriger Unterhaltung vor der ehemaligen Gewehrfabrik zusammenstanden. Sie trugen Stahlhelme und hatten Pistolen umgeschnallt. Was sie wohl hier draußen zu beraten haben, fragte sich Gero. Er hätte es gern gewußt, getraute sich jedoch nicht, näher heranzutreten. Als sich einer aus der Versammlung löste, durch die Breitestraße ging und in die Stafettenreitergasse einbog, folgte er ihm flink. Er konnte noch sehen, daß der Offizier durch das Kasernentor ging und daß der Posten vor ihm stramm das Gewehr präsentierte – und er freute sich darüber.

*

Am folgenden Tag – der 9. November 1918 war ein Sonnabend – hatte Gero seinen Dienst im städtischen Fuhramt am frühen Nachmittag getan und war jetzt auf dem Weg vom Büro (es befand sich in einem alten Haus am Blücherplatz) zum Güterbahnhof, um dort noch eine Weisung an eine Entladekolonne zu übergeben. Er hätte gern einen Umweg über die Kaiserstraße gemacht, um aus den Aushängen der Potsdamer Tageszeitung die neuesten Nachrichten zu erfahren (hatte doch der Dienstleiter von einem Gerücht erzählt, daß Berlin in einem weiten Umkreis von einer ganzen Armee gegen die Aufrührer aus Kiel abgesperrt worden sei), aber sein Auftrag duldete keinen Aufschub. Deshalb eilte der Junge am Palast Barbarini vorüber und warf dabei einen Blick auf das Fortunaportal des Stadtschlosses. Es fiel ihm auf, daß das Gitter zum Innenhof, über den man an gewöhnlichen Tagen den Weg vom Alten Markt zur Humboldtstraße oder zum Lustgarten abkürzen konnte, heute geschlossen war. Der Posten im Schilderhaus rechts neben dem Portal stand unter Gewehr, merkwürdig war es nur, daß Passanten um ihn herum standen und mit ihm redeten. Das ist doch gegen die Instruktion, verwunderte sich Gero. Jetzt kamen auch andere Feldgraue hinzu, gingen wieder weiter, Neugierige blieben stehen, sammelten sich vor der Pforte, so daß sich die Straßenbahn laut klingelnd ihren Weg bahnen mußte. Vor dem Obelisk ballte sich die Menge um einen Redner zusammen, jetzt brachten einige Männer eine Kiste, und der Redner stieg hinauf.

„Das ist ja der kleine Mann, den Müller damals mit seinem Wagen mitgenommen hatte", Gero sagte es überrascht leise vor sich hin. „Wie er gestikuliert, jetzt zeigt er auf das Schloß und schreit, andere widersprechen ihm, wenn ich hinübergehen könnte, zugucken, wenn die Polizei kommt... wenn ich dabei sein könnte..."

Aber er besann sich, auf dem Bahnhof wartete die Kolonne, sie sollte noch heute einen Waggon abladen, das hatte man ihm dringend befohlen. Deshalb wandte er sich ab und wollte die Humboldtstraße schnell hinunterlaufen – vor dem Geschäft von Rohrschneider & Söhne stutzte er, verhielt den Schritt. Der Junior Rohrschneider stand vor dem Geschäft und blickte ängstlich in die Richtung des Alten Marktes, von dem der Lärm wild durcheinanderschreiender Menschen zu ihm herüberschallte. Soeben schleppte der alte Hausdiener – auch ihn kannte Gero, seit er noch an der Hand der Mutter hier eingekauft hatte – humpelnd eine große Leiter herbei. Rohrschneider Junior selbst packte mit an, als er sie vor die große Treppe gegen das Haus lehnte. „Schnell, schnell", hörte Gero ihn den alten Mann antreiben, „schneller, Kraus." Kaum stand die Leiter, war der Herr auch schon hinaufgestiegen.

Gero war verblüfft, er sagte: „Aber Herr Hoflieferant..."

„Nix mehr Hoflieferant – der Kaiser hat abgedankt!"

„Der Kaiser hat abgedankt" – Gero stand wie betäubt. Seine Gedanken verwirrten sich, fanden keinen Halt, vermochten die Worte des Mannes nicht zu fassen, hämmerten hinter seiner Stirn.

„Die Zange, Kraus!" hörte er – ohne den Sinn der Worte aufzunehmen – Herrn Rohrschneider sagen, „rasch, das Ding muß runter, ehe sie kommen (er wies von oben mit dem Kopf in die Richtung des Alten Marktes) und uns deswegen die Scheiben einschlagen und plündern."

Hastig arbeitete er auf der Leiter über dem Eingang: „Das Ding sitzt aber auch zu fest", rief er wütend.

„Das Schild hat ja auch über fünfzig Jahre dort gehangen",

erwiderte Kraus, „ich weiß noch, wie stolz Ihr Vater war, als wir es damals festmachten.“ Trauer schien in seinen Worten zu liegen.

Der junge Rohrschneider achtete nicht darauf: „Die Brechstange, Kraus, hol’ die Brechstange, sie steht gleich hinter der Toreinfahrt.“ Er stieg wartend einige Sprossen auf der Leiter hinunter und sagte dabei: „Den da am Obelisk kenne ich, den Kleinen, ist ein Teufelskerl, der heizt den Arbeitern richtig ein, ist ein verfluchter Demagoge – wo bleibt nur der Kraus! Herrgott, dauert das lange.“ Er stieg nervös noch einige Leitersprossen hinunter, verhielt den Schritt und sagte, sich Gero zuwendend: „Und Ihnen, junger Mann, rate ich: Sehen Sie zu, wie Sie nach Hause kommen. Alle streiken jetzt, vielleicht auch die Eisenbahn – dann müssen Sie laufen. Gehen Sie weiter, hier wird’s ungemütlich, wenn die Schloßwache schießt . . . na endlich, Kraus.“

Er nahm die Brechstange aus der Hand des Alten, hastete wieder die Leiter hinauf, und kurz darauf fiel das Hohenzollernwappen auf die breite Treppe und zerschellte.

„Nur die großen Stücke weg, Kraus, und die Leiter. Und dann die Rolläden runter, sind tolle Visagen unter den Brüdern da, denen ist alles zuzutrauen“, sagte er noch und verschwand danach eiligst hinter dem alten Mann im Tor.

Gero stand noch einige Augenblicke wie betäubt vor dem Haus. Er vernahm das Rasseln der herunterfallenden Schutzläden, das Schließen der Ladentür.

„Der Kaiser hat abgedankt – es gab keinen deutschen Kaiser mehr!“

Er konnte es nicht fassen, es nicht verstehen, was hier geschah. Vom Alten Markt gellte die Stimme des kleinen Mannes, und ein hundertfaches „Nieder . . .“ antwortete ihm.

Hatten sie „Nieder mit dem Kaiser“ gerufen?

Hatte es Gero wirklich gehört?

Er mochte es nicht glauben, wehrte sich dagegen. – Plötzlich fiel ihm sein Auftrag wieder ein. Er wandte sich ab und lief eiligst an der Bittschriftenlinde vorüber zur Langen Brücke. Wie immer sah er dabei auf die „Alte Fahrt“, den toten Havelarm vor der Stadt. Wie ein Schlag durchzuckte es ihn: „Wenn die Schwäne sterben, sterben auch die Hohenzollern“, so hatte es ihnen die Kathrin einst erzählt!

Und es waren schon lange keine Schwäne mehr auf der Havel.

Der Hunger, die Not der Menschen hatten sie vertrieben. Wilderer hatten sie getötet – Der Kaiser hatte abgedankt, und die Weissagung hatte sich erfüllt.

Es gab auch keinen Preußenkönig mehr – aber, wer, was kam dann?

Neben dem Vorüberhastenden erhob sich stolz über der Brükkenbrüstung die steinerne Figur eines Riesengardisten des Soldatenkönigs; wenige Schritte davon entfernt stand auf seinem Sockel die Statue eines der flinken Husaren des Alten Fritz, und dahinter verschwamm im Nebelgrau des Novembertages die hohe Reitergestalt des alten Kaisers, des ersten des neuen deutschen Reiches.

Majestätisch, in unnahbarer Würde und Hoheit, dem Alltag entrückt.

Gero hastete vorüber, ließ auf dem Brückenteil über der „Neuen Fahrt" der Havel auch die Denkmale der Freiwilligen Jäger von 1813 und der Gardeducorps hinter sich, überquerte die Fahrbahn, bog in die Babelsbergerstraße ein und lief auf den Güterbahnhof. An einem der Ladegleise traf er auf den Wachmann mit einem Trupp von Sträflingen, einem Häuflein grauer, verhärmt-verhungerter Gestalten.

„Na endlich, wir warten schon eine ganze Weile, die frieren sich dabei ja ganz blau." Der Mann wies auf seinen Trupp. Einige standen stumpf herum, andere hockten auf den Geleisen, und wieder andere wühlten in einer auf der Erde liegenden klebrigen Masse, den schmierig-schmutzigen Resten verfaulender Kürbisse, die sie zuvor entladen hatten, und steckten Teile in den Mund.

„Hunger", der Wachmann wies mit dem Kopf zu ihnen, „das macht der Hunger aus Menschen – wie die Schweine wühlen sie in dem Dreck herum, der verdammte Hunger.

Kommt, Jungs!" Er wandte sich an die Leute. „Kommt, Jungs, wir müssen noch arbeiten." Er sah auf den Einsatzzettel: „Auch noch Gleis 17, ganz draußen, woll'n sehen, ob wir das heute noch schaffen. Von denen (er wies auf seine Kolonne) können Sie nicht mehr viel verlangen, keinen Mumm mehr in den Knochen." Damit ging er mit seinen Gefangenen langsam zu der angewiesenen Ladestraße.

Geros Dienst war beendet. Er lief die Bahnhofstraße hinunter und wunderte sich über die vielen Soldaten, die gleich ihm zum Bahnhof gingen. Viel Militär kam ihnen aber auch von dort entgegen. Es fiel dem Jungen auf, weil die Damen im Büro erzählt hatten, daß eine allgemeine Urlaubssperre angeordnet worden sei. Wenige Schritte vor Gero ging ein Offizier, ein Hauptmann. Ihm kam ein Trupp Soldaten entgegen. Sie marschierten nicht wie gewohnt auf der Straße, sondern gingen ohne feste Ordnung in lebhafter, lachend-lauter Unterhaltung auf dem Bürgersteig. Als sie näherkamen, wichen sie dem Offizier nicht aus. Keiner grüßte ihn.

Der Hauptmann war stehengeblieben und sagte etwas (Gero konnte es nicht verstehen, auch er war nicht weitergegangen) – eine Flut von Schimpfworten war die Antwort. Fäuste erhoben sich drohend gegen den Offizier.

„Geben Sie sofort den Weg frei", hörte Gero die helle Stimme des Hauptmanns. Er stand jetzt ganz dicht vor dem Trupp. Keiner der Soldaten rührte sich, keiner sprach ein Wort.

„Sofort, ich bringe Sie sonst vor's Standgericht!"

„Standgericht!" Gellend, höhnend schlug es ihm aus vielen Kehlen entgegen, wutentbrannt umringten die Soldaten den Offizier: „Ihr Leuteschinder, Ihr Schleifer . . . aus ist's mit dem Standgericht!" Einer der Soldaten schlug dem Offizier die Mütze vom Kopf, andere zerrten an den Schulterstücken, rissen sie vom Mantel, warfen sie in den Straßenkot.

Entsetzt hatte Gero die Szene verfolgt. Wie ein Spuk war sie nach wenigen Augenblicken verflogen, der Trupp war lachend und lärmend weitergezogen.

Der Hauptmann stand noch auf derselben Stelle, fassungslos, wie betäubt. Gero hatte seine Mütze aufgehoben und hatte sie ihm gereicht. Der Mann nahm sie ihm ab, ohne auf den Jungen zu achten oder ihm zu danken.

„Meuterei", sprach er vor sich hin, „Meuterei in Potsdam." Er schüttelte den Kopf, verstand die Welt nicht mehr. Er hatte die Mütze wieder aufgesetzt – sie trug keine schwarzweißrote und preußische Kokarde mehr. Die Meuterer hatten sie abgerissen. Gero fand sie beim Bücken im Straßenschmutz und nahm sie auf.

Langsam war er hinter dem Offizier zum Bahnhof gegangen und hatte den Stadtbahnzug bestiegen. Bei der Fahrt hatte er kurz vor dem Halt in Nowawes in die Straße zum Rathaus geschaut. Eine rote Fahne wehte auf dem Dach, und eine große Menschenmenge hatte sich vor dem Gebäude versammelt.

Auf dem Bahnhof Neubabelsberg kam ihm Franz entgegen. Unter dem Arm trug er ein Stück roten Stoffes. „Du bist nicht mehr bei den Soldaten?“ fragte ihn Gero erstaunt.

„Nee, is’ aus mit’s Militär. Der Scheidemann hat die Republik ausjerufen, und da sind wa abjehaun – ick mach’ jetzt in Revolution, komm’ste mit nach Nowawest? Da, ick ha’ Muttern een Stück von’t Inlet jeklaut (er wies auf das rote Tuch unter seinem Arm), da mach’ ick ’ne rote Fahne draus. Mein Oller hat schon eene, is’ jetzt Arbeiterrat und hat Vaddern (Herr Suchefad war für Franz immer noch ‚Vadder‘) den Schlüssel von’t Kontor abjenommen, zusammen mit den roten Scholz – na, komm’ste nu mit, Kleener“, fragte er nochmals.

Als Gero verneinte, meinte er: „Na, denn eben nich’, Tschüß, det jibt heute een scheenet Remmidemmi, ick mach’ mit“, damit raste er die Treppe zur Bahnunterführung hinunter, um noch einen gerade einfahrenden Zug nach Potsdam zu erreichen.

Daheim hatte Gero traurig und auch mit Entrüstung von seinen Erlebnissen erzählt, der Vater hatte nur genickt, denn auch er hatte heute Ungewöhnliches erlebt.

„Gleichet Recht for alle“, mit diesen Worten war kurz vor Schluß der Arbeitszeit Wilhelm Müller – unangemeldet und ohne anzuklopfen – in sein Büro getreten. Er trug die rote Nelke an seiner Bluse. Er hatte weiter gesagt, daß er jetzt der Arbeiterrat von der „Eule“ wäre, vom Kollektiv gewählt. Eine große rote Fahne hätten sie bereits auf dem Türmchen des Hauptgebäudes aufgezogen. Er würde nun zusammen mit dem Genossen Scholz die Leitung übernehmen. Der Vater erzählte, er hätte den Auftritt zunächst für einen schlechten Scherz gehalten und geglaubt, daß Müller einen über den Durst getrunken habe. Als aber auch der „Rote Scholz“ eingetreten sei, habe er gemerkt, daß es den Männern ernst mit ihrer Forderung sei.

„Gleiches Recht für alle“, habe er dann gesagt, also auch Feierabend jetzt nach vier Uhr für ihn, den Prokuristen Suchefad. Er habe ihnen den Büroschlüssel übergeben und ihnen eingeschärft, daß sie ihn gut aufbewahren sollten, bis zum Montag morgen acht Uhr. Dann beginne wieder sein Dienst und dann könnten sie ihn wieder sprechen.

„So war’s bei mir“, sagte er, „und nun müssen wir abwarten, wie’s weiter geht.“

Gero war am folgenden Tage, am Sonntag, den 10. November, am Vormittag zum Bahnhof gegangen, um dort eine Zeitung zu kaufen. Den Berliner Lokal-Anzeiger hatte er verlangt. Den gebe es nicht mehr, hatte der lahme Verkäufer gesagt, bei Scherl habe die Spartakus-Gruppe die Redaktion übernommen. „Hier", sagte der Mann, „sie geben jetzt die ‚Rote Fahne' heraus, woll'n Se die?" Gero hatte lieber ein anderes Blatt genommen. Aus ihm erfuhren sie daheim, daß die Revolution auch in Berlin geglückt sei und daß der Prinz Max von Baden die Regierungsgeschäfte an den sozialdemokratischen Abgeordneten Fritz Ebert abgegeben habe. Er sei jetzt der Reichskanzler. Gestern habe der Abgeordnete Scheidemann von einem Fenster des Reichstages aus die Abdankung des Kaisers und des Kronprinzen verkündet. „Die Dynastie ist gestürzt, ein herrlicher Sieg des deutschen Volkes", habe er gerufen. Es war auch ein Aufruf des Reichskanzlers Ebert abgedruckt, in dem er um Unterstützung bei der schweren, vor ihm liegenden Arbeit bat und mit den Sätzen schloß: „Mitbürger! Ich bitte euch alle dringend: Verlaßt die Straßen! Sorgt für Ruhe und Ordnung!"

„Ruhe ist die erste Bürgerpflicht", brummte Suchefad beim Lesen. 1806, nach der verlorenen Schlacht bei Jena, plakatierte es der königlich-preußische Minister, heute sagt's ein Sozialdemokrat. Es bleibt sich doch immer gleich. Er las weiter und wurde lebhaft: „Sie scheinen sich aber noch nicht einig zu sein, die Herren Genossen. Hier ist eine andere Verlautbarung. Nach der ist die politische Gewalt in den Händen der Arbeiter- und Soldatenräte – also bei Wilhelm Müller. Na, dann ‚Gute Nacht' (er wurde sarkastisch). Sie verlangen eine rasche und konsequente Vergesellschaftung der kapitalistischen Produktionsmittel nach dem Beispiel der russischen Arbeiter und Soldaten. Mit Bewunderung gedenke man ihrer, die auf dem Wege der Revolution vorangeschritten seien." Suchefad unterbrach die Lektüre: „Hm, russische Verhältnisse, Mord und Totschlag, Bürgerkrieg – da hätten wir noch allerhand zu gewärtigen", er verstummte.

„Steht nichts von der Front drin", fragte Gero zaghaft.

„Nur der knappe Kriegsbericht", antwortete Suchefad. „Am 8. November wurde der Franzose, der sich nordöstlich von

Oudenaarde erneut auf dem östlichen Scheldeufer festgesetzt hatte, im Gegenangriff wieder über den Fluß zurückgeworfen. Sonst gab's nur vor unseren neuen Linien Abwehrkämpfe, und für gestern heißt es lakonisch: ‚An der Westfront ruhiger Tag.'"

„Was schreiben sie von den Waffenstillstandsverhandlungen?" fragte die Mutter.

Herr Suchefad blätterte in der Zeitung: „Ich finde nichts – aber hier, eine andere Nachricht: Das Ergebnis der 9. deutschen Kriegsanleihe beträgt 10 Milliarden 337 Millionen Mark! Wer da gezeichnet hat, der kann das Geld jetzt sicher in den Rauchfang schreiben", sagte er bitter.

*

„In Zivil, du bist in Zivil" – erstaunt hatte es Gero ausgerufen, als Ehrhardt am Nachmittag plötzlich wieder vor ihm an der Wohnungstür stand. Hilflos, fast ein wenig beschämt, hatte der Bruder nur genickt. „Ja, wir sollen nach Hause gehen, hat der Wachtmeister gesagt – Offiziere gibt's ja nicht mehr – der Krieg wäre für uns aus."

„Der Krieg ist aus!" Die Mutter hatte es gehört und nahm ihren Langen in die Arme: „Gott sei Dank, der Krieg ist aus!"

„Aber unten hat Franz wieder ein Extrablatt an die Telegraphenstange geheftet", sagte Ehrhardt, "ich hätt schon eins mit heraufgebracht, wollte nur meine Sachen ablegen. Gero, spring schnell runter, ehe Franz fort ist."

Gero lief die Treppe hinunter. Gegenüber an dem Telegraphenmast hatte Franz einen Zettel angeheftet, und Frau Sorgen stand davor, Rechtsanwalt Schmitz kam gelaufen und auch der alte Hausdiener von Greifs. Extrablatt stand auf dem Blatt Papier und darunter:

> Der frühere deutsche Kaiser Wilhelm II. ist heute am Vormittag in Holland eingetroffen.

„Willem is' abjehauen, Extrablatt", fröhlich rufend schwenkte Franz seine Blätter in der Hand, „nen Groschen, Willem is' abjehauen." Er lief den in sonntäglicher Stille liegenden Königsweg hinunter.

„Desertiert – der Kaiser ist desertiert", der Hausdiener schüttelte den Kopf. „Felonie, wie konnte er das nur tun!“ knirschte Schmitz durch die Zähne, ehe sich beide entfernten.

„Das Schicksal des Zaren bleibt ihm jedenfalls damit erspart“, sagte Suchefad, als er den Satz gelesen hatte.

„Vater, was ist Felonie“, hatte Gero gefragt. „Das heißt Verrat, Treuebruch, Bruch der Lehnstreue des Lehnsmannes gegen den Lehnsherren, aber auch umgekehrt. Woher hast du denn das Wort?“

„Rechtsanwalt Schmitz hat es vorhin drüben vor dem Extrablatt gesagt.“

„Na, ja, so kann man es auch nennen“, hatte der Vater darauf geantwortet.

*

„Der Kaiser desertiert, er, der Oberste Kriegsherr hat Felonie begangen“ – Gero gingen die Worte nicht aus dem Sinn, als er am Abend oben in der Kammer in seinem Bett lag. „Desertiert – Felonie“, seine Gedanken liefen zurück: Wie oft hatte er dem Kaiser zugejubelt, dem strahlenden Heros! Er sah ihn vor sich in der Uniform der Gardeducorps, auf den vielen Bildern, die die illustrierten Zeitschriften, die Weltrundschau, von ihm gebracht hatten, stets als den unerreichbaren, vollkommenen Herrscher des herrlichen und mächtigen deutschen Reichs – und jetzt „desertiert“, wie der alte Soldat mit einem verächtlichen Unterton gesagt hatte?

Geros Gedanken verhakten sich in der Erinnerung an jene Kaisergeburtstagsfeier, an der Oberlehrer Sneder sie mit seiner Rede begeistert hatte. Ein Satz aus dieser war noch wortgetreu in seiner Erinnerung. „Alle Mannestugend“, so hatte Sneder damals gesagt, habe „seine erhabene Persönlichkeit gleich einem strahlenden Kristall in sich vereint“.

Und noch ein anderer Tag stieg in ihm auf: Der erste Schultag nach den Großen Ferien im August 1914. „Drum Brüder, reicht die Hand: Gott – Kaiser – Vaterland“ – mit welcher Inbrunst hatten sie damals die Schlußzeile des trutzigen Liedes nach der Eingangsfeier gesungen.

Einem Schwure gleich hatten sie feierlich-getragen den Kehrreim „Gott – Kaiser – Vaterland“ wiederholt – und viele von ihnen hatten den Schwur mit dem Tod aus Feindeshand besiegelt.

Aber der Kaiser war desertiert.

Er, ihr Oberster Kriegsherr, hatte Felonie begangen!

In dem Jungen wühlte der Schmerz. Er sprang aus dem Bett und ging zum schmal-hohen Fenster, dessen Schwelle nur wenige Hände hoch über dem Fußboden lag. Er öffnete es. Kühl und feucht fauchte ein Windstoß in die Kammer. Er achtete nicht darauf, blickte in das Dunkel der Nacht. Dort, zur Linken weit über dem Bäketal, zwischen den Schranken hatten in den ersten Kriegstagen die Soldaten gelegen, hatten die schwermütigen Lieder vom Morgenrot und vom frühen Tod gesungen – wieviele von ihnen mochten heute noch leben? Und unten, auf den Gleisen der Wetzlarer Bahn, waren sie begeistert ins Feld gefahren. „Mit Gott für Kaiser und Vaterland", hatten sie an die Waggons geschrieben – und der Kaiser war jetzt desertiert!

Gero war verzweifelt. Er kniete vor dem Fenster, blickte in die Nacht, in die Tiefe – und wieder lockte sie, wie zum ersten Mal, als er sich, noch nicht fünf Jahre alt, in einem hohen Baum verstiegen und sich im Wind über dem Dach des Waldhauses gewiegt hatte. Wie im Traum war es gewesen, als ob ihn eine Stimme riefe: „Laß dich fallen, laß dich schweben . . ." Und zum zweiten Mal, als ihn ohnmächtige Wut und Empörung über die Ungerechtigkeit des Direktors Stahl auf die Dachterrasse der Schule getrieben hatte . . . „Laß dich fallen", lockte es auch jetzt.

Zerbrochen war der strahlend-helle, hehre Kristall!

Ein Geräusch schreckte ihn auf – es war Ehrhardt, der sich in der Nebenkammer auch zu Bett legte.

Vor dem Fenster prasselte ein Regenschauer zur Erde, erste Schneeflocken mischten sich darein. Aus der Ferne drang ein Gewirr von Rufen, Stimmen, wilden Schreien zu dem Lauschenden. Leuchtmunition zog ihre Spur über den Himmel. Es war Westwind. In Nowawes feierten die Arbeiter ihre Revolution – und dazwischen klang streng und silberhell das Spiel der Garnisonkirche, der Halbstundenschlag „Üb' immer Treu und Redlichkeit".

Gleich einer fallenden Perlenschnur erloschen unter Gero auf dem Königsweg müde eine nach der anderen die Gasflammen in den Straßenlaternen – es wurde gestreikt.

Gero schloß das Fenster und legte sich fröstelnd ins Bett. „Männer weinen nicht", sprach er laut in das Dunkel der Kammer – dann aber barg er das Gesicht in dem Kissen, und die Tränen rannen, bis er vor Müdigkeit einschlief.

Aus unserem Verlagsprogramm:

HELMUT GÜTTICH

Die andere Lucrezia Borgia

Eine Fürstenehe in der Renaissance

220 Seiten – Bildtafeln – Gebunden mit Schutzumschlag DM 29.80

Die 22jährige Lucrezia, verwitwete Herzogin von Biselli, geschiedene Sforza, heiratete den Erbprinzen Alfons von Ferrara. Der Erbprinz tat alles, um dieser Heirat zu entgehen. Kurz vor dem Einzug in ihre künftige Residenzstadt fand die erste Begegnung der Brautleute statt. Augenblicklich wurde Alfons der freiwillig Gefangene seiner Frau. Bis zu ihrem Tode im Kindbett mit 38 Jahren blieb diese Ehe glücklich. Auch von ihren früher betonten Gegnern wurde die Herzogin bis zum Tode geliebt. Das galt auch für die ganze Bevölkerung ihrer Länder, der sie immer eine umsichtige, tatkräftige und kluge Regentin war.
Die Este waren die vornehmsten der italienischen Fürsten, sie führen ihren Stamm auf die Langobardenkönige zurück. Die Borgiapäpste unterscheiden sich von den anderen Papstfamilien ihres Jahrhunderts überhaupt nicht. Ihnen als Nichtitalienern und Nichtfranzosen gab man später die Hauptschuld an allen vatikanischen Fehlern. Dabei waren Calixt III. und Alexander VI. von einer unglaublichen Liberalität. Beide schützten den Lorenzo Valla, der als Prälat im Vatikan sicher nachwies, daß die Konstantinische Schenkung und die Dekretalen Pseudoisidors Fälschungen waren. Er konnte in Rom in Ruhe sterben. Erst viele Jahrhunderte später gab der Vatikan diese Fälschungen zu, ohne auf seinen jetzt durch nichts mehr begründeten päpstlichen Primatsanspruch zu verzichten.
Von Kaiser Maximilian über den König von Frankreich überboten sich die deutschen und besonders die französischen Ritter mit ihrem Idol Bayard darin, das Loblied der Herzogin zu singen. Ariost und Kardinal Bembo waren ihre bewundernden Freunde. Die Italiener schrieben ihr „dolce ciera" zu. Man kann es mit „bezauberndem Liebreiz" übersetzen. Ihr Leben belegen Briefe. Nach den Forschungen der letzten anderthalb Jahrhunderte kann man die zahlreichen über diese Fürstin in Umlauf gesetzten Gerüchte nicht mehr glauben. In der ganzen Borgialegende offenbart sich vielmehr der erste große Umerziehungsversuch durch gedruckte und indexgesteuerte Massenmedien. Das Umfeld der Este zeigt die skrupellosen Renaissancemächte in allgemeiner Verworfenheit. Nur dieser Hof hebt sich ab.

TÜRMER-VERLAG
D-8137 Berg am See

Aus unserem Verlagsprogramm:

HANNSJOACHIM W. KOCH

Die Befreiungskriege 1807–1815

Napoleon gegen Deutschland und Europa

600 Seiten – 12 Bildseiten – Großformat – Gebunden mit Schutzumschlag DM 49.80 – ISBN 3 87819 105 1

Die Französische Revolution fegte alte Ordnungen und Strukturen beiseite. In Frankreich stieg aus den Wirren dieser Umbruchzeit Napoleon Bonaparte als Retter im Inneren und Exponent traditionellen französischen Machtstrebens im Äußeren empor. Er wurde zusammen mit seinen Soldaten zum scheinbar unbesiegbaren Mythos seiner Zeit.
Seine Armeen zertrümmerten im Schritt über die Grenzen Staaten und Throne. Das alte Heilige Römische Reich Deutscher Nation brach zusammen. Europas Mitte, ein Machtvakuum seit der Reformation und dem 30jährigen Krieg, wurde vollends zerstört.
Die Auflehnung gegen diesen Zerstörungsprozeß ist Thema dieses Buches. Der Verfasser wendet sich bewußt gegen die bei unseren Vorvätern noch vorherrschende „patriotische Legende", indem er in Erzählung und Analyse auf die Vielschichtigkeit der Quellen hinweist, die neben Deutschland in ganz Europa jenen Prozeß speisten, der in den Befreiungskriegen mündete. In ihm ist die literarische, publizistische und geistesgeschichtliche Vorbereitung jenes deutschen und europäischen Aufstandes, der 1815 bei La Belle-Alliance sein Ende fand, in das Gewebe des politischen, wirtschaftlichen und militärischen Geschehens mit einbezogen. Briten, Preußen, Österreicher, insbesondere die Tiroler und Russen, waren letzten Endes nicht bereit, sich dem Korsen zu unterwerfen. Das Panorama umfaßt die Metropolen Europas: Paris, London, Berlin, Wien, Madrid und St. Petersburg. Überall sammelte sich bereits früh der Widerstand gegen die französische Hegemonie. In Deutschland setzte man seine Hoffnungen auf Preußen, wo, einmalig in der deutschen Geschichte, sich die führenden Köpfe des Widerstandes gesammelt hatten, nicht zur Wiederherstellung der Größe Preußens, aber der Freiheit und Einheit Deutschlands, ein Preis, den der Wiener Kongreß den Deutschen noch vorenthielt. Doch der Ruf nach Freiheit war stark genug, um im Sturm der Befreiung die französische Fremdherrschaft in wenigen Monaten zu beseitigen, nachdem Napoleon in Rußland wie in Spanien Niederlagen erleiden muße, von denen er sich nicht mehr erholen konnte.
Hannsjoachim W. Koch, ein glänzender Kenner der preußischen, deutschen und europäischen Geschichte, schöpft voll aus den Quellen der Archive Ost-, Mittel- und Westeuropas und beschreibt in seinem neuesten Werk den dramatischen Kampf der europäischen Völker gegen die Hegemonialbestrebungen eines Mannes, der selbst davor nicht zurückscheut, sein eigenes Volk zur Erfüllung seiner Ziele an den Rand des politischen und wirtschaftlichen Ruins zu zwingen. Mit der geschliffenen Feder eines großen Historikers schildert er Opfer und Leistungen Preußens, Österreichs, Großbritanniens, Spaniens und Rußlands im Kampf gegen die Vorherrschaft Napoleons in Europa. Die Vielzahl der Strömungen tritt hervor, die schon früh Widerstand leisteten, die ohne Unterstützung ihrer Souveräne auf eigene Faust zum Kampf gegen Napoleon riefen, bis schließlich das Signal von Tauroggen die Befreiungskriege einleitete, den ersten Kampf der Völker in der neueren europäischen Geschichte. Und Preußen riß alle Länder deutscher Zunge, „von der Maas bis an die Memel, von der Etsch bis an den Belt", mit sich.
Noch immer gelten das Zeitalter Napoleons und besonders die Befreiungskriege als ein Reiz- und Experimentierfeld für die Geschichtsschreiber, die entweder nicht im Stande sind, ihr Auge außerhalb ihres engen nationalen Horizonts zu werfen, oder andererseits den Glauben verbreiten, erst mit Napoleon habe insbesondere in Deutschland „die Modernität" begonnen. Beide aber verstellen unseren Blick für das Wesentliche jener Jahrzehnte. Hier wird endlich eine Darstellung aus berufener Feder vorgelegt, die der wahren Dimension der deutschen und europäischen Selbstbefreiung vor 175 Jahren gerecht wird.

TÜRMER-VERLAG
D-8137 Berg am See